CIRURGIA
VERDE

Dr. ALBERTO PERIBANEZ GONZALEZ

CIRURGIA VERDE

CONQUISTE A SAÚDE
PELA ALIMENTAÇÃO À BASE DE PLANTAS

Copyright © 2017 Dr. Alberto Peribanez Gonzalez
Copyright © 2017 Editora Alaúde

Todos os direitos reservados. Nenhuma parte desta edição pode ser utilizada ou reproduzida – em qualquer meio ou forma, seja mecânico ou eletrônico –, nem apropriada ou estocada em sistema de banco de dados sem a expressa autorização da editora.

Este livro é uma obra de consulta e esclarecimento. As informações aqui contidas têm o objetivo de complementar, e não substituir, os tratamentos ou cuidados médicos. Elas não devem ser usadas para tratar doenças graves ou solucionar problemas de saúde sem a prévia consulta a um médico ou a um nutricionista. Uma vez que mesmo mudar hábitos e medicações alopáticas pode envolver riscos, nem o autor nem a editora podem ser responsabilizados por quaisquer efeitos adversos ou consequências da aplicação do conteúdo deste livro sem orientação profissional.

O texto deste livro foi fixado conforme o acordo ortográfico vigente no Brasil desde 1º de janeiro de 2009.

Preparação: Fátima Couto e Cacilda Guerra
Revisão: Rosi Ribeiro Melo, Fernando Santos, Martha Lopes e Camile Mendrot
Receitas: Maya Beermann e equipe da Oficina da Semente
Preparação das receitas: Claudia Gomes
Capa: Amanda Cestaro e Rodrigo Frazão
Fotografia de capa: Família Coelho Studio
Ilustrações de capa e miolo: Felipe Cavalcante

1ª edição 2017 (3 reimpressões)

Dados Internacionais de Catalogação na Publicação (CIP)
(Câmara Brasileira do Livro, SP, Brasil)

Peribanez Gonzalez, Alberto
Cirurgia verde : conquiste a saúde pela alimentação à base de plantas / Alberto Peribanez Gonzalez. -- São Paulo : Alaúde Editorial, 2017.

Bibliografia.
ISBN: 978-85-7881-415-1

1. Alimentação 2. Alimentos naturais 3. Educação em saúde 4. Hábitos saudáveis 5. Natureza - Poder de cura 6. Saúde - Promoção 7. Vegetais na nutrição humana I. Título.

17-01246   CDD-613.2

Índices para catálogo sistemático:
1. Alimentação baseada em plantas : Promoção da saúde 613.2

2021
Alaúde Editorial Ltda.
Avenida Paulista, 1337, conjunto 11
São Paulo, SP, 01311-200
Tel.: (11) 3146-9700
www.alaude.com.br
blog.alaude.com.br

Agradecimentos

Agradeço a Deus o privilégio de ter vindo ao mundo em uma família de classe média, estável, que me criou com alimentação, amor e afeto, me permitiu acesso aos estudos e uma convivência maravilhosa com a natureza no sítio da minha infância.

Agradeço a todos os professores do ensino básico que me educaram até eu obter uma vaga na medicina e, depois disso, a tantos professores valiosos que permitiram que eu me formasse e fizesse residência em cirurgia geral.

Nos anos de residência, talvez pelo início das reflexões, passei a conviver com outros mestres. Pessoas de todos os tipos, que apareciam como pacientes, colegas, ativistas, inspirando-me a enxergar uma outra realidade. Agradeço a esses mestres incidentais que, ao realizar pequenos gestos, modificaram o rumo da minha vida.

Agradeço a todos os meus orientadores científicos na área de cirurgia, em especial os médicos André Luiz Vianna, Paulo Mendelsohn, Stefan Post, Michael Menger, Konrad Messmer e Gabriel Cousens. Minha turma de residência da UnB, Orlando Pereira Faria, Stenio Meireles e meu saudoso amigo Roberto Pena. Aos novos colegas que se apresentaram, Brunella Nogueira, Maristela Rezende, Márcio Bomtempo, Thornton Streeter, Norbert Wilms, Bernd Gerken, Kimberly Schipke, Nandita Shah, Aris LaTham, Amit Goswami, Uma Krisnamurti, Eduardo Tibiriçá, Ernst Götsch, Sônia Felipe, Wallace Liimaa e Marly Winkler. A toda a minha turma e aos professores da pós-graduação em Medicina Integrativa do Albert Einstein, a Denise Tiemi, Fernando Souza, Paulo de Tarso Ricieri.

Quero agradecer aqui uma mulher única e especial, Maya Beermann, que coordena nossa equipe. Nós nos aperfeiçoamos a cada curso, a cada etapa de trabalho e a cada conquista, na área profissional e na vida. Alguns alinharam conosco e depois seguiram seu caminho, outros chegaram e firmaram raízes. Minha gratidão se estende a todos, os que já se foram, os que estão conosco e os que ainda não se manifestaram.

Da origem da Oficina da Semente, no Rio de Janeiro, os queridos amigos Graça dos Prazeres, Fabio Virgolino, Arzhel Gortais, João Pedro Silva, Nino Rodrigues e Jaqueline Rodrigues.

Após a chegada ao nosso lar no interior paulista, os terapeutas Keli Parayana Dasa, Patrícia Reis de Souza, Jacqueline Kassick, Wallace Pinheiro, Cassiano Andrade; as nutricionistas Thais Cazorla, Monica Cristina, Melissa Suarez e Carina Muller; os músicos terapeutas Marcio Andrade, Anne-Sophie Bertrand, Adriano Prana e Fábio Guedes. Nossa preciosa cozinheira Célia Cristina e equipe, Esther Aggio de Souza, Jennifer Silva, Jessica e Valdir Ferreira, Marcia e Natalia Acuña. Nossos agricultores Solange Gabriel e Renato e todos os amigos do Bairro Boa Vista, minha fonte maior de inspiração. Ao pessoal de apoio Micael Andrade, Athos e Judite Senigalia. Aos mestres das imagens Regis e Natalia Terencio e Tiago Negrão. A todos os nossos queridos voluntários e aos colegas Margareth Puttini, Carlos Marx Alves, Manoel Pereira, Thiago Conforti, Conceição Trucom, Adriano Caceres, Ivan Diniz e Julia Valle.

Um agradecimento especial a Silvana Belizário. Seu carinho e acolhimento fizeram possível o fechamento deste livro. Mais feliz por tê-la agora como parte da nossa equipe.

E, finalmente, agradeço a todos vocês, os que leem este livro e o recomendam, os que se tratam seguindo nossos métodos e aqueles que nos procuram em nossos cursos. E já são muitos! Vocês são meus verdadeiros mestres, pois é na constante faina que aperfeiçoamos nossa prática, tornando-a cada vez mais simples, e ao mesmo tempo profunda.

Por fim, dedico este livro com todo o meu amor para as meninas da minha vida Ana Sofia, Mariah, Gabriela Inez e Sarah.

Sumário

Apresentação - Sobre consertar bicicletas 9

Introdução 13

Capítulo 1 - Vida 25
Capítulo 2 - Alegria 93
Capítulo 3 - Luz do Sol 163
Capítulo 4 - Água de beber 237
Capítulo 5 - Ar, oxigênio e respiração 313
Capítulo 6 - O terreno biológico 365
Capítulo 7 - Terra 405

Bibliografia 455

Anexo I - Modelo Biogênico 477
Anexo II - Atividades presenciais 505

Apresentação

Sobre consertar bicicletas

No início de 1991, eu era um jovem cirurgião-geral formado pela Universidade de Brasília e acabara de ganhar uma bolsa de estudos na Alemanha. Era uma grande emoção chegar pela primeira vez a um país da Europa, esse canto do mundo pelo qual tenho grande admiração. Quando a porta do avião da Varig se abriu, meus pés foram envolvidos pelo ar gelado. O termômetro do aeroporto de Munique indicava precisamente 0 °C. Pequenos flocos de neve caíam no meu rosto enquanto eu descia a escada do avião. Estava inflamado pela neve.

Cheguei à casa dos Wiessholler numa tarde de sábado. As casas do pequeno bairro pareciam as dos contos de fadas. O professor Wiessholler é um bom homem, que eu aprenderia logo a chamar de Herr Wiessholler. Para ele, o fato que vou descrever é provavelmente irrelevante, embora tenha sido de grande significado em minha vida.

Balbuciante na língua germânica, exprimi meu desejo de passear pela vizinhança, que foi prontamente respondido pela oferta de uma bicicleta, colorida como artesanato de feira *hippie*. Até farol a bicicleta tinha. Naquele momento eu me tornei um menino com um brinquedo novo, em um país novo, rodeado de gente nova, com roupa diferente, cabelos ao vento entre os bosques cheios de verde, pedalando entre os flocos de neve, ainda sem saber se aquilo era um sonho.

As ruas eram perfeitas. Se voltasse lá hoje, ainda saberia andar pelas bucólicas ciclovias de Ottobrunn, um município nos arredores de Munique. Anoitecia. Aos poucos o pedalar foi se tornando pesado, mas não por causa das minhas pernas. A borracha mastigada me trazia a má notícia: o pneu traseiro furara. Fiquei consternado. Uma bicicleta com pneu furado justamente no meu primeiro dia de Alemanha. Comecei a caminhar na direção oposta à da casa do professor, onde estaria o comércio, pois queria resolver logo o problema. Achei uma loja de bicicletas com um grandalhão parado na frente. Tudo resolvido, pensei. Balbuciei alguma coisa e apontei o pneu furado. O homem respondeu negativamente com o típico dialeto da Bavária e pôs-se a fechar a loja com estardalhaço. Após perambular pelo bairro com mais uma dezena de frustradas comunicações guturais, voltava melancolicamente, ao cair da fria noite de abril. Mal havia chegado e já ia dar prejuízo aos meus anfitriões. Eu e a graciosa bicicleta com o pneu furado.

Herr Wiessholler estava fumando um cachimbo na frente da lareira, enquanto lia o jornal. Um senhor imponente como as montanhas dos Alpes, de onde vinha sua família. Pai de oito filhos, um deles Maxi, que, junto com Olaf Dathe, foram os colegas que me levaram à Alemanha. Constrangido, dei-lhe a notícia. Ele foi até a porta, pegou a bicicleta e levou-a serenamente ao porão, onde havia um cubículo com bancadas cheias de ferramentas. Pendurou o guidão e o assento em dois ganchos no teto. Tirou a roda traseira com duas chaves de fenda, desengrenou a corrente e pôs o pneu furado sobre uma bancada. Desencrustou a borracha com uma lâmina de metal e rápida aplicação de pressão. Em um instante tinha a câmara nas mãos. Tomou de um pedaço de tela de borracha, um pouco de cola e aplicou no furo, detectado por simples inspeção com a câmara cheia. Em quinze minutos havia desmontado, consertado e remontado o pneu.

Em quinze minutos uma nuvem se dissipou em minha cabeça. Aquele gesto representava não apenas um traço de cultura, mas, principalmente, uma atitude, uma forma de pensar. Poderia ter sido no Japão ou na Bolívia, na Rússia ou na Nigéria. O impacto teria sido o mesmo: quando alguém toma para si um problema e o resolve com métodos simples e ao alcance das mãos, novas fronteiras se abrem.

Não tardei a perceber que esse padrão se repete em diversos sistemas ao nosso redor, no mundo todo. *Deixar para consertar* nos empobrece, nos afasta dos processos criativos e construtivos, nos deixa ilusoriamente à mercê de uma tecnologia que dominamos por meio de conhecimento superficial, mas que na verdade ignoramos por completo. Além disso, a atitude de encaminhar para outros as responsabilidades que nos cabem tornou-se endêmica. E essa é a marca do nosso paradigma de saúde e doença. Saúde é algo que começa dentro de nós, e a saúde do planeta depende da saúde de cada ser vivo ou inanimado da biosfera. Enquanto não entendermos isso, continuaremos a *nos deixar consertar* pelos médicos, seus remédios e suas engenhocas.

Muitos anos se passaram desde esse incidente tão marcante para a minha formação. Fiquei quatro anos na Alemanha, fiz parte de uma equipe de pesquisa de grande sucesso na área de transplante de fígado, microscopia intravital e microcirculação. Publicamos 120 artigos em revistas de grande valor científico, como *Gastroenterology*, *Transplantation*, *Gut* e *American Journal of Physiology*. Ganhamos três prêmios científicos pelos avanços que nossos experimentos trouxeram ao campo dos transplantes de órgãos. Defendi nesse curto prazo minha dissertação de mestrado e minha tese de doutorado, pela qual fui agraciado com a menção *summa cum laude*.

De volta ao Brasil, tornei-me pesquisador da Universidade Estadual do Rio de Janeiro (UERJ) e da Fundação Oswaldo Cruz (Fiocruz), além de professor de fisiologia nas mesmas instituições e depois na Universidade Estácio de Sá. A fisiologia é, no meu entender, a mais importante das áreas básicas da medicina e das ciências da saúde. Foram mais sete anos de dedicação à pesquisa e à docência na graduação e na pós-graduação, até que um dia fui tocado pela magia dos alimentos vivos. Desse momento em diante, passei a me dedicar à pesquisa dos mistérios da vida com um empenho e um esforço que não havia experimentado nem mesmo quando fazia cirurgias ou lidava com ciência pura.

Meu desafio é atingir a saúde pública plena através da educação alimentar da população. Este livro tem o objetivo de mostrar algumas das áreas de conhecimento que surgem na interpretação de nossa saúde que se tornarão cruciais nos próximos dez anos.

Não pretendo fechar nenhum tema. O livro é representativo de nossa técnica de educação em saúde. Ou seja, entendo que, ao ensinar esses princípios (científicos) à população em geral, obtenho uma ferramenta indispensável, com a qual posso trabalhar na culinária saudável, baseada em vegetais (cultural). Essa junção científico-cultural é capaz de grandes façanhas na saúde. É a base do nosso ambulatório de saúde integral, que funciona na cidade de Capão Bonito, no interior de São Paulo. Depois de três anos de trabalho preliminar, nossos resultados já são visíveis, e vamos agora entrar em uma fase aplicativa, visando à docência, à assistência e à coleta de dados para séries científicas.

Desse trabalho surgiu o modelo biogênico de saúde, que apresento no fim do livro. Nosso grupo pode receber equipes de qualquer lugar do Brasil ou do mundo para aprender os princípios básicos ensinados ao longo de catorze anos de experiência com a alimentação à base de plantas.

Veremos que o modelo biogênico de saúde depende dos pequenos agricultores, de água pura e saudável a baixo custo, do treinamento de assistentes e médicos, assim como da atenção continuada às famílias nele envolvidas. É um modelo cultural, pois abrange a educação em saúde e em culinária, a apresentação de filmes e representações teatrais, assim como atividades coletivas: danças circulares, exercícios de alongamento, meditação, fogueiras e saraus musicais.

Acredito que a vida e a expansão da cultura da vida são as peças fundamentais de uma nova visão do homem sobre si mesmo e de uma nova visão do homem sobre o ambiente e a comunidade. A junção de todos esses conceitos nos conduz à paz, pois a saúde humana é a paz com as células, e a saúde ambiental é a paz com a mãe natureza.

Mas isso já é assunto para um próximo texto. Espero que a leitura seja tão apaixonante quanto foi para mim escrever este livro, forjado na repetição de dezenas de edições do curso Bases Fisiológicas da Terapêutica Natural e Alimentação Baseada em Plantas. Espero que após a leitura você procure a nossa equipe. Temos diferentes atividades nos endereços fornecidos no fim do livro. Vamos trabalhar juntos para a regeneração e a cura da humanidade e do planeta. E vamos consertar nossas bicicletas.

Tikum Olam.
A-hô.

Alberto Peribanez Gonzalez

Introdução

*O maior poder da espécie humana é o de transformar
a si mesma e ao ambiente que a circunda.*

Desde que James D. Watson e Francis H. C. Crick descreveram a cadeia de DNA, tudo mudou na ciência da medicina. Publicado em 1953 na revista científica *Nature*, o artigo intitulado "A estrutura molecular dos ácidos nucleicos: uma estrutura para o ácido desoxirribonucleico" é um texto surpreendente, uma pérola da ciência, pois contém a resposta para o mistério fundamental dos organismos vivos: como é possível que as instruções genéticas sejam transferidas de geração em geração.

O modelo proposto pelos jovens fisiologistas surpreendeu pela solução simples e elegante, pois todos os biólogos da época apresentavam modelos muito mais complexos. O impacto da descoberta foi tão intenso e perturbador que mesmo as comunidades científica e médica demoraram nove anos para reconhecer os cientistas com o prêmio Nobel de Fisiologia e Medicina, em 1962.

Consta que, em determinado momento, dirigindo-se a um *pub* perto de Cambridge, Watson teria dito a Crick: "Acho que encontramos a fórmula da vida". De fato, a gigantesca molécula de DNA pode ser entendida como o manual de instruções e o plano de construção das proteínas, das enzimas, das membranas e de todos os tecidos, órgãos e respectivas funções daquilo a que chamamos vida, seja nos microrganismos, seja nos seres multicelulares.

Na formação do corpo humano, uma célula embrionária simples surge da fusão entre um espermatozoide e um óvulo. Ela passa então pela divisão celular, pela multiplicação e principalmente pelo processo de diferenciação, que permite que da célula primordial se originem células e tecidos neuronais em determinado lugar ou células e tecido hepáticos em outro. O ciclo de replicação do DNA da célula é regulado por mecanismos nanoscópicos (uma escala 1 milhão de vezes menor que a micro). São moléculas – ou partículas em escala molecular – que, ao trabalhar incessantemente, como abelhas ao redor de uma colmeia, mantêm a ordem do nosso DNA. A doença que conhecemos como câncer está diretamente ligada a alterações que ocorrem na sequência e nas condições regulatórias resultantes desse processo.

O genótipo de uma pessoa – ou seja, o seu código genético – está contido em um filamento de ácido desoxirribonucleico (DNA) que chega a 2 metros de comprimento. Porém, a magnífica estrutura do DNA permite que ele se enrole de forma a caber dentro da microscópica área do núcleo da célula. O DNA é formado pelos nucleotídeos adenina, guanina, citosina e timina. Juntos eles perfazem 3 bilhões de blocos de construção em cerca de 23.000 genes. É uma enormidade de sequências cujo sentido ainda é em grande parte desconhecido.

O corpo humano tem aproximadamente 100 trilhões de células com funções diferentes, em órgãos diferentes – de uma célula do endotélio, que reveste os vasos capilares, a um neurônio, que conduz impulsos nervosos, ou uma célula cardíaca, que dispara o sinal automático de contração do músculo. E dentro de cada minúscula célula de nosso corpo existe a mesma molécula de DNA, com a mesma sequência de genes e informações que programaram, desenharam, estruturaram e neste momento mantêm todas as funções corporais. Com todos os detalhes que fazem de cada indivíduo um ser único e diferente de todos os outros seres do planeta, muito embora sejamos semelhantes em até 99,5 por cento. É no 0,5 por cento restante que reside toda a diferença entre um esquimó, um africano ou um inglês. Todas as adaptações ao ambiente, as migrações e as miscigenações humanas ao longo do tempo ficaram gravadas nessa ínfima parte daquilo que é o nosso programa básico de construção.

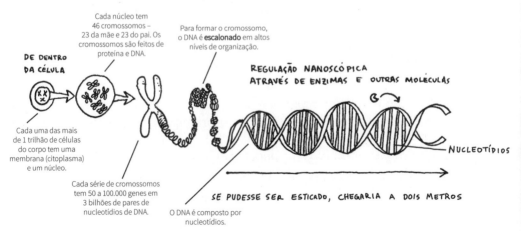

Na busca de soluções para problemas de saúde do homem e para confirmar essas observações, cientistas ao redor do planeta reuniram-se em equipes a fim de desenvolver um amplo projeto que decifrasse e revelasse as funções de todos os genes: o Projeto Genoma Humano. Muitos anos e descobertas depois, chegamos às condições atuais.

Em setembro de 2007, o grupo de pesquisa do Instituto J. Craig Venter publicou a sequência completa do nosso genoma. Esse trabalho foi revolucionário porque o genoma avaliado corresponde ao genoma diploide, que contém a informação de cada par cromossômico herdado de nossos pais, ao contrário da sequência determinada pelo Projeto Genoma, que corresponde ao genoma haploide, ou seja, à metade do genoma que pertence a um dos progenitores. Descobriu-se assim que as sequências genéticas entre dois indivíduos são 99,5 por cento idênticas, e não 99,9 por cento, como se imaginava ao fim do Projeto Genoma Humano.

Atualmente, essa vasta informação científica é utilizada para modificar os genes ou introduzir sequências de purinas – as moléculas constituintes do DNA – que permitam a produção de enzimas, aminoácidos ou proteínas geneticamente eficientes, exercendo funções fisiológicas nas células na tentativa de reverter as doenças crônicas e degenerativas que afligem todo o planeta.

Além de decifrar o genoma humano, a ciência debruçou-se sobre o mundo animal. Ratos, camundongos, macacos e cães tiveram seus genomas vasculhados e também decifrados, pois esses animais ainda são usados em pesquisas de laboratório. Rapidamente, porém, a ciência percebeu que uma nova direção deveria ser tomada.

O organismo humano é composto de 100 trilhões de células organizadas. Mas, vivendo em simbiose com esse enorme terreno biológico – na pele, na boca, no nariz, na orofaringe, nas orelhas, na árvore respiratória, nos intestinos, na cavidade vaginal e no ânus – há um exército de 1 quatrilhão de bactérias.

A partir de amostras de bactérias contidas nas diversas cavidades do corpo de 242 indivíduos saudáveis, o Projeto Microbioma Humano passou a mapear o genoma desses pequenos mas, definitivamente, importantes seres. O genoma de um micróbio passou a ser denominado microbioma, e os resultados da pesquisa têm sido impressionantes. O somatório dos microbiomas que residem em nosso corpo contém 100 vezes mais material genético que o nosso próprio genoma. Dito de outra forma: embora dez vezes mais populosos em número que nossas células, os microrganismos têm 100 vezes mais manuais de instruções proteicos, capazes de produzir todas as substâncias que estão em nosso corpo neste momento, e consequentemente criar uma miríade de substâncias estranhas – e essenciais – ao nosso corpo, e colocá-las em contato direto com nossas células.

Trata-se de um mundo que cresce e se reproduz à mercê de nossos hábitos e práticas. A ciência denomina esse universo, que soma a genética do corpo com a de seus microscópicos habitantes externos e internos (exo- e endossimbiontes), de metagenômica. Esse mundo complexo e invisível pode definir se teremos uma infância livre de cáries, sinusites e asma. Ou se uma criança, ao comer na escola a mesma dieta que seus colegas, não se tornará obesa ou diabética. Nossa saúde se definirá pela interação entre nosso material celular-genético e o das bactérias que habitam nosso corpo.

Ou seja, não podemos mais falar de *nosso* DNA, pois ele é apenas um ator em uma ópera cujo sucesso será definido por centenas de figurantes, cenógrafos, figurinistas, músicos, maestro, cantores e divas. Apenas um tratamento antibiótico pode alterar o metagenoma. Se retirarmos o tenor (um tipo de bactéria), descaracterizaremos por completo a obra. Se o substituirmos por outro menos talentoso, o resultado nunca mais será o mesmo.

Esse universo se adapta ao ambiente e muda no decorrer da vida. Somos, cada um de nós, um ecossistema, uma floresta diversa, composta por micróbios essenciais e por nossas células. Como uma floresta, nossa sobrevivência depende das flores e das vespas, das folhas que caem, do húmus, das chuvas e dos ventos, da diversidade de insetos e da pacífica simbiose entre as partes que a compõem.

Epigenética

Os fatores externos influenciam a atividade de muitos genes. Uma célula pode estabilizar as condições regulatórias decorrentes desse processo, sendo isso identificado como uma memória. E o modo como funciona essa "memorização" é o objeto da epigenética, o mais empolgante campo de pesquisa na biologia molecular da atualidade. A epigenética (do grego *"epi"*, que significa "ao redor de", "adjunto") trata de marcadores de importância genética que não estão contidos na sequência do DNA em si, mas em suas adjacências. Esses marcadores são minúsculos apêndices moleculares que se posicionam em diferentes partes do filamento de DNA ou das proteínas ao redor das quais o DNA se enrola. Isoladamente ou em conjunto, eles atuam "ativando" e "desativando" genes ou grupos de genes. Por conter as informações regulatórias dos genes, esse *epigenoma* tem a mesma importância do genoma.

APÊNDICES MOLECULARES

Pesquisas realizadas nesse campo do conhecimento deixam claro que os hábitos de vida podem determinar alterações significativas na expressão dos genes. Em 2008, foram escritos 16.000 artigos científicos sobre epigenética, e esse número tende a se multiplicar. Mas o primeiro a trazer essa informação de forma clara foi o de Stephen R. Spindler, então na Universidade de Wisconsin-Madison, publicado em 2001. Spindler teve a ideia de manter um grupo de camundongos com dieta *ad libitum*, ou seja, eles podiam comer quanto quisessem. Outro grupo recebeu 50 por cento dessa dieta. A redução de 50 por cento não significa escassez de alimentos, mas metade da glutonaria, por assim dizer.

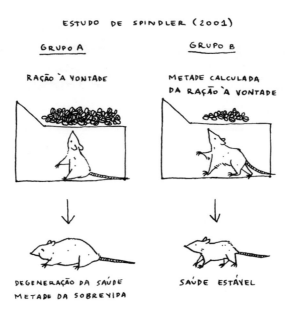

A dieta do segundo grupo lembra mais a condição do animal na natureza: a necessidade de buscar o alimento, o jejum, a escassez e a fartura sazonais. Os camundongos que comiam o que queriam tornaram-se rapidamente obesos, com marcadores bioquímicos equivalentes aos dos seres humanos obesos. Já os que se alimentavam com a dieta mais controlada permaneceram ágeis, delgados e saudáveis. Viveram o dobro do tempo dos camundongos que tinham comida à vontade.

Estudando o genoma desses animais, Spindler detectou que o gene da longevidade estava suprimido nos camundongos induzidos a serem glutões e que o mesmo gene estava ativado nos camundongos com restrições na quantidade de ração. Menos comida, mais vida. Depois de ler sobre esse experimento, fui passear em um *shopping* para comprar alguns presentes de Natal e passei por uma praça de alimentação lotada. Adivinhem em que cobaias eu pensei?

Nessa nova e vibrante cena científica, um estudo de 2003, dos pesquisadores Randy L. Jirtle e Robert A. Waterland, da Universidade Duke, nos Estados Unidos, é considerado dos mais significativos. Nesse estudo foram utilizados os camundongos com gene *agouti*, uma espécie laboratorial cujos cromossomos expressam uma natureza glutona (são animais ávidos por ração) e pelagem amarelada. São cobaias raras, utilizadas em estudos de câncer e diabetes, tal a suscetibilidade que apresentam a essas doenças. Logo que nascem, os filhotes tornam-se obesos devido à voracidade, e desenvolvem a típica pelagem amarelada.

O estudo foi concebido para identificar se alterações na nutrição pré-natal e gestacional de fêmeas suscetíveis poderiam transmitir informações genéticas e modificações físicas para a prole. Uma ração com maior conteúdo das vitaminas B_{12} (cianocobalamina) e B_9 (ácido fólico) e com traços da substância colina foi fornecida a fêmeas portadoras do gene *agouti* (gordas e amareladas) antes e durante a gestação. O resultado foi impressionante. A mínima mudança na dieta foi responsável por efeitos dramáticos na prole, que resultou semelhante a camundongos ancestrais da espécie. Os suplementos fitoquímicos da dieta pré-natal e gestacional das mães obesas e amareladas foram capazes de determinar filhotes esbeltos, sem doenças e com pelagem marrom-escura. O autor do trabalho, um cético da escola convencional da medicina, desabafou: "Há dois milênios Hipócrates já afirmava: alimentos são medicamentos".

No atual estágio do conhecimento proporcionado pela epigenética, não há dúvida de que o conceito de "predisposição genética" para essa ou aquela doença já não mais se sustenta. Apesar de termos marcadores biológicos e genéticos que nos dão mais chances de desenvolver certas doenças na vida adulta, podemos desligar ou desativar esses genes determinantes mudando hábitos alimentares e de vida, eliminando agentes nocivos à saúde. Mais do que isso, o que hoje chamamos de doença de incidência familiar pode ser redefinido como doença ligada ao *metagenoma* familiar, ou seja, doença determinada pelo genoma humano em confronto com o genoma das bactérias comensais, as bactérias que uma determinada família cultiva desde o nascimento do bebê, do ambiente vaginal da mãe, da pele, do meio ambiente, do *modus vivendi*, dos alimentos, dos móveis e da atmosfera familiar. Se um indivíduo conseguir mudar seus hábitos de vida, sua alimentação e suas práticas esportivas, pode com isso quebrar uma "maldição de família".

Mecanismos bioquímicos da epigenética

Histonas

As histonas são proteínas cilíndricas encontradas dentro do núcleo da célula. Muitas servem de suporte ao DNA, que se enrola ao redor delas como um fio de linha ao carretel. Essa disposição permite que uma organela do núcleo da célula, o ribossoma, tenha acesso às moléculas de leitura e possa ter acesso ao DNA. Para ler e copiar as informações do código genético (a transcrição), as enzimas precisam de exposição direta à sequência de purinas e aminoácidos. Para tanto, as histonas emitem braços (apêndices) de acetila que sustentam a cadeia de DNA como postes de fios, expondo a sequência dos nucleotídeos do DNA à ação das enzimas e, portanto, permitindo a transcrição dessa região do DNA. A esse evento denomina-se *ativação do gene*.

Se os filamentos de acetila inexistem, a cadeia de DNA fica enrolada de forma justa sobre as histonas e não ocorre a exposição do DNA às enzimas de leitura. Assim, todas as funções decorrentes daquele gene ficam interrompidas. Esse evento denomina-se *inativação*, "*off*" ou *supressão* do gene. Muitos desses eventos são ainda objeto de amplos e inumeráveis protocolos. Ainda haverá outros mecanismos a desvendar. Para nós, basta entender que os genes podem ser "ligados" ou "desligados", e assim a sua função resultante.

Metilação

Já o processo da metilação, que também pode "desligar" um gene, consiste na acetilação de moléculas do grupo metila – composto por um átomo de carbono e três de hidrogênio – com a citosina, uma das quatro purinas que formam a sequência do DNA. Ao ligar-se com esse setor da cadeia do DNA, o grupo metila impede sua leitura, levando à sua inativação ou supressão. As vitaminas do complexo B, mencionadas no experimento de Jirtle e Waterland, são capazes de remover radicais metila da cadeia do DNA. Ou seja, uma simples reposição vitamínica pode pôr em funcionamento novamente um gene inativo.

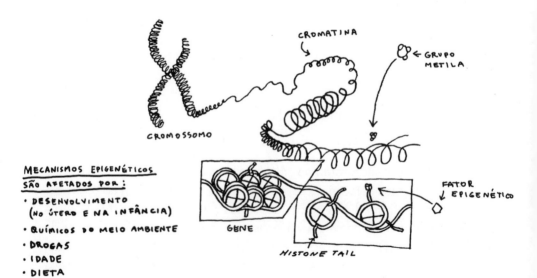

Temporalidade

A ciência da genética já reconhecia esses mecanismos, mas entendendo que eles eram determinados em fase intrauterina, portanto em etapa muito precoce do desenvolvimento do feto. Não se admitia que as alterações epigenéticas pudessem acontecer no decorrer da idade adulta. No entanto, estudos com modelos de gêmeos univitelinos mostram que essas condições permanecem moldáveis durante toda a vida. O epigenoma é sensível às coisas da vida. Reage a elas e se adapta à nova realidade. O estudo do espanhol Manel Esteller, de amplo alcance populacional e em constante desenvolvimento, já demonstra com clareza que gêmeos univitelinos, ou seja, com códigos genéticos idênticos, adquirem características completamente diferentes, chegando mesmo a se tornarem pessoas não reconhecíveis como irmãs, dependendo dos hábitos de vida e alimentares que escolheram em seus diferentes destinos.

As doenças adquiridas ou prevenidas nesses gêmeos têm relação direta com a expressão ou a supressão dos genes-chave envolvidos no metabolismo que determina cada doença. Assim, a epigenética nos mostra que, assumindo a responsabilidade sobre nossos hábitos de vida, podemos interromper uma sequência de erros cometidos por nossos pais e avós. De forma oposta, podemos também determinar o surgimento de uma nova doença até então inexistente em nossa família.

> No entanto, o viés reducionista que toma conta da medicina atual distorce achados tão óbvios e convincentes. As empresas de medicamentos já desenham "protocolos de drogas que possam reverter as descritas modificações epigenéticas". Um completo desatino. Nenhum fator pode ser considerado tão importante na epigenética quanto os hábitos de vida ou a alimentação. É aquilo que praticamos no cotidiano, é aquilo que nos influencia e alimenta, três vezes ao dia, sete dias por semana, trinta dias por mês que é capaz de influenciar nossos genes e sua expressão.
>
> A maior parte das doenças que conhecemos se adquire por repetição de práticas nocivas. Nosso mais impressionante e complexo sistema de análise, o DNA, resiste quanto pode aos desafios nocivos, mas, de tanta repetição, acaba por se adaptar. A essa adaptação do DNA e suas consequências fisiológicas denominamos doença.

Esteller advoga o desenvolvimento de um Projeto Epigenoma Humano compreensível e abrangente, para mapear todos os marcadores epigenéticos contidos em nosso material genético. Uma boa notícia para os estudiosos e os portadores de câncer, pois nessa doença muitas alterações ocorrem no nível das histonas e através de metilações, mecanismos específicos da epigenética.

Efeitos na psique

Não soa estranho dizer que aquilo que ocorre na mais tenra infância nos afeta pelo resto da vida. Mas a epigenética mostra que algo mais profundo também acontece. Uma vivência psicológica negativa (ou positiva) fica registrada em nossa genética e pode alterar mesmo a biologia do funcionamento cerebral, positiva ou negativamente.

O estudo já clássico de Michael Meaney, psicólogo da Universidade McGill, no Canadá, realizado em 2005, é muito revelador, tanto em seus resultados diretos como em seus desdobramentos. Meaney estudou durante anos o comportamento de ratos. Esse tipo de estudo inclui o comportamento em labirintos e situações que simulam estresse semelhante ao que os animais encontrariam em seu dia a dia. Já era fato científico comprovado que ratos tratados com afeto pela mãe (calculado pela frequência de lambidas) apresentavam um comportamento calmo e confiante na vida adulta. Já os ratos criados por mães distantes, que recebiam pouco afeto na tenra infância, desenvolviam um comportamento medroso e mesmo agressivo.

A experiência de não ser lambido pela mãe fica registrada na memória dos animais. A informação armazenada relaciona-se com o bloqueio ou com a supressão de comportamentos. Nessa etapa é que os resultados se tornaram ainda mais impressionantes. Os padrões de metilação e apresentação de histonas ocorriam em células do hipocampo, área do cérebro relacionada com o aprendizado e a memória. Nos animais relegados pelas mães, um gene decisivo estava em *off* (desativado). Essa alteração determinou o pouco desenvolvimento dessa área do cérebro e suas consequências comportamentais. O estudo também detectou concentrações elevadas de cortisol (o hormônio do estresse). O comportamento materno de lamber o filhote influenciou o epigenoma e o comportamento dessas cobaias quando adultas.

O que pode representar a infância humana, um mar de experiências e emoções, na formação de um ser humano?

Meaney e outros pesquisadores deram início a um projeto multidisciplinar e multifocal no qual centenas de bebês humanos estão sendo estudados quanto a frequência de cuidados, alimentação e vida social. Nesse estudo, um grupo é formado por mães com tendências depressivas, com dificuldade para cuidar adequadamente de seus filhos desde o momento do nascimento. Também estão sendo programados estudos que relacionem as alterações epigenéticas com anomalias funcionais e anatômicas do cérebro.

A tudo isso se soma outra teoria de grande impacto, a teoria dos *genes saltadores*, fragmentos do DNA que copiam a si mesmos e depois se inserem em outros locais do genoma, provocando alterações da atividade total do gene e até mesmo a ativação de genes vizinhos. Esse fenômeno é específico do cérebro e resulta em comportamentos e características mentais diferentes, mesmo em indivíduos da mesma família e que compartilharam criação e experiências semelhantes.

Imaginemos dois gêmeos univitelinos, criados até os 18 anos com as mesmas regras e comportamentos de família. Então um deles decide ser fuzileiro naval, enquanto o outro se torna monge budista. Em poucos anos esses gêmeos se comportarão de maneira diferente – na verdade, serão pessoas completamente diferentes. Tudo por causa dos genes saltadores, que nos adaptam mentalmente ao ambiente que frequentamos.

A epigenética mostra que diversos mecanismos do corpo humano são controlados pelos genes, mas regulados pelas proteínas e moléculas nucleicas, o que resulta em sua supressão ou ativação. A epigenética é uma antena que sintoniza o que acontece no mundo externo e leva esses sinais para o universo profundo do DNA, sendo assim determinante de alterações substanciais em nossa fisiologia.

Observada desse ponto de vista, a doença com a qual temos de lidar hoje é resultante de um processo contínuo e cotidiano, que veio se cristalizando no decorrer de anos, através da cuidadosa repetição de hábitos que influenciam diretamente nosso metabolismo. Esses hábitos podem vir de outras gerações, como o hábito culinário de comer amidos e açúcares, e da agressividade verbal ou física de familiares.

De forma inversa, a doença que temos hoje pode tornar-se saúde amanhã. O epigenoma pode ser modificado, mesmo na vida adulta. Ao incorporar em nosso cotidiano uma mudança completa nos hábitos de vida e de alimentação, estaremos planejando e determinando o fim de uma doença ou a sua mitigação a tal ponto que o seu tratamento seja modificado e a medicação, mesmo que alopática, fique reduzida a uma fração mínima das necessidades atuais.

Nós podemos, além de consertar os pneus, também desenferrujar as correntes de nossa bicicleta.

1
Vida

Quero que você leia este livro com os olhos e o coração e que procure senti-lo com o paladar e todos os órgãos dos sentidos. Vamos falar de receitas culinárias e das sublimes leis da vida, guardadas pela ciência da fisiologia. Vamos abordar o conceito de vida e como ele se aplica à saúde do homem, dos animais, das plantas e da Terra. Muito mais do que isso, vamos nos preparar para o retorno à natureza. Para tanto, precisamos aguçar alguns sentidos que a vida profissional e a pressa urbana acabam por embotar.

Então, se for possível, afaste-se um pouco da grande cidade e de seu ambiente pleno de carros, estresse, gases de exaustão, ruídos de celulares, exposição a *tablets* e computadores, aparelhos eletrônicos e ondas eletromagnéticas em geral. De fato, tudo isso se tornou tão entranhado em nossa rotina que parece mesmo impossível realizarmos essa tarefa.

Se a sua cidade não for tão gigante e verticalizada, pode até ser possível pegar uma bicicleta e pedalar alguns quilômetros até chegar a um bosque ou algo parecido, onde haja algumas árvores, onde o solo esteja ainda coberto de terra e folhas e onde se possa ver o céu acima das copas. Não importa se a árvore é um pinheiro, um coqueiro ou um cajueiro. Se o local trouxer paz e tranquilidade e não houver muitas pessoas circulando além de você e um acompanhante, vá em frente.

Agora você está de fato diante de uma mensageira. Observe-a por um momento. Veja as marcas do tempo em seu tronco, os ramos frondosos que se direcionam para cima, sempre irregulares, com uma beleza sempre única. De fato, não há sequer uma árvore idêntica a outra em toda a Terra e em todos os tempos. Algo sempre a fará modificar-se: o vento, o sol, a chuva e os temporais. Os pássaros e seus ninhos, as plantas, o musgo e os cogumelos decoram seu corpo, que se molda ao relevo e ao vento. Nas alturas, seus galhos carregam-se de frutos e flores multicolores, enroscando-se aos de outras árvores.

Embaixo dos seus pés, outra árvore, invisível aos olhos, tão grande como a que sobe aos céus, penetra na penumbra úmida da terra. São as raízes, que cresceram em igual proporção para baixo e fincaram suas hastes nas profundezas. Nesse mundo subterrâneo, elas se entrelaçam e enlaçam todos os seres vivos que ali habitam: insetos, minhocas, fungos e bactérias.

Dois mundos, representados em um único ser, estão diante dos seus olhos. A árvore nos traz o mistério da vida física, material e biológica, mas também o mistério da vida imaterial, vibracional e eterna.

Ponha as mãos no tronco. Se for possível, observe os seres que habitam esse pequeno universo, muitas vezes distante dos nossos olhos. Nesses poucos minutos, uma meditação já teve início. Olhe novamente para a copa da árvore, para o movimento das folhas, para o céu, e, se tiver olhos para enxergar, veja também as ondas de vibração que essa árvore emite. Nós nos acostumamos a portar pequenos aparelhos que recebem ondas vibratórias invisíveis, os celulares. Através deles podemos falar com pessoas do outro lado do mundo, receber fotos ou vídeos. Mas hesitamos em enxergar ou perceber as frequências vibracionais emitidas por uma bela árvore. Mesmo que saibamos pela biologia que ela é exímia captadora e armazenadora de energia solar, que a integra com a água, os sais da terra e os hormônios do húmus, tendemos a acreditar mais nos feitos da eletrônica que nos servem na rotina moderna. Rejeitamos a ideia de que a árvore, essa incrível usina de vida que trabalha em baixa fissão e acumula massa ao planeta, seja capaz de emitir tão potente informação alinhadora de nossos sistemas.

Então, ainda com as mãos postadas no tronco, tire os sapatos e aproxime-se. As células que compõem seu corpo vão agora receber a frequência desse ser, harmonizando-se com ele. Esse é um fenômeno vibratório normal, perfeitamente compreensível. As membranas celulares, as organelas sintetizadoras e energéticas e o DNA das suas células passam a vibrar na mesma frequência das células da árvore. A árvore tem suas raízes profundamente fincadas na terra e seus galhos projetados para o céu, funcionando como uma antena perfeita entre os dois reinos. Como um diapasão inerte passa a vibrar quando se aproxima de um diapasão semelhante que está vibrando, seu corpo também passa a vibrar na mesma frequência da Terra. Se conseguir sentir essa fusão vibratória do diapasão inerte que passa a vibrar na mesma nota que o diapasão da árvore e do planeta, aproveite o momento e aproxime-se mais da grande amiga e abrace-a.

Você está agora em comunhão com a energia da vida. Um mistério singelo mas poderoso se revela. Seu corpo e o da árvore tornam-se um. Procure agora respirar com a árvore, sentindo que o oxigênio que ela exala pelas folhas é o combustível de suas células e o gás carbônico que você exala na ventilação serve de base para a fotossíntese de carboidratos, lipídios e proteínas que ela faz e que depois servirão de alimento para o planeta e para as suas células. Inale pelo nariz e pela boca a vida que brota desse tronco, mas inale também a essência de vida que brota dessa comunhão. A seguir, exale o ar que sai de suas células com as informações do seu metabolismo. E pronuncie como um sussurro a palavra "vida". Sinta essa palavra, vibre na força dessa palavra.

Em um nível mais profundo, entregue suas aflições, seu medo, sua sensação de impotência e receba dela coragem, amor e poder. Essa árvore está invadindo você com a corrente da vida. Se seu corpo está doente, acredite nesse realinhamento e em seu poder de cura. Se conseguir viver esse momento, aproveite-o, pois, para muitos, é difícil alcançá-lo.

Após a leitura deste livro e de outros que dirão coisas semelhantes, você deixará as coisas que o seduzem na cidade e iniciará uma caminhada de volta para o reino da Mãe Terra – aquela que zela por nossa integridade, por nossa saúde, para que tenhamos longos dias em seu seio e para que possamos aprender muito com a vida.

O QUE É A VIDA?

Essa é a pergunta que venho repetindo no primeiro dia de cada curso de Bases Fisiológicas da Terapêutica Natural, que ministro desde 2006. Antes da pergunta, todos os integrantes do curso passam por esse ritual de iniciação com as amigas árvores. Os alunos vêm de longas jornadas na noite anterior, em aviões, carros e todo meio de transporte, alimentando-se em paradas e postos de gasolina, falando por celulares e *tablets*. Ou seja, com a frequência do mundo contemporâneo. São recebidos, ao cair da noite, com uma sopa de sementes germinadas. Logo depois são hospedados em quartos aconchegantes, sem televisão ou sinal de internet.

Às 7 da manhã tocamos o sino e recebemos todos na grande sala, onde os aguarda o primeiro copo de suco verde. Serão de 3 a 21 dias de aulas em grupo, longe da cidade, cercados por florestas e isolados de ondas eletromagnéticas, nutrindo-se de alimentos vivos e revitalizando corpo e mente.

Já são muitas as edições desse curso no Brasil e na Alemanha. Adotamos algumas regras, para bem garantir a integridade dos ensinamentos e a harmonia dos alunos entre si e com a equipe. Os momentos de comunhão energética com elementos da natureza são uma dessas regras. Sugiro ao interessado em lecionar o conteúdo deste livro que não o faça em ambiente urbano impróprio e sem seguir a sequência apresentada aqui, pois poderiam ocorrer interrupções ou rupturas de conceito. Em nenhuma edição do curso aconteceu de algum aluno rejeitar esses momentos ou sentir-se alheio a eles. A integração com a natureza traz por si só o ensinamento necessário.

Assim começamos, comungando com a vida. Após os minutos de dedicação às frondosas amigas, os recém-chegados se abraçam como se se conhecessem há anos. Levo um quadro branco para o ambiente externo, com o intuito de não interromper o fluxo vibratório da natureza, e pergunto: "O que é a vida?". A questão circula, com respostas as mais diversas: vibração, amor, integração, luz, energia, divino, manifestação, eternidade, água, átomo, ar, simbiose, cooperação, equilíbrio, harmonia, consciência, metabolismo, relacionamento, nutrição, crianças, inteligência, saúde, morte, evolução, sexualidade, natureza. Percebo que quanto mais se pergunta mais respostas surgem, pois a vida é um mistério que sente a si mesmo, em grupo ou em cada ser vivo que habita o universo.

A vida é, pelo menos em tese, o objeto de estudo da biologia. E pelos padrões da biologia a vida se define por:

- **organização** – células, tecidos, órgãos e sistemas se organizam para formar um ser vivo. Os seres vivos podem ser unicelulares ou pluricelulares;
- **metabolismo** – subdivide-se em *anabolismo*, processo pelo qual substâncias se acumulam dentro do ser vivo; e *catabolismo*, processo pelo qual o material acumulado é "queimado" com vários objetivos, e que termina com a degradação do sistema quando da morte;
- **homeostasia** – a capacidade do organismo de reagir a mudanças no ambiente, como do pH, da temperatura e da hidratação;
- **resposta seletiva** – a capacidade de aproximar-se ou de fugir; por exemplo, aproximar-se de alimentos e fugir de predadores naturais;
- **crescimento** – a multiplicação das células proporcionada pelos nutrientes obtidos do ambiente;
- **genética** – a informação hereditária sequencial na forma de genes, proveniente de sistemas vivos anteriores; ácido desoxirribonucleico (DNA) e ácido ribonucleico (RNA);
- **reprodução** – a vida se perpetua com a transmissão de metade (número haploide) ou de todo (número diploide) o material genético, criando novos seres total ou parcialmente similares. A reprodução pode ser sexuada ou assexuada;

estrutura populacional – os seres vivos formam populações que têm interesses comuns na cadeia alimentar e criam linhas de defesa comuns.

É claro que esta é uma visão muito resumida do tema, pois cada um desses itens se desdobra em diversos outros ramos da biologia. Os biólogos podem se especializar em biologia molecular ou celular, ou podem estudar por toda a vida apenas a genética ou a membrana celular. Mas o estudo dessa energia em corrente, com a qual podemos nos conectar ao abraçar uma árvore, vai ainda muito além das definições simples e reducionistas de subgrupos. Na verdade, a biologia muito tem feito para o progresso da ciência, mas nos últimos 100 anos a ciência vem se encarregando de subdividir o que de fato é realmente um universo único.

Uma nova corrente de pesquisadores, cujos precursores são os chilenos Humberto Maturana e Francisco Varela (*in memoriam*) e o inglês Rupert Sheldrake, procura entender a biologia como uma rede de sistemas, na qual o todo de uma rede se comunica com o todo de outra. Fenômenos como telepatia coletiva, mente não localizada, autopoiese, informação não verbal e redes de sistemas vivos integram o antigo saber biológico em um conhecimento ao mesmo tempo sistêmico e unificado, que compreende as dimensões biológica, cognitiva e social e pode abranger desde seres unicelulares até sistemas complexos como o capitalismo global e as variações do clima no planeta Terra – além da própria Terra como um ser biológico (a hipótese Gaia, de James E. Lovelock).

Especializados nesses novos conceitos da biologia, os seres unicelulares, as bactérias, os fungos e toda sorte de vida microscópica dão as cartas na ciência do novo milênio. Deixaram definitivamente o papel de vilões ou coadjuvantes e passaram a fazer parte da solução, sendo eles os protagonistas.

Na medicina integrativa, na nutrição funcional e nas formas de agricultura orgânica, sintrópica e biodinâmica, uma nova explosão de conhecimento envolve a vida microbiológica, dando a esse reino uma dimensão que até hoje ele não tinha.

A simbiose entre sistemas vivos unicelulares de grandes populações, como a das bactérias intestinais com os intestinos (microbioma) ou a dos fungos e bactérias com as raízes das plantas (rizobioma), pode significar uma nova compreensão da fisiologia digestiva, da saúde da terra e das plantas e seu suporte hormonal, da imunidade humana e vegetal.

A RELAÇÃO DAS BACTÉRIAS COM OS INTESTINOS

Em meu primeiro livro, *Lugar de médico é na cozinha*, falei sobre as bactérias intestinais e o "fim da era antibiótica". A intenção era despertar o leitor, principalmente os que são das áreas de agricultura, nutrição, medicina e outros setores da saúde, a preencher uma lacuna dos currículos acadêmicos.

Desde que a teoria do germe, de Louis Pasteur, venceu a hipótese do terreno biológico, de Antoine Béchamp e Claude Bernard, em meados do século XIX, os germes, esses laboriosos seres com tantas capacidades biológicas, foram colocados no banco dos réus. Na verdade, foram submetidos a execução sumária pela agricultura, pela nutrição e pela medicina. O que é lamentável é que até hoje teorias obtusas ainda sejam transmitidas como verdade absoluta a alunos de graduação nessas áreas.

Na agricultura, a maior parte das substâncias químicas utilizadas visa ao extermínio da microbiota do solo. O glifosato, por exemplo, chamado pela nossa desavisada população rural de "mata-mato", usado no campo no lugar das enxadas e, na cidade, na limpeza de calçadas e até na frente de escolas, age como um disruptor biológico agressivo e genérico, que elimina toda a microbiota em que é aplicado. Ele age sobre uma enzima da célula vegetal, levando à interrupção da produção de triptofano, fenilalanina e tirosina, três aminoácidos essenciais às plantas, às bactérias e a fungos envolvidos na vida desses vegetais. Sem qualquer forma de vida no solo, a planta seca e morre. Imaginemos isso em larga escala no modelo do agronegócio. São milhões de hectares de nosso país aspergidos com esses venenos em doses crescentes e inaceitáveis. Na universidade, os agrônomos são treinados a usar essas drogas biocidas. Não recebem, em contrapartida, a informação de que essa e muitas outras substâncias utilizadas como agrotóxicos, fertilizantes ou venenos agrícolas causam malformação fetal, problemas disruptores endócrinos ou câncer no homem.

Já os nutricionistas aprendem que os alimentos devem ser esterilizados, pasteurizados, irradiados, e que seu tempo de embalagem e de prateleira deve ser calculado. Não há dúvida de que devem aprender microbiologia e higiene de alimentos, mas falta incluir em seu currículo um curso de probiótica, para lembrá-los de que cada ser humano tem quase 1,5 quilo de bactérias ativas dentro do corpo, e que a esterilização do alimento não impede que ele seja transformado em comida de bactérias altamente patogênicas e desfavoráveis à saúde humana assim que entra nos intestinos. A nutrição precisa sair de sua postura passiva em relação à medicina e meditar sobre uma nova alimentação probiótica (que contenha bactérias vivas), prebiótica (que alimente essas bactérias) e simbiótica (que trabalhe em conjunto com as bactérias na construção da fisiologia e da saúde). Por sorte, já existem várias iniciativas em andamento, com o nome de nutrição funcional. Os novos nutricionistas estão adquirindo a liberdade de intervir nas doenças através dos alimentos, algo que os médicos não veem com muita simpatia.

Mas os maiores desatinos restam mesmo para nós, médicos, e para a medicina. Recebemos em nossos plantões mães carregando crianças alimentadas com leite em pó e açúcar, bolachas e *chips* e toda sorte de porcarias industrializadas. Crianças que, em toda a vida, receberam alimentação pasteurizada, irradiada, esterilizada e com quantidades indecentes de agrotóxicos. Essas crianças estão doentes, muito doentes. Elas e grande parte dos adultos que fazem fila para ser atendidos estão com a microbiota intestinal completamente alterada por remédios, antibióticos e alimentos que, desde a origem, trazem os traços da química agrícola e depois são processados pela indústria alimentícia para chegar com "preço acessível" à classe média e aos setores menos favorecidos.

As alterações epigenéticas induzidas por essa dieta pobre já fazem parte do DNA dessas pessoas. Elas são a base de todas as queixas, sintomas e sinais detectados nos pacientes, mas a maioria dos médicos desconhece esses fatos. Educados pela "teoria do germe" e servindo a um sistema de saúde que é mantido pela indústria de medicamentos, olham para aquela criança e prescrevem a quarta ou quinta dose de antibiótico em apenas dois anos de vida. Eles deveriam saber que antibióticos nessa faixa etária alteram a epigenética, o metagenoma e, portanto, o DNA das crianças. Na cadeia da doença, que começa no campo, resta aos médicos o tiro de misericórdia.

Durante milênios a espécie humana desenvolveu uma relação simbiótica com as bactérias benéficas. Na verdade, existem fósseis de bactérias de milhões de anos e estudos que determinam a relação dessas bactérias com sedimentos humanos de igual idade geológica. Foi num fóssil que os cientistas identificaram que as bactérias *Bacillus subtilis* apresentam simbiose de longa data com os intestinos do homem. Isso quer dizer que as bactérias que habitam nossos intestinos vieram evoluindo paralelamente aos sistemas digestivo e imunológico, colocando-os em fina sintonia.

Alguns micróbios nocivos são responsáveis por infecções e doenças agudas, enquanto outras bactérias desenvolveram uma forma de inteligência biológica que lhes permite fazer parte do organismo do qual se beneficiam, em uma parceria que dá suporte ao sistema imunológico e até mesmo defende o sistema intestinal humano de outras bactérias. É a tradução do ensinamento da unidade e da polaridade aplicado no âmbito biológico e imunitário. É a harmonia do homem com o ambiente, do ambiente com o intestino humano, das bactérias intestinais com a parede intestinal. É o estabelecimento da paz intestinal, uma espécie de nirvana biológico.

Essas bactérias passaram a ter tratamento diferenciado dos intestinos. Neles encontram-se "lugares confortáveis" para a fixação de colônias bacterianas desse tipo. Você prepara o copo do "leite da terra" e o bebe. A bebida entra pela boca e lá vão as bactérias amigas do seu corpo junto com a bebida fresca. As bactérias normalmente são destruídas pelos ácidos do estômago. Mas o leite da terra tem maçã, fruta de grande poder alcalinizante, além de hortaliças, também alcalinas, que neutralizam os ácidos gástricos. Isso faz com que as bactérias passem livremente pelo estômago. Se você tem acidez estomacal, então o leite da terra é um grande remédio.

Depois que nossas bactérias amigas passam pelo estômago, chegam ao intestino delgado, onde já começam a encontrar "cadeiras" para sentar, na parede do órgão. Estou falando de um mundo microscópico, mas de uma forma que todos possam entender. A "cadeira" tem na ciência médica o nome de "receptor". Esses receptores estão na membrana celular das células da parede do intestino e na membrana das bactérias, pertencem à categoria molecular dos polissacarídeos e funcionam como "chaves" que têm combinações específicas, portanto abrem apenas "um tipo de porta". Pois bem, no intestino delgado as cadeiras são específicas para as bactérias do gênero *Lactobacillus*. No intestino grosso as cadeiras recebem bem as bactérias do gênero *Bifidobacteria*. Quando os lactobacilos e as bifidobactérias "sentam-se em suas devidas cadeiras", ou seja, quando adquirem mecanismos de fixação à mucosa intestinal, começam a multiplicar-se rapidamente, fazendo com que a totalidade da parede intestinal fique "atapetada". Uma pedra coberta de musgo ou uma parede coberta de heras. Nos locais em que as bactérias se fixam, elas iniciam uma conversa amigável com o sistema imunológico intestinal.

Quando os lactobacilos se fixam em seus respectivos receptores, sua potência aumenta e eles são capazes de atacar e expulsar as bactérias nocivas que tentam colonizar os intestinos. E nossos amigos lactobacilos são muito mais fortes que as bactérias nocivas. As bactérias amigas dos intestinos também têm a capacidade de associar-se a outros grupos de bactérias simbióticas e promover uma verdadeira proteção do sistema gastrintestinal como um todo.

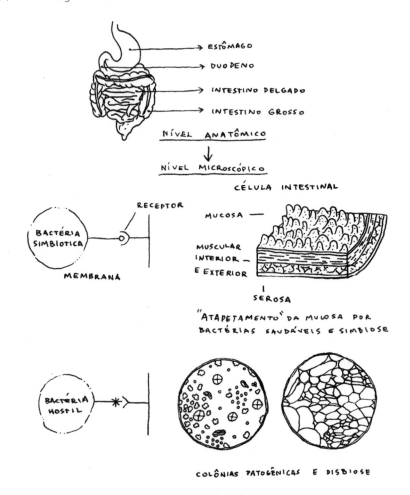

Em um estudo recente, Mazmanian e colaboradores isolaram um polissacarídeo, descrito como polissacarídeo A (PSA), produzido pela *Bacteroides fragilis*, uma das bactérias que vivem em simbiose com o intestino humano. Essa molécula ganhou o nome de "fator simbiótico", pois estimula o sistema imunológico intestinal, através das células T CD4+, a produzir a IL-10 (interleucina 10), um mensageiro celular capaz de promover a eliminação de bactérias nocivas e produzir efeitos anti-inflamatórios na mucosa gastrintestinal.

Esse estudo explica como os alimentos probióticos, a exemplo dos leites da terra, atuam nas diarreias e em outros problemas gastrintestinais. A melhora da inflamação é o que diversos pacientes portadores da doença de Crohn ou retocolite ulcerativa experimentam ao optar por uma alimentação à base de frutas, legumes e verduras.

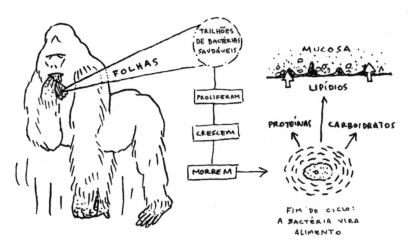

Mas o fato mais impressionante sobre as bactérias é o de que elas são *alimento* para seus hospedeiros. Todos os animais, inclusive gorilas, elefantes, búfalos, rinocerontes e vários outros herbívoros de grande porte, se alimentam de folhas, frutos, sementes... e bactérias!

Imagine a força que tem um gorila. A maioria das pessoas pensa que essa força provém exclusivamente do reino vegetal, já que os gorilas são veganos, mas o principal suporte proteico e vitamínico dos animais herbívoros vem das bactérias. Grande parte desses animais, gigantescas composteiras de quatro patas, dispõe do rúmen, uma porção expandida do intestino, que permite a proliferação ainda maior de uma enorme massa de bactérias. É dessa massa que eles de fato se alimentam.

Na espécie humana, que tem intestino híbrido, já que somos "onívoros", a fermentação bacteriana é um pouco menor quando comparada à dos grandes herbívoros, e é por isso que necessitamos de nutrientes diretos para a obtenção de proteínas e da vitamina B_{12}. Esse é o impulso fisiológico que pode ter levado alguns de nossos ancestrais a se alimentar de insetos, carcaças apodrecidas de animais de pequeno porte e até mesmo de outros seres humanos abatidos.

Essas marcas de um passado triste ainda estão gravadas nos hábitos do homem contemporâneo e respondem parcialmente por sua necessidade de ingerir alimentos de origem animal. Mas dietas 100 por cento vegetarianas ou dietas ovolactovegetarianas sem qualquer tipo de sofrimento animal já podem ser perfeitamente balanceadas e suplementadas para suprir qualquer carência, mesmo a da famigerada vitamina B_{12}.

Na dieta dos animais herbívoros de grande porte, uma parte significativa das proteínas vem das bactérias ou dos pequenos insetos ingeridos inadvertidamente no pasto. Essa estratégia funciona quando o animal está em seu *habitat*. No entanto, quando ele é retirado dali, sendo assim isolado das bactérias benéficas, a doença surge. Os veterinários estão às voltas com as mesmas doenças que lotam os consultórios médicos. As rações "cientificamente criadas" para alimentar os animais de estimação são um fracasso completo. Todos sabem o que acontece com cães, gatos, cavalos e outros animais quando eles começam a comer apenas ração. Os nobres equinos desenvolvem doenças obstrutivas intestinais terríveis, denominadas "cólicas", mas que são de fato o fruto da descolonização bacteriana natural do seu intestino. Esse quadro muitas vezes evolui para infecções ou até mesmo a morte.

No intestino dos herbívoros as bactérias nascem, crescem, se reproduzem e morrem. Quando isso ocorre, a matéria que as constitui é digerida e absorvida pela parede intestinal dos animais. É a hora da transmutação final desses seres laboriosos. Dessa maneira, graças às bactérias, aos aminoácidos, aos peptídeos, aos polissacarídeos, aos ácidos graxos, às enzimas e às vitaminas – em especial a B_{12} –, minerais, microelementos e diversos nutrientes bacterianos – e que julgamos erroneamente ser encontrados nos alimentos de origem animal – são absorvidos e incorporados.

Dessa maneira, um indivíduo bem alimentado com frutas, sementes e demais plantas orgânicas (alimentação baseada em plantas) pode manter uma microbiota intestinal (antigamente denominada flora intestinal) rica em lactobacilos e bifidobactérias sem a necessidade de aditivos processados ou encapsulados. Na espécie humana, um terço da matéria fecal provém de restos de bactérias mortas, o que indica que nos alimentamos de bactérias e que obtemos delas parte importante e decisiva de nossa nutrição.

Alimentar-se de produtos industrializados significa privar-se do alimento bacteriano fundamental. Bastam dois dias sem hortaliças e produtos orgânicos do reino vegetal para nossa população bacteriana protetora reduzir seu número, passando a ser substituída por bactérias nocivas, que dão origem à quase totalidade das doenças degenerativas.

Existem evidências de que o excesso de esterilização dos alimentos, a dieta industrializada e o uso indiscriminado de antibióticos e vacinas estão diretamente relacionados com o aumento da prevalência de uma variedade de doenças, entre as quais doenças inflamatórias do intestino, alergias, asma, esclerose múltipla e diabetes do tipo 1. Ou seja, os antibióticos e a pasteurização da vida contemporânea afetam não apenas os micróbios infecciosos, mas também os benéficos, dos quais parece depender quase toda a nossa saúde e bem-estar.

Em um curto espaço de tempo, a sociedade promoveu uma grande mudança na maneira como nos relacionamos com o mundo microbiano. Não temos mais o contato com as bactérias que tivemos durante milhões de anos. Estamos vivendo "limpos" demais. A doença parece ser resultante da ausência de bactérias benéficas e seus efeitos benéficos e da presença de bactérias nocivas e seus efeitos deletérios sobre a saúde. Precisamos reavaliar a nossa opinião sobre as bactérias. Nem todas são maléficas, e a maioria é na verdade benéfica. Proponho uma reforma gramatical: a retirada da letra "c" da palavra bactéria, que assim passaria a denominar-se "bateria". A minúscula modificação retiraria a longa e injusta maldição que paira sobre esses seres, restaurando-lhes a verdadeira nobreza. "Baterias de vida" é o que elas são.

Alimentação e medicina

Campos do Jordão, 2008. Atendo o nono paciente do período da manhã, no Programa de Saúde da Família, em parceria com a Unifesp. A paciente M. descreve a sétima queixa, enquanto minha caneta melancolicamente rabisca o prontuário, com a letra quase ilegível que caracteriza minha classe profissional. Um paciente "poliqueixoso" é visto com certo descaso, com irritação às vezes, com preocupação ou até com compaixão pela maior parte dos médicos. Quase nunca com interesse. Ele é um desafio, pois nos diz, de forma subliminar: *O que você sabe de fato sobre saúde? Por que não me cura? Por que, evasivamente, me passa remédios que apenas mantêm a doença? Por que tantos remédios? Por que me encaminha para toda sorte de especialistas? Por que quer se livrar de mim? Eu existo, assim mesmo, com diversos sistemas comprometidos. Eu sou doente, mas existo, estou aqui! Você não foi treinado para curar as pessoas ou ao menos melhorar a saúde delas? E, se não cura, por que não tem a paciência de ouvir minhas queixas? Não poderia pelo menos me consolar? Você seria capaz de me dizer alguma coisa mais?*

Essas são as perguntas que pairam no ar em um momento crítico da relação entre médico e paciente. Temos, em geral, um tempo curto para atender. A situação é complexa. Nosso raciocínio tem de estar muito lúcido, pois já existe supermedicação, outros colegas já prescreveram diferentes drogas, existem interações medicamentosas, a situação pessoal e social do paciente, além do estado mental, bioquimicamente alterado por psicotrópicos.

No curto espaço de tempo de que disponho, procuro um algoritmo para conduzir esse caso, em nada incomum nos nossos dias.

1. A hipertensão poderia ser manejada com a manutenção do remédio atual, com a alteração da dose ou a inclusão de um novo medicamento vasoativo; poderia também encaminhar a paciente para o cardiologista, mas acho que ainda dá para mantê-la comigo no posto.
2. O diabetes... bem, o diabetes deve ficar onde está, afinal a paciente ainda está tomando antiglicemiantes orais e apresenta alguns picos de hiperglicemia. Vamos ver... O exame rápido indica 140 mg/dl. Não está bom, ainda depende da insulina NPH. Posso falar alguma coisa sobre alimentação ao final da consulta, mas será que vai dar tempo?
3. O colesterol do último exame mostra 320 mg/dl. A hipercolesterolemia é antiga, diagnosticada oito anos antes. Não há o que fazer. O único recurso seria prescrever medicamentos como a sinvastatina, mas li que ela está em falta e na verdade pode vir a ser proibida depois da revelação de que causa derrames ou infartos.
4. Os sintomas reumáticos pioraram. Posso pedir umas provas de atividade reumática e deixar para falar desse assunto na próxima consulta, afinal, o tempo já foi quase todo consumido pela colheita da história clínica, e eu ainda nem examinei a paciente! Ainda por cima será necessário prescrever mais anti-inflamatórios, ou mudar a atual prescrição para um corticoide. Mais problemas, pois pode haver interações medicamentosas.
5. A obesidade que ela procura resolver desde a gravidez do primeiro filho só tende a piorar. O peso atual é de 97 quilos para apenas 1,56 metro de altura. Sim, posso encaminhá-la à enfermeira e incluí-la nas caminhadas. Faço a proposta e ela me responde que não consegue caminhar direito por causa da dor nos joelhos e das varizes. O impasse vai aumentando.

6. A paciente tem constipação crônica e chega a ficar cinco dias sem evacuar se não usar um laxativo diariamente.
7. Ela quer que eu refaça a receita de antidepressivos e calmantes para dormir.

Pego o receituário comum e o especial e, mecanicamente, começo a prescrever as drogas de uso continuado, para pegar no posto, e as psicotrópicas. Dos nove medicamentos, o posto só oferece seis. Ela terá de comprar os três que faltam – os mais caros.

Ao folhear o prontuário, percebo que ela ainda aguarda o laudo da mamografia, pois uma lesão suspeita foi detectada nas consultas anteriores à minha chegada a esse posto. A paciente fez uma histerectomia sete anos antes, por causa de miomas, portanto não menstrua, mas apresenta sintomas que sugerem menopausa precoce. Foi colecistectomizada (retirou a vesícula) quatro anos antes. Tem queimação epigástrica, e a endoscopia mostra gastrite enantematosa moderada. Trabalha como caseira, diz que o marido bebe muito e que já foi informada de que deverá deixar o emprego. Não sabe ainda onde vai morar.

Sinto a impotência de sempre.

Pergunto se ela gostaria de tentar reduzir alguma medicação, pois, para atender à demanda de doenças, ela já usava nove medicamentos diferentes. E tem apenas 45 anos. Está pálida, desvitalizada, envelhecida, obesa, cansada e deprimida.

O caso em si e o aumento da incidência de doenças degenerativas não são únicos. Os problemas dessa paciente se repetem em centenas de milhares dos nossos postos de saúde. Ela representa a maioria dos cidadãos brasileiros que vivem nas cidades, com baixa escolaridade, trabalhando como mão de obra pouco especializada, que tem nos postos de saúde sua única alternativa de cuidados médicos. Eles gastam 50 por cento de seus parcos insumos com as medicações que não conseguem gratuitamente e com medicamentos extras que compram nas farmácias sem prescrição, além de consultas com curiosos, curandeiros, ervas e dietas que não funcionam isoladamente. Sentem-se sem esperança, e a maioria já se conformou com a dura realidade de ser "pobre e doente".

Parece ilógico, mas todos os sintomas que essa paciente apresentava nasceram e se desenvolveram nos intestinos, devido a uma alimentação errada. E, por mais estranho que pareça, todos são sintomas de doenças benignas. A paciente vem sendo manejada como se estivesse condenada a padecer dessas doenças até o fim da vida, como se as doenças que ela tem fossem, de fato, malignas. Eu continuava sensibilizado com o caso e queria vencer a impotência de outrora, mas ainda faltava a coragem de agir.

Timidamente, pedi que ela viesse ao posto bem cedo no dia seguinte, mais ou menos às 7h30 da manhã, antes que eu iniciasse a rotina de atendimentos. Chegando em casa, separei o liquidificador com o qual havia preparado tantos sucos matinais para mim. Sabia que minha vida havia sido definitivamente tocada por aquele singelo ritual matinal. Eu perdera 19 quilos, tornara-me mais ágil, tinha muito mais disposição, não sentia mais dores de cabeça, não tinha mais vontade de ingerir alimentos nocivos. Mas agora era diferente. Eu levaria aquele conhecimento para uma paciente da rede pública. Ainda não havia dados científicos específicos para dar início àquela prática no posto de saúde. Nem tinha pedido permissão. Além do quê, havia decidido deixar a universidade e todas as minhas aspirações acadêmicas para entrar na estratégia de saúde da família de uma cidade do interior. Mas algo me dizia: *O que você vai fazer é mostrar a natureza à paciente. Em uma cozinha, fora do horário de atendimento. Permita-se ousar. Faça o suco para ela.*

Acordei muito cedo, fiz o caminho para o posto de saúde. Na estrada, que percorria a pé, fui colhendo folhas de chuchu, dente-de-leão, capuchinha, erva-doce e abóbora, que cresciam espontaneamente à beira do caminho. Cheguei ao posto e ela ainda não havia chegado. "Talvez nem venha", pensei. Comecei a preparar o leite da terra sozinho, lavando e escovando os ingredientes na copa do posto de saúde. Foi quando ela apareceu, vinte minutos atrasada, olhar incrédulo, acompanhada da irmã, que estava ainda mais surpresa com a cena: o médico do posto de saúde de avental, na copa, com um liquidificador sobre a mesa, rodeado de plantas lavadas, linhaça e trigo germinado, maçãs, pepino e cenoura.

Procedi naturalmente e ensinei a bater, misturar, coar, concentrar e beber. Elas beberam com olhar desconfiado e deixaram o posto. Orientei quanto pude em relação ao açúcar e ao amido, deixando com a paciente uma espécie de prescrição alimentar do tipo "evitar e consumir". Um mínimo de cuidado, considerando o progresso de métodos que já temos hoje.

Voltei aos meus atendimentos. Voltei à rotina. Quatro meses depois eu não tinha ouvido mais sobre aquela mulher. Até que um dia adentra o consultório uma jovem senhora morena de olhos vivos, ativa e bem-disposta. Eu olhei para ela, olhei para o prontuário e demorei um pouco a perceber que se tratava daquela paciente.

Os exames indicavam pressão próxima do normal e glicose normalizada. Ela abandonara por conta própria os antiglicemiantes orais. O colesterol havia se reduzido a níveis mínimos, as dores no joelho tinham cessado, ela emagrecera 20 quilos e fazia caminhadas diárias, sempre depois de beber o leite da terra, que não deixava de tomar nenhum dia. Ainda comia arroz com feijão, mas mudara toda a alimentação, que era agora "quase" vegetariana, composta de 70 por cento de alimentos crus. Açúcar e farinha não constavam mais do cardápio. O primeiro sintoma a desaparecer foi a constipação crônica (prisão de ventre). E ela já não tomava mais antidepressivos.

A paciente acreditava que um milagre havia acontecido, mas a verdade é que ela apenas dera ao próprio corpo a oportunidade de resgatar as condições normais de funcionamento. Restaurou-se a natureza interna de seu organismo e retiraram-se os elementos nocivos que interferiam na sua saúde. Sua flora intestinal voltou ao normal, suas funções hepática e renal se reestruturaram. O milagre é o próprio corpo e seu funcionamento.

Essa paciente não usa mais nenhum remédio. Ela formou um grupo em sua comunidade para ensinar a prática do leite da terra a todos aqueles que se disponham a aprender. Os moradores chegam muito cedo a uma garagem comum, onde estão os liquidificadores, trazendo ervas colhidas ao redor de sua residência e nos terrenos baldios. Todos bebem o leite da terra antes de ir para o trabalho, deixando apenas a contribuição de alguns reais para auxiliar na compra de maçã, cenoura, sementes e pepino.

Depois dessa paciente, vieram muitos outros, até o ponto em que a prefeitura quis saber o que "levava pacientes de outros postos a aumentar o movimento no pequeno posto de Vila Cláudia". O então prefeito, médico cardiologista, orientou-me a fazer em Campos do Jordão minha primeira edição do curso Bases Fisiológicas voltada para médicos e enfermeiros. E assim foi. Médicos e enfermeiras dos doze postos de saúde da cidade aprenderam, em sete aulas, todos os conceitos teóricos e culinários que são expostos neste livro.

Meses depois desse acontecimento, para mim histórico, o prefeito perdeu a reeleição. Acabou-se assim a oportunidade de implantar em primeira mão um modelo biogênico de saúde pública. O novo prefeito tomou posse, encerrou a parceria com a Unifesp e demitiu todos os médicos. Coisas da política do nosso país. Os médicos se dispersaram, eu inclusive; e, sem um ponto de apoio que os estimulasse, esqueceram-se do curso e da experiência. Mas eu não.

Rumo a uma medicina biogênica

De repente, revi toda a minha formação: graduado e pós-graduado, doutrinado e membro de um feudo moral e intelectual da educação acadêmica, segundo o qual "alimentos não têm influência nenhuma, os remédios é que resolvem" e "bactéria boa é bactéria morta", fui treinado para sofrer de germofobia e praticar uma medicina baseada em sintomas e voltada a "livrar nossos corpos de bactérias nocivas".

Ainda um jovem cirurgião, nos anos 1980, aprendi a curar úlceras mutilando pedaços do estômago e emendando o coto gástrico com os intestinos de diversas formas, como derivação para os alimentos. Aprendi também que a maioria das úlceras era de origem "nervosa". No centro cirúrgico, procurávamos os feixes do nervo vago e os seccionávamos, com a intenção de "retirar os impulsos de estresse" para depois deixar o estômago com sua fisiologia e anatomia totalmente alteradas. Nós nos orgulhávamos de nossas séries clínicas, que garbosamente apresentávamos em congressos de cirurgia. Se algum cirurgião fizer uma cirurgia dessas hoje, pode perder a credencial médica. Descobriu-se que as úlceras não são de origem nervosa, nem precisam de cirurgia.

Nos anos 1990, os irmãos Warren, australianos, fizeram a descoberta que lhes renderia o prêmio Nobel de Medicina: as causadoras das úlceras eram as *Helicobacter pylori*, que imediatamente foram alçadas à condição de bactérias do mal.

Em mais da metade da população do planeta, especialmente na Ásia, a colonização do estômago pela bactéria *Helicobacter pylori* é endêmica. Muitas cepas dessa bactéria não provocam doença, mas algumas, adquiridas através de água contaminada, por exemplo, são capazes de causar gastrite, úlceras dolorosas e até mesmo o câncer gástrico, em pacientes idosos. Elas colonizam a mucosa do estômago e, utilizando-se de métodos adaptativos, como a produção de ureia, que neutraliza os ataques ácidos, e de diversas toxinas, tornam-se capazes de sobreviver no inóspito ambiente gástrico. Se desequilibradas, porém, suas colônias geram lesão na mucosa e abertura para o aprofundamento do processo.

O tratamento recomendado continua sendo o uso de antibióticos. Porém, depois de bilhões de pacotes antibiótico-antiácidos prescritos pelo mundo, a *H. pylori* tornou-se mais resistente.

Chegamos ao século XXI. O tempo dos antibióticos como tiro no escuro está se extinguindo. Independentemente da formação e da escola, os médicos terão que encarar a realidade do terreno biológico. Somos um sistema vivo multibiológico. Nosso estômago e nossos intestinos podem ser nossos professores. Se curarmos as úlceras e as gastrites reequilibrando a microbiota adequada ao indivíduo e à sua idade, começaremos a acertar o alvo depois de décadas de erros.

E é isso o que ocorre justamente na primeira semana após a introdução de novos hábitos culinários e de vida, que se seguem ao nosso curso Bases Fisiológicas ou após o consultório de três dias. É tão flagrante que não tenho mais quase nenhum paciente que apresente queixas gástricas. E estou incluindo o tubo digestivo como um todo. Queixas de dezenas de anos de constipação crônica (prisão de ventre) desaparecem, dando lugar a evacuações fáceis, de odor típico, não fétido, e fezes bem formadas.

> O mestre Hipócrates dizia, há 2.400 anos, que "somos o que são nossos intestinos", mas ele não tinha microscópio. Se tivesse, teria dito: "Somos o que são nossas bactérias intestinais".

Cerca de quatrocentas espécies de bactérias habitam nosso trato gastrintestinal, e muitas outras espécies ocupam outras regiões do corpo. Os bilhões de bactérias que habitam nossos intestinos podem chegar a pesar mais de 1 quilo de massa. Por isso nosso microbioma intestinal pode ser considerado um "órgão silencioso". Daqui a alguns anos, quando admitirmos o verdadeiro papel das bactérias em nossa digestão, teremos que reescrever tudo o que sabíamos sobre o processo digestivo. A velha história de saliva, suco gástrico, bile e enzimas não explica mais o que acontece na digestão humana.

As bactérias produzem enzimas com função digestiva, como a glicosídeo hidrolase, que converte os carboidratos do leite chamados glicanas em açúcares disponíveis. Nossas microscópicas consorciadas produzem também enzimas fundamentais, como a β-galactosidase, essencial na nossa função celular. Nosso microbioma é capaz de digerir carboidratos complexos – tarefa impossível para nosso sistema enzimático – disponibilizando moléculas de ácidos graxos de cadeia curta, como os ácidos fórmico, acético e butírico, que são admitidos como combustíveis em nossas células. Pode produzir a tão necessária vitamina B_{12} (as bactérias do grupo *Lactobacillus* são as mais eficientes) ou torná-la biodisponível a partir de fontes que normalmente não a cederiam (algas, por exemplo).

> Vivemos um período de paz e calmaria bacteriana dentro do útero materno, mas, quando o trabalho de parto começa, somos jogados de cabeça pelas contrações uterinas na direção do canal da vagina. Já saímos do parto batizados por um enorme número de bactérias. Falta de higiene? Não. Trata-se de uma estratégia evolutiva, pois nesse momento recebemos as bactérias que colonizarão precocemente nossos tubos digestivos imaturos. Desde então passamos a receber o importante estímulo dos microrganismos sobre nosso sistema imunológico.
>
> Atualmente, na maioria das cidades brasileiras, o parto cesariano é prevalente: 52 por cento das mães optam pela cesárea (82 por cento pelos planos de saúde e o restante pela rede pública). Ao redor do mundo não é diferente. Na China, a cesariana já responde por metade de todos os partos. Nos Estados Unidos, são 4 milhões de crianças nascidas por meio de parto cesáreo todos os anos. Essas crianças não estão mais recebendo o estímulo bacteriano do canal vaginal. Estamos rompendo um ciclo de milhões de anos, mudando artificialmente a forma de chegar ao mundo.
>
> As estatísticas comparativas entre crianças nascidas de parto normal e cesariano são claras: a incidência de asma e alergias é muito superior nas que nasceram pela via abdominal cirúrgica.
>
> Quem escolhe essa modalidade de parto deve cuidar de que seus filhos sejam devidamente "infectados" após o parto pelas bactérias apropriadas. Não seria difícil pensar em um probiótico em gotas para "contaminar" a via oral do recém-nascido por via cesariana.
>
> Vejamos agora algumas características do nosso trato gastrintestinal e das bactérias que o habitam.

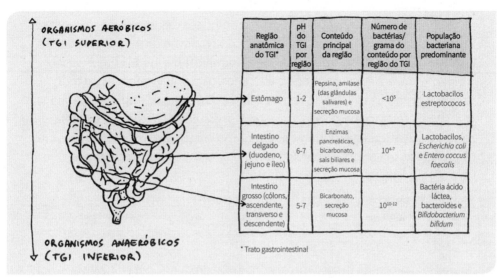

Boca e orofaringe

Porta de entrada para o tubo digestivo, a boca aloja um grande número de bactérias que colonizam a saliva. Além das importantes enzimas digestivas que iniciam a degradação química dos alimentos enquanto os mastigamos, a saliva contém entre 10.000 e 1 bilhão de microrganismos por mililitro. Embora algumas bactérias da microbiota bucal possam provocar cáries se as placas bacterianas ficarem expostas ao esmalte por demasiado tempo, a maior parte delas é neutra. As quantidades variam, mas as bactérias que costumam ocupar a cavidade bucal são dos gêneros *Streptococcus, Lactobacillus, Bacteroides, Staphylococcus* e *Corynebacterium*. A boca também abriga bacilos fusiformes e espiroquetas, que podem se combinar e produzir uma forma aguda de gengivite.

A *Streptococcus mutans* foi identificada como a principal causadora da cárie dentária. O ácido que ela produz ao ser "alimentada" com açúcar destrói o esmalte dos dentes. A probiótica busca um tipo de enxaguante bucal, ou bebida fermentada, que contenha cepas atenuadas de *S. Mutans*, para que elas, de forma simbiótica, colonizem a boca e evitem ou interrompam a progressão das cáries. Muito diferente de usar um antibiótico. O sucesso dessa terapia poderia significar o fim das cáries.

Também nos seios nasais – o conjunto de cavidades naturais dos ossos da face e frontais – é necessária a microbiota para manter o equilíbrio biológico e bacteriano. Mas o uso de antibióticos de amplo espectro resulta na eliminação do *Lactobacillus sakei* do conjunto da microbiota da orofaringe. Essa bactéria apresenta efeito equilibrante no ambiente nasofaríngeo, e sua ausência resulta em sinusites, que a cada ano afetam milhões de pessoas no Brasil e no mundo. Pode-se dizer que os antibióticos são os principais responsáveis pela sinusite. Nos Estados Unidos, 30 milhões de pessoas são afetadas todos os anos. Como a incidência de sinusite é menor entre as pessoas que conservam a *L. sakei*, a conclusão é lógica.

Estômago

Durante o processo digestivo, o estômago secreta enzimas digestivas e ácido clorídrico. Essas substâncias dão continuidade ao processo iniciado na boca. Em contraste com o grande número de bactérias presentes na boca, nosso estômago contém apenas 1.000 bactérias por mililitro. Isso se explica porque a maior parte dos microrganismos que ingerimos não é capaz de sobreviver ao ambiente ácido e hostil do estômago. Trata-se de importante defesa, se pensarmos no enorme número de bactérias patogênicas existentes nos alimentos e na água.

H. pylori: vilão ou herói?

A bactéria *Helicobacter pylori*, causadora de gastrites e úlceras, habitante contumaz da nossa microbiota gástrica, pode não ser o vilão que está sendo pintado há anos, demandando tratamentos antibióticos pesados. Alguns cientistas chegaram a pensar em uso maciço de antibióticos para eliminar a bactéria da face da terra. Ainda bem que esses nazistas dos laboratórios não conseguiram concluir seu holocausto bacteriano. Mesmo assim, apenas 5 por cento das crianças americanas ainda têm essa bactéria benéfica no estômago.

A *H. pylori* existe em nosso estômago há milhões de anos e tem uma função moduladora da maior importância em nossos sistemas. É um microrganismo esquisito, com a forma de um saca-rolha e envolto por flagelos. Lembra uma água-viva microscópica. No início do século XX, ela habitava o estômago de cada um de nós. Hoje sabemos que suas funções benéficas vão desde o equilíbrio da microbiota até a regulação do apetite e da acidez gástrica. Deveríamos então retirar o prêmio Nobel dos irmãos Warren?

Claro que não. Eles descobriram que a *H. pylori* é a causadora das úlceras e precursora do câncer gástrico. Mas isso ocorre quando o indivíduo envelhece ou adoece. São os diferentes ciclos antibióticos que desequilibram a microbiota e fazem que essas habitantes comensais inofensivas se tornem dominantes no sistema. Graças a hábitos de vida e fatores dietéticos que perpetuam seu crescimento, a *H. pylori* causa estragos na vida adulta.

> O tempo que a comida permanece no nosso estômago é apenas um dos fatores que auxiliam na determinação de quantas e quais espécies de bactérias sobrevivem aos sucos e ácidos digestivos. Uma ingestão gástrica apropriada, que ocupe o estômago pelo período adequado, evitando uma carga imensa de ácido para digestão, não estimulador de outras espécies bacterianas e que não tarde a sair do estômago para o duodeno – aí está o alimento ideal que manterá sua microbiota gástrica estável. É o alimento que você escolhe que determina o tipo e o equilíbrio de bactérias que habitam seu estômago. Esse alimento é o descrito neste livro, a alimentação baseada em plantas.

Mas a função da *H. pylori* vai muito além das tarefas gástricas. Variantes dessa bactéria vivem em outras partes do tubo digestivo (até mesmo dentro da vesícula biliar). Os produtos de seu metabolismo caem na nossa corrente sanguínea como hormônios, causando efeitos em outra cavidade, a torácica, e em outra mucosa, a respiratória. Existem efeitos importantes decorrentes da coexistência pacífica com a *H. pylori*. Um estudo de 2007 realizado com 7.500 americanos mostrou uma relação direta entre a presença de *H. pylori* na mucosa gastrintestinal e a proteção contra a asma brônquica. O estudo mostra que pacientes submetidos a tratamentos antibióticos apresentavam ausência de *H. pylori* e, consequentemente, manifestavam com mais frequência a ofegante doença respiratória.

Para comprovar esse efeito, um estudo realizado em Zurique, na Suíça, reproduziu em cobaias as mesmas condições clínicas mencionadas acima, da seguinte forma: o grupo-pesquisa foi infectado com a *H. pylori* e o grupo-controle ficou sem a bactéria. A seguir, expuseram os camundongos dos dois grupos a fatores alergênicos e inflamatórios que determinam a asma. Todos os animais portadores de *H. pylori* foram protegidos e todos os animais sem a bactéria desenvolveram a doença.

A *H. pylori* é mesmo uma diva. Ela interfere na secreção dos principais hormônios da regulação do apetite: a grelina e a leptina. A grelina está relacionada ao apetite descontrolado e ao acúmulo de gorduras, enquanto a leptina tem função oposta, suprimindo o apetite e estimulando a queima periférica de gorduras. Pessoas portadoras de *H. pylori* no estômago apresentam maior controle do apetite e níveis baixos de grelina, ao passo que os níveis de grelina daqueles que foram tratados com antibióticos e não têm mais a bactéria são altos. Nesses, o nível de grelina continua alto após a refeição, e eles se sentem estimulados a comer mais.

De igual forma, os resultados observados em seres humanos foram reproduzidos em animais de laboratório. Quando tratadas com antibióticos, as cobaias perdiam o controle do apetite e passavam a comer muito mais, chegando rapidamente ao estado de obesidade. Resumindo, quem ainda tem em sua microbiota o *H. pylori* controla melhor o apetite. Sua ausência pode representar uma porta para a obesidade.

Nos Estados Unidos e no Brasil, as pessoas consomem apenas 25 por cento da produção industrial de antibióticos, sendo que na espécie humana essas drogas são usadas na certeza ou na suspeição de doença infecciosa. Mas causa espanto saber que os 75 por cento restantes de toda a produção industrial de antibióticos são direcionados para os animais de corte. Frangos, bois e porcos recebem antibióticos como suplemento nutricional, pois assim chegam mais rapidamente ao peso de abate ou de produção de ovos e leite. E isso acontece porque os animais perdem o controle do próprio apetite quando suas bactérias gastrointestinais são eliminadas pelos antibióticos. O resultado é o aumento do peso e da gordura.

O que muita gente não sabe é que todo esse lixo antibiótico é transferido para o organismo de quem consome carne ou bebe leite.

Intestino delgado

O intestino delgado não é apenas o lugar onde a maior parte da digestão e da absorção de nutrientes ocorre, mas também é o local onde podem se multiplicar as bactérias – patogênicas ou comensais – que sobreviveram ao ataque ácido do estômago. As porções superiores do intestino delgado, chamadas de duodeno e jejuno, têm população esparsa, com uma média de 10.000 microrganismos por mililitro. Ali estão as bactérias intestinais transitórias, que ficam no tubo digestivo por um período de tempo relativamente curto.

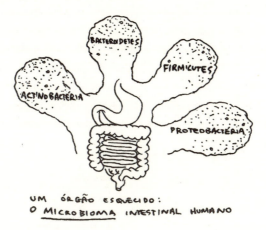

UM ÓRGÃO ESQUECIDO: O MICROBIOMA INTESTINAL HUMANO

O microbioma intestinal é um órgão esquecido, pois não tem uma forma definida, apesar de uma população celular de números astronômicos. Esse órgão diluído dentro dos intestinos e misturado ao bolo alimentar é capaz de realizar centenas de funções. A ciência vem demonstrando que nossa negligência em relação ao papel desses seres minúsculos está relacionada a distúrbios como obesidade, diabetes, doença cardiovascular, asma, esclerose múltipla e autismo. Todas essas rotas já foram descritas, e continuam se chegando a novas conclusões.

As bactérias podem ser organizadas em filos, ou grandes grupos, pelo repertório de atividades biológicas em comum. A biologia reconhece aproximadamente 100 filos de bactérias. Desses, apenas quatro dominam o microbioma humano: *Actinobacteria*, *Bacteroidetes*, *Firmicutes* e *Proteobacteria*.

Assim como existe um ecossistema na Rússia, no Canadá e na Amazônia, nós também temos um ecossistema de bactérias em nossos intestinos – uma microbiota. Assim, indivíduos urbanos ou rurais, gordos ou magros, adultos ou crianças de diferentes regiões do planeta têm microbiotas diferentes. E uma coisa já se desenha com clareza: as opções dietéticas podem mudar por completo a distribuição desses filos bacterianos. Por exemplo, nas pessoas obesas predominam as bactérias do filo *Firmicutes*; nas magras, as do filo *Bacteroidetes*. Se um obeso mudar seus hábitos alimentares, sua microbiota voltará ao equilíbrio natural e ele emagrecerá.

Em determinado momento da vida, começamos a comer mal. As bactérias se adaptam, e as espécies com habilidade para digerir os alimentos ruins crescem. Uma vez implantadas em suas colônias intestinais, começam a controlar o apetite do hospedeiro especificamente para esses alimentos, pois assim é a natureza. Elas "pedem" ao hospedeiro que se alimente de açúcar, de amido ou de carnes processadas. Essa é a sua fórmula de sucesso, que lhes permite a perpetuação no microbioma intestinal, mantendo sua morada definitiva. Quando, por exemplo, nos decidimos por uma dieta rica em vegetais, decretamos o fim de diversas espécies do filo *Firmicutes*. No entanto, acostumado ao que comemos, esse filo bacteriano reage quando alteramos a alimentação. Por isso temos dificuldade de mudar o hábito alimentar.

O dr. Jeffrey Gordon, da Faculdade de Medicina da Universidade de Washington, pesquisou um grupo de gêmeos (alguns univitelinos e outros fraternos) que, a despeito de terem a mesma família e a mesma dieta, evoluíram para a obesidade ou a malnutrição. Já os que se tornaram obesos apresentavam o mesmo predomínio da microbiota de *Firmicutes*. Os que eram magros tinham microbiota do filo *Bacteroidetes* com baixa síntese de vitaminas e dificuldade de digerir carboidratos complexos.

O mais curioso ainda é que essas manifestações clínicas foram reproduzidas em laboratório através do transplante da microbiota dos gêmeos humanos para camundongos de intestinos artificialmente estéreis de bactérias, ou seja, sem microbiota. De forma reflexa, um grupo de camundongos engordou, enquanto os animais do outro grupo sofreram déficit metabólico. Ou seja, dependendo das bactérias que habitam nosso intestino, somos condenados a estar malnutridos comendo adequadamente ou a ser obesos comendo pouco.

Na Rússia, um estudo que pesquisava a relação entre a microbiota, o meio ambiente e o padrão alimentar mostrou diferenças significativas da microbiota intestinal de populações rurais e urbanas. Enquanto a microbiota das populações urbanas russas era comparável à de populações urbanas americanas ou dinamarquesas, a microbiota da população rural russa se assemelhava à de indígenas americanos ou à dos habitantes do Malaui.

As bactérias também influenciam o sistema circulatório. O ácido fórmico, por exemplo, é um marcador preditivo para a doença cardiovascular, e sua presença na urina indica bom funcionamento do sistema de pressão arterial, pois ele ajuda a equilibrar o íon sódio nos rins. Mas esse metabólito não é produzido pelas células, e sim pela microbiota intestinal. Portanto, dispor das bactérias adequadas à produção de ácido fórmico pode significar melhor função renal e cardiovascular. Dos intestinos ao cérebro, dos pulmões aos rins e aos vasos sanguíneos, aí estão nossas laboriosas amigas desempenhando papéis fundamentais para a saúde.

O INTESTINO DELGADO E O SISTEMA IMUNOLÓGICO

Diversos estudos mostram a relação direta entre microbiota e imunidade. Um estudo precursor, de Mazmanian, já foi mencionado aqui. Devemos lembrar que nossa maior massa de tecido e nosso maior registro de memória imunológica, ou seja, nosso "cérebro imunológico", está ao redor de nossos intestinos. Trata-se de uma massa tecidual considerável, composta de tecido linfoide e placas de Peyer, da qual se originam impulsos imunológicos para todo o corpo. Ali estão registradas todas as experiências de cada prato que ingerimos durante a vida, além das alegrias e frustrações relacionadas a cada alimento.

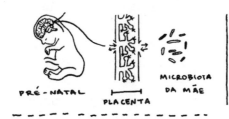

OS FETOS RECEBEM DA MICROBIOTA DO INTESTINO DA MÃE FATORES DE CRESCIMENTO CELULAR E ATÉ NEUROTRANSMISSORES.

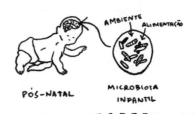

APÓS O NASCIMENTO, O BEBÊ SE ENCARREGA DE DIVERSIFICAR SUA MICROBIOTA.

Alguns cientistas esterilizaram intestinos de animais de laboratório com antibióticos e analisaram o crescimento das cobaias. O resultado foi que as cobaias não se desenvolveram e apresentaram redução vascular, endócrina e nutricional. Principalmente, todo o sistema imunológico intestinal tornou-se atrófico.

> Um colega da faculdade de medicina, hoje um grande patologista, me contou uma história triste. Seu pai, outro grande médico, decidiu que o filho primogênito recém-nascido não teria contato com bactérias do ambiente. Isso foi lá pelos anos 1960, quando toda essa história de esterilidade era dominante na ciência. Decisão tomada, e fraldas, mamadeiras, chupeta, berço, tudo era esterilizado com álcool ou fervuras. O bebê cresceu bem até a primeira gripe. Sem defesas desenvolvidas, porém, a gripe evoluiu para complicações diversas e a criança morreu. Foi uma vivência traumática para os pais, mas que os incentivou a mudar tudo, mesmo que por instinto. Os outros filhos foram criados normalmente e estão entre nós até hoje. Se a microbiota intestinal não for bem estabelecida desde a tenra infância, distúrbios imunológicos, alergias e déficits de absorção de nutrientes podem ocorrer, o que se tornou epidêmico no mundo ocidental civilizado. Muitos outros grupos de doenças imunológicas e o *diabetes mellitus* estão relacionados a isso.

Agora consideremos o afinco com que os bebês em fase de engatinhar pegam tudo o que veem pela frente e levam à boca – para desespero dos pais. Às vezes eles são tão rápidos que, quando vemos, já aconteceu uma grande porcaria. Mas, se a natureza é sábia, por que haveria de ensinar os bebês a ser tão "porquinhos"? Essa informação reside na memória instintiva de todo bebê. Nos arquivos do DNA deles ainda existe um mundo sem poluição, imundícies, metais pesados, venenos e outras coisas estúpidas no solo. Em sua inocência, eles ainda veem o ambiente como algo mágico a ser explorado, e o fazem com gosto, levando tudo à boca.

O antropólogo francês Claude Lévi-Strauss fez muito pelo Brasil e deixou um legado fotográfico inestimável. Algumas de suas pérolas estão reunidas no livro *Saudades do Brasil*. Nele vemos fotos de nossos índios quando ainda não tinham tido contato com os brancos. Podemos ver crianças cobertas de terra, no centro da taba, deitadas no chão, cochilando, agarradas a animaizinhos da floresta. Um éden bacteriano tropical, crianças em total integração com a microbiota da tribo e da natureza. Se um egresso dessas escolas de germofobia chegasse a uma dessas tribos, diria que mudassem tudo, clorassem a água, fervessem os alimentos e se banhassem com antissépticos. Foi exatamente isso o que os brancos fizeram, levando também seus vírus e bactérias amplificados. Hoje os índios estão mais doentes que os brancos. E recebem em suas tribos, como doação do governo, o que há de pior na alimentação ocidental: açúcar, farinha, refrigerantes e aguardente. Afinal, são produtos empacotados e "limpos".

Agora uma nova linhagem de pesquisadores da Inglaterra criou ambientes favoráveis para que as crianças possam usufruir de um contato adequado com a terra, semeando bactérias saudáveis em seus intestinos. Esses pediatras criaram os "jardins sujos", com terra à vontade. Logicamente, são locais protegidos e isentos de fezes ou urina de animais de rua.

A HIPÓTESE DA HIGIENE – UM POUCO DE SUJEIRA NÃO FAZ MAL

Segundo essa hipótese, as condições de extrema limpeza e higiene adotadas pela civilização ocidental podem determinar que em seus primeiros meses de vida os bebês não sejam expostos a bactérias naturais do ambiente. O problema é que essas bactérias são gatilhos que deflagram o funcionamento do sistema imunológico do bebê. Uma das conclusões da hipótese da higiene é que nós podemos recolonizar o sistema bacteriano de crianças em situação excepcional utilizando as bactérias originais presentes na natureza.

Esses choques de cultura bacteriana explicam por que é que um europeu pode ter a experiência da diarreia do viajante na Índia ou na Bahia, por exemplo. Mesmo tendo ele optado por comer em ambientes de higiene aceitável. Basta que cepas de bactérias desconhecidas sejam expostas à parede intestinal ainda virgem desse contato para o sistema imunológico reagir com a resposta: *Não sei o que é isso! Esvazie tudo.* Daí algumas pessoas terem até que interromper a viagem e voltar para casa no primeiro avião.

A tradicional amigdalectomia, a retirada das valiosas tonsilas palatinas, que formam junto com as adenoides um círculo de proteção na orofaringe, é uma obtusidade cirúrgica. Esse tecido linfoide pertence ao sistema imunológico intestinal e dele recebe impulsos. Quando as tonsilas incham e inflamam, as mães levam os filhos ao médico. E qual é a reação do colega? Uma rajada de metralhadora antibiótica. E o que faz o antibiótico? Neutraliza a microbiota intestinal patogênica, essa, sim, a origem da suposta amigdalite. Reduzem-se as bactérias intestinais (tal como o fazem com os animais de abate) e a inflamação da garganta cede. Ou seja, a amígdala é curada por um tiro de bala perdida – de canhão.

A natureza é perfeita. Observem o que ela faz. Um adolescente ou uma criança está se entupindo de chicletes, doces e toda espécie de porcarias. Chega a um ponto em que o seu ecossistema intestinal completamente desequilibrado se torna um caldo venenoso, um microbioma inaceitável. O sistema imunológico dispara o alarme quando micróbios nocivos começam a dominar o trato gastrintestinal. Mas o jovem não para, continua com sua ração ignóbil de amidos, carnes embutidas, açúcares e refrigerantes, sem limites. Os sinais imunológicos dos intestinos estão no máximo. Como fazê-lo parar? Para essa emergência, o sistema se organiza com uma medida drástica: fecha a boca do comilão. Dessa forma engenhosa, a onda de inflamação do tecido linfoide intestinal chega às tonsilas e às adenoides, por se tratar de um sistema linfoide único e integrado, e o indivíduo não pode mais comer, pois a garganta dói e fecha. Poderia ser mais inteligente nosso corpo?

Mas aí vem uma amigdalite, um colega atende e prescreve uma rajada de antibióticos. Depois outra amigdalite, outro colega e mais uma rajada de antibióticos, depois outras e outras, até que um deles decide: *Vamos arrancar essas amígdalas*. E lá vai a criança para o centro cirúrgico, para ser mutilada em nome das coisas sombrias que ainda se fazem em medicina. A recompensa? Um sorvete bem gelado e doce, do tipo que causou todo o mal, para continuar a fermentação nociva da microbiota intestinal, que, sem a arbitragem das tonsilas palatinas, caminhará para outros males piores.

Ao atender um jovem com inflamação nas tonsilas, o médico deveria tentar imaginar o mundo microscópico além delas, mais abaixo, na microbiota intestinal. É lá que está o problema. Eu vi crianças e jovens mudarem por completo o curso de sua vida apenas por adotar o copo de suco verde matinal. E o mesmo vale para muitos outros problemas.

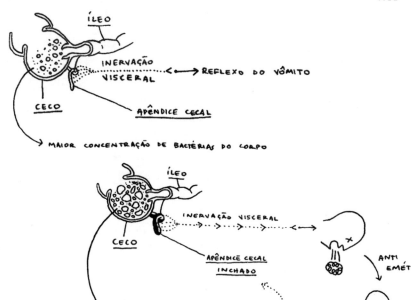

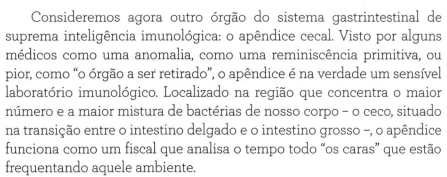

Consideremos agora outro órgão do sistema gastrintestinal de suprema inteligência imunológica: o apêndice cecal. Visto por alguns médicos como uma anomalia, como uma reminiscência primitiva, ou pior, como "o órgão a ser retirado", o apêndice é na verdade um sensível laboratório imunológico. Localizado na região que concentra o maior número e a maior mistura de bactérias de nosso corpo – o ceco, situado na transição entre o intestino delgado e o intestino grosso –, o apêndice funciona como um fiscal que analisa o tempo todo "os caras" que estão frequentando aquele ambiente.

No íleo, a porção final do intestino delgado, existe uma população permanente e variada de organismos. Ali a contagem de organismos por mililitro atinge a ordem de 10 milhões de bactérias. As bactérias encontradas são os estreptococos; pequenas quantidades de *Bacteroides*; uma ampla gama de fungos e enterobactérias, algumas delas patogênicas; o gênero *Bifidobacteria*, um vizinho amigável, pois vive em sua plenitude no intestino grosso. Finalmente, temos os lactobacilos, as bactérias mais importantes do intestino delgado.

Voltemos ao nosso jovem cuja má alimentação forma uma microbiota nociva. Como o apêndice avisa ao glutão que sua microbiota está um desastre? Vamos ao primeiro e principal sintoma da apendicite. Todos pensam que é "dor na fossa ilíaca direita", mas não é. O primeiro sintoma da apendicite é náusea e vômito, mesmo ainda na ausência de dor abdominal. O apêndice linfoide dá o alarme, mas "lá em cima" o garotão continua comendo cachorro-quente e *milk-shake*. De repente, ele fica seriamente enjoado e vomita tudo, pois sinais eméticos (náuseas e vômitos) são emitidos pela inervação visceral ao redor do apêndice. A náusea e o vômito são recados do apêndice. Pegam o moleque pela orelha e dizem: *Pare de comer! Ou vomite toda essa porcaria!* Nosso valente e pequenino órgão, já todo inchado, tenta fazê-lo parar de comer, dar um descanso! O garoto vai ao médico e ganha o quê? Um antiemético! Ou seja, o reflexo do vômito é suprimido e bloqueia-se o sinal salvador. Com o antiemético, o garoto volta à praça de alimentação e, com a ração ali ingerida, reforça suas bactérias patogênicas superpoderosas, sem a limitação das náuseas e dos vômitos. De repente, vem a típica dor na fossa ilíaca direita, sinal de que o processo infeccioso, causado por bactérias patogênicas, passou a destruir o importante órgão linfoide chamado apêndice. Os pais o levam ao pronto-socorro. Antibióticos. Depois disso o cirurgião vem, chama a enfermeira e diz: *Centro cirúrgico!* Lá se vai mais um apêndice.

É óbvio que um apêndice supurado ou perfurado não deve ficar dentro do abdome, sob risco de morte do paciente. Nesse ponto, trata-se de uma emergência cirúrgica, mas, se soubéssemos alimentar nossas crianças e jovens de modo a manter microbiotas saudáveis, nenhum apêndice ou amígdala teriam de ser retirados. Mas ainda existem especialistas que postulam a amigdalectomia profilática e até mesmo a apendicectomia profilática. Por favor, tudo o que essas crianças e jovens precisam é de uma cirurgia verde. Se adotássemos uma alimentação baseada em vegetais como merenda escolar e ensinássemos a nossas crianças o plantio e o preparo desses preciosos alimentos, muito se reduziria a incidência dessa condição cirúrgica.

Os lactobacilos

O *Lactobacillus acidophilus,* o *Lactobacillus bulgaricus* e o *Lactobacillus casei* são membros da família dos lactobacilos com efeitos benéficos em nosso corpo. Tanto o *L. bulgaricus* quanto o *L. casei* são bactérias transitórias, encontradas comumente em diferentes quantidades à medida que passam pelos intestinos. Podem originar-se de fontes lácteas, mas também de verduras frescas e preparados de castanhas e óleos vegetais crus (leites e néctares).

Todos os lactobacilos têm características comuns. Eles proliferam bem em meio lácteo ou de composição semelhante. Produzem a enzima lactase, que é essencial para a digestão do açúcar do leite (lactose). Os lactobacilos também produzem ácido láctico a partir de carboidratos, o que cria um ambiente ácido no trato digestivo que estejam colonizando. Dessa forma, eles ajudam a eliminar alguns tipos de bactérias hostis que cresceriam bem em ambiente alcalino.

Algumas bactérias sobrevivem apenas em ambiente sem oxigênio, enquanto outras necessitam desse elemento, mesmo que em pequenas quantidades. Os lactobacilos são chamados de bactérias *facultativas*, ou seja, eles podem viver em um ambiente rico ou pobre em oxigênio. Essa característica é muito importante para esses bravos defensores do corpo. Por exemplo, ao usar todo o oxigênio disponível no ambiente, as bactérias benéficas "respiram" todo o gás que estaria disponível para as bactérias patogênicas que necessitam de oxigênio para crescer.

O *Lactobacillus acidophillus* é de longe o principal residente bacteriano do intestino delgado em todos os tempos. Ele é o colonizador, o principal habitante que constitui nossa linha de frente na defesa contra invasores externos, assim como contra organismos oportunistas como fungos, que podem ocupar a área e espalhar-se pelo corpo quando nossa defesa está enfraquecida. As bactérias *L. acidophillus* estão envolvidas em diversas funções do nosso organismo. Elas contribuem para uma função cardíaca melhor, ao evitar a formação de colesterol nocivo no sangue.

Quando as bactérias *L. acidophillus* estão presentes em quantidade suficiente, atapetando a parede intestinal, elas impedem que microrganismos patogênicos e oportunistas encontrem "vagas" ao longo das paredes intestinais, local estratégico onde os nutrientes passam para a corrente sanguínea. Se muitas bactérias conseguirem fundar colônias, a absorção de nutrientes pode até ser bloqueada. Felizmente, quando as paredes intestinais estão cheias dos amigos colonizadores acidófilos, não há espaço para os forasteiros e nenhuma maneira de organismos oportunistas ultrapassarem suas fronteiras. Essa é uma das características mais desejáveis de algumas supercepas de *L. acidophillus*: aderir de forma natural e firme à parede do intestino. Conhecidas como cepas aderentes, elas são as mais desejáveis, pois ocupam sua vaga com grande avidez, mas sem lesionar a parede intestinal.

A maior parte dos agentes patogênicos, como a mórbida *Escherichia coli*, é capaz de fazer diversos buracos em seu local de colonização, causando microulcerações nas quais se desenvolvem microinfecções, mas algumas supercepas de lactobacilos são capazes de produzir peróxido de hidrogênio, ácidos e antibióticos naturais, substâncias que dificultam a sobrevivência de bactérias patogênicas.

Intestino grosso

O intestino grosso é primariamente um ambiente anaeróbico – lá não há mais oxigênio disponível. É nessa área do tubo digestivo que se encontram as maiores concentrações de bactérias, todas anaeróbias. Podemos contar números astronômicos, que vão de 100 bilhões a 1 trilhão de microrganismos por mililitro.

Quando o bolo alimentar chega ao intestino grosso, é ainda uma pasta aquosa, da qual praticamente todos os nutrientes foram retirados durante o processo digestivo. A principal função desse segmento do tubo digestivo é eliminar os dejetos, mas não sem antes "enxugá-los" em uma importante reciclagem de água. A pasta fecal aquosa que chega ao intestino grosso é transformada em fezes sólidas. Dessa forma são eliminados nossos dejetos.

Esse processo de reciclagem de água deve ocorrer de forma ágil, caso contrário a matéria residual torna-se podre e tóxica. Além disso, milhares de organismos perigosos nutrem-se desses dejetos em putrefação. O grande desafio do intestino grosso é eliminar os dejetos antes que eles se tornem a base nutricional de bactérias nocivas. Por essa razão, a constipação crônica não é apenas uma condição desconfortável, mas decididamente perigosa.

Quando as bactérias benéficas residentes estão presentes em quantidade suficiente no intestino grosso, ocorre pouca putrefação, e a massa de dejetos é eliminada em curto espaço de tempo. No entanto, podem surgir diversos problemas quando não há bactérias benéficas suficientes. O número de bactérias no intestino grosso varia pouco, mas variações importantes na qualidade da colonização são decisivas para a origem de doenças graves. Bactérias patogênicas podem proliferar e aderir às paredes do cólon, afastando os defensores. Organizadas em trincheiras em um intestino que não funciona apropriadamente, essas bactérias transformam agentes químicos potencialmente carcinogênicos, como os nitratos, em reais causadores de câncer, como os nitritos. O câncer de cólon, ou do intestino grosso, é muito influenciado pelo tipo de bactéria que vive em seu interior (luz intestinal). As graves infecções bacterianas das paredes intestinais, como a colite ulcerativa, tornam-se uma possibilidade real quando caem os níveis de bactérias benéficas.

Raras vezes ocorre um desequilíbrio grave das bactérias do intestino grosso, mas, quando ele acontece – normalmente após longos períodos de antibioticoterapia –, o índice de mortalidade é alto. A temível bactéria *Clostridium difficile*, que faz parte da nossa microbiota em quantidades pequenas, ganha poder. Ela causa a colite pseudomembranosa, uma doença que eleva a mortalidade de pacientes internados em 90 por cento. Nenhum antibiótico combate essa bactéria. Porém, uma terapia simples e corajosa mudou as regras do jogo.

A equipe do dr. Mark Mellow tratou 77 pacientes em cinco hospitais com transplantes fecais. Uma pequena quantidade de fezes de um indivíduo saudável foi diluída em água e injetada por via retal, através de um enema. A doença foi revertida em 91 por cento dos pacientes. Dos sete pacientes remanescentes, seis responderam a um segundo tratamento. A microbiota presente nas fezes sadias se alastrou por todo o cólon e subiu com suas colônias em sentido retrógrado até o íleo terminal, no intestino delgado. A observação foi muito promissora, mas não é ainda um estudo científico. Depois disso iniciou-se um protocolo com todo o rigor, um ensaio clínico com grupo de controle. Se ficar de fato comprovado que ele funciona, o transplante de fezes se tornará uma opção fácil, barata e salvadora nas colites pseudomembranosas.

O gênero *Clostridium* está relacionado a uma doença importante: o autismo. Essa bactéria aprendeu a lidar com suas inimigas despejando no microambiente altas doses de fenóis. Os fenóis são substâncias tóxicas, que fazem parte de antissépticos, por exemplo. Uma vez na economia corporal, precisam ser neutralizados. O tamponamento dos fenóis se dá com os radicais sulfato. Então, se uma criança tiver uma microbiota na qual muitas bactérias do grupo *Clostridium* produzem muitos fenóis, suas reservas de sulfato serão exauridas. A ausência de sulfato é a principal causa metabólica do autismo – os autistas têm um sequenciamento genético defeituoso, no qual os radicais de enxofre não estão disponíveis para formar sulfatos. Ainda é cedo para culpar o grupo *Clostridium*, mas há evidências de que a microbiota de um indivíduo pode influenciar não apenas na gênese do autismo, mas em todo o seu desenvolvimento neuronal.

Também não se pode generalizar e declarar que uma mudança na dieta pode curar o autismo em todos os casos, mas, com base nesses dados, eu recomendaria a parentes de autistas que introduzam uma dieta de base vegetal, o que notadamente contribui para a redução das bactérias do grupo *Clostridium*.

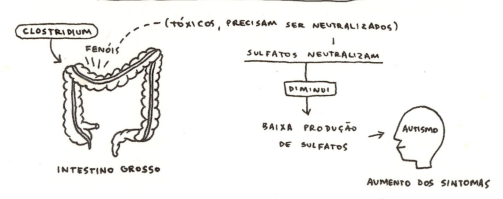

AS BIFIDOBACTÉRIAS

Entre as amigáveis bifidobactérias encontradas no intestino grosso estão as espécies *B. bifidum*, *B. longum* e *B. infantis*. Elas são benéficas para os bebês e para os adultos.

Como já vimos, a região final do intestino delgado (íleo) é residência de um número pequeno de bifidobactérias, mas grandes colônias se localizam logo a seguir, no intestino grosso. Elas são (pelo menos deveriam ser) os habitantes em maior número nessa região do trato gastrintestinal. Quando há bifidobactérias suficientes, elas competem ferozmente por nutrientes e por locais de adesão ao longo da parede intestinal. Organismos oportunistas – do *Clostridium* ao fungo *Candida albicans* e invasores patogênicos – sempre buscam uma chance de colonizar o ambiente e multiplicar-se, mas eles não podem existir se faltar alimento e um local para adesão. Quando as colônias de bifidobactérias estão fortes e sadias, os vilões se veem obrigados a abandonar o trato intestinal e a sair do corpo do hospedeiro. Uma forma de que as bifidobactérias dispõem para se proteger (e a nós por tabela) é a produção dos ácidos acético e láctico, que criam um ambiente hostil para os micróbios patogênicos, que necessitam de um meio levemente alcalino para viver.

As bifidobactérias prosperam em um ambiente sem oxigênio, logo as bactérias que necessitem "respirar" não sobrevivem nessa área.

As bifidobactérias produzem algumas importantes vitaminas do complexo B, sem as quais não podemos viver. Elas também são fundamentais no acompanhamento dietético de algumas condições hepáticas. Além disso, atuam contra alguns tipos de bactérias patogênicas que rondam a região e previnem a transformação de nitratos em nitritos, que são conhecidos agentes cancerígenos. Estudos recentes mostram em detalhes cruciais que o próprio desenvolvimento cerebral do feto durante a gestação é influenciado pela qualidade das bactérias intestinais da mãe.

As bactérias probióticas e seus mecanismos de ação

Os microrganismos são mastigados na boca, junto com os alimentos, depois deslocam-se rapidamente através do esôfago e chegam ao estômago. O estômago é um ambiente hostil para qualquer tipo de bactéria. Durante a digestão ele produz grandes quantidades de ácido, o que representa uma barreira de defesa para nosso corpo e um importante fator de digestão dos alimentos. Muitas bactérias patogênicas morrem no estômago, durante a digestão.

No entanto, os lactobacilos e as bifidobactérias resistem ao banho ácido por possuírem uma membrana celular protetora. Elas também são protegidas pela presença do leite materno ou de alimentos, e pela passagem rápida pela câmara gástrica, acompanhando a fração líquida da dieta. Lactobacilos e bifidobactérias são probióticos, pois promovem o equilíbrio benéfico da microbiota gastrintestinal.

Tem-se postulado que as bactérias probióticas podem, por exemplo, equilibrar as colônias de *H. pylori*. Algumas cepas atuariam diretamente sobre essas colônias através de armas biológicas – ou antibióticos bacterianos – denominadas bacteriocinas. As bactérias probióticas também atuam por colonização competitiva, deslocando as bactérias causadoras de doença. Estudos clínicos estão em andamento para o melhor entendimento desses processos. Falta entender que pacientes se beneficiam mais do tratamento, e também conhecer quais as cepas de bactérias patogênicas sensíveis e quais as cepas probióticas mais eficazes.

Em uma fase posterior da digestão, as bactérias probióticas, junto com os alimentos e outras bactérias fermentadas, dirigem-se ao intestino delgado. Ali, quando entram em contato com a microbiota residente, ocorre novo ataque. Muitas bactérias morrem nesse momento. Mas as bactérias probióticas resistem e continuam a jornada.

Na fase seguinte, as bactérias probióticas deslocam-se por pequenos canais da mucosa intestinal. O intestino delgado chega a 9 metros de extensão, mas, se as suas vilosidades e microvilosidades fossem "esticadas", ele poderia alcançar a impressionante área de 200 metros quadrados. As vilosidades são responsáveis pela absorção dos nutrientes da dieta, ao mesmo tempo que constituem uma imensa rede de defesa contra as doenças do ambiente. Na verdade, estamos falando do lar de bilhões de bactérias, a microbiota, entre as quais se incluem, há milhões de anos, os lactobacilos e as bifidobactérias.

Os probióticos clínicos

São definidos como "microrganismos viáveis que deem suporte ou promovam um equilíbrio benéfico da população microbiana autóctone" e apresentem efeitos tanto preventivos como terapêuticos.

Os primeiros probióticos para prescrição médica surgiram tão logo as bactérias mostraram suas capacidades terapêuticas em laboratório. Hoje dispomos no mercado dos produtos prebióticos Floratil e Repoflor. Ambos utilizam-se de cepas de *Saccharomyces boulardii* envolvidas por cápsulas que se abrem no ambiente intestinal. São indicados para a maior parte das diarreias, inclusive as de origem viral, as resultantes de tratamento com antibióticos e aquelas causadas por irradiação. Atualmente, usam-se cepas específicas para cada faixa etária e outras com capacidade de controlar bactérias determinadas, como a *H. pylori*, dispensando-se assim o uso de antibióticos.

Farmabiótica

Essa nova área da medicina não acredita apenas que as bactérias possam atuar de forma probiótica, influenciando a microbiota e equilibrando outras bactérias menos favoráveis, mas também que se possa vir a explorar a capacidade das bactérias de secretar substâncias com efeitos específicos: antibióticos, interleucinas, interferon (os "mensageiros celulares"), enzimas de efeito respiratório ou cardiovascular, vitaminas e neurotransmissores.

Chegaremos a um momento em que a opção medicamentosa para o tratamento de muitas doenças será uma bebida fermentada com alguma bactéria específica geneticamente modificada. Tome-se o caso de algumas doenças determinadas pela genética, como a incompetência em produzir a alfa-1-antitripsina, enzima cuja deficiência leva o muco pulmonar a tornar-se espesso e conduz à seriíssima doença denominada fibrose cística, que evolui para pneumonias sucessivas. Uma bactéria geneticamente modificada, capaz de produzir a enzima restauradora da função pulmonar, seria a cura dessa triste doença que afeta crianças e jovens.

As bactérias já são capazes de produzir naturalmente fatores antibióticos, ou bacteriocinas. As bacteriocinas são as sinalizadoras biológicas de controle de outras populações bacterianas. O mapeamento do genoma dessas bactérias e sua posterior manipulação genética poderão potencializar seus efeitos bactericidas.

As bactérias: a chave para uma dieta saudável

Os prebióticos são carboidratos não digeríveis que dão suporte alimentar para as bactérias. Se considerarmos as bactérias como alimento, como já mencionado no texto anterior, ou mesmo como produtoras de importantes vitaminas ou enzimas, teremos que nos dedicar a algumas reflexões. Todas as populações deste planeta, sem exceção, adotaram algum tubérculo ou algum cereal como fonte de carboidratos não digeríveis, cozinhando-os ou não. Os árabes cozinham arroz com lentilhas, os asiáticos não dispensam o arroz, os índios brasileiros alimentam-se de mandioca moída e transformada em farinha, enquanto os outros ameríndios utilizam-se de milho. Os povos do Oriente Médio preparavam pães de trigo germinado, assados ou desidratados ao sol.

Independentemente da forma como são consumidos, esses carboidratos compõem uma dieta sadia, exatamente por dar suporte às bactérias. Assim, quando você estiver comendo arroz cozido, não estará alimentando seu corpo, mas as suas bactérias intestinais. Uma vez "inchadas de tanta comida", elas explodem em população e morrem, gerando nutrientes a partir de seus componentes celulares.

Este assunto é por demais importante, pois algumas linhas alimentares mostram-se intolerantes ao uso de qualquer tipo de carboidrato complexo levemente processado, ainda mais se for cozido. Lembro-me de que, no Rio de Janeiro, ao iniciar meus passos na alimentação viva – que só admite a ingestão de alimentos crus ou amornados –, alguns mestres desse jeito de viver condenavam a ingestão de arroz cozido. Se quiséssemos comer arroz, tínhamos que nos esconder, pois o flagrante delito era punido com a expulsão da "seita". Com o tempo, fui percebendo que algumas pessoas se tornavam caquéticas ao adotar a alimentação viva radical. Eu também fiquei um pouco abaixo do peso. Às vezes o impulso de comer arroz era intenso, e eu fugia para consumir algum arroz integral em um restaurante macrobiótico na Rua Joaquim Silva. Além disso, percebia que a alimentação viva entrava em conflito com a de outros vegetarianos, como os veganos e os de influência aiurvédica ou macrobiótica. Eles diziam "que todos os alimentos devem ser cozidos", o que aumentava ainda mais a confusão.

Não há dúvida de que devemos nos livrar dos excessos de carboidratos processados oferecidos na dieta de hoje: açúcares, amidos, bolachas, salgados, pizzas, massas, bolos, doces, refrigerantes. Mas muitas pessoas se alimentam de amidos e açúcares e vão sobrevivendo. O que isso significa? Que o homem contemporâneo está vivendo às custas de prebióticos. Uma querida amiga alemã, enfermeira, estava aflita com o filho, que só comia macarrão puro, pão branco e Nutella. E só! Eu olhava para o moleque de 9 anos e via um menino saudável, tocando piano como um jazzista, apto a brincar e estudar como qualquer criança. Os alimentos dos que optam por esse tipo de dieta são suas próprias bactérias intestinais. Nossas comensais são alimentadas por esses carboidratos simples e crescem nos intestinos, gerando, após seu curto ciclo de vida, alimento para o hospedeiro. Mas essas dietas às custas de prebióticos não são saudáveis e sustentam a vida e a saúde por um tempo limitado. Faltam os probióticos e os alimentos funcionais e nutracêuticos. A doença surgirá invariavelmente. Claro que orientei minha amiga a oferecer ao filho mais vegetais, suco verde e frutas. Ele já mudou de hábitos.

Conheci também pessoas que experimentam o precioso "viver de luz". De fato, elas têm muito a nos revelar, pois desafiam nossa vida dependente de alimentos. Mas, conversando com alguns deles, percebi que um pouco de suco de frutas é ingerido. Isso explica tudo: a água, que bebem em abundância, e o suco de frutas mantêm suas colônias de bactérias intestinais. Ocorre uma adaptação das bactérias, que superaproveitam os ingredientes que chegam pela dieta escassa, e o resultado é vida sustentável e com saúde, só com esses alimentos líquidos.

Depois refleti sobre os mendigos que comem alimentos podres em lixeiras e me perguntei: como eles não morrem de infecções intestinais? Novamente as bactérias explicam tudo. Sua microbiota se adapta à putrefação, o que permite a sobrevida dessas pessoas. O Brasil já não via com a mesma frequência essas cenas, pois de 2002 a 2016 viu-se de fato a diminuição da quantidade de pessoas abaixo da linha da pobreza. Porém, a "cesta básica" oferecida por qualquer tipo de governo está longe de ter a mistura ideal de alimentos.

A população que come *junk food* processada – salsichas, hambúrgueres e *nuggets* de qualidade duvidosa – não tem uma alimentação muito diferente da dos mendigos. Acompanhada de pães e refrigerantes, ela só não é podre porque contém conservantes tóxicos. Sem frutas ou vegetais, alimentando-se de porcarias cheias de gorduras hidrogenadas e doces, por que essas pessoas não adoecem? Por causa das bactérias, que permitem que grande parte de nossa população sobreviva com o que come. Mas a doença é apenas questão de tempo. Podem ser anos ou décadas, pois depende da resposta individual de cada um. É essa gente que está superlotando os postos de atendimento e os hospitais do país com todo tipo de doença.

Se nos lembrarmos dos nossos amigos herbívoros de grande porte – bovinos, equinos e outras espécies selvagens –, veremos que sua dieta à base de capim, grãos, frutas ou folhas serve de alimento probiótico, prebiótico e nutracêutico. É nesses animais que devemos nos espelhar para montar a nossa dieta, pois nossos intestinos, de longa extensão, se assemelham mais aos dos amigos herbívoros que aos dos cães. E nossa microbiota original, ou ancestral, confirma esses fatos. Colônias de bactérias mais saudáveis se formam quando nos alimentamos com ingredientes vegetais frescos.

A primeira chave para a saúde está em alimentar-se de modo a manter a população bacteriana estável, simbiótica e comensal com nossas células. Mas a segunda chave será discutida adiante. Nosso corpo precisa de moléculas inteligentes: as enzimas, os fitoquímicos nutracêuticos e os complexos vitamínicos vivos. E essas moléculas somente podem ser encontradas em alimentos vivos.

A dieta ideal é uma espécie de "fitoterapia nutricional do cotidiano". Não me coloco como dono da verdade, mas entendo que a dieta ideal para atender às necessidades de grande parte da humanidade é vegetariana, composta de 80 por cento de água e alimentos vivos, 10 por cento de vegetais levemente cozidos e 10 por cento de cereais e leguminosas cozidos ou fermentados.

As transgressões a essa regra devem respeitar as tradições culturais, mas precisamos nos adaptar ao novo conhecimento científico. Se a sua família come muitos doces ou muita carne, rompa com esses padrões familiares imediatamente, mas, quando for a uma festa de família, aceite aquele pedaço de torta da vovó ou aquele prato cheio de gordura do titio em pequenas quantidades. Se você estiver consciente, as concessões pontuais aos hábitos familiares serão apenas pontuais. Sua escolha alimentar é que tornará seu cotidiano saudável, individualizando sua dieta, fazendo dela um prazer e uma oração de saúde com seu próprio corpo e com a natureza.

Muitos veganos adotam essa dieta para evitar o sofrimento animal. Privam-se de mel, ovos e leite, no que estão cobertos de razão, mas acabam sendo impiedosos consigo mesmos ao ingerir grandes quantidades de açúcar, amidos, gorduras vegetais hidrogenadas e *junk food* vegana. Esses alimentos são tão nocivos quanto os de lanchonetes de *fast food*. Procuro lembrar às pessoas que ser vegano não significa necessariamente ser saudável.

Por isso, a dieta que proponho neste livro, a alimentação baseada em plantas, é a que eu chamo também de "vegana orgânica saudável", que permite algum cozimento. Oriento os pacientes explicitamente carnívoros a migrarem para uma dieta que possa conter alimentos de origem animal em proporções mínimas e cuja produção não tenha molestado ou matado os animais, ou seja, em sua maior parte composta de alimentos vegetais e vivos.

Adotar o hábito orgânico é como passar a integrar, sim, uma seita, mas uma seita boa. Somente alimentos orgânicos, cultivados com higiene e respeito, podem nos prover das bactérias homeostáticas do solo. Essas bactérias, capazes de controlar o pH e outras características homeostáticas, são as mesmas que o fazem em nossos intestinos, por isso são de longe o melhor de todos os probióticos. Devemos procurar construir uma rede de orgânicos infalível, que surpreenda as redes estabelecidas de distribuição de alimentos envenenados e a elas resista. É preciso mostrar a elas que podemos fugir de suas regras ditatoriais e caminhar rumo à democracia alimentar.

Peço aos radicais de qualquer tipo que saiam de sua redoma e venham ao encontro da população, algo que faço há catorze anos. Precisamos sair de nossos castelos e levar a informação evolutiva aos nossos conterrâneos e contemporâneos se quisermos criar uma nova comunidade, uma nova sociedade, mais justa, mais saudável e mais ecológica.

Ao nutricionista cabe orientar o planejamento alimentar dos indivíduos visando à promoção da saúde, respeitando as individualidades e opções pessoais quanto ao tipo de dieta. Aspectos biológicos, psicológicos e socioculturais da relação entre o indivíduo e os alimentos devem sempre ser considerados no processo da atenção dietética.

Ao entendermos o verdadeiro significado bacteriológico de nossa alimentação, podemos desenhar a dieta que nos for mais conveniente em nossas escolhas saudáveis. Aqui ofereço uma tabela adaptada de classificação de alimentos em sua atividade biológica, que foi desenhada por Edmond Bordeaux Szekely e divulgada por Viktoras Kulvinskas e Gabriel Cousens. Os alimentos biogênicos são aqueles que "geram vida", ou seja, carregam informações vibratórias na forma de fótons e DNA ativo. Estão com a estrutura de água completa e metabolicamente ativos. Se forem ingeridos, levam toda essa informação para dentro do organismo. Os alimentos bioativos são muito próximos aos biogênicos, e são probióticos também, mas diferem quanto à constituição de água (desidratados), e por estarem com mais tempo de prateleira, perdem alguns fitoquímicos e vitaminas voláteis. Os alimentos bioestáticos são vegetais cozidos, portanto alterados em sua constituição de água, bactérias ativas e fitoquímicos, mas alguns deles se justificam para a neutralização de fatores antinutricionais e tóxicos. Os bioestáticos são perfeitos exemplos de prebióticos saudáveis. Já os biocidas, como o nome diz, são "interruptores da vida", ou seja, chegam viciando e alterando nossas rotas metabólicas, não adicionam nada e na verdade retiram nosso valioso material vibratório e nossa energia. Trazem conservantes, agrotóxicos, antibióticos, hormônios e todo tipo de química disruptora de nosso metabolismo. Infelizmente, o leitor perceberá que grande parte da dieta ocidental e de nossa sociedade está inserida nesse último grupo de alimentos. Dessa maneira, faz sentido pensar que estamos degenerando a saúde como sociedade.

OS ALIMENTOS SEGUNDO SUA ATIVIDADE BIOLÓGICA

BIOGÊNICOS	Vegetais orgânicos frescos: frutas, folhas e hortaliças recém-colhidas; brotos e sementes germinadas; laticínios vegetais crus; fermentados vegetais frescos; sopas energéticas; água e polpa fresca de coco; água de nascente.	Adicionam nutrientes funcionais, fótons, bactérias saudáveis e elementos moleculares vibratórios (enzimas, fitoquímicos, vitaminas em estado natural). Regeneradores. Renovação celular da vida. Revertem doenças. Devem ser priorizados em todas as dietas. Dão suporte à agricultura familiar orgânica e ao meio ambiente.	Suco verde de ingredientes frescos, caldeiradas vegetais mornas; néctares de fruta; brotos de feijão moyashi, girassol, trigo. Sementes germinadas de leguminosas e cereais. Agricultura autêntica e horta caseira.

BIOATIVOS	Vegetais orgânicos desidratados ou minimamente processados (vapor ou salteados); laticínios vegetais engarrafados; fermentados vegetais cozidos; pães desidratados de sementes germinadas; sopas frescas aquecidas; água natural engarrafada.	Adicionam elementos moleculares, mas oferecem menos enzimas e compostos vibratórios. Oferecem bactérias saudáveis. Revertem doenças. Devem ser priorizados em todas as dietas. Dão suporte à agricultura familiar orgânica e ao meio ambiente.	Suco verde engarrafado de pronta entrega, laticínios vegetais e sucos de frutas e castanhas estocadas, sopas de inhame, cenoura e mandioquinha; brócolis, couve-flor e hortaliças no vapor ou levemente grelhados.
BIOESTÁTICOS	Vegetais assados ou cozidos, pães assados integrais de sementes e grãos; sopas cozidas.	Perdem atividade vital enzimática ou vitamínica, mas conferem efeito prebiótico e digestivo, ao adicionar fibras digeríveis ou não digeríveis. Isoladamente, não revertem doenças, mas auxiliam a manter a saúde. Devem ser individualizados. Dão suporte parcial à agricultura orgânica e não agridem o meio ambiente.	Suco verde engarrafado, laticínios e sucos de frutas engarrafados; arroz, feijão, mandioca, inhame e batata-doce, milho nativo cozido ou assado.
BIOCIDAS	Vegetais transgênicos e cultivados com agrotóxicos; processados industriais, *fast food* congelada para micro-ondas, macarrões instantâneos, massas e pizzas; doces industrializados contendo aditivos químicos de sabor e gorduras hidrogenadas; carnes embutidas, laticínios industriais e de caixa, refrigerantes e água em garrafas de plástico ou gaseificadas.	São disruptores endócrinos e metabólicos, alteram a secreção de enzimas digestivas, colesterol e hormônios metabólicos, induzem estados de doença crônica e inflamatória; cancerígenos, deprimem o SNC e provocam descalcificação, cáries, obesidade e diabetes. Devem ser eliminados da dieta. Agridem o meio ambiente e estimulam a monocultura e a exclusão social no campo.	Pães e bolachas de supermercado e lojas de conveniência; produtos congelados e irradiados, pipoca, salgadinhos e *chips*, comida de lanchonetes *fast food* (hambúrguer com fritas e refrigerantes); disque-pizzas e alimentos "convenientes"; álcool, cigarros, fumo de maconha, drogas; açúcar e doces processados com amido, açúcar e gorduras hidrogenadas.

Quando percebermos que nossa felicidade, nossa plenitude e nossa realização não vêm exclusivamente da dieta, mas da integração com os ciclos de energia e matéria que a natureza provê, entenderemos que a busca por uma nova alimentação é também a busca por uma nova organização social, que respeite e valorize a vida macro e microscópica, que estimule a produção de alimentos por pequenos produtores e a melhora da merenda escolar e da saúde da humanidade e do planeta. Veremos que a busca por água, ar, terra e exposição solar adequados fazem parte dessa dieta, devemos procurar adotar uma vida em que o contato com a natureza ocupe um espaço importante. Espero ver tudo isso acontecer, com as escolas, os centros de saúde e as atividades esportivas e culturais transformando-se em uma única e interminável celebração.

Já existem técnicas variadas de aplicação de bactérias na agricultura, na formulação de purificadores de água, de detergentes e desinfetantes, de fertilizantes de hortas e quintais, de pastas de dentes e cosméticos, na conservação de alimentos para os seres humanos e para muitos outros âmbitos domésticos e industriais.

Escolhendo sua dieta probiótica bacteriana

Podemos obter bactérias de forma segura através de uma alimentação equilibrada. A forma mais simples, que pode ser incluída no cotidiano de qualquer família, é o preparo do leite da terra. Essa receita já foi propalada aos quatro ventos em vídeos, livros, internet, e muita gente já a conhece. Mesmo assim, apresentamos algumas receitas originais desta bebida fresca mais adiante.

O leite da terra oferece os microrganismos em forma probiótica, ou seja, organismos homeostáticos do solo, viáveis e prontos para ocupar os espaços celulares que os aguardam nos intestinos. Além disso, o leite da terra conduz os elementos prebióticos e simbióticos que permitem a melhor síntese de vitaminas e nutrientes por parte das mesmas bactérias. Como essa bebida aproveita a água existente na seiva das plantas e das frutas que a compõem, é uma forma segura de obter importantes nutrientes biológicos vivos. A água alcalinizada facilita a passagem pelo estômago e aumenta a absorção dos nutrientes essenciais.

Além disso, devemos valorizar a agricultura orgânica e a agrofloresta, e não apenas isso, estimular o campo para que mais agricultores cultivem essas plantas valiosas, utilizando-se de técnicas que as deixem seguras no aspecto biológico, regando-as com água fresca e limpa, utilizando fertilizantes e adubos de origem vegetal e não fecal. Cada detalhe conta, e devemos dar início a uma verdadeira revolução bacteriana, na fertilização das plantas e em sua proteção contra pragas, pois, assim fazendo, estaremos assegurando a melhor qualidade probiótica do alimento.

Da mesma forma, devemos obter 80 por cento de nossa dieta de alimentos frescos e orgânicos, preparando saladas, sucos, pratos mornos (caldeiradas) e brotos. Todos esses alimentos são fornecedores de bactérias probióticas, nutrientes essenciais e apoio biológico a todos os organismos comensais do corpo humano.

Mas as maravilhas da probiótica já foram há muito criadas pelo homem. Existem na antiga China, na Coreia, entre árabes e povos europeus. Em 1908, o cientista russo Élie Mechnikov ganhou o prêmio Nobel de Medicina pela pesquisa que fez com os povos do Cáucaso, que rendeu o artigo "O prolongamento da vida". A pesquisa de Mechnikov mostrava como esses povos dominavam a fermentação bacteriana e faziam dela parte importante, senão essencial, de sua dieta. Foi quando a civilização ocidental ficou conhecendo nomes como *yakult, yogurt, kefir* e *rejuvelac*.

Pelas atuais normas de industrialização e da vigilância sanitária, os laticínios devem ser pasteurizados e esterilizados de todas as maneiras. Ou seja, eles são a última fonte em que devemos procurar os probióticos, exceto se estiverem sendo vendidos como tal, na forma de iogurtes ou estimulantes do peristaltismo. No entanto, os laticínios estéreis podem ser recolonizados quando abertos, mesmo em geladeira, por bactérias causadoras de doenças. Se o leitor bebe muito leite e se alimenta de seus derivados, sugiro que reduza esse consumo em pelo menos 90 por cento.

Neste livro damos destaque ao mundo da culinária vegana e, sem menosprezar a culinária de laticínios, pretendemos oferecer algumas receitas de grande valor pré e probiótico, que podem ser preparadas em uma tarde de domingo e degustadas por toda a semana seguinte, oferecendo aos nossos intestinos os valiosos amigos bacterianos.

Para saber se compreendeu este capítulo

1. A maior, mais segura e variada oferta de probióticos vem do reino vegetal. A conceituação de probiótico como produto de origem animal é incompleta e errônea. Mesmo as bactérias intestinais mais conhecidas tiveram origem nos nutrientes vegetais do ambiente. Deve-se lembrar que, na natureza, quando um animal carnívoro abate um herbívoro, procura imediatamente acesso aos intestinos, para nutrir-se dos microrganismos da pacífica vítima.

2. Um suco verde, uma caldeirada morna ou um doce vivo que contenha frutas, hortaliças e folhas limpas e frescas de origem orgânica – e cultivadas com adubo vegetal ou acrescidas de microrganismos efetivos (também de origem vegetal) – são fontes seguras de bactérias probióticas saudáveis.

3. A sua dieta determina o conteúdo bacteriano de seus intestinos. Adote uma nutrição natural baseada em plantas e manterá uma microbiota solidária com sua economia. Escolha sua dosagem de crus (biogênicos e bioativos) e cozidos (bioestáticos) com a assistência de um profissional. Se adotar uma dieta pasteurizada e processada (biocida), atrairá as bactérias nocivas que dela se nutrem.

4. Todas as doenças gastrintestinais (todas) respondem a uma mudança de hábito alimentar – sejam elas autoimunes, inflamatórias, ulcerosas, de motilidade, alérgicas ou infecciosas.

5. Nunca inicie quaisquer medicações sem antes dar uma chance à natureza. Adote por uma semana uma nutrição intensa baseada em plantas e sinta os efeitos. Após uma modulação inicial intestinal, muitos sintomas podem diminuir de intensidade, requerendo menor dose de medicação ou mesmo dispensando sua necessidade.

6. Escolha que tipo de leite quer adotar. Um leite que vem do sofrimento de animais, contendo antibióticos e hormônios, ou leites de diferentes castanhas, que se originam de agroflorestas, livres de produtos químicos. Se os laticínios animais forem inevitáveis, que sejam em pequenas quantidades e obtidos de fêmeas que convivem com os filhotes.

7. Aprenda a incluir os alimentos fermentados naturalmente em sua dieta. Além do prazer da degustação, eles fornecem probióticos ativos e com grande especificidade em receptores intestinais. Siga a

proporção entre probióticos e prebióticos aqui mencionada. Mas individualize sua dieta com o auxílio de profissionais capacitados.

8 Nenhuma mudança para melhor na saúde permanecerá se você interromper os novos hábitos saudáveis. Aprenda que comer bem não é uma obrigação, tal como "dieta" ou "regime", mas uma forma de nutrição vegetal saudável, deliciosa e sintonizada com a natureza e com valores sociais. Inclua a nutrição baseada em plantas no seu cotidiano.

9 Evite dietas açucaradas ou ricas em amidos. Evite carnes e laticínios pasteurizados. Essas dietas estão relacionadas com os piores e mais patogênicos tipos de bactérias residentes intestinais.

10 Aprenda a evitar o uso indiscriminado de antibióticos. Resista à supermedicação. Faça sua parte, nutrindo-se adequadamente. Use (ou receite) mais probióticos sempre que puder. Em caso de amigdalites ou sintomas precoces de apendicites (náuseas e vômitos), induza no paciente um jejum moderado, pleno de espécies vegetais. Mas na vigência de sintomas agudos e intensos, busque assistência médico-hospitalar. "*A César o que é de César, a Deus o que é de Deus.*"

11 Manifestações clínicas respiratórias, dérmicas e alérgicas de repetição estão relacionadas ao nível embrionário denominado epitélio, e, portanto, à sua mucosa intestinal e a suas escolhas alimentares. Reeduque-se e, se necessário, reponha bactérias para que esses sintomas desapareçam.

12 Não encare suas fezes com repugnância. Elas devem ser cilíndricas, bronzeadas, sem odor pútrido, e evacuadas facilmente. Observar e farejar seus excrementos pode ser de grande benefício na regulação de sua dieta. Lembre-se de que nos alimentamos dessas bactérias. Seu "alimento fermentado interno" é fétido e nojento? Escolha ter bactérias fermentativas em seus intestinos, e não bactérias putrefativas.

13 Os efeitos da microbiota intestinal estendem-se à saúde do feto, da mãe, do lactente e do infante, determinando boa imunidade e saúde mental-cerebral. Não se deve criar um ambiente estéril para o desenvolvimento de uma criança, mas um ambiente limpo e natural, onde a criança possa manusear e mesmo mastigar objetos sem receio.

14 Seu sistema cardiovascular, o endotélio, os neurotransmissores, a bioquímica do sangue, a glicemia e a regulação imune-inflamatória passam por um sistema gastrintestinal saudável. Parafraseando Hipócrates, que disse "*Somos o que são nossos intestinos*", podemos dizer: "*Somos o que são nossas bactérias intestinais*".

Receitas

Com vocês, as receitas e os métodos culinários de Maya Beermann. Capítulo a capítulo, vocês terão as inclusões de nosso cardápio semanal. Estas receitas são apresentadas durante todo o curso Bases, sempre relacionadas às aulas teóricas e servidas no desjejum, almoço, lanche, jantar e ceia. É a "frutaterapia nutricional do cotidiano", cuja base são as frutas.

Lasanha

Ingredientes:
Massa
- 2 batatas-doces grandes fatiadas sem casca e cortadas fino na horizontal
- 2 colheres (sopa) de missô
- 4 colheres (sopa) de azeite de oliva

Queijo de amêndoas
- 2 xícaras de amêndoas hidratadas sem casca
- 1 xícara de soro de leite fermentado
- 1 colher (sopa) de caldo de limão
- 1 colher (chá) de sal do Himalaia

Molho de tomate
- 3 tomates grandes maduros
- 1 xícara de tomates secos reidratados
- 1 colher (sopa) de maçã sem casca
- 1 colher (sopa) de manjericão
- 1 colher (chá) de sal
- ½ colher (chá) de pimenta calabresa
- 1 colher (sopa) de pimentão vermelho picadinho
- 1 colher (sopa) de orégano

Preparo:
Massa
Hidrate a batata-doce em 2 litros de água (imersão) para desamidar por 30 minutos. Retire da água e escorra ao máximo. Em seguida, misture bem com o missô.
Em uma panela de pedra, barro ou ferro, amorne a batata-doce dos dois lados no azeite. Reserve.

Molho
Bata todos os ingredientes, menos o orégano, no liquidificador. Reserve.
Queijo de amêndoas
Bata todos os ingredientes no liquidificador. Reserve.

Montagem: Em um refratário médio retangular de vidro, monte a lasanha em camadas alternadas de batata, queijo e molho (duas camadas). Polvilhe orégano.

Armazenamento: 1 dia na geladeira em refratário de vidro com tampa.

Rendimento: 4-6 porções.

Bolinho de castanhas e cogumelo

Ingredientes:
- ¼ de xícara de castanhas-do-pará
- ½ xícara de amêndoas
- ½ xícara de castanhas de caju
- ¼ de xícara de nozes trituradas
- ¼ de xícara de sementes de girassol
- ½ cebola pequena picadinha
- 2 dentes de alho passados no espremedor
- 2 colheres (sopa) de azeite
- ½ bandeja de cogumelos shimeji ou shitake picadinhos
- 1 colher (sopa) de molho de soja
- ¼ de xícara de sementes de girassol triturada
- 1 colher (sopa) de salsa picadinha
- ½ colher (chá) de pimenta-do-reino
- ½ colher (chá) de pimenta dedo-de-moça bem picadinha
- 1 colher (sopa) de cebolinha picadinha
- 1 colher (chá) de sal do Himalaia
- ½ xícara de gergelim tostado

Preparo:
Bata no processador as castanhas-do-pará, as amêndoas e as castanhas de caju até obter uma massa homogênea. Reserve.

Triture grosseiramente as nozes e as sementes de girassol. Reserve.
Em uma panela de pedra, barro ou ferro, amorne a cebola e o alho no azeite. Acrescente o cogumelo e o molho de soja e amorne por alguns minutos. Em seguida, adicione as castanhas reservadas e o restante dos ingredientes, exceto o gergelim, misturando bem.
Modele no formato de hambúrguer, passe no gergelim e desidrate por 8 horas: as duas primeiras na temperatura de 68 °C, depois reduza para 43 °C.

Armazenamento: 2-3 dias na geladeira em recipiente de vidro com tampa.
Dica: Ao retirar da geladeira, aqueça os bolinhos em uma chapa de pedra. Sirva em seguida.

Rendimento: 12 porções

Hambúrguer de lentilha germinada

Ingredientes:
- 1 cebola média bem picadinha
- 1 colher (chá) de alho ralado fino
- 2 colheres (sopa) de azeite de oliva
- 2 xícaras de lentilha germinada descascada
- 1 xícara de farinha de arroz
- ¼ de colher (chá) de pimenta calabresa
- ¼ de colher (chá) de pimenta-do-reino
- 1 colher (chá) de sal
- 1 colher (sopa) de missô
- 1 colher (sopa) de molho de soja
- 1 colher (sopa) de farinha de linhaça dourada diluída em 3 colheres (sopa) de água
- cebolinha e salsa a gosto
- 2 colheres (sopa) de óleo de coco

Preparo:
Em uma panela de pedra, barro ou ferro, amorne a cebola e o alho no azeite. Adicione a lentilha e amorne misturando levemente até que o amargo diminua.

Bata no processador a lentilha temperada e o restante dos ingredientes, exceto a cebolinha, a salsa e o óleo de coco.

Depois, acrescente cebolinha e salsa à massa misturando bem, mas sem processar.

Modele a massa no formato de hambúrguer e amorne com óleo de coco em uma chapa de pedra até que fique corado.

Armazenamento: 3-4 dias na geladeira em recipiente de vidro com tampa.
Dica: Ao retirar da geladeira, aqueça os bolinhos em uma chapa de pedra untada com óleo de coco. Sirva em seguida.

Rendimento: 22 unidades pequenas.

Kafta de grão-de-bico

Ingredientes:
Bolinho
    2 xícaras de grão-de-bico germinado
    2 colheres (sopa) de cebola bem picadinha
    2 colheres (sopa) de alho ralado ou amassado
    4 colheres (sopa) de azeite de oliva extra virgem
    ½ xícara de tomate maduro sem sementes bem picadinho
    ½ xícara de cenoura ralada fininho
    2 colheres (sopa) de salsa picadinha
    2 colheres (sopa) de cebolinha picadinha
    ½ xícara de aveia em flocos finos
    1 colher (sopa) de orégano
    1 colher (chá) de sal
    ¼ de colher (chá) de pimenta calabresa

Molho de tahine
    ½ xícara de azeite de oliva
    2 colheres (sopa) de tahine
    2 colheres (sopa) de caldo de limão
    1 colher (chá) de sal

Preparo:
Bolinho
Bata bem o grão-de-bico no processador. Em uma panela de pedra, barro ou ferro, amorne a cebola e o alho no azeite. Adicione o grão-de-bico e o tomate e amorne misturando levemente até reduzir o amargo. Acrescente os demais ingredientes e misture bem.
Modele a massa no formato de bolinhos. Coloque na bandeja do desidratador com a folha de "Teflex" e desidrate por 10 horas: nas duas primeiras a 68 °C e depois reduza para 43 °C.
Molho
Bata todos os ingredientes no liquidificador.

Armazenamento: 3-4 dias na geladeira em recipiente de vidro com tampa.
Dica: Antes de servir, aqueça os bolinhos em uma chapa de pedra untada com óleo de coco.

Rendimento: 4-6 porções.

Cuscuz de amendoim

Ingredientes:
  3 xícaras de amendoim hidratado sem casca
  2 colheres (sopa) de cebola picadinha
  2 colheres (sopa) de alho-poró picadinho
  4 colheres (sopa) de azeite de oliva extra virgem
  ½ xícara de cogumelo shitake ou shimeji
  1 xícara de tomate picadinho
  ½ xícara de cenoura ralada fino
  1 colher (sopa) de sal
  ¼ de colher (chá) de pimenta-de-caiena
  2 colheres (sopa) de farinha de mandioca crua
  4 colheres (sopa) de salsinha picadinha

Preparo:
Bata o amendoim no processador até formar uma massa lisa. Reserve. Em uma panela de ferro, barro ou pedra, amorne a cebola e o alho-poró no azeite. Acrescente o cogumelo, o tomate, a cenoura e a massa de

amendoim. Mexa sem parar com uma colher de pau até que o amendoim perca o sabor amargo. Adicione o sal, a pimenta, a farinha de mandioca e a salsinha com o fogo desligado. Misture bem.
Unte com azeite uma fôrma de pudim, coloque a massa e desenforme em um prato.

Armazenamento: 2 dias na geladeira.

Rendimento: 10-12 porções.

Quiabo ao vinagrete

Ingredientes:
   3 xícaras de quiabo em rodelas finas
   3 tomates cortados em cubinhos
   1 cebola picadinha em cubinhos
   ½ pimentão vermelho cortado em cubinhos
   4 colheres (sopa) de vinagre de maçã
   2 colheres (sopa) de molho de soja
   1 colher (chá) de sal do Himalaia
   4 colheres (sopa) de azeite de oliva
   ¼ de xícara de água mineral
   2 colheres (sopa) de salsinha picadinha

Preparo:
Em um refratário, misture bem todos os ingredientes.

Armazenamento: 1-2 dias na geladeira em refratário de vidro com tampa.

Rendimento: 4-5 porções.

Tabule de couve-flor

Ingredientes:
    3 xícaras de couve-flor cortada grosseiramente
    ½ xícara de salsa cortada bem fininho
    ½ xícara de hortelã cortada bem fininho
    ½ xícara de cebolinha cortada bem fininho
    4 colheres (sopa) de azeite de oliva
    4 colheres (sopa) de suco de limão
    sal a gosto
    ½ xícara de tomate sem sementes picadinho

Preparo:
Bata a couve-flor no processador até obter uma farofinha grossa. Coloque num recipiente de vidro, acrescente os demais ingredientes e mexa bem. Deixe marinar por uns 15 minutos na geladeira para acentuar o sabor.

Armazenamento: 1 dia na geladeira em refratário com tampa.

Rendimento: 5-6 porções.

Salada de berinjela

Ingredientes:
    2 colheres (sopa) de azeite de oliva
    ½ xícara de cebola picadinha
    2 colheres (sopa) de alho-poró cortado em rodelas finas
    1 berinjela sem casca cortada fino no mandolim
    ½ pimentão vermelho picadinho em cubinhos
    ½ pimentão verde cortado picadinho em cubinhos
    2 tomates maduros cortados em gomos sem as sementes
    1 xícara de broto de feijão
    1 colher (sopa) de missô
    1 colher (sopa) de sumagre
    1 colher (sobremesa) de sal

Preparo:
Em uma panela de pedra, barro ou metal espesso, amorne no azeite a cebola e o alho-poró mexendo com uma colher de pau por alguns minutos. Adicione os demais ingredientes e amorne até os legumes ficarem macios, mas al dente.

Armazenamento: 2-3 dias na geladeira.

Rendimento: 5-6 porções.

Salada de abobrinha e cenoura

Ingredientes:
   3 xícaras de abobrinha ralada grosso
   1 xícara de cenoura ralada grosso
   1 colher (chá) de sal
   4 colheres (sopa) de alho-poró cortado em rodelas finas
   ½ xícara de tomate cortado em cubinhos
   4 colheres (sopa) de castanha-do-pará ralada grosso
   2 colheres (sopa) de azeitonas pretas picadinhas
   3 colheres (sopa) de azeite de oliva
   2 colheres (sopa) de suco de limão
   1 colher (sopa) de orégano

Preparo:
Em uma vasilha, prense (cozimento mecânico) a abobrinha e a cenoura raladas com o sal até amaciar um pouco, mas al dente. Adicione os demais ingredientes e misture bem.

Armazenamento: 2-3 dias na geladeira.

Rendimento: 4-5 porções.

Salpicão

Ingredientes:
- 2 batatas médias
- 4 xícaras de repolho cortado fino
- 1 xícara de cenoura ralada
- ½ xícara de salsão em rodelas
- 1 colher (sopa) de missô
- 1 colher (sopa) de azeite de oliva
- suco de 1 limão médio
- 1 colher (sopa) de sal
- 4 colheres (sopa) de salsinha

Preparo:
Descasque as batatas e rale-as fino. Coloque-as cobertas por água em uma vasilha por 15 minutos para desamidar. Escorra bem em uma peneira. Em uma panela de pedra, barro ou metal espesso, amorne a batata. Reserve.
Em um refratário, coloque todos os ingredientes, adicione a batata amornada e misture bem. Decore com talinhos de salsinha e tomatinho-cereja.

Armazenamento: 2 dias na geladeira.

Rendimento: 4-5 porções.

Macarrão de abobrinha ao sugo

Ingredientes:

Massa
- 5 abobrinhas médias passadas no cortador em espiral
- 1 colher de missô
- 2 colheres (sopa) de alho-poró picadinho
- 2 colheres (sopa) de azeite de oliva

Molho
- 7 tomates pequenos maduros
- ¼ de xícara de tomate seco reidratado
- ¼ de pimentão vermelho

1 colher (sopa) de maçã sem casca picadinha
1 pedacinho de pimenta dedo-de-moça
3 colheres (sopa) de azeite
1 colher (chá) de sal do Himalaia
¼ de xícara de castanha-do-pará ralada
1 colher (sopa) de folhas de manjericão

Preparo:
Massa
Em um recipiente, coloque a abobrinha e misture levemente com o missô deixando em consistência al dente. Amorne o alho no azeite, adicione a abobrinha e misture levemente.
Molho
No liquidificador, bata todos os ingredientes do molho, exceto as castanhas-do-pará e as folhas de manjericão.

Montagem: Em uma panela de pedra, barro ou ferro, amorne o molho, desligue o fogo e acrescente a abobrinha. Polvilhe a castanha-do-pará ralada e decore com as folhas de manjericão.

Armazenamento: 1 dia na geladeira em recipiente de vidro com tampa.

Rendimento: 4-5 porções.

Moqueca de alga

Ingredientes:
5 xícaras de polpa de coco verde cortada em tiras
½ xícara de alga kombu hidratada bem picadinha
1 colher (chá) de pimenta-do-reino
suco de ½ limão
2 colheres (chá) de sal do Himalaia
1 xícara de abóbora em cubos descascada
1 xícara de cebola em rodelas
2 colheres (sopa) de azeite de oliva
1 xícara de pimentão verde
1 xícara de tomate maduro em rodelas

1 xícara de leite de coco
1 colher (sopa) de azeite de dendê
1 colher (chá) de pimenta dedo-de-moça
1 colher (sopa) de coentro picadinho
2 colheres (sopa) de salsinha picadinha

Preparo:
Em um recipiente, misture o coco, a alga, a pimenta-do-reino, o suco de limão e o sal. Deixe marinar na geladeira por 8 horas.
Ferva água (o suficiente para cobrir a abóbora), desligue o fogo e deixe a abóbora em imersão por 5 minutos. Coloque a abóbora no liquidificador com 1 xícara de água quente e bata até formar um creme. Reserve.
Em uma panela de pedra, barro ou metal espesso, amorne a cebola no azeite de oliva. Acrescente o pimentão e o tomate e amorne mais um pouco. Acrescente a mistura de coco, o leite de coco, o creme de abóbora, o azeite de dendê, a pimenta dedo-de-moça e amorne por alguns minutos mexendo levemente até o molho ficar rosé. Apague o fogo, polvilhe o coentro e a salsinha.

Armazenamento: 1 dia na geladeira em recipiente de vidro com tampa.

Rendimento: 4-5 porções.

Caldeirada ao molho branco e shitake

Ingredientes:
  2 colheres (sopa) de alho-poró em rodelas finas
  2 colheres (sopa) de azeite de oliva
  2 colheres (sopa) de missô
  1 xícara de shitake ou shimeji cortados e marinados por 15 minutos em 2 colheres (sopa) de molho de soja, 2 colheres (sopa) de vinagre de maçã ou uva e ½ colher (chá) de pimenta-de-caiena.
  1 xícara de couve-flor cortada em buquês
  1 xícara de brócolis cortados em buquês
  ¼ de xícara de repolho roxo cortado fininho
  ½ xícara de cenoura cortada no ralador grosso
  1 xícara de abobrinha cortada no ralador grosso

¼ de xícara de pimentão amarelo picadinho em cubinhos
2 colheres (sopa) de cebola

Molho branco
1 xícara de castanha-do-pará hidratada
½ colher (chá) de noz-moscada
1 colher (chá) de sal do Himalaia

Preparo:
Em uma panela de pedra, barro ou ferro, amorne o alho-poró e a cebola no azeite. Acrescente o missô e o cogumelo marinado. Misture bem para diluir o missô e amorne por alguns minutos.
Prense os legumes com sal e adicione à mistura do missô e dos cogumelos. Deixe amornar por mais alguns minutos.

Molho branco
Bata no liquidificador a castanha-do-pará com 1 xícara de água, a noz-moscada e o sal até formar um creme. Adicione aos legumes e mexa até misturar bem.

Armazenamento: 1 dia na geladeira em refratário de vidro com tampa.

Rendimento: 5-6 porções.

Risoto de quinoa

Ingredientes:
2 xícaras de água
1 xícara de quinoa hidratada
1 bandeja (180 g) de cogumelo hiratake fatiado
½ xícara de palmito pupunha picadinho bem fino
2 colheres (sopa) de molho de soja
1 cebola
1 colher (sopa) de alho ralado fino
4 colheres (sopa) de azeite extra virgem de gergelim ou oliva
2 colheres (sopa) de missô
¼ de xícara de ervilhas germinadas
1 colher (sopa) de sal do Himalaia
2 colheres (sopa) de salsinha picadinha
½ xícara de cenoura ralada grosso

½ xícara de tomate maduro cortado em cubinhos

2 colheres (sopa) de alho-poró picadinho

Preparo:

Ferva a água, acrescente a quinoa e ferva por 3 minutos. Reserve.

Lave e escorra o cogumelo e o palmito e prense com o molho de soja. Deixe marinar por 15 minutos.

Na panela de pedra, barro ou ferro, amorne a cebola e o alho no azeite por alguns minutos. Acrescente o missô e mexa bem com uma colher de pau até incorporar totalmente no tempero. Adicione a ervilha e mexa com uma colher de pau até que ela perca o amargo. Em seguida, adicione o palmito, a cenoura, o tomate, o alho-poró e o cogumelo e amorne mexendo por alguns minutos. Por fim, acrescente a quinoa e o sal e misture bem. Desligue o fogo e salpique a salsinha picada.

Armazenamento: 1-2 dias na geladeira em recipiente de vidro com tampa.

Rendimento: 5 porções.

Sukiyaki

Ingredientes:
- 1 xícara de cebola cortada em cubos grandes
- ½ xícara de nirá picadinho
- ½ xícara de cebolinha picadinha
- 2 colheres (sopa) de azeite
- 1 bandeja (180 g) de cogumelo shitake fatiado e marinado (Marine por 10 minutos em ¼ de xícara de molho de soja, 2 colheres de sopa de vinagre de maçã, 1 colher de chá de pimenta-do-reino. Descarte o líquido no momento de utilizar.)
- 5 xícaras de acelga cortada em quadrados
- 5 xícaras de repolho cortado em quadrados
- 1 xícara de molho de soja
- 1 xícara de agrião sem os talos (somente os mais finos)
- ½ xícara de broto de feijão
- 200 g de macarrão bifum (opcional)
- 2 colheres (sopa) de óleo de gergelim torrado
- ½ xícara de tofu em cubinhos

Preparo:
Em uma panela de pedra, barro ou ferro, amorne a cebola, o nirá e a cebolinha no azeite. Adicione o cogumelo (sem o líquido em que ficou marinando) e amorne por mais alguns minutos. Coloque a acelga e o repolho na panela e amasse com as mãos (prensagem) as folhas, acrescentando aos poucos o molho de soja até ficar macio, **mas** al dente. Adicione o agrião e o broto de feijão e misture bem. Reserve.
Cozinhe o macarrão por 1 minuto em 500 ml de água fervente. Despeje em um escorredor para retirar a água. Adicione à panela reservada o macarrão e o óleo de gergelim tostado, misturando bem. Coloque os cubinhos de tofu misturando levemente para não esfarelar.

Armazenamento: 1 dia na geladeira em recipiente de vidro com tampa.

Rendimento: 4-5 porções.

Escarola com molho branco

Ingredientes:
- 2 colheres (sopa) de alho amassado
- 2 colheres (sopa) de azeite de oliva
- 4 xícaras de escarola cortada em tiras
- 2 colheres (sopa) de sal do Himalaia
- 1 xícara de castanha-do-pará hidratada
- 1 xícara de água
- ½ colher (chá) de noz-moscada
- ½ xícara de polpa de coco

Preparo:
Em uma panela de pedra, barro ou ferro, amorne o alho no azeite. Acrescente a escarola e amasse (prensagem) com ajuda de 1 colher de sal do Himalaia até murchar um pouco, mas ficar al dente.
No liquidificador, bata a castanha-do-pará com a água, polpa de coco e a noz-moscada e 1 colher de sal do Himalaia. Despeje essa mistura por cima da escarola e mexa levemente. Sirva quente.

Armazenamento: 1 dia na geladeira em recipiente de vidro com tampa.

Rendimento: 4-5 porções.

Risoto integral com lentilha germinada

Use arroz integral, arroz negro ou quinoa, em necessidade de restrição calórica.

Ingredientes:
- 1 xícara de arroz integral cateto hidratado
- 3 xícaras de água mineral quente
- sal a gosto
- 2 colheres (sopa) de gengibre ralado
- 2 colheres (sopa) de alho
- 2 colheres (sopa) de azeite de oliva
- 1 colher (sopa) de missô
- ½ xícara de lentilha germinada e descascada
- 1 colher (sopa) de molho de soja
- 2 colheres (sopa) de salsinha picadinha

Preparo:
Lave e escorra bem o arroz. Em uma panela de pedra, metal espesso ou barro, amorne até ficar seco e aumentar um pouco de volume. Acrescente água quente e sal a gosto. Cozinhe em fogo brando até ficar macio.
Dica: Quando a água estiver quase secando por completo, pingue algumas gotas de limão para o arroz não grudar no fundo da panela. Reserve. Em outra panela, amorne o gengibre e o alho no azeite, adicione o missô e misture bem. Acrescente a lentilha (escorra bem a água) e amorne mexendo devagar até que perca o gosto amargo. Junte o arroz cozido e mexa bem. Por fim, adicione o molho de soja, salpique a salsinha e misture delicadamente.

Armazenamento: 1-2 dias na geladeira em refratário de vidro com tampa.

Rendimento: 5 porções.

Risoto vegetariano

Use arroz integral, arroz negro ou quinoa, em necessidade de restrição calórica.

Ingredientes:
- 1 xícara de arroz integral cateto hidratado
- 3 xícaras de água quente
- sal a gosto
- 1 xícara de cenoura cortada grosseiramente
- 2 colheres (sopa) de molho de soja
- ½ colher (chá) de pimenta-de-caiena
- ½ xícara de água
- ½ xícara de tomate seco hidratado picadinho
- ½ xícara de rúcula cortada grosseiramente

Preparo:
Lave e escorra bem o arroz. Em uma panela de pedra, ferro ou barro, amorne o arroz até ficar seco e aumentar um pouco de volume. Adicione água quente e sal a gosto. Cozinhe em fogo brando até ficar macio.
Dica: Quando a água estiver quase secando por completo, pingue algumas gotas de limão para o arroz não grudar no fundo da panela. Reserve.
Bata a cenoura, o molho de soja e a pimenta com a água até formar um creme. Reserve.
Por fim, misture delicadamente o arroz ainda quente, o creme de cenoura, o tomate seco e a rúcula.

Armazenamento: 2-3 dias na geladeira em refratário de vidro com tampa.

Rendimento: 5-6 porções.

Arroz integral com alho-poró

Use arroz integral, arroz negro ou quinoa, em necessidade de restrição calórica.

Ingredientes:
- 1 xícara de arroz integral cateto hidratado
- 3 xícaras de água mineral quente
- sal a gosto
- 2 colheres (sopa) de alho-poró
- 1 colher (sopa) de missô
- 2 colheres (sopa) de azeite

Preparo:
Lave e escorra bem o arroz. Em uma panela de pedra, metal espesso ou barro, amorne o arroz até ficar seco e aumentar um pouco de volume. Acrescente água quente e sal a gosto. Cozinhe em fogo brando até ficar macio.
Dica: Quando a água estiver quase secando por completo, pingue algumas gotas de limão para o arroz não grudar no fundo da panela. Reserve. Em outra panela, amorne o alho-poró e o missô no azeite. Acrescente o arroz cozido e mexa bem.

Iscas de berinjela na chapa

Ingredientes:
- 5 berinjelas cortadas em iscas ou fatias finas
- 2 colheres (sopa) de missô
- 1 colher (chá) de sumagre (tempero árabe)
- 2 colheres (sopa) de azeite de oliva
- 1 cebola cortada em gomos finos
- 2 colheres (sopa) de alho-poró

Preparo:
Massageie com as mãos (prensagem) as iscas de berinjela com o missô até ficarem macias. Sempre com as mãos, aperte bem para extrair toda

a água e sair o amargo da berinjela. Descarte a água ou a utilize em um molho. Acrescente o sumagre e reserve.

Em uma panela ou chapa de pedra, barro ou metal espesso, coloque o azeite e amorne a cebola e o alho-poró junto com as iscas de berinjela.

Armazenamento: 1 dia na geladeira em refratário de vidro com tampa.

Rendimento: 4-5 porções.

Feijoada

Ingredientes:
- 2 xícaras de feijão-preto hidratado
- 2 colheres (sopa) de alho amassado
- 1 colher (chá) de assafétida, cebolinha ou cebola picadinha
- 1 bandeja (180 g) de cogumelo shimeji ou shitake (Marine por 10 minutos em 1/2 xícara de molho de soja, 2 colheres de sopa de vinagre de maçã e 1 colher de chá de pimenta-do-reino. Descarte o líquido na hora de utilizar.)
- ½ xícara de abóbora em cubinhos
- ½ xícara de abobrinha em cubinhos
- ½ xícara de berinjela sem casca cortada em cubinhos
- 1 colher (chá) de louro
- ½ colher (chá) de pimenta dedo-de-moça
- 1 colher (sopa) de sal de ervas

Preparo:
Cozinhe o feijão em uma panela de pressão por 15 minutos.

Em uma panela de pedra, barro ou ferro, amorne o alho, a assafétida e o cogumelo até ficar macio. Acrescente o feijão cozido e cozinhe por alguns minutos. Desligue o fogo e adicione o restante dos ingredientes em seguida. Deixe a panela tampada por alguns minutos antes de servir para que o calor amacie os legumes.

Armazenamento: 1 dia na geladeira em recipiente de vidro com tampa.

Rendimento: 4-6 porções.

2
Alegria

Em junho de 2009, fui convidado a dar uma palestra em um encontro em Fulda, na Alemanha, organizado por Norbert Wilms. Eu falaria sobre alimentação; Bernd Gerken, sobre alinhamento molecular com a natureza; e Jürgen Recktenwald traria o importante conhecimento do poder nutricional e medicamentoso das ervas selvagens.

Em um dia, Gerken agendou com os participantes uma vivência na floresta, às 5h30 da manhã do verão europeu. Na hora marcada, todos tomamos um chá de ervas e seguimos para uma floresta vizinha. Ele nos orientou a não conversar. Ao caminhar com o grupo, em silêncio, me deixei levar pelos sons e pelas paisagens da natureza. Assim como um ruído pode aumentar, o silêncio também aumenta e nos conduz a um estado meditativo suave e agradável.

As cores do amanhecer se desenhavam no céu, e eu sentia que estava integrado com aquela alvorada, caminhando sem palavras. O relevo das montanhas e colinas próximas se desenhava no horizonte de cores profusas e logo eu já ouvia um riacho, enquanto percebia as plantas e as flores ao redor. A relva deu lugar à floresta, onde árvores muito antigas e misteriosas guarneciam um portal, por onde o grupo passou. Já estávamos envolvidos pelo bosque quando Bernd disse: "Aqui nos sentamos e fechamos os olhos. Deixem os ouvidos orientar seus sentidos agora. Ouçam o canto dos pássaros que despertam com o dia".

Quando fechei os olhos, de fato percebi que minha audição se aguçara. O estado de consciência em que eu me achava se ampliou e sons que eu nem percebia começaram a ecoar em minha mente. Não havia mais nada ali, apenas o canto dos pássaros que anunciavam o dia. *Eles fazem isso para demarcar o território, na verdade nada teria a ver conosco. Mas os sons que captamos indiretamente desse ritual dos pássaros têm relação com nosso corpo e nossa mente.*

Com os olhos fechados, passei a discernir os diferentes cantos. Nosso mestre descrevia o som com assovios e mencionava o músico que o produzia: o rouxinol, o canário, a gralha e assim por diante, até chegar a umas 25 espécies diferentes de pássaros e cantos. Na verdade, era interessante saber quem eram os cantores, mas, mais ainda, perceber o estado de quietude a que aquele canto induzia e o estado de expansão da consciência a que chegávamos. Assim permanecemos por mais uns 40 minutos, enquanto os sons da natureza daquela inesquecível manhã progrediam e nossa consciência se expandia junto com eles.

Ao término desse momento, permanecemos sentados em nossos troncos. Nosso guia, que um dia fora químico e professor, explicou que passou anos estudando as moléculas denominadas aromáticas, cuja estrutura, composta de anéis benzênicos, é muito estável e mantida por um fenômeno chamado ressonância. Muitas substâncias químicas têm essa estrutura, mas, acima de tudo, praticamente todos os hormônios do nosso corpo apresentam anéis benzênicos. Assim, todo o nosso sistema neuroendócrino ressoa quando nos sintonizamos com os sons da natureza. Os aditivos químicos, os agrotóxicos, os poluentes do ar e sonoros de uma cidade, acompanhados da vida estressante, produzem o efeito exatamente contrário, tanto em homens como em animais.

Porém, como somos muito dependentes de um sistema de ideias e crenças que precisam de fatos científicos para existir, ficamos estáticos quando nos deparamos com alguém que diz uma verdade imutável.

Porque as verdades falam por si, e mesmo que uma ou outra chave do que foi dito não possa ser comprovada pela ciência, seus efeitos são percebidos por algo que ultrapassa a percepção comum.

Bernd deve ter ultrapassado alguma idade longeva, mas pode-se dizer que ele não tem idade. Os cabelos e as sobrancelhas são muito brancos, mas a pele tem sempre uma cor dourada, e todo o seu ser irradia juventude e sabedoria. Nesse encontro, ele estava com um filho de 10 anos de idade. Com esse menino, ele acampou na floresta, onde fizeram uma tenda de galhos e folhas. Ele não aceitou o quarto a que tinha direito como palestrante, andava descalço e fazia fogueiras para se aquecer. Guardei a informação para mim, assim como todas as outras que ele trouxe. Até hoje a comunhão com a "alegria da natureza" acontece no curso Bases Fisiológicas. Ela é realizada do jeito que aprendi com o mestre alemão. Mas, em vez de 25, podemos ouvir uns 50 cantos de pássaros diferentes, uma bênção que a Mata Atlântica nos oferece.

Desde aquele dia entendi que o que precisava fazer na vida era retornar às condições que me permitissem ouvir esses sons como pano de fundo de meus dias. Fui mudando de casa e de forma de trabalhar, até chegar às condições atuais. Sou habitante do sítio Nirvananda, na região paulista do Parque Intervales, e enquanto escrevo estas linhas sou despertado por uma orquestra de pássaros e vou dormir embalado pelo coral de sapos e grilos da floresta e do lago que guarnecem a frente de nossa pequena e aconchegante casa.

O sono da noite é longo, profundo e reparador. A meditação e os alongamentos fazem parte do cotidiano. O trabalho braçal, sob o sol, consertando uma cerca ou fazendo uma oleira agroflorestal, é tão nobre quanto o intelectual. Às vezes me encosto na cama antiga transformada em sofá e durmo mesmo durante o dia. Sinto meu corpo se recuperar de anos de estímulos urbanos e hospitalares, ambulâncias, centro cirúrgico, noites em claro.

Todo ser humano deveria ter esse direito, o direito de dar uma guinada e viver de acordo com as leis da natureza. Essa é a verdadeira alegria de viver. Essa é a droga psicoativa natural, o contato com os elementos, o ritmo circadiano, que permite que mudemos nossos estados de consciência, que despertemos, que possamos dormir e também sonhar acordados.

Se você está lendo este livro atentamente, verá que tudo é possível sem pressão, e que o primeiro passo é escolher bem o que se come. Ser feliz é simples – mas não é fácil. Não se consegue alegria de mão beijada ou apenas pagando por ela. É preciso tomar decisões bastante corajosas, pois não é fácil ser feliz neste "admirável mundo novo" em que vivemos.

Assumir e praticar o caminho que leva o indivíduo de volta à natureza ao redor e à sua natureza interior significa perceber as coisas mais sutis, mas capazes de promover as maiores modificações em nosso corpo. Aqui a "cirurgia verde" assume seu aspecto mais imaterial. Pois é de uma mente sadia e bem alimentada de pensamentos e emoções positivos que partem as ordens essenciais de alinhamento da célula e do corpo.

Vamos conhecer alguns fatos.

Por que estamos assim?

O desejo do homem de alterar seu estado de consciência é muito antigo, e as descrições do uso de plantas enteógenas, ou alucinógenas, remontam a tempos pré-históricos. Há registros do uso cultural de substâncias psicoativas de mais de 10.000 anos. Originalmente, o uso dessas plantas vinha do desejo de alcançar um êxtase social, ritual ou religioso. Na verdade, a humanidade anseia por uma aproximação com a visão divina, um espaço de resolução de seus anseios e medos e de perfeita integração. Hoje, porém, aquele que disser em público que está em "contato direto com Deus" poderá ser sedado e contido, com o diagnóstico de alucinação.

Todas as sociedades desenvolveram formas institucionalizadas, padronizadas culturalmente, de estados alterados de consciência, seja em pequenos grupos, seja em transe coletivo. Portanto, o padrão que vemos hoje – consumo de drogas sintéticas em *raves* ou consumo de álcool e outras drogas no Carnaval, por exemplo – tem origem nos primórdios da humanidade.

Um amplo estudo de 488 sociedades ao redor do planeta, realizado em 1973, mostrou um dado impressionante. Em 90 por cento desses grupos, o uso de alguma substância psicoativa derivada de plantas era padronizado e culturalmente aceito. Não há dúvida, assim, de que o homem necessita de alterações do estado de consciência em seu cotidiano.

Segundo o estudo, as sociedades que mais utilizavam essas plantas eram as indígenas americanas (97 por cento de uso); as que menos as utilizavam (80 por cento de uso) localizavam-se ao redor do mar Mediterrâneo – no norte da África, Oriente Médio e sul da Europa. Tal como esses povos, as atuais sociedades industrializadas são movidas a substâncias derivadas de plantas psicoativas: cafeína, nicotina, cocaína, açúcar e álcool, para não falar de centenas de drogas recreacionais ou prescritas por médicos. Nelas, as principais maneiras de consumir substâncias que mudam o estado de consciência ou drogas psicotrópicas são:

- rituais religiosos – desde o gole de vinho consumido pelo padre durante a Eucaristia, no catolicismo, até o uso ritualístico do chá *ayahuasca*, na condução à experiência do êxtase religioso;
- prescrições médicas – drogas sintéticas para o tratamento de condições mentais, anestesia e controle da dor;
- uso recreativo – substâncias para causar euforia, com consequências sociais e médicas imprevisíveis, envolvendo enormes redes, lícitas ou ilícitas, de distribuição.

Ainda nos anos 1980, quando a indústria farmacêutica começou a produzir as primeiras drogas antidepressivas e psicoativas, a prescrição de remédios para a depressão ou outras condições psiquiátricas era uma eventualidade rara. Mas a situação está bem diferente agora. Segundo a Organização Mundial da Saúde (OMS), a depressão atinge 350 milhões de pessoas ao redor do mundo.

No período em que atendi pacientes pelo Programa de Saúde da Família em áreas de maior vulnerabilidade social, surpreendeu-me o número de pacientes que vinham ao consultório atrás de uma receita de medicamento tarja preta. Nas reuniões de trabalho com os colegas, via que esse padrão era repetido em todos os outros postos. Surpreendia-me também a incidência de casos graves (como depressão, uso de drogas e tentativas de suicídio) nos quais a prescrição desses medicamentos se tornava imperativa pelas atuais determinações da Sociedade Brasileira de Psiquiatria. Mas um estudo global feito pela Organização Mundial da Saúde mostrou que a cidade de São Paulo está na dianteira no quesito de doenças mentais. Um total de 29,6 por cento dos paulistanos e moradores da região metropolitana sofre de algum tipo de perturbação psíquica. Mas isso não é "privilégio" da maior capital do Brasil. O padrão se repete em todas as cidades brasileiras com mais de 100.000 habitantes e até mesmo em pequenos municípios das áreas rurais. A ansiedade, os padrões comportamentais atípicos e o abuso de substâncias químicas estão entre os maiores problemas. A ansiedade afeta 19,9 por cento das pessoas pesquisadas. Depois de São Paulo, cidade que representa o Brasil no estudo, centros urbanos dos Estados Unidos aparecem em seguida, com aproximadamente 25 por cento de incidência de perturbações mentais.

O mesmo estudo relaciona a alta incidência de perturbações mentais à ocupação urbana desenfreada, principalmente em áreas com menor índice de desenvolvimento humano (IDH), ou seja, nas periferias e em áreas ocupadas por migrantes. O sexo feminino está no topo dos grupos vulneráveis, segundo o mesmo estudo.

Na ponta do uso recreativo de drogas, a Pesquisa Nacional de Saúde Escolar (PeNSE), realizada pelo IBGE em 2009, mostrou que mais de 70 por cento dos estudantes brasileiros entre 12 e 17 anos de idade já haviam consumido álcool pelo menos uma vez; 22 por cento afirmaram que já tinham estado bêbados; 24,2 por cento declararam já ter fumado tabaco – entre os meninos, quase 3 por cento tinham o hábito de fumar.

O Primeiro Levantamento Nacional sobre o Uso de Álcool, Tabaco e Outras Drogas entre Universitários, feito também em 2009 pela Secretaria Nacional de Políticas sobre Drogas (SENAD) em parceria com a Faculdade de Medicina da Universidade de São Paulo (Grea-FMUSP) mostrou que o álcool era utilizado por 90 por cento dos entrevistados. Desses, 54 por cento experimentaram alguma bebida antes dos 16 anos, 34 por cento antes dos 15 anos e 20 por cento antes dos 14 anos. Os dados, preocupantes, indicam ainda o uso de substâncias psicoativas em uma fatia de 8,7 por cento dos estudantes. Os meninos lideram o consumo de drogas como maconha, cocaína, *crack*, cola, loló e *ecstasy*, entre muitas outras.

Saindo do universo da pesquisa com os estudantes, chama a atenção o crescimento vertiginoso do consumo de *crack* nas grandes e mesmo nas pequenas cidades brasileiras, que conduz seus usuários a um estado esquizoide, de ruptura com a realidade, além de determinar grave dependência física, psíquica e social. Segundo o Conselho Nacional de Justiça (CNJ), 75 por cento dos jovens infratores no Brasil são usuários de drogas.

Em nível mundial, o Escritório das Nações Unidas sobre Drogas e Crime (UNODC) aponta para o crescimento de quase 50 por cento do consumo de drogas psicoativas sintéticas (de 166 tipos de droga em 2009 para 251 tipos em 2012). Elas são vendidas como "euforizantes legais" e "drogas sintéticas", e seu uso prolifera de forma sem precedentes, constituindo um enorme desafio para as autoridades e a comunidade científica. Na Europa havia apenas catorze substâncias desse tipo disponíveis em 2005, mas hoje já chegam a mais de 250. Os países que mais consomem essas drogas são os países do Reino Unido, a Polônia, a França, a Alemanha e a Espanha.

A maconha é a planta psicoativa mais consumida no mundo. São 180 milhões de usuários, entre 15 e 64 anos, o que representa 3,9 por cento dessa faixa etária. O Afeganistão ocupa o tradicional posto de maior produtor mundial de ópio, sendo responsável por 74 por cento da droga produzida em 2012. A folha de coca faz parte da rotina e da economia de alguns países da América Latina. O refino ilegal da cocaína acompanha o uso cotidiano do chá estimulante.

A exportação ilegal da cocaína, o tráfico e as políticas americanas de repressão têm um custo semelhante ao de grandes guerras. As drogas movimentam 350 bilhões de dólares no planeta, sendo a forma de comércio ilegal mais lucrativa – dez vezes maior que o tráfico de pessoas, a segunda maior contravenção. Essa rede bilionária envolve usuários, traficantes, centros produtores e setores da administração municipal, regional e, dependendo do país, federal. O custo governamental é de perder de vista. A guerra contra as drogas custou 1 trilhão de dólares aos Estados Unidos nos últimos quarenta anos.

De um lado, as drogas proibidas; de outro, o bilionário mundo das drogas lícitas. Os mercados de tabaco e álcool mobilizam bilhões de dólares anualmente. Graças à conivência – ou mesmo impotência – dos governos, a não regulamentação da propaganda desses produtos leva ao fato bizarro de podermos ver anúncios de bebidas alcoólicas em plena programação vespertina de TV ou em eventos esportivos.

Vivemos em uma sociedade violenta. Entre 1980 e 2010, 800.000 cidadãos brasileiros morreram por disparo de arma de fogo. Em 1980, foram 8.710 vítimas. Em 2010 alcançamos 38.892 mortes, um crescimento de 346 por cento, enquanto o crescimento populacional do país foi de 60 por cento no mesmo período. Um estudo da UNESCO detectou que, apenas em 2012, 42.416 brasileiros morreram em consequência de disparos de armas de fogo. Destes, 94 por cento eram homens e 6 por cento mulheres. A grande maioria (28.946) dos indivíduos eram negros, contra 10.632 de tez mais clara. A alta incidência de mortes por armas de fogo em algumas cidades nordestinas indica um aspecto social importante. Já as taxas de mortalidade do Rio de Janeiro são o dobro das de São Paulo.

Em trinta anos, quintuplicou o número de jovens entre 15 e 29 anos assassinados por armas de fogo – de 4.415 em 1980 para 22.694 em 2010, o que representa um crescimento de 414 por cento. Em 2012, 59 por cento das mortes entre jovens dessa idade já eram por armas de fogo, em sua maior parte homicídios. Surpreende também o crescimento de 46,8 por cento de suicídios por armas de fogo nesse grupo populacional. Nossa população jovem (principalmente nas periferias) está à mercê da violência. Estamos longe de ser uma nação pacífica.

Em 2012, ocorreram mais estupros que homicídios no Brasil, de acordo com a 7ª edição do Anuário Brasileiro de Segurança Pública. O anuário mostra que ocorreram 50.617 casos de estupro, contra 47.136 homicídios dolosos (com a intenção de matar).

Os fatos são determinantes. Algo muito fora do normal está acontecendo com o ser humano e suas relações com a vida, a sociedade e seus semelhantes. Basta uma corrida por canais de TV para detectar que as informações de violência contra adultos, mulheres e crianças, assassinatos, estupros, vícios, corrupção e ambição inescrupulosa são a matéria-prima principal, não apenas de jornais televisivos, mas também a base das novelas, *video games* e filmes enlatados. Estamos, mesmo que dentro de um país sem conflitos étnicos armados ou de fronteiras, vivendo em uma cultura de guerra e violência.

É um padrão repetitivo, que tende a ser copiado e no qual as tramas e as relações materiais e emocionais são a "razão de viver". Ter é mais importante que ser. Todos os padrões daquilo que se supõe ser a felicidade são impressos no consciente e no subconsciente dos jovens através da mídia, interessada na perpetuação do consumo material e do consumo dessas substâncias, dessas ideias e hábitos da cultura da violência. Para citar um exemplo, uma criança chega à adolescência tendo acompanhado pela televisão mais de 20.000 assassinatos, que fazem parte do cotidiano das tramas.

A família teria papel importante em evitar o encaminhamento dos filhos para o mundo do materialismo, das drogas e da violência. A família deveria ser a base da verdadeira espiritualidade, dos valores imutáveis e da rejeição ao materialismo puro. Mas hoje é bem possível que as crianças estejam aprendendo a dura realidade dentro de casa, e sob o exemplo direto dos pais. Uma criança nunca deveria ver a mesa de seus pais com garrafas de álcool e inalar a fumaça dos cigarros e baseados consumidos por eles. Uma criança deveria ficar distante da TV, da internet e dos padrões de consumo tanto quanto possível e aproximar-se da verdadeira família humana e da natureza.

Depois de conviver muitos anos com a assistência médica convencional e a realidade clínica de meu país, desabafo: tememos o traficante na porta da escola, mas é dentro de casa que muitas crianças têm contato com o consumismo, a televisão, a internet, o álcool, as drogas lícitas e ilícitas, as conversas alucinadas ou violentas, o assédio moral e sexual e a agressão física.

Devemos lembrar que desde muito cedo as crianças absorvem o mundo ao redor, através de imagens e palavras que fazem parte de seu cotidiano. Aquilo que está sempre à mesa, fazendo parte da dieta, torna-se, nos anos seguintes, a base para todos os demais vícios.

Os vícios

O tema dos vícios deve ser abordado de maneira cada vez menos preconceituosa, pois atualmente quase todo mundo tem alguma forma de vício. Individualmente, se considerarmos o conceito mais amplo, cada um de nós padecerá em vida de um ou mais vícios.

De um ponto de vista pessoal, todos os que desenvolvem adição estão buscando alguma coisa; todavia, interrompem sua busca demasiado cedo e ficam estagnados num âmbito substitutivo. Todos os grandes heróis da mitologia e da literatura estão envolvidos numa busca; no entanto, eles não pararam de buscar enquanto não atingiram sua meta. A busca faz o herói passar pelos perigos, pela confusão, pelo desespero e pelas trevas. Mas assim que ele encontra aquilo que busca, seus esforços são plenamente recompensados. Todos nós estamos implicados em uma espécie de odisseia, durante a qual somos levados às mais estranhas paragens da alma. Nunca devemos nos deixar deter e estagnar em nenhum ponto; devemos procurar até encontrar.

Jesus disse: "Buscai e encontrareis". São palavras do Evangelho. Mas quem tiver medo das provas e dos perigos, do esforço e das confusões do caminho torna-se candidato a algum tipo de adição. Essa pessoa projeta o objetivo de sua busca em alguém ou algo diferente encontrado no percurso, e encerra imediatamente sua epopeia. Ela se identifica com o objeto substituto e nunca se cansa dele. Tenta satisfazer a fome da sua alma com porções cada vez maiores dessa nutrição substitutiva e não percebe que quanto mais a ingere, mais a fome aumenta.

A pessoa está viciada e não confessa o fato nem a si mesma. Não admite ter errado o alvo, retornar e ter de continuar a busca. Fica presa pelo medo, pelo comodismo, pela cegueira. Toda parada durante o caminho pode transformar-se em vício. Por toda parte há sereias à espreita, tentando seduzir o viajante com seu canto para fazê-lo parar e com isso torná-lo dependente de algum hábito vicioso. Se não conseguirmos enxergar através delas, todas viciam: o dinheiro, o poder, a fama, a influência, o conhecimento, o prazer, a comida, a bebida, o radicalismo alimentar e de ideias, as religiões e as drogas. Tudo isso é perfeitamente válido como experiência em si, embora possa tornar-se ao mesmo tempo o material do vício quando a pessoa não consegue livrar-se dele. O vício é a imobilidade e o medo de enfrentar novas experiências. Quem compreende que a vida é uma viagem e que estamos sempre a caminho é um *aspirante*, não um *viciado*.

Todos temos vícios que nos embriagam a alma. Não são as "estruturas viciantes" que representam um problema, mas a nossa relutância em continuar a busca. Na maior parte dos casos, uma análise das substâncias que nos viciam revela os principais objetivos do nosso anseio.

A COMIDA

Se voltarmos às origens da humanidade, poderemos imaginar e até ver facilmente bandos de *Homo sapiens* em grandes estepes buscando, ao nascer do Sol, frutas coloridas, sementes, nozes e raízes para sua alimentação, como faziam e ainda fazem todos os animais da Criação. A evolução humana se fez baseada no binômio união (geração do alimento) e tecnologia (cultura). Nós nos tornamos uma grande maravilha que habita todas as paisagens da Terra, mas de um século para cá estamos destruindo o próprio planeta e a nós mesmos.

As estruturas viciantes e a sensação de fome de viver caracterizam em grande parte o moderno padrão alimentar do Ocidente. Nós nos alimentamos de agregados químicos, carnes com hormônios, antibióticos e bebidas de sabores artificiais. Praticamente tudo o que comemos não apresenta energia vital; trata-se de alimentação sem informação, irradiada, congelada. Essas informações alteradas que chegam pela alimentação sedimentam-se na epigenética e alteram a função sadia do DNA. As falhas decorrentes manifestam-se no nível cerebral e mental, como foi visto na Introdução, em "Epigenética".

COM AÇÚCAR E SEM AFETO

Estamos usando o açúcar há algum tempo para seduzir, negociar e compactuar com nossas crianças. Marcamos a cada ano a data em que nasceram com perigosas libações de açúcar. Datas festivas são também a oportunidade certa para oferecer quantidades inaceitáveis de doces e bebidas açucaradas para elas. Para confortar vivências desagradáveis de um de nossos pimpolhos, nada melhor que uma dose de açúcar. Nada a espantar no fato de se oferecer aos adolescentes ou aos adultos um copo de água com açúcar após uma experiência emocional negativa. Ou que o consumo de chocolate açucarado (não estou falando de cacau) dispare após uma frustração sentimental.

O açúcar, um pó branco e altamente concentrado, é vendido livremente em todo o país e está disponível em escolas, aniversários, festas religiosas, sem qualquer limite. Essa droga psicoativa tem efeito sobre os receptores de neurotransmissores cerebrais, e, ao ser usada como recompensa, ativa também centros de prazer que disparam potenciais de compensação emocional.

O açúcar, base de todo o afeto que recebemos de nossos avós, pais e mães, é na verdade uma droga recreativa com efeitos estupefacientes, psicológicos e morais, que determina dependência física, psicológica e emocional. É a droga básica para a procura de outras drogas e vícios de prazer na vida adulta.

Enquanto nos preocupamos com os traficantes na porta da escola, é dentro de casa que "matriculamos" nossas crianças nos hábitos nocivos. É através da mamãe, do papai, da vovó ou da tia querida que chegam aos nossos filhos os tabletes de pó branco que dão início à primeira e fundamental dependência. Como qualquer outra droga, o açúcar determina também tolerância, ou seja, a necessidade de doses cada vez mais altas para se obter o mesmo efeito de prazer. É fácil detectar o estado de irritação e agitação psicomotora de uma criança quando ela volta de uma festa de aniversário ou de uma data comemorativa da escola. As altas doses de açúcar recebidas determinam os efeitos tão visíveis que deixamos de identificar, pois passam a fazer parte do cotidiano.

Como veremos ao longo deste texto, o açúcar é uma droga pesada, que acarreta sérios problemas de saúde.

Preferimos satisfazer a vivência do amor através do corpo e não no nível da consciência. Ansiamos por amor, mas, em vez de abrirmos o limite do nosso ego para amar, abrimos apenas a boca e comemos tudo o que estiver ao redor: hambúrgueres, chocolates, doces, refrigerantes e tudo aquilo que a mídia informar que "contenha amor" ou o substitua.

Retornamos então ao primeiro parágrafo deste texto. Praticamente toda a humanidade tem um ou mais vícios que vêm não apenas da prática alimentar, mas da busca incessante por valores materiais e reconhecimento. Por outro lado, abandonamos o agrupamento humano e adotamos o padrão individual e individualista.

A maconha

A maconha dos baseados segue um caminho bastante parecido. A pessoa tenta fugir dos problemas e conflitos criando um espaço tipicamente agradável. O tetra-hidro-canabinol, substância psicoativa da maconha, elimina a sensação de dureza da vida e a nitidez de seus contornos, o que às vezes pode ser muito bom. Tudo se torna suave, e as exigências se retraem para um segundo plano. Mas o uso constante da planta pode conduzir seu usuário a um estado de alienação e apatia diante dos conflitos e à sua não resolução. Esse distanciamento é talvez o mais prejudicial efeito da planta.

Quando fumada, a *Cannabis* elimina gases tóxicos semelhantes aos do tabaco, levando o pulmão às mesmas alterações e ao risco de enfisema e câncer provocados pelo cigarro comum. Além disso, a *Cannabis* não regulamentada pelo Estado pode conter substâncias químicas como amônia, fungicidas e outros agrotóxicos para conservação, embalagem e transporte. Como se isso não bastasse, é um produto comercializado de forma clandestina e criminosa, o que só aumenta a sua morbidade.

O lado bom da maconha

O uso recreativo do THC conta negativamente contra a regulamentação do consumo da planta, uma verdadeira usina de produtos do bem e útil em diversos aspectos. Toda a controvérsia centenária é fruto da ignorância coletiva, centrada apenas no efeito psicoativo, que pode ser considerado apenas uma das centenas de facetas dessa planta fabulosa.

Dois estados americanos, Washington e Colorado, e um país sul-americano, o Uruguai, liberaram o plantio, a comercialização e o consumo da *Cannabis*. Desde então outros estados e países estão atentos ao que irá acontecer. Minha posição é otimista. Na condição de médico, conheço intermináveis propriedades nutritivas e terapêuticas dos óleos, sementes, manteigas, cremes e extratos da *Cannabis* para diferentes sistemas de nosso corpo – sem que o indivíduo perceba efeitos psicoativos. A Alemanha permite a venda de todos esses produtos orgânicos em lojas comuns de alimentos naturais. Em estudos recentes, foram descritas propriedades antineoplásicas das folhas da *Cannabis*. São efeitos bem definidos e promissores. Se a planta não fosse criminalizada, muitas pessoas poderiam adicionar suas folhas a sucos verdes com benefícios incalculáveis.

A COCAÍNA

A cocaína (assim como outros estimulantes do sistema nervoso central) tem um efeito oposto ao da maconha. Ela melhora bastante a capacidade de desempenho e, por isso, pode favorecer um sucesso maior. O indivíduo que busca um objetivo pessoal ou profissional encontra no pó um poderoso estimulante. Como a cocaína é uma droga que causa dependência e apresenta "tolerância", uma característica pela qual quantidades cada vez maiores da droga são necessárias, seu consumo é potencialmente viciante.

Questiono novamente a busca de sucesso, desempenho e fama, pois a droga se torna um meio de aumentar de forma violenta a capacidade criativa. A busca desenfreada do sucesso se correlaciona à busca do amor não realizado. Sob uma ótica materialista, algumas pessoas podem viver toda uma vida sem se realizar no amor. Então a droga passa a ter a prevalência que tem hoje. São milhões de usuários ao redor do planeta.

Na origem da cocaína, porém, está uma planta simples, a *Erythroxylon coca*, mascada desde sempre pelos povos pré-colombianos para permitir longas caminhadas e a realização de outras atividades nas grandes altitudes que eles habitam. Até hoje se vende o chá de coca nessa região – trata-se de uma bebida estimulante como o café. O que torna a coca perigosa para a saúde é o seu refino por processos químicos e a concentração em um pó – a cocaína.

O TABACO

O ato de fumar se relaciona antes de tudo à respiração e aos pulmões. A respiração se relaciona sobretudo com a comunicação, com o contato e com a liberdade. Fumar é a tentativa de estimular e satisfazer esses âmbitos. O cigarro se transforma num substituto para a verdadeira comunicação e para a autêntica liberdade. A indústria do tabaco visa também, através da propaganda, aos anseios dos homens. A liberdade do vaqueiro, a conquista de todas as fronteiras durante um voo, uma viagem a países estrangeiros e a companhia de pessoas alegres – pela hipnose promovida pela propaganda, todos esses anseios do eu podem ser saciados com um cigarro.

O cigarro foi a única droga nociva a ser devidamente enquadrada pelo Ministério da Saúde e ter sua propaganda cerceada. Esse foi o resultado de um trabalho de décadas, que lentamente diminuiu o espaço que as corporações detinham para transformar nossa população em massa de consumo. Segundo relatório emitido pela OMS em 1998, um executivo dessas corporações, questionado se estava consciente do mal que suas empresas estariam causando à saúde de populações pobres do Terceiro Mundo, respondeu: "Nós procuramos atender às necessidades de nossos acionistas".

Empresas poderosíssimas do ramo do tabaco e do álcool financiam partidos e políticos de países subdesenvolvidos e emergentes, viabilizando a multiplicação da venda de cigarros e bebidas nesses locais, onde o nível educacional é menor. Qualquer que seja o resultado das urnas, esse grupo terá tratamento diferenciado nas decisões que envolvam redução do consumo entre jovens ou redução de propaganda em meios de comunicação.

O ÁLCOOL

Todos ansiamos por um mundo ideal, livre de conflitos. Não há nada errado com esse objetivo, exceto quando as drogas são o meio utilizado para alcançá-lo. As drogas dão aos seus usuários a ilusão de que o mundo é um jardim encantador. Curiosamente, os que embarcam nessa viagem estão à procura de um contato íntimo com os demais.

O álcool gera uma espécie de caricatura da intimidade humana, pois desmantela as restrições e elimina as inibições. Apaga desigualdades e acelera o processo de criar amizades; no entanto, falta a esses relacionamentos um nível real de intimidade. A bebida serve como tentativa de preencher a busca de um mundo ideal, isento de conflitos e repleto de fraternidade humana. Tudo o que estiver impedindo esse ideal deve ser afogado em grandes goles de bebida.

A OMS reconhece a dependência do álcool como uma doença crônica. É um estado de intoxicação que se desenvolve de acordo com o tipo de bebida ingerida e com as características fisiológicas, emocionais e psicológicas de cada pessoa. O álcool é uma droga psicotrópica que afeta o sistema nervoso central e provoca alterações comportamentais e orgânicas que podem levar à dependência física e psicológica.

Calcula-se que 44 por cento dos casos de alcoolismo sejam causados pela depressão. Note-se que uma condição psicológica precedente é a base principal de uma adição. Um indivíduo tem neuroses desenvolvidas pela sua caminhada na vida ou já é um doente psiquiátrico; a busca pela droga é então resultante do processo psíquico, e não o contrário. Muitos pensam que determinadas drogas levam à degeneração do homem, quando de fato foi uma mente em conflito que conduziu aquela pessoa ao abuso de alguma substância psicoativa ou a alguma prática de forma viciosa.

Sem adotar o tom sectário, beber um vinho com a comida ou experimentar alguns baseados ou outro tipo de droga na adolescência nunca serão a causa de um vício. Uma pessoa pode ter uma garrafa de vinho aberta por um mês na geladeira e outra pode beber duas garrafas da mesma bebida de uma vez. O que realmente importa é a condição precedente ao encontro com a substância.

O abuso do álcool leva o organismo a eliminar nutrientes importantes, como cálcio, ferro e vitaminas. Além disso, ao obter energia diretamente do álcool, o alcoólatra dispensa outros alimentos, o que leva à desnutrição. A Sociedade Brasileira de Cancerologia já considera o álcool o maior fator causal do câncer. Além do câncer de boca, de faringe, de esôfago e de laringe, nos quais o álcool apresenta ação direta contra o tecido, o alcoólatra está sujeito a câncer em qualquer parte do corpo, devido à desnutrição funcional determinada pelo efeito nocivo do álcool sobre a célula humana.

O alcoolismo acarreta problemas digestivos, como gastrite, úlcera e hemorragia gastrintestinal; distúrbios do fígado, como hepatite alcoólica e cirrose; neurológicos, como falta de memória e demência; e circulatórios, como derrame cerebral e doenças cardíacas. O tratamento mais adequado contra o alcoolismo consiste em acompanhamento clínico, psicoterapia e apoio familiar. A medicação pode incluir drogas que bloqueiam a sensação de prazer determinada pelo álcool e outras que reduzem os sintomas da síndrome da abstinência. Programas como os Alcoólicos Anônimos dão suporte informativo, emocional e psicológico na reabilitação.

A OMS inclui o consumo abusivo de álcool entre os principais fatores de risco à saúde e de crescimento da mortalidade. Isso porque, além de levar ao aumento da violência e de acidentes de automóvel, o consumo abusivo de álcool está relacionado a mais de sessenta tipos diferentes de doença. De acordo com a organização, o abuso do álcool é causa direta ou indireta de 1,8 milhão de mortes a cada ano.

No Brasil, as pesquisas indicam que o início do consumo do álcool é cada vez mais precoce. O país deu início a ações contra o álcool através da segurança no trânsito. A Lei Federal nº 11.705 (2008) é uma das mais rígidas do mundo. O limite é de 0,2 grama de álcool por litro de sangue – o equivalente a uma lata de cerveja. Segundo o Ministério da Saúde, as mortes causadas por acidentes de trânsito caíram 6,2 por cento no período de doze meses após a Lei Seca, quando comparadas aos doze meses anteriores. Esse índice representa 2.302 mortes a menos em todo o país. Mas, por alguma razão, essas medidas tendem a retroceder.

Consumo de álcool no Brasil (2008)
Estimativa percentual por faixa etária

Faixa etária	%
18 a 24	21,4
25 a 34	23,4
35 a 44	21,2
45 a 54	16,9
55 a 64	11,0
65 e mais	4,3

CONSUMO ABUSIVO DE ÁLCOOL NO BRASIL
ESTIMATIVA PERCENTUAL POR POPULAÇÃO TOTAL E POR SEXO

	Total	Homem	Mulher
2006	16,1	25,3	8,1
2007	17,5	27,2	9,3
2008	19,0	29,0	10,5

MOTORISTAS ALCOOLIZADOS
ESTIMATIVA PERCENTUAL DA POPULAÇÃO

2007	2,1
2008	1,4
2009	1,7

O ÁLCOOL E A GENÉTICA

O alcoolismo apresenta direções genéticas e ramificações biológicas bem definidas. Em um primeiro estudo, pesquisaram-se gêmeos. Se um gêmeo idêntico (univitelino) consumisse álcool, a propensão do outro gêmeo para o alcoolismo era quatro vezes maior que a observada em gêmeos fraternos (um de cada saco gestacional). Isso sugere um forte componente genético, pois os gêmeos univitelinos têm a mesma constituição genética, enquanto os fraternos são tão diferentes como irmãos de partos separados.

Um estudo genético realizado na Universidade da Califórnia (UCLA) mostrou que os filhos de pais alcoólatras têm maior propensão ao consumo de drogas aditivas como nicotina, maconha e álcool. Nos estudos aqui mencionados sugere-se que os filhos de pais alcoólatras apresentam diferenças psicomotoras, neuroelétricas e hormonais em relação aos grupos de controle de pais não alcoólatras.

Por fim, um estudo realizado na Suécia com 3.000 gêmeos adotados mostrou que a taxa de alcoolismo entre aqueles que tinham pais biológicos alcoólatras era três vezes maior do que entre os adotados que não tinham pais biológicos alcoólatras. Em um estudo reverso, descobriu-se que os adotados por pais consumidores de álcool que tinham pais biológicos não consumidores apresentavam uma taxa de alcoolismo maior que a da população normal. Esse dado aponta para um fator ambiental.

Relembrando o primeiro texto deste livro, podemos receber o gene alterado deflagrador da depressão, do alcoolismo e da adição a drogas. Mas a chamada "predisposição genética", uma espécie de maldição biológica, não é mais cabível. Nós temos o poder de quebrar esta corrente em nossa própria vida.

Tenho diversos testemunhos e casos clínicos de pessoas com todos os tipos de adição a drogas e outros vícios que, ao adotar um estilo de vida natural – com alimentação natural e bebidas como o suco verde e leites de castanhas –, experimentaram uma virada completa na vida. Um assunto que pode dar origem a dezenas de ensaios clínicos e à modificação da rotina de clínicas de atenção a viciados.

O SURTO DE DOENÇAS MENTAIS E AS DROGAS PRESCRITAS

Os distúrbios e doenças mentais existem desde o início da humanidade e em toda a sua história. A partir de um determinado momento e situação, passaram-se a utilizar substâncias químicas de diferentes efeitos farmacológicos com o intuito de auxiliar a conter as manifestações dessas doenças. A ideia seria boa, mas algo saiu do controle. Para entender o que acontece no sistema nervoso e no cérebro, precisamos conhecer aquilo que a indústria farmacêutica usou como organograma na elaboração de todos os protocolos de desenvolvimento de drogas ansiolíticas, antidepressivas e psicotrópicas em geral.

Os neurotransmissores

No início da pesquisa em neurologia, os cientistas viviam intrigados com a enorme velocidade entre pensar, ou emitir uma ordem cerebral, e proceder a uma determinada ação. Os primeiros modelos de funcionamento remontam a Descartes e seus contemporâneos, que descreviam o sistema nervoso como tubos por onde corriam fluidos – os "humores". O nome ficou – afinal, conhecemos bem a diferença entre pessoas bem ou mal-humoradas; mas a forma de transmissão nervosa descrita naquele tempo estava longe da realidade.

Muitos anos depois, graças a técnicas mais refinadas e a observações em rãs, alguns fisiologistas concluíram que o sistema nervoso era elétrico por natureza. Então, o nervo seria como um fio elétrico por onde a ordem cerebral corria até chegar ao seu local de execução. Mas eles também estavam errados. Seu modelo teórico descrevia um local de origem – o cérebro – e, com alguma riqueza de detalhes, os "fios" efetores. Eles de fato sabiam que a transmissão elétrica por esses fios biológicos se dava por mudanças na carga elétrica externa e interna das membranas dos neurônios.

NEURÔNIOS NO CÉREBRO DE UM GATO

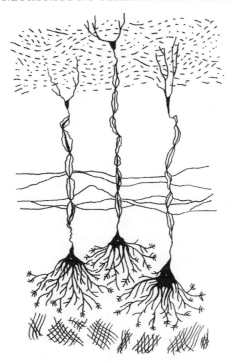

Mas foi um cientista espanhol, Santiago Ramón y Cajal, que descreveu o inusitado: entre a ordem emitida pelo cérebro e sua efetivação motora havia algumas lacunas de dimensão microscópica (apenas 0,5 mícron de intervalo), nas quais o impulso elétrico do neurônio era transformado em uma molécula bioquímica (eis aí o neurotransmissor!) e novamente disparado no neurônio seguinte como impulso elétrico. Nossa mente não consegue imaginar muito bem esse fato. Afinal, como um impulso nervoso, de características semelhantes a um corisco, pode ainda ser "substituído", aqui e ali, transformado em neurotransmissores e depois recontinuado?

Imagine um jogo de futebol em seu momento mais dramático: a bola na marca do pênalti e o goleiro com os olhos vidrados na bola, quase em transe. O cobrador tem em seu rosto um olhar terrível e maldoso. Ele pensa: vou chutar essa bola no canto direito. Mas olha para o canto esquerdo. O goleiro sabe que ele está blefando, mas ao mesmo tempo a dúvida o enlouquece. Nas arquibancadas, 50.000 pessoas gritam, choram ou permanecem em silêncio profundo. E se ele chutar mesmo no lado direito? Sim, é uma situação dramática. E qual é o seu limite? É o limite da neurotransmissão.

O goleiro usa toda a sua experiência, vê o movimento do jogador, de onde ele vem, sabe que pé o jogador usa para bater, até assistiu a vídeos de jogos anteriores. Vai chutar no direito. O goleiro então joga o corpo para o esquerdo, tentando iludir o cobrador. Os segundos antes do chute tornam-se milissegundos. Agora nada mais adianta. É reflexo puro. A bomba sai a uma média de 100 quilômetros por hora, e em apenas 0,4 segundo a bola estufa a rede no lado... esquerdo. O goleiro voou para o lado direito. O cobrador decidiu no último centésimo de segundo. Por mais treinado que fosse, o goleiro nunca poderia defender o chute de um cobrador carrasco, pois o limite é fisiológico. Quando ele consegue identificar o chute, a bola já percorreu metade dos 11 metros, e ele tem apenas 0,2 segundo para reagir. Pelas regras da neurotransmissão, é impossível ele defender o pênalti. Resta ao goleiro sortear o canto em que vai se jogar e espalmar o bólido, se puder. Fora isso, não há outra chance.

Os limites impostos pela ordem motora, pela transmissão nervosa, pelo neurotransmissor e pela placa motora (os efetores finais da contração muscular) acabam por dar o campeonato ao time do cobrador cruel, que corre com seus companheiros em direção à torcida.

Esse é um exemplo dramático para que os leitores que não são da área médica entendam o fascínio e as limitações da transmissão nervosa elétrico-química intermediada pelos neurotransmissores. Mas meu objetivo ainda não foi alcançado. Eu não queria falar em limitações. Pois o que quero que todos entendam é que os neurotransmissores, muito mais que limitantes fisiológicos, são os mais importantes protagonistas das ordens cerebrais, pois seu principal papel é modulatório. Sem eles, não teríamos habilidade para executar as mais simples tarefas.

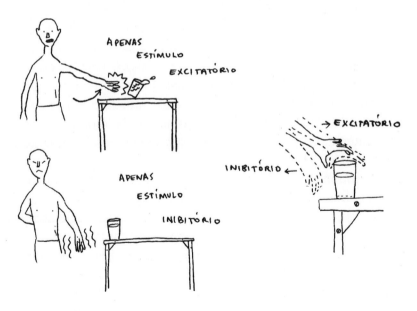

Se pensarmos ainda apenas no sistema nervoso motor, veremos que os neurotransmissores regulam toda a atividade coordenada. Por exemplo, vamos pegar um copo que está em cima da mesa. O movimento coordenado, que permite a captura delicada do copo, é resultante de estímulos excitatórios e inibitórios, todos eles modulados por neurotransmissores. Assim, se tivéssemos apenas impulsos excitatórios, nossa mão trombaria com o copo e ele cairia no chão. Se o estímulo fosse apenas inibitório, o braço não sairia de perto do tronco. É justamente desse tônus entre estímulos excitatórios e inibitórios que surgem nossos movimentos voluntários coordenados e perfeitos. É aí que nossos neurotransmissores mostram a razão de sua existência.

Nós temos neurotransmissores excitatórios e inibitórios. Temos também *receptores* de neurotransmissores que podem ser excitatórios e inibitórios. Na verdade, a coisa é bem mais complicada, então vamos ficar por aqui.

Os neurotransmissores não são substâncias exógenas – ou seja, não provêm do "espaço sideral". Eles são fabricados por nossas células a partir dos alimentos da nossa dieta, em etapas nas quais as células intestinais e as bactérias da microbiota têm papel predominante. A adequada função nervosa e dos neurotransmissores depende de nossas funções fisiológicas estarem adequadas e operantes.

Ainda no útero, nosso cérebro depende das bactérias intestinais da nossa mãe para se desenvolver adequadamente. Essas bactérias produzem fatores tróficos, neurotransmissores, hormônios e nutrientes celulares que são originados no intestino da mãe e se dirigem ao feto pela circulação placentária. Depois que nascemos, são as bactérias de nosso próprio intestino que nutrem nossas células cerebrais durante a infância até formarmos o cérebro adulto. Ou seja, a estrutura bioquímica e metabólica do cérebro é definida pelo que comemos, pelo tipo de bactérias de nosso intestino e pela forma como digerimos nosso alimento (ver ilustração na pág. 51).

Os neurotransmissores também são sintetizados pelos neurônios a partir dos aminoácidos e dos carboidratos presentes na alimentação. Assim, se o indivíduo tiver uma dieta pobre em precursores dessas substâncias, não haverá matéria-prima para o neurotransmissor, que faltará em qualidade e quantidade, gerando respostas neurológicas e emocionais atípicas.

A introdução de certos aminoácidos de forma sinergística pode aumentar significativamente o nível de neurotransmissores e influenciar positivamente a cura dos transtornos mentais. Em casos de indivíduos afetados por alcoolismo, abuso de drogas e depressão, observa-se que a maioria dos neurotransmissores, senão todos eles, são deficientes.

Os neurotransmissores específicos são sintetizados no centro da célula neuronal, cujo DNA está codificado para produzi-la. Logo, uma nutrição pobre em agentes antioxidantes e fitonutrientes desequilibra a função do DNA. Uma dieta pobre em enzimas também provoca a produção inadequada dos nossos fabulosos mensageiros cerebrais e nervosos.

Uma vez produzidos na célula nervosa, os neurotransmissores serão transportados nos microtúbulos que existem dentro do neurônio até o local onde são disparados. Esse local é a sinapse.

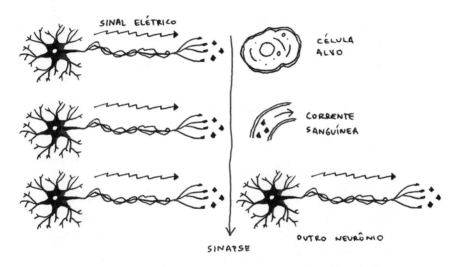

A NEUROTRANSMISSÃO

Vamos usar uma metáfora para ilustrar a façanha metabólica chamada neurotransmissão. Imagine que você está participando de uma gincana. Sua equipe tem uma função. Você está na borda de uma piscina rasa e estreita, e tem nas mãos uma caixa cheia de bolinhas flutuantes, daquelas com que as crianças gostam de brincar. A caixa está cheia, e você tem a tarefa de jogar as bolinhas na piscina. Então uma amiga chega correndo, toca em você, você despeja a caixa de bolinhas amarelas na água, e elas se dirigem para a outra margem. Do outro lado, dois ou mais amigos seus, com camisas diferentes, esperam as bolinhas chegarem, tocam nelas e saem correndo cada um para um lugar. Após o arremesso, uma moça – como uma gandula de quadra de tênis – entra na piscina e recolhe as bolinhas, jogando-as no lixo ou reciclando-as para colocá-las de volta na caixa.

Cirurgia verde

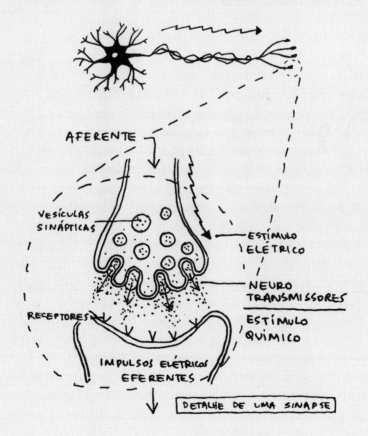

DETALHE DE UMA SINAPSE

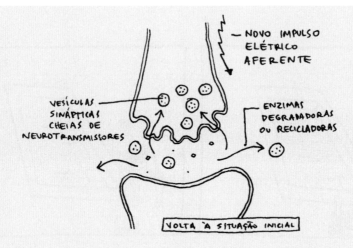

Agora vamos voltar à situação fisiológica da neurotransmissão. Você está na borda aferente da sinapse, o lado do qual provém o estímulo nervoso elétrico. As bolinhas são os neurotransmissores, que foram fabricados no corpo do neurônio e levados para dentro das caixas. A caixa é a vesícula sináptica e está abastecida de neurotransmissores, aguardando o momento de despejá-los na piscina. A amiga que chega correndo é o estímulo nervoso elétrico aferente. O mergulho das bolinhas na piscina e a chegada ao outro lado é a transmissão química. A mão dos amigos que aguardam as bolinhas e as tocam são os receptores químicos. As camisas diferentes indicam se eles são excitatórios ou inibitórios. Seus amigos estão na borda eferente da sinapse. Quando correm, são os impulsos nervosos eferentes, tornando-se novamente impulsos elétricos na direção dos outros neurônios. A moça que entra no laguinho para recolher as bolinhas é a enzima degradadora, ou recicladora, do neurotransmissor.

A gincana esquisita e seu conjunto de borda aferente, borda eferente, vesículas, receptores, efetores e enzima degradadora é o modelo da própria sinapse. Um último detalhe: toda a operação ocorre em um milésimo de segundo.

A necessidade de visualizar esse jogo é que você entenda a sinapse e todas as situações que nela ocorrem. Os vícios em açúcar, nicotina, café, álcool, drogas, a ansiedade, a depressão e os transtornos neurológicos ocorrem através de modificações em todas as etapas representadas. Também dessas regras podemos entender o que a indústria de medicamentos planejou (mas não deu certo). Por fim podemos entender como, e apenas com uma nutrição adequada e mudança de hábitos de vida, podemos vencer os vícios, a depressão, a ansiedade e o pânico, e alcançar a alegria de viver.

A SINAPSE NERVOSA: AS REGRAS DO JOGO

Agora vamos abordar a neurotransmissão dentro do cérebro. Imagine trilhões de sinapses fazendo conexões entre os 100 bilhões de neurônios que compõem nosso cérebro. Serão centenas de bilhões de caixas diferentes, cheias de bolinhas de cores diferentes, inibindo, excitando, modulando e coordenando nosso cérebro e nosso pensamento. Uma orquestra divina, desenvolvida através dos bilhões de anos de vida no planeta e dos milhões de anos da nossa espécie (*Homo sapiens sapiens*).

Procure imaginar o efeito de uma libação alcoólica (uma embriaguez) sobre todo esse sistema. O álcool, uma potente micotoxina, determina a desordem na liberação das bolinhas (os neurotransmissores), que se espalham caoticamente dentro do cérebro, esgotando reservas e desorganizando o pensamento, destruindo o esforço de desenvolver a consciência.

A NEUROTRANSMISSÃO QUÂNTICA

Todos sabem que nossos amigos felinos são conhecidos por seus reflexos. Aqui no sítio Nirvananda tenho dois caçadores de ratos profissionais, mas que não se limitam aos roedores, pois adoram alimentos vivos: gramas, ervas e insetos estão no seu cardápio exótico. Estavam me visitando Thornton Streeter e Kimberly Schipke, ambos pesquisadores de novas tecnologias que quantificam a anatomia e a fisiologia do biocampo humano. Um dos gatos se contraiu no chão quando um inseto voador planou a quase um metro de altura. O gato pulou com a rapidez de uma língua de sapo e capturou o inseto com precisão milimétrica. Thornton disse: "A transmissão nervosa não pode se dar apenas por eletricidade e neurotransmissores. Tem mais coisa nisso".

De fato, novas vertentes científicas que estudam o lado cerebral da interação nervosa mostram que reconhecem as conexões sinápticas mencionadas, descrevendo adicionalmente unidades funcionais denominadas *dendrons*. E que existem, dentro do cérebro, envolvidas com a função mental, outras unidades neuronais eletroquímicas, os *psychons*. Na verdade, os *psychons* medeiam o pensamento, ou seja, são mais mentais que cerebrais.

Segundo a biofísica quântica, essas novas unidades neurológicas, compostas por fibras muito finas, conduzem uma forma adicional de transmissão de informação, na qual as sinapses apenas sustentam moléculas que formam tubos que a energia (informação nervosa) atravessa de forma extremamente rápida, em uma velocidade pouco inferior à da luz.

Sabemos que a ciência continuará elucidando esses processos. Então o modelo da sinapse poderá ser reinterpretado, tornando este capítulo obsoleto em, digamos, dez anos.

Os principais neurotransmissores

Os neurotransmissores guardam características bioquímicas diversas. Podem ser proteínas (polipeptídeos), fragmentos proteicos (peptídeos), hormônios e até carboidratos. São muitos, centenas, e causam sempre um tipo de efeito específico.

Devemos lembrar que os neurotransmissores (as bolinhas) podem ativar receptores eferentes diferentes, que vão gerar estímulos excitatórios ou inibitórios (os dois amigos que saem correndo em direções diferentes). Portanto, as características mencionadas a seguir são apenas as mais típicas, ou as mais vistas nas sinapses dos respectivos neurotransmissores. Os mesmos transmissores expostos a condições e a receptores em sinapses diferentes podem ter efeitos fisiológicos diametralmente opostos, mas necessários em funções específicas do corpo.

Endorfina

A endorfina cria uma sensação de prazer, reduz as necessidades agudas e enaltece sentimentos de amor, boas lembranças e euforia. Em quantidades altas o suficiente, produzem êxtase. As endorfinas (são diferentes grupos) dão alívio imediato à dor física e psicológica (são secretadas em altas quantidades durante o parto normal, por exemplo). A deficiência de endorfinas cria uma sensação de anedonia (dificuldade de sentir prazer) e a incapacidade de dar ou receber amor.

A heroína, a maconha, o álcool, o açúcar e o tabaco podem afetar os receptores de endorfina. O aminoácido D-fenilalanina, por exemplo, inibe a atividade da encefalinase (enzima degradadora), aumentando o nível de endorfinas no cérebro. Por isso deve-se evitar o uso de aspartame, que contém altas quantidades de D-fenilalanina e leva ao desequilíbrio da endorfina. A endorfina é um neurotransmissor opioide de origem endógena, tendo como precursor a pró-opiomelanocortina, que dá origem a outros hormônios peptídicos, como o adrenocorticotrópico e o hormônio estimulador de melanócitos.

Serotonina

A serotonina ajuda a manter a estabilidade emocional, a autoconfiança e um sentimento de bem-estar, reduzindo a necessidade aguda de álcool e carboidrato. A deficiência de serotonina cria um estado de depressão, tendência ao suicídio, obsessão, ansiedade, insônia, desejos agudos de açúcar e irritabilidade. Os aminoácidos que dão origem à serotonina no cérebro são o L-triptofano e o 5-hidroxi-triptofano. Na alimentação baseada em vegetais, encontram-se em cereais como arroz integral e aveia, leguminosas como amendoim e grão-de-bico, todo tipo de sementes pequenas, banana e folhas verde-escuras.

O açúcar, a maconha, o *ecstasy* e o tabaco afetam os receptores de serotonina, o que resulta nos efeitos entorpecentes e de bem-estar, mas fazendo aumentar a necessidade de consumo para se obter o mesmo efeito (tolerância). Estudo publicado na *Revista Brasileira de Psiquiatria* em 2014 mostra que uma única dose de *ayahuasca*, entre cujos efeitos está o aumento da serotonina nas sinapses, reduz os sinais e os sintomas da depressão.

Após um dia intenso, os níveis de serotonina se esgotam, e a tendência ao sono, mau humor e cansaço aumenta. Por isso aconselho que ninguém discuta a relação à noite.

GABA, ou ácido gama-aminobutírico

O GABA cria uma sensação de calma e relaxamento e tem efeito ansiolítico, tranquilizante. Ele ajuda a combater alguns casos de insônia originada de uma mente muito ativa. Quando ocorre deficiência de GABA, os sintomas são bem característicos: ansiedade periódica, medo, insegurança, insônia, tendência a ataques de pânico e necessidades agudas. O medicamento Valium (Diazepam), álcool, maconha e tabaco afetam a função do GABA como neurotransmissor. Os suplementos que aumentam a quantidade de GABA são a L-glutamina e o próprio GABA. A L-glutamina pode ser encontrada em alimentos como ervilhas, feijão e leguminosas em geral e em hortaliças como repolho, beterraba, espinafre, couve e salsa. A fermentação bacteriana que ocorre em laticínios, gerando queijos e iogurtes, é excelente fonte de glutamina, mas na alimentação baseada em plantas pode ser plenamente substituída por laticínios vegetais de castanhas, sementes e amêndoas.

Adrenalina e noradrenalina

A noradrenalina confere energia, motivação, positividade, estado de alerta e uma sensação de bem-estar. Sua deficiência está associada à letargia, à falta de energia, à melancolia e à depressão.

A cocaína, as anfetaminas, a cafeína, o tabaco, a maconha, o álcool e o açúcar afetam a função neurotransmissora, aumentando a liberação de adrenalina e gerando prazer e energia falsos. A conta será paga depois.

A L-tirosina e a L-fenilalanina são os precursores de noradrenalina. Na alimentação à base de vegetais, pode ser encontrada em amêndoas, amendoim, bananas, abacate e produtos de soja (orgânica).

Dopamina

A dopamina é o ativador primário dos centros de prazer. Ela cria uma sensação de bem-estar, simplicidade, amor, contentamento e paz interior. E controla as necessidades agudas. Sua falta provoca medo, ansiedade, depressão, irritabilidade, sensação de urgência e ausência de bem-estar.

A cocaína, as anfetaminas, a maconha, o álcool, o tabaco e o açúcar interferem na função desse neurotransmissor. A L-tirosina e a L-fenilalanina são seus precursores naturais. A L-fenilalanina parece contribuir para o aumento dos receptores de dopamina, fato considerado importante, e pode ser encontrada nas leguminosas, no amendoim e em oleaginosas como sementes e amêndoas, ricas em gorduras vegetais. Além disso, podem ser encontradas nos alimentos de trigo, como o pão essênio.

Princípios adotados no desenvolvimento de drogas antidepressivas e psicotrópicos em geral

Voltemos ao nosso jogo. Depois da descoberta do funcionamento das sinapses e dos neurotransmissores, conglomerados que envolvem laboratórios de universidades e a indústria farmacêutica descreveram as etapas de funcionamento das sinapses e desenvolveram todas as drogas que vêm sendo utilizadas hoje como lenitivos da dor psíquica.

1. Drogas que aumentam a descarga do neurotransmissor. Para um mesmo "amigo que chega correndo" (impulso elétrico), diversas caixas de bolinhas (neurotransmissor) são despejadas. Acontece então uma presença maior do neurotransmissor na sinapse e o aumento de sua ação.

2. Drogas que impedem a recaptação do neurotransmissor. A "moça que entra na piscina para recolher as bolinhas" (enzimas recaptadoras de neurotransmissores) está presa, impedida de atuar. As bolinhas continuam dentro da piscina, dando origem a mais sinais efetores. Os antidepressivos mais comuns são:
   a) Inibidores seletivos de racaptação de serotonina (ISRS). Exemplos: Prozac, Paxil, Zoloft, Celexa e Lexapro.
   b) Inibidores seletivos da recaptação de serotonina e noradrenalina (ISRSN). Exemplos: Pristiq e Wellbutrin.
3. Drogas que atuam na sensibilidade dos receptores. Os "parceiros de gincana que aguardam na margem oposta" estão mais ativos, alterando assim a velocidade dos impulsos eferentes. Nesse grupo estão:
   a) a escopolamina, que impede a ligação do neurotransmissor acetilcolina – envolvido com a atenção e a memória – com seu receptor cerebral;
   b) a terapia gênica cujo intuito é aumentar o número de receptores cerebrais para a serotonina (estímulo ao gene p11, que traz à superfície da célula os receptores de serotonina).

Hoje estamos em meio à fase mais farmacológica da história no que diz respeito às doenças mentais. Nunca tantos medicamentos foram prescritos para tantas indicações e em tantas faixas etárias. Muitos pensam que esses remédios são o resultado de longos anos de pesquisa, resultados científicos significativos e comprovação de eficácia a longo prazo. Mas o que se vê de fato é que eles estão sendo prescritos a um número cada vez maior de pessoas – até mesmo a crianças – por critérios expandidos de doença mental, e comprovadamente não apresentam efeitos que garantem o bem-estar, a cura da depressão e dos transtornos mentais.

Muitos desses medicamentos têm efeitos colaterais que interferem na qualidade de vida do usuário, e alguns chegam a piorar a condição psíquica do indivíduo. E o pior de tudo: vários foram distribuídos pelas empresas ao mercado mundial graças a resultados falseados, ao suborno de autoridades e a alianças entre grupos farmacêuticos e grupos médicos.

A medicamentalização da psiquiatria resultou no que vemos hoje: uma epidemia de doenças mentais, acompanhada de uma redução drástica das terapias de conversa e da ausência completa de uma abordagem holística ou nutricional.

Foi nos anos 1950 que as primeiras drogas psiquiátricas chegaram ao mercado. Drogas psiquiátricas? Na verdade, não. A maior parte das drogas que chegaram às mãos de psiquiatras e hospícios vieram das bancadas de pesquisa de remédios destinados a infecções ou alergias. Seus efeitos ocorreram dentro do mais empírico dos acasos. O Amplictil (clorpromazina) apresentava efeitos flagrantes na redução da agitação psicomotora em pacientes psicóticos, e seu uso se tornou comum em 1954. Até hoje a droga é utilizada em pronto-socorros com efeitos de fato impressionantes, o que lhe valeu o apelido hospitalar de sossega-leão. Mas nenhum ser, em sã consciência, poderia imaginar o uso dessa droga de forma continuada.

No ano seguinte surgiu o meprobamato. Com efeitos ansiolíticos, ele é o precursor de todos os calmantes diazepínicos que se apresentam torrencialmente no mercado, logo passando a ser prescrito para pacientes ambulatoriais. Em 1957, a iproniazida chegou ao mercado como estimulador psíquico, sendo considerada o primeiro "remédio para a depressão". Assim, em menos de uma década, três medicamentos cobriam três das maiores queixas e sintomas da doença psíquica: a psicose, a ansiedade e a depressão.

Os psiquiatras se viram diante de uma "revolução" da terapia das doenças mentais e passaram até a denominar-se "psicofarmacologistas". Bastava uma história clínica sucinta, relatada em poucos minutos de consulta, para que o profissional prescrevesse um coquetel de drogas que tinham o poder de anestesiar e bloquear manifestações psíquicas.

No entanto, não tardaram a aparecer efeitos colaterais graves, suicídios, impregnações, comportamentos atípicos, catatonias e degeneração cerebral.

Já na década de 1970 surgiu um movimento de reação contra a excessiva medicalização da psiquiatria, cujo representante na arte cinematográfica é o filme *Um estranho no ninho*.

Após essa curta fase de oposição, uma atuação conjunta entre grupos de psiquiatras e a indústria farmacêutica permitiu que, em 1977, o arsenal de drogas aumentasse. E, junto com elas, as indicações de tratamento. O absurdo é tanto que, pelo *Manual diagnóstico e estatístico de transtornos mentais*, da Associação Americana de Psiquiatria, qualquer um de nós pode ser enquadrado em algum tipo de transtorno e tornar-se apto a receber uma dose de "soma" (ver box a seguir).

Esse pensamento foi mais intensificado ainda depois da chegada do Prozac, em 1987, medicamento alardeado como corretivo para a deficiência de serotonina no cérebro. Nos dez anos seguintes, o número de pessoas depressivas tratadas triplicou. Nos Estados Unidos, atualmente cerca de 10 por cento da população com mais de 6 anos de idade tomam medicamentos antidepressivos. Já as drogas para tratamento da psicose, como Risperdal, Zyprexa e Seroquel, no topo da lista americana, são mais vendidas que os medicamentos redutores de colesterol.

> Aldous Huxley foi um dos maiores autores literários do século xx. Com uma escrita original e de vanguarda, trouxe-nos o lisérgico *Admirável mundo novo*, um livro publicado em 1932, no qual descreve uma sociedade futurista. A primeira cena se passa em uma gigantesca incubadora humana. Não haveria mais pai e mãe, e as pessoas já viriam ao mundo com tarefas definidas, divididas em verdadeiras castas genéticas e sociais: alfa, beta, gama ou delta.
>
> Quando algum desses "admiráveis seres humanos" se rebelasse ou percebesse que tudo aquilo era uma enorme loucura, recebia do governo central a sua dose de soma. O soma era a droga perfeita, pois aliviava a dor psíquica e devolvia o indivíduo à sua linha de produção.

Entre os famosos, há centenas de exemplos de vítimas de coquetéis de drogas que buscavam o ajuste de condições mentais: Michael Jackson, Elvis Presley, Amy Winehouse e metade de Hollywood. Apenas para mencionar algumas entre centenas de pessoas conhecidas e pensarmos nos milhões de indivíduos que fazem parte dessa massa. Eis o momento filosófico deste texto: aqueles que bebem ou consomem qualquer outro tipo de droga não estariam buscando por conta própria sua dose de soma? Não estariam eles contribuindo até hoje com a cultura mundial se tivessem corrigido seus hábitos alimentares e de saúde, passando a meditar e se conectar à natureza?

Em agosto de 2011, a revista *Piauí* publicou uma importante resenha de três livros, escritos por pesquisadores de diferentes formações: Irving Kirsch, psicólogo da Universidade de Hull, no Reino Unido; Robert Whitaker, jornalista americano; e Daniel Carlat, psiquiatra que atua no subúrbio de Boston, nos Estados Unidos.

O psicólogo Kirsch trouxe informações perturbadoras sobre a eficácia real dos medicamentos denominados "tarja preta". O segundo autor, Whitaker, jornalista, fez suas pesquisas em arquivos da Food and Drug Administration (FDA), órgão regulador americano, e indagou o potencial nocivo dessas mesmas drogas. Já o psiquiatra Carlat escreveu sobre as ligações entre a indústria farmacêutica e as sociedades médicas na disseminação do uso dessas drogas.

Resumidamente, os autores mostravam como a medicação passou a substituir toda e qualquer psicoterapia, mesmo em casos considerados mais leves. Até a definição de doença mental se ampliou para diversas faixas etárias. Hoje, uma criança com algum déficit de atenção já é medicada com remédios controlados. Por outro lado, os grandes laboratórios farmacêuticos nunca puderam comprovar de fato a eficácia desses medicamentos, nem o mínimo necessário para sua aprovação pela FDA, nem após o uso em escala mundial. A revelação de Whitaker é perturbadora: em pacientes diagnosticados com depressão ou transtornos psicóticos, os antidepressivos disponíveis no mercado acabam por modificar o funcionamento bioquímico do cérebro (neurotransmissores e receptores), que assim passa a uma condição de fato anormal.

Carlat diz que a teoria do desequilíbrio químico reduz convenientemente o estigma da doença mental, e Kirsch, que centra seu trabalho em pesquisas efetuadas durante quinze anos, afirma que foram estudados casos nos quais se compararam vários tratamentos de depressão feitos apenas com placebos ou com psicoterapia. Não foi surpresa para ele a comprovação de que os pacientes melhoraram apesar de não terem sido submetidos a nenhum tratamento com medicamentos psicoativos. E mais: descobriu-se que os placebos eram três vezes mais eficazes do que a ausência de tratamento. O que provocou surpresa, entretanto, foi observar que o uso de antidepressivos foi apenas marginalmente mais útil do que o de placebos, uma vez que 75 por cento dos placebos foram tão eficazes quanto os antidepressivos.

Ainda segundo Kirsch, tratamentos realizados com outros medicamentos não considerados antidepressivos (não se trata aqui de "placebos") eram tão eficazes quanto os próprios antidepressivos no alívio da depressão. O que era comum em todos os medicamentos considerados "eficazes" era o fato de todos eles apresentarem os mesmos efeitos colaterais. Quando os pacientes experimentavam os efeitos colaterais, que eram anteriormente explicados, percebiam isso como um fator favorável ("estou sendo tratado") de eficácia da droga. Ou seja, muitos dos que usam antidepressivos sentem-se tratados porque percebem que a droga está atuando, mesmo que essa atuação seja um efeito colateral que não interfere de fato na doença.

Outra questão levantada por Whitaker é que a história natural da doença mental mudou. Antes, transtornos como a esquizofrenia e a depressão eram episódicos, e cada episódio durava não mais que seis meses, intercalados por longos períodos de normalidade. Hoje eles se transformaram em distúrbios crônicos que duram a vida toda. A explicação para isso é que os atuais medicamentos disponíveis, que aliviam os sintomas a curto prazo, causam danos mentais que continuam depois que a doença teria naturalmente se resolvido.

Kirsch	Whitaker	Carlat
Psicólogo	Jornalista	Psiquiatra
Os medicamentos funcionam?	Os medicamentos causam mais problemas do que resolvem?	Existe um conluio entre a indústria farmacêutica e a medicina psiquiátrica?
Pesquisas de quinze anos: Placebos três vezes mais eficazes que a não utilização de qualquer medicamento.	Desequilíbrios químicos ocorrem após uso continuado de medicamentos de ação psicotrópica.	Conveniência da teoria de "desequilíbrio químico" como base fisiopatológica da doença psíquica.
Medicamentos antidepressivos foram apenas marginalmente superiores aos placebos.	Em passado recente a depressão apresentava caráter episódico, durando em média seis meses, seguida de remissão.	O psiquiatra que trata com medicamentos atende três pacientes por hora contra os que adotam psicoterapia, que atendem um paciente por hora.
Os pacientes terminam por perceber os efeitos colaterais como terapêuticos e atribuem a estes o sucesso do suposto tratamento.	Hoje os distúrbios psíquicos passam a ser condições crônicas que duram a vida toda.	Vantagens financeiras da prescrição de medicamentos psicotrópicos: duplicam o faturamento.

O próprio Carlat, como a maioria dos psiquiatras, trata seus pacientes apenas com medicamentos, sem nenhuma terapia de conversa. Sincero, ele afirma sem restrições que o faz pelas vantagens financeiras. Enquanto nessa linha ele atende três pacientes por hora de trabalho, no outro modelo atenderia apenas um paciente por hora e receberia do plano de saúde menos de metade do valor de seus honorários.

A indústria farmacêutica influencia psiquiatras a receitar drogas psicoativas até para pacientes para os quais medicamentos não foram considerados seguros e eficazes. Uma questão que deveria nos preocupar enormemente é o aumento espantoso de diagnósticos e tratamento de doenças mentais em crianças de até 2 anos de idade, sendo que os medicamentos nem foram aprovados para essa faixa etária.

Dados comprovam que a prevalência de "transtorno bipolar juvenil" aumentou quarenta vezes entre 1993 e 2004, e que a de "autismo" aumentou de um caso a cada quinhentas crianças para um caso a cada noventa crianças, na mesma década. Outro número estarrecedor é que 10 por cento dos meninos de 10 anos de idade tomam medicamentos diários para o transtorno de déficit de atenção/hiperatividade.

Segundo um estudo da Universidade Rutgers, nos Estados Unidos, crianças de famílias de baixa renda têm quatro vezes mais probabilidade de receber medicamentos antipsicóticos do que crianças com plano de saúde privado, pois as famílias de baixa renda descobriram que receber o seguro suplementar por invalidez mental é a única maneira de sobreviverem.

Alguns argumentam que os efeitos colaterais da medicação com substâncias antipsicóticas é o preço a pagar pelo alívio do sofrimento causado pela doença mental. Porém, isso só seria aceitável se houvesse a certeza de que os benefícios superam os danos. É preciso parar de pensar que as drogas psicoativas são o melhor e, muitas vezes, o único tratamento para as doenças mentais. A psicoterapia associada com alimentação saudável e exercícios físicos tem se mostrado muito eficaz no tratamento da depressão. Além disso, seus efeitos são mais duradouros. Infelizmente, não existe uma indústria que promova essa alternativa.

Particularmente, é preciso repensar o tratamento das crianças. Muitas vezes elas são vítimas de uma família perturbada. Tratamentos voltados para as condições ambientais – como o auxílio individual aos pais ou a criação de locais onde as crianças possam ficar depois da escola – devem ser estudados e comparados com o tratamento farmacológico.

A longo prazo, certamente essas alternativas seriam mais baratas e produtivas. Entretanto, a confiança nas drogas psicoativas, receitadas para todos os descontentes com a vida, tende a excluir as outras opções.

E, se lembrarmos as estatísticas mencionadas no início deste capítulo, veremos que estamos longe da paz mental, da paz em família e da paz social.

O SURTO TARJA PRETA

Os critérios estabelecidos pelas sociedades de psiquiatria ao redor do mundo estão chegando a números astronômicos. Nos Estados Unidos, a quantidade de pessoas incapacitadas por transtornos mentais com direito a receber a renda de seguridade suplementar ou o seguro por incapacidade aumentou quase duas vezes e meia entre 1987 e 2007, passando de um caso a cada 184 americanos para um caso a cada 76. Os números são ainda mais espantosos quando se referem a crianças. O aumento foi de 35 vezes no mesmo período. A doença mental é hoje a principal causa de incapacitação de crianças, muito à frente de deficiências como a paralisia cerebral ou a síndrome de Down.

Nos Estados Unidos, 46 por cento da população se encaixa em um dos critérios definidos pelo Instituto Nacional de Doença Mental do país, segundo um estudo realizado entre 2001 e 2003. Isso se deve ao princípio de que em algum momento da vida todos estão sujeitos a algum tipo de transtorno. A maioria dos pesquisados se encaixava em mais de uma destas categorias:

a) ansiedade, estresse pós-traumático e síndrome do pânico;
b) transtornos de humor, como depressão e transtorno bipolar;
c) transtornos de controle de impulsos, como transtornos comportamentais, hiperatividade e déficit de atenção;
d) abuso de álcool e outras drogas.

Em relação às drogas prescritas, as denominadas "tarja preta", também vemos um salto de consumo sem precedentes. Nos últimos cinco anos, as vendas de Rivotril dispararam. O número de caixas vendidas do medicamento saltou de 13 milhões em 2006 para 18 milhões em 2010 – um aumento de 36 por cento segundo o IMS Health (instituto que faz auditorias em assuntos da indústria farmacêutica). O Rivotril já é o segundo medicamento mais consumido no Brasil (perde apenas para os anticoncepcionais). Segundo o fabricante, a Roche, houve um aumento de 42 por cento no consumo de todos os medicamentos que têm o clorazepam como princípio ativo. O Rivotril foi o mais consumido por ser considerado mais eficaz, seguro e barato. Inicialmente desenvolvido para tratar a epilepsia, ele ganhou espaço no tratamento da ansiedade, da insônia e da síndrome do pânico.

Uma nova fronteira: brotos cerebrais e neurogênese

Na busca de antidepressivos de ação mais rápida, os pesquisadores de psicofarmacologia começaram a estudar uma droga usada em anestesia, a cetamina. A cetamina é anestésica, analgésica, afeta a consciência e pode levar a alucinações. Usada recreativamente, provoca grave dependência. E já aconteceram casos de dependência entre anestesiologistas, pois essa categoria profissional tem acesso exclusivo à droga, usada apenas em centros cirúrgicos.

Como a cetamina é uma levantadora relâmpago de humor, os cientistas pensaram que ela poderia vir a ser empregada na clínica médica com o intuito de evitar suicídios. Os experimentos foram realizados em cobaias, e os resultados encontrados podem ter consequências importantíssimas para os que pesquisam os métodos naturais de cura. Realizado na Universidade Yale, o estudo mostrou que duas horas após a injeção de cetamina, a produção das proteínas necessárias à construção de novas sinapses no córtex pré-frontal começou a aumentar nos ratos de laboratório. Essa região do cérebro, localizada atrás dos olhos, apresenta anormalidades em pacientes deprimidos.

Mas o fato mais relevante acontecia 24 horas após a injeção de cetamina. Depois desse período, começavam a brotar, nos neurônios dos ratos, espinhas sinápticas, que são projeções de células nervosas receptoras disponíveis para entrelaçar-se com neurônios vizinhos, o que aumenta de forma significativa o número de conexões cerebrais. Quanto mais espinhas, mais interconexões cerebrais e mais neurotransmissão cruzada. O mais inquietante é que esse processo leva as cobaias a um comportamento otimista e prazeroso. Ratos com menos sinapses na região pré-frontal desenvolvem sintomas semelhantes aos da depressão. Ou seja, a saúde mental é determinada pela capacidade dos neurônios de fazer milhares de sinapses, e não pelo neurotransmissor presente na sinapse. Nos últimos dez anos, o trabalho dessa equipe mostra que na depressão há atrofia, e não crescimento, dos neurônios do córtex pré-frontal e do hipocampo.

O que acontece é que a cetamina ativa uma enzima neuronal, a mTOR, relacionada ao crescimento dos brotos neuronais. Ou seja, muitas outras substâncias e fatores ambientais podem estar relacionados à ativação da mTOR e, portanto, à cura da depressão. Também está em jogo nesse cenário o bloqueio de um tipo de receptor. Quando ativados pelo glutamato (um neurotransmissor), os receptores NMDA bloqueiam a ação da mTOR. Ao bloquear os receptores NMDA, obtém-se o mesmo efeito de brotação neuronal.

A Neuralstem, empresa de biotecnologia, aposta as fichas em células-tronco capazes de estimular a neurogênese em células da região cerebral denominada hipocampo, que, como o córtex pré-frontal, está relacionada ao estado depressivo quando árida de brotos neuronais.

Outra frente de trabalho promissora para, no futuro, conduzirmos indivíduos deprimidos, ansiosos ou psicóticos a um estado de equilíbrio saudável é o estudo do mecanismo de inflamação. O estado inflamatório está associado às citocinas, mensageiros celulares que regulam, pelo sangue, a resposta imunológica do organismo. Alguns estudos mostram que as pessoas deprimidas apresentam nível alto de citocinas inflamatórias circulantes, sendo as mais importantes a interleucina-6 e o TNF-alfa. As citocinas mencionadas são inibidoras da neurogênese, ou seja, do processo pelo qual as conexões neuronais aumentam. Estar inflamado, portanto, significa reduzir a capacidade do cérebro de fazer conexões. A inflamação gera depressão. Confirmando tudo isso, pacientes deprimidos submetidos a tratamento com anti-inflamatórios experimentais como Etanercept e Remicade, desenvolvidos para tratar as doenças inflamatórias psoríase e artrite reumatoide, respectivamente, tiveram todos os seus sintomas psíquicos aliviados.

Virá da floresta a cura do planeta?

Aqui abre-se um precedente que pode vir a ser muito elucidativo em um futuro próximo: a *ayahuasca* e outras bebidas de uso ritual indígena preparadas a partir de plantas enteógenas. A palavra "enteógeno" designa um efeito psicoativo diferente do alucinógeno. O alucinógeno gera visões e sensações originais e desconexas, enquanto os enteógenos aumentam o grau de percepção do subconsciente. Seriam essas bebidas capazes de estimular as conexões neuronais, como faz a cetamina? Estudos realizados com a *ayahuasca* mostram que ela é um potente antidepressivo de ação rápida. O departamento médico do grupo espírita beneficente União do Vegetal, que utiliza a bebida em seus rituais, recomenda que pacientes sob tratamento com antidepressivos não a ingiram, pois, como ela estimula a produção de serotonina, seu efeito se somaria ao das substâncias antidepressivas.

O médico francês Jacques Mabit vem realizando um trabalho revolucionário, que transita entre a psiquiatria e o xamanismo, utilizando a bebida *ayahuasca* no combate às doenças psiquiátricas, mas de uma forma completamente diferente da de uma prescrição médica. Ele desenvolveu uma forma de tratamento que envolve mais de setenta "mestres" indígenas, respeitando a forma de atuação de cada um. Trata-se de uma abordagem multidimensional, que apresenta resultados substanciais. Fica a intrigante pergunta, que, se respondida positivamente, poderá dar à planta amazônica um papel inédito na restauração dos padrões mentais do planeta, através do resgate de uma cultura de paz.

Cérebro alterado

Cientistas deram a bebida usada no ritual do Santo Daime a roedores e viram mudanças na liberação de neurotransmissores

O QUE É AYAHUASCA
A bebida, usada nos rituais religiosos como o Santo Daime, é produzida do cipó e da folhagem de duas plantas amazônicas: o mariri (*Banisteriopsis caapi*) e a chacrona (*Psychotria viridis*)

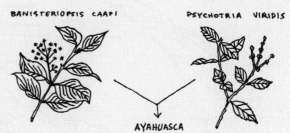

1 A PESQUISA EM COBAIAS
30 roedores foram separados em 4 grupos:

 Recebeu soro fisiológico

 Recebeu 250 mg/kg de *ayahuasca**

 Recebeu 500 mg/kg de *ayahuasca*

 Recebeu 800 mg/kg de ayahuasca

*Pó liofilizado dissolvido em água (por via oral)

2 ANÁLISE
Após 40 minutos da administração da bebida ou do soro, o tecido cerebral foi analisado.

3 NEUROTRANSMISSORES
A liberação de neurotransmissores nos 4 grupos foi comparada. Essas substâncias são liberadas para fazer a ligação entre os neurônios. Depois, são recaptadas pelos neurônios ou destruídas por enzimas.

4 AYAHUASCA
Nos roedores que tomaram a bebida, houve inibição das enzimas que destroem os neurotransmissores, aumentando a concentração de noradrenalina, dopamina e serotonina nas regiões do hipocampo (ligada à memória) e da amígdala (ligada às emoções).

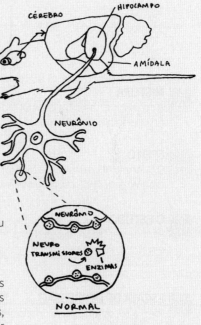
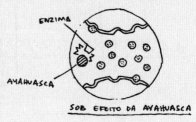

Chá para depressão
Como foi o estudo que usou ayahuasca para tratar a doença

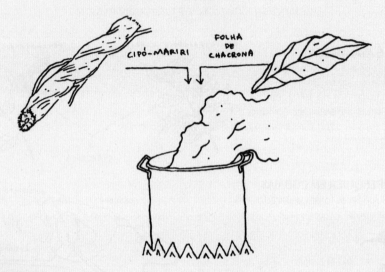

1 MISTURA
A *ayahuasca*, também chamada de Daime, é a bebida resultante da fervura de cipó-mariri com folhas de chacrona. A bebida é consumida durante rituais de natureza religiosa.

2 EFEITO
O princípio ativo das folhas (n-dimetiltriptamina, DMT), combinado com o do cipó (tetrahidroharmina, THH), provoca os efeitos psicoativos da mistura, como visões e alucinações.

3 O ESTUDO
Para testar se a droga tinha efeitos antidepressivos, seis pacientes tomaram a *ayahuasca* uma única vez e tiveram os sinais e sintomas de depressão avaliados pelos pesquisadores.

4 ESCALA DE DEPRESSÃO
(de 0 a 60, quanto maior, mais deprimido).

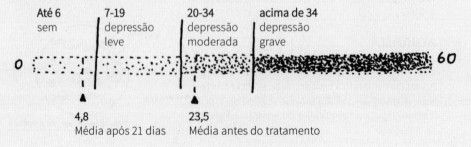

O TRATAMENTO HOLÍSTICO DAS CONDIÇÕES MENTAIS

A doença mental é vista como um evento-surpresa, que surge repentinamente, alterando o equilíbrio do corpo e obrigando o paciente – assim definido como portador de um sintoma – a assumir a postura de vítima das circunstâncias. Seguem-se as terapias farmacológicas para que o indivíduo afetado seja recolocado o mais rápido possível em seu âmbito social, familiar e, principalmente, no mercado de trabalho. Dessa forma, o paciente não é convidado ao entendimento integral do processo do qual foi protagonista. Uma sessão de entendimento do processo entre o médico e o paciente é desaconselhada, pois não há tempo.

É importante que o indivíduo acometido por uma adição ou um transtorno mental possa *entendê-los* como expressão, a curto ou longo prazo, dos seus conflitos internos, de sua herança cultural e de sua inabilidade em transformar o ambiente interno e, consequentemente, o ambiente externo.

Conversar de forma aberta sobre o assunto, dentro da realidade vivida pelo indivíduo, por sua família e por sua comunidade, é um passo importante para desmistificar e prevenir a doença mental e os padrões mentais que levam ao vício em drogas e em comida. Com informação, os mais jovens podem aprender a evitar os riscos e ser estimulados a outras fontes de nutrição e diversão. Mas, na ausência da família, ou na presença de uma família desestruturada, é importante criar um abrigo onde o indivíduo encontre outro tipo de família "humana", sem vínculos sanguíneos, mas alinhada quanto a tendências e pensamentos.

Nesses locais especiais, em contato com a natureza, o indivíduo entraria novamente em contato com o alimento do solo saudável, sem agrotóxico ou química e cheio de vida, que chegaria através de famílias integradas à terra. Seria convidado a participar do processo produtivo, de forma voluntária. E desenvolveria hábitos alimentares novos, sem açúcar, farináceos assados ou fritos e sem as gorduras hidrogenadas e trans – mas com frutas cheias de vitaminas e produtos da terra plenos de gorduras sadias. Daí teria início uma cadeia de acontecimentos que reestruturaria a base bioquímica e biológica do cérebro, trazendo de volta a verdadeira alegria de viver.

A meditação e a prática de atividades leves, porém profundas, como a ioga, seriam fundamentais nesses retiros e poderiam tornar-se rotina nas escolas públicas ou privadas. Precisamos reestruturar, além da base física e bioquímica do cérebro, a teia imaterial e emocional que nos caracteriza como humanidade.

Uma vez acomodados em ambiente com prevalência de terra, luz solar, água e ar puros, recebendo nutrição predominantemente vegetal e atenção humana consciente e evolutiva, aqueles que necessitam dessa transição encontrariam as condições necessárias para a reordenação do sistema límbico e do neuroendócrino, e participariam de atividades e aulas ao ar livre, com exercícios de psicomotricidade em meio à natureza.

Depois seria preciso criar condições locais para que um novo sistema de relacionamentos se desenvolvesse. A princípio é importante manter longe dos centros urbanos as pessoas que rejeitam qualquer lei natural ou ética. Isso não é muito difícil, pois, quando um indivíduo doente resgata o contato com a natureza, chega a rejeitar a ideia de regresso. A seguir, um sistema social prático sobre as leis naturais e as imateriais seria desenvolvido. Amadurecidos, os jovens e os adultos que frequentassem essas comunidades deveriam imediatamente levar esse conhecimento para o mundo à sua volta através de ensinamentos, práticas, curas e auxílio para toda e qualquer necessidade. Principalmente, guardar o intuito de atrair outros indivíduos que se mostrarem suficientemente evoluídos para cooperar.

Em uma visão mais ampla, acredito eu que partilhada por muitos, o homem continua em busca de um estado mais sublime de sua experiência mística ou do aperfeiçoamento de seu equipamento mental/emocional. Ele persegue, durante toda a vida, estados de consciência diferentes do normal, nos quais possa ver além do cotidiano escravizante. O ambiente nocivo é predominante, mas essa é uma das principais razões pelas quais a nova prática de medicina deve procurar as paisagens e os alimentos naturais para se manifestar.

Meditação

A meditação é, comprovadamente, a prática mais perfeita e mais saudável para integrar o eixo sistema nervoso central–sistema límbico-sistema autônomo. A prática diária de meditação – individual ou em grupo – é o verdadeiro veículo de mudança do estado de consciência, e exige apenas um copo de água, de néctar de fruta ou de sucos verdes, um lugar tranquilo, um banquinho ou uma esteira.

A meditação, seja matinal ou vespertina, seja em silêncio absoluto ou com sons da natureza, seja acompanhada de música suave ou mantras, de música alegre ou temas elevados, é a prática mais abrangente e de resultados mais impressionantes de que dispomos para alterar nosso estado de consciência e colocar nossa vida no rumo da alegria de viver. E o que é mais importante: a meditação tende a nos fazer mudar sempre para melhor; nunca foram descritos efeitos colaterais negativos da meditação.

O professor Fernando Bignardi, da Universidade Federal de São Paulo (Unifesp), padronizou uma prática de meditação sem um significado necessariamente religioso e aplicou-a na população de idosos do bairro de São Mateus, na periferia de São Paulo, em dois ensaios realizados em 2010 e 2011. Separou-se um grupo de setenta participantes que meditavam diariamente de outro grupo no qual os indivíduos meditavam uma vez por semana. Principalmente no grupo de idosos que meditaram diariamente, a reconexão com a dimensão supramental favoreceu o resgate da missão essencial da vida e possibilitou o ressurgimento da motivação. Isso foi acompanhado da reversão de doenças crônicas (por exemplo, hipertensão arterial, diabetes e glaucoma), assim como do resgate do bem-estar e da qualidade de vida, à medida que antigos projetos foram retomados e realizados. Foram detectados efeitos significativos na memória e no humor, na respiração, nos intestinos, na postura, no sono e na disposição geral, com a melhora clínica de dores e doenças crônicas. Em uma observação inédita, percebeu-se que os indivíduos estudados, em sua maioria oriundos do Nordeste do Brasil, tinham hábitos carnívoros. Em depoimentos, eles informaram uma mudança espontânea de hábitos alimentares na direção de uma dieta mais rica em cereais, verduras, legumes e frutas. Essas mudanças também foram acompanhadas de redução do consumo de carne vermelha.

Exercícios

A segunda prática mais importante na retomada de um padrão de pensamento positivo e ativo é o exercício físico, que reconhecidamente aumenta a quantidade dos hormônios e dos neurotransmissores do bem-estar, principalmente a serotonina e as endorfinas.

Venho considerando a vida ao ar livre associada à prática da agricultura e da jardinagem a mais evoluída forma de exercício físico. O trabalho com ferramentas entre os canteiros movimenta todos os músculos, ligamentos e articulações, sem ser necessáriamente pesado. Esse trabalho torna-se hipnótico e meditativo com o passar das horas, e pode estender-se por um período inteiro, de manhã ou à tarde.

A caminhada em ambientes naturais é também uma forma muito especial de exercitar-se. Segundo estudos feitos no Japão, as caminhadas em florestas permitem uma melhora do sistema imunológico e do equilíbrio mental, dos parâmetros circulatórios, respiratórios e digestivos. Tradicional entre os orientais, essa atividade eleva os índices de CD4, indicadores do aumento da resposta imunológica das células. Nada mal para quem planeja implementar uma horta ou agrofloresta, mesmo que pequena.

Cultura e humor

Com o mundo enfrentando situações como as descritas no início deste capítulo, é de esperar que a alegria de viver e de dar risadas esteja inibida. De fato, quando caminhamos em uma cidade grande, vemos rostos rígidos, e não é preciso muita coisa para desencadear uma briga no trânsito. Alcoólatras ao volante podem provocar acidentes bizarros e violentíssimos a qualquer momento, mesmo com todas as medidas de inibição ao uso de álcool.

Muitos jovens, envolvidos em uma cultura de violência e guerra, perdem a inocência da infância muito rápido. A inocência da criança é um tesouro, um patrimônio que deve ser mantido a todo custo, pelo maior tempo possível. Mas hoje ocorre o contrário. Os meninos tornam-se caricaturas do que há de pior nos adultos, e as meninas amadurecem precocemente, e não estou falando apenas do aspecto biológico. Essas crianças tendem a se tornar adolescentes e adultos com maior propensão à depressão.

A cultura do humor deveria ser mais desenvolvida. Hoje o humor é usado para extravasar o sofrimento, e muitos programas humorísticos abusam de recursos apelativos. Mas o humor é uma ferramenta espetacular para fazer pensar. Recentemente, em uma de minhas incursões na cidade grande (sempre nos fins de semana), assisti a uma sessão de cinema na rua Augusta que posso mencionar como exemplo do meu argumento. No jornal, o filme estava classificado como de humor. Na trama, uma bailarina que chega à meia-idade tenta conseguir um papel melhor, mas é frustrada em todas as suas expectativas. Fica sem o namorado, tenta namorar outros rapazes, mas é rejeitada, acaba sem ter onde morar e apenas tem acesso a subempregos. Mas a personagem permanece confiante de uma maneira que faz o expectador duvidar de sua sanidade mental – afinal, ela deveria estar muito deprimida. Vi algumas pessoas saindo da sala durante a projeção. Acho que estavam se sentindo enganadas. Nós mesmos estávamos nos perguntando onde estava o humor afinal.

O filme tem um desfecho não apenas feliz, mas emocionante, pois traz exatamente a essência do que quero dizer: a felicidade e a alegria não são óbvias. São essências ocultas que determinam de fato se teremos permanência ou não. A personagem mostra muito desse humor implícito que determina o grau de motivação de uma pessoa justamente quando ela enfrenta as dificuldades da vida: o desemprego, a doença, o ostracismo e a rejeição.

Defendo uma busca cultural do humor. Não o humor óbvio, pastelão, ridículo, obtido através de cenas que provocam gargalhadas inconscientes, mas a possibilidade de que crianças e jovens tenham acesso a obras de arte cinematográfica e literária que induzam a pensar, a buscar a alegria que existe lá no fundo do ser, que é a mais profunda e substancial: filmes de Charlie Chaplin; *A vida é bela*, de Roberto Benigni; *O auto da compadecida*, de Ariano Suassuna; e alguns filmes de Woody Allen, que evocam um tipo de humor que nos toca de forma mais cerebral.

À medida que um grupo aceite ir mais fundo, buscar o humor que vem do entendimento da inépcia do homem e de seu ego, que conduz todos a uma mesma autodestruição: *Dom Quixote*, de Cervantes, a *Divina comédia*, de Dante Alighieri, e toda a obra de William Shakespeare. Apesar do nome, o Teatro do Oprimido, de Augusto Boal, além de normalmente resultar em manifestações de tomada de consciência, redunda em uma grande alegria coletiva.

Considero o cinema uma excelente maneira de levar cultura, informação e transformação para uma juventude cada vez mais informatizada e sem informação de qualidade. Assistir a um filme escolhido, seguido de um lanche e de uma discussão, é uma ótima maneira de reunir jovens fora do horário escolar e adicionar conhecimento evolutivo, com baixo custo e complexidade cultural.

Alimentação baixo-astral

Antes de mais nada é preciso definir o que devemos evitar na dieta com o objetivo de aumentar nossa capacidade mental e de expansão da consciência. Nosso cérebro é composto essencialmente de gorduras e movido a glicose. Por isso devemos procurar ingerir as gorduras e açúcares saudáveis do reino vegetal, que foram desenhados para suprir nossas células e nosso sistema fisiológico. Se esquecermos essa regra, poderemos desordenar por completo nosso metabolismo cerebral. Os alimentos que mais contribuem para o mau funcionamento do cérebro são:

- carnes embutidas, processadas, conservadas e congeladas, como salsichas e mortadelas; alimentos passíveis de ser preparados em fornos de micro-ondas, como *nuggets*;
- dieta de redes de *fast food*;
- alimentos com gorduras processadas industrialmente. Ainda que a gordura seja vegetal, o processamento a transforma em pseudogordura, o que provoca mau funcionamento cerebral. Assim, os piores alimentos são todos os "porcaritos", infelizmente aceitos como os aperitivos mais comuns. Recentemente, a gordura hidrogenada foi proibida nos Estados Unidos, em uma decisão inédita do governo. Resta saber quando o mesmo acontecerá no Brasil;
- alimentos fritos em óleos vegetais de soja, canola e qualquer salgado frito nesses óleos. A fritura gera a acrilamida, uma substância potencialmente tóxica;
- alimentos com grande quantidade de amido e açúcar, como pães ou doces;
- macarrão instantâneo, temperado com glutamato monossódico e outros temperos artificiais.

Alimentação de morte e sofrimento

Meat is murder.
Morrissey

Não existe alimento de origem animal que seja doado pelo ser vivente. Nenhum porco doa seu pernil, nenhum peixe ou frango cede sua carne. Eles precisam ser mortos para doar.

Patê de *foie gras*

Eis aqui um exemplo de até onde vai a maldade humana. Esse patê é o resultado de uma doença hepática. Os animais são submetidos a uma dieta forçada de ração. São mantidos com o bico aberto, e a comida é forçada goela abaixo até oito vezes por dia. Esses pobres gansos desenvolvem a esteatose hepática, e depois são sacrificados. A sofisticada e caríssima iguaria é o resultado de uma doença imposta pela tortura em cativeiro.

Carne de vitela

Os animaizinhos precocemente desmamados das vacas pela indústria de laticínios, ainda em idade tenra, são enviados a câmaras escuras e estreitas, onde não podem se movimentar. Ali eles recebem uma ração processada, que os torna anêmicos e sua carne, macia. São confinados ainda "bebês", por isso recebem o nome "baby beef".

Criações intensivas

Os frangos, os porcos e todos os animais criados para abate vivem uma vida com luz artificial e recebem medicamentos junto com a ração. A maior parte dos antibióticos produzidos pela indústria farmacêutica se destina à alimentação animal, pois percebeu-se que a alteração de sua microbiota intestinal permite uma engorda maior. Os maus-tratos são a regra.

Leite e laticínios

A manteiga e o leite também carregam a sombra do sofrimento de milhões de animais. A indústria leiteira é perversa. Não há a menor piedade pelos filhotes e pelas mães, que veem o laço que os une ser rompido logo após o nascimento. Os filhotes vão para as câmaras de tortura, tornando-se vitelas, enquanto as mães vão parar dentro de câmaras metálicas nas quais quase não se movem, sendo ordenhadas por sugadores automáticos. Para aumentar a produção de leite, recebem uma enorme carga de hormônios. As mastites – inflamação dos úberes – são comuns, com secreção de pus. E esse pus fica no leite que as pessoas consomem desavisadamente, e que ganha um nome mais palatável: células somáticas. Para tentar evitar as mastites, a carga de antibióticos é bastante alta. Muitas pessoas desenvolvem reação alérgica e até anafilática ao antibiótico presente nesse triste alimento.

A lista é ainda muito maior. São diversos os crimes cometidos contra os animais em um mundo cada vez mais violento, depressivo e desumanizado. Como não descartar o papel do sofrimento brutal imposto aos animais na formação do caráter da sociedade moderna?

Os restos das carcaças – quando não são enviados à indústria de salsichas – são descartados sem tratamento, contribuindo para a poluição ambiental. Mesmo sendo matéria orgânica, esses restos formam uma microbiota anaeróbica que sufoca a vida de leitos de rios e até mesmo de cursos de água maiores. Os efeitos dessa dieta que nutre apenas a minoria da população do planeta se fazem sentir até mesmo nos ecossistemas marinhos.

Imagine uma mesa repleta de alimentos frescos, vivos, vibrantes e plenos de energia nutritiva. Uma mesa preparada por pessoas que irradiam beleza, calma e paz. Essa é a mesa da Mãe Terra, que garante uma vida longa e feliz a todos aqueles que dela se servem. A alegria dessa ceia irradia beleza e alimenta com graça toda a humanidade.

ALIMENTAÇÃO ALTO-ASTRAL

Uma dieta que nutra o cérebro é acima de tudo uma dieta sem dor ou sofrimento de outros animais. Os vegetarianos podem dispor de alguma manteiga, queijos e ovos, mas evitam excessos – os ovos obtidos de animais felizes não contribuem para o sofrimento coletivo dos animais. Já os veganos, ou vegetarianos estritos, abrem mão desses alimentos.

Venho visitando diversas fazendas orgânicas nos últimos anos, no Brasil e na Europa, e tenho visto coisas bastante estimulantes, como a fazenda Malunga, de propriedade de Joe do Valle, uma fazenda orgânica modelo em todos os aspectos. Toda a matéria vegetal excedente da produção agrícola é picotada e utilizada na nutrição da pequena criação de gado. Esses animais têm controle de saúde integral e recebem tratamentos homeopáticos e probióticos.

A migração de fazendeiros para uma produção de leite menos agressiva para a vaca e o filhote é prática cada vez mais comum na Europa. A minha recomendação para o consumo de leite é que, se ele for de grande necessidade para a pessoa ou seu filho, que se restrinja a coalhadas, manteiga e *ghee*, um alimento aiurvédico também chamado de manteiga clarificada. É importante também regulamentar a produção de queijos crus e não pasteurizados, que são muito mais probióticos e saudáveis. Lamentavelmente, a Anvisa proíbe todo tipo de fabricação de queijos dessa forma, embora na França os queijos não pasteurizados sejam vendidos em qualquer mercado. A regulamentação pasteurizadora em vigor atinge diretamente a produção de diversos queijos Canastra, típicos de Minas Gerais. Nós, seres humanos, não temos necessidade de beber leite, muito menos na proporção em que isso acontece. Grande parte da pandemia de obesidade, câncer, diabetes, artrose, osteoporose e hipertensão vista hoje está relacionada à grande ingestão dessa secreção animal. Apenas como nota, lembremos que os Estados Unidos, o país que mais consome leite no planeta, é também o que detém a maior taxa de osteoporose.

Portanto, ao alimentar crianças em crescimento, pense em utilizar um desses derivados benévolos. No Evangelho Essênio da Paz, Jesus menciona o "leite bom das ovelhas" como alimento, e penso que esse leite (de vaca, de cabra ou de ovelha) pode ser obtido hoje se pensarmos em uma rede organizada de pequenos produtores rurais. Definitivamente, não recomendo ovos que venham de granjas de produção ou laticínios que sejam oriundos de vacas apartadas de seus filhotes.

Para finalizar este assunto, recomendo de fato os laticínios e queijos vegetais, que estimulam a produção das castanhas por agroflorestas. Podemos obter queijos fermentados de diversas texturas e nuances de sabor, e sua probiótica atende a qualquer demanda biológica intestinal.

ALIMENTOS VIVOS

A alimentação viva é sem dúvida estimuladora da função cerebral, pois os elementos nutritivos denominados fitoquímicos e nutracêuticos estão presentes nela. As bactérias apresentam uma função fundamental na digestão humana. Junto aos nutrientes saudáveis originados da digestão bacteriana, tornam-se disponíveis para a síntese de neurotransmissores nos intestinos. O ideal é manter uma dieta composta de 80 por cento de alimentos vivos (biogênicos), deixando apenas uma lacuna para ser preenchida por alimentos vegetais leve ou totalmente cozidos.

Sementes oleaginosas

Aqui temos um ingrediente ativo: as sementes que contêm os óleos essenciais ômega-3, ômega-6 e ômega-9, além de ácidos graxos de cadeia curta, são excepcionais alimentos para o cérebro. As sementes oleaginosas mais expressivas do reino vegetal são as de cânhamo, alpiste, gergelim, linhaça e quinoa. Curiosamente, todas são sementes de pequeno porte, capazes de dispensar os tão necessários ácidos graxos e óleos essenciais, tão importantes para a função cerebral. As sementes de cânhamo têm uma distribuição especialmente equilibrada de ômega-3 e ômega-6, da ordem de 3:1, o que as deixa no topo da lista das melhores sementes nutritivas.

Cânhamo

As sementes de cânhamo (*Cannabis sativa* ou *C. indica*) podem ser germinadas e utilizadas na preparação de leite de sabor e consistência agradáveis. Sua ingestão diária recompõe a função cerebral e dos neurotransmissores sem a manifestação de qualquer efeito psicoativo, pois nelas os canabinoides (CBN) predominam sobre o tetra-hidrocanabinol (THC). A clareza de pensamento que se segue à ingestão do leite de sementes de cânhamo germinadas deveria fazer dele o antídoto principal contra a síndrome de déficit de atenção ou a bebida matinal de escolha em escolas ou nas clínicas de recuperação de dependentes químicos. A *Cannabis* pode ser utilizada na fadiga crônica e no aumento da imunidade (2008).

Infelizmente, a legislação brasileira impede a comercialização dessas sementes, pois as associa ao uso não saudável da queima da planta – na verdade, do broto da *Cannabis* fêmea cultivada na ausência da planta masculina – em cigarros (baseados). Ignora-se assim que a ingestão de sementes germinadas ou mesmo cruas é completamente diferente nos aspectos fisiológico, bioquímico e mental.

No Brasil, ainda vivemos sob uma legislação que desconhece o aspecto nutricional e fitoquímico desses superalimentos. Infelizmente, ao comprar essas fabulosas sementes para uso medicinal e nutricional, os pacientes podem ser intimados a depor em juízo. O relato final do juiz frequentemente indica ausência de dolo, atipicidade e falta de materialidade da conduta.

Na Alemanha, empresas do porte da Rapunzel, da Naturata e da Weleda vendem sementes para germinar brotos ou sementes sem casca para ingestão direta (como a aveia), além de seus óleos comestíveis. Com a mudança na legislação, talvez o Uruguai venha a produzir esses importantes alimentos e se possa abrir uma brecha para a sua importação.

Alpiste

A semente dos passarinhos é de fato um superalimento. Tem 18 por cento de proteínas e todas as vitaminas lipossolúveis (solúveis em gordura), sendo assim muito assimilável pelo metabolismo cerebral. É excelente repositora de enzimas e fonte de antioxidantes que previnem doenças ligadas ao envelhecimento e ao envelhecimento precoce da pele. Auxilia no combate ao diabetes e às doenças hepáticas, pois parte de seus efeitos é a regeneração da função pancreática e dos hepatócitos. O consumo diário de leite de alpiste ou de suco verde com alpiste melhora a regeneração e a contagem de hepatócitos, auxiliando na reversão da esteatose hepática. O alpiste também age sobre as doenças dos rins e da bexiga e protege o trato urinário contra infecções, por ter efeito bactericida local.

Uma das enzimas que o alpiste oferece é a lipase, que ajuda na limpeza de gorduras dentro de vasos e artérias e atua na remoção da gordura localizada, sendo um excelente remédio para reduzir a obesidade, a celulite e a circunferência abdominal.

Essa semente contém todos os aminoácidos essenciais, ou seja, é uma fonte proteica de alta qualidade. Proponho seu uso através da germinação: uma noite dentro da água e um ou dois dias demolhando em uma peneira até que emita seus pequenos brotos verde-avermelhados. O alpiste germinado confere ao suco verde um sabor muito especial, pela fineza de suas gorduras.

Gergelim

É a semente de uma herbácea, um arbusto simples e cosmopolita de climas quentes ou temperados. A melhor forma de consumir a semente é em sua forma integral, crua e com casca.

As sementes de gergelim contêm 52 por cento de lipídios, basicamente ácidos graxos insaturados. A lecitina é um deles. Além de apresentar grande concentração de fibras (mucilagem), ela é rica em proteínas e cálcio. Em 100 g de gergelim encontramos 417 mg de cálcio, quatro vezes mais que o equivalente em leite. Rico em minerais, vitaminas, sais e antioxidantes, o gergelim faz parte do cardápio do controle dietético do diabetes, por ser mineralizante do plasma.

O gergelim ativa a circulação sanguínea na parede intestinal, favorecendo os movimentos do órgão e o trânsito fisiológico do bolo alimentar e auxiliando no tratamento das constipações crônicas e das hemorroidas. Ele ajuda também no controle da massa corporal gorda, tanto na lipólise (quebra de gordura) quanto na inibição da lipogênese (armazenamento de tecido adiposo), apresenta alto teor de fósforo e ferro e é rico em vitaminas do complexo B. Associado a uma nutrição baseada em vegetais, contribui para a função cardiovascular e sexual saudável e para a redução das taxas de colesterol.

Por fim, o gergelim fortalece a estrutura osteomuscular, contribuindo para evitar a osteoporose. Ele auxilia as funções renal e hepática, equilibrando a função coagulante do sangue. Reduz sintomas inflamatórios (na ausência de açúcar) e reumáticos, como dores lombares e nos joelhos. Aprendi com um frequentador de nossas oficinas, em seus 70 anos e sem um fio de cabelo branco sequer, que a manutenção da pigmentação dos cabelos é talvez a mais visível propriedade do gergelim.

Linhaça

A semente de linhaça, seja ela marrom ou dourada, vem sendo proclamada como um alimento prodigioso. De fato, estudos preliminares mostram que a linhaça auxilia na prevenção e no combate ao câncer. Embora seja descrita como uma das plantas mais poderosas em nutrição funcional, todos os seus efeitos só são efetivos quando não associados a laticínios ou a carne, açúcar e amido em excesso. Na verdade, a linhaça é desastrosa em conjunção com o açúcar. Porém, em associação a uma dieta equilibrada à base de vegetais, apresenta o efeito exatamente contrário, prevenindo e revertendo sintomas inflamatórios.

A semente de linhaça é cultivada desde tempos remotos – há relatos de seu uso pelos babilônios e também pelos soldados de Carlos Magno. Agora a análise científica de suas características mostra efeitos mais definidos na doença cardiovascular e em doenças pulmonares, além de efeitos protetores contra o câncer de mama, o câncer de próstata e o câncer de intestino.

A semente de linhaça pode ser consumida germinada, na forma de pastas e doces vivos, na forma de panquecas ou mesmo como *cracker*. Existem muitos produtos novos à base de linhaça sendo lançados nos Estados Unidos e no Canadá, além de rações para galinhas poedeiras, cujos ovos terão altos níveis de ácidos ômega-3. Por favor, lembrar das "galinhas felizes", aquelas criadas soltas, ao ar livre.

Os maiores responsáveis pelos efeitos benéficos da linhaça são os ácidos graxos essenciais ômega-3, que apresentam efeitos diretos de proteção do miocárdio, e os lignanos, que são estrogênios vegetais com qualidades antioxidantes. As sementes de linhaça contêm oitocentas vezes mais lignanos que qualquer outro tipo de planta, além de fibras solúveis e insolúveis.

Quinoa

A quinoa é natural do Peru, da Bolívia e do Chile, tendo sido por milênios o alimento básico dos povos do altiplano andino. Em quíchua, "*quinua*" significa "grão-mãe". A quinoa é descrita como um superalimento, ou supergrão, o que não deixa de ser verdade. Ela tem grande concentração de proteínas, minerais e vitaminas. Por ser livre de glúten, é recomendada para pessoas que estão em uma dieta de exclusão dessa proteína.

Na culinária, é um substituto do arroz. Em nossos cursos e tratamentos, sempre preparamos a quinoa na forma de "risotos", com diferentes hortaliças e legumes, frescos ou desidratados. Na verdade, a quinoa não precisa ser cozida como o arroz; basta que seja germinada. Em apenas uma noite ela germina, expondo seu minúsculo broto. Uma vez germinada, ela está praticamente pronta para ser consumida, bastando ser refogada ou preparada em nossos pratos amornados. O sabor lembra o do arroz, só que mais saboroso, por ser levemente acastanhado. A quinoa é uma semente da planta *Chenopodium quinoa*, que tem parentesco com a beterraba e o espinafre. Ela também pode ser usada na forma de farinha e flocos.

CASTANHAS E NOZES

Temos castanhas e nozes que se originam de climas frios, temperados ou equatoriais. Podem vir das montanhas ou da beira-mar. O Brasil descobriu que a castanha de caju e a castanha-do-pará são produtos com grande procura, aqui e no exterior. Hoje, devido a novas técnicas agroflorestais e de extração, podemos ter castanhas de alta qualidade biológica e segurança alimentar. Não devemos esquecer que o coco também é uma castanha, a maior castanha que existe. Além da grande oferta de nutrientes, o coco possui ainda uma água com grandes propriedades nutracêuticas. A macadâmia, oriunda da Austrália, adaptou-se bem ao nosso clima e é agora cultivada em diversas regiões do

Brasil. Como gosta de clima de floresta úmida, pode se adaptar perfeitamente ao sistema agroflorestal de plantio. A noz-pecã, embora venha do clima temperado da América do Norte, adapta-se bem ao Brasil. Somando amêndoas e nozes, as castanhas de climas temperados e todas as outras que chegam do Cerrado e da Amazônia, não há mais razões para crer que esses alimentos sejam apenas coisa de gente rica ou da ceia de Natal.

As castanhas são nossa maior oferta natural de precursores de neurotransmissores. Muitas castanhas têm quantidades consideráveis de tirosina e de triptofano. A tirosina é precursora de todas as catecolaminas (adrenalina, noradrenalina e dopamina), substâncias que nos deixam alertas e, portanto, são essenciais na manutenção de uma função mental positiva. Sua deficiência determina imobilidade diante dos problemas e, às vezes, imobilidade total – como jogar-se numa cama sem a intenção de sair dela. Além disso, a tirosina é a base de todos os hormônios tireoideanos. Ou seja, trata-se de um aminoácido-chave para nossa função cerebral e hormonal. Já o triptofano é a molécula essencial na estrutura da serotonina, depois de passar por algumas modificações no intestino e no neurônio. A serotonina é o neurotransmissor-chave do bem-estar. Todas as drogas antidepressivas atualmente comercializadas atuam na sua síntese, na sua liberação na sinapse ou na sua recaptação.

Esses aminoácidos podem ser encontrados em outros nutrientes, mas é nas castanhas que eles predominam. Ou seja, quem se priva desses deliciosos quitutes reduz a oferta de neurotransmissores. Lembra-se do jogo das bolinhas? É como se sua caixa de bolinhas estivesse vazia. Poucas bolinhas na piscina, pouco estímulo. Se os neurotransmissores faltosos são os mediadores de sentimentos de alegria interna e bem-estar, eis aí uma razão para estar deprimido.

Existem castanhas que apresentam capacidades psicoativas diretas, como a do cacau, que contém, além dos precursores dos neurotransmissores mencionados, vitaminas e fitoquímicos antioxidantes e altas quantidades de teobromina, substância que apresenta efeitos visíveis sobre a função cerebral. Os astecas e os maias a utilizavam em rituais de clarividência e quando recebiam visitantes ilustres, tal o poder da planta sobre o estado mental. Os espanhóis – recebidos como visitantes ilustres – provaram o delicioso *tzacolatl*, feito com cacau, abacate e mel.

É preciso separar bem o cacau castanha e nutriente daquilo que conhecemos como chocolate. Os exploradores espanhóis levaram o abacate e o cacau para a Europa, mas apenas o cacau chegava, pois o abacate apodrecia na longa viagem de navio. Assim eles deram início à preparação do precursor do chocolate, adicionando açúcar e leite ao cacau. O chocolate vendido no mercado hoje é composto de lecitina de soja, parafina, gordura hidrogenada, alguma manteiga de cacau e muito, muito, muito açúcar! Muitas pessoas comem chocolate para levantar o ânimo, e a indústria percebeu que a presença maciça de açúcar no chocolate promove esse efeito ao quadrado, gerando uma rápida resposta estimulante cerebral, que é potencializada pela resposta estimulante do açúcar. Mas o açúcar cobra seu preço logo após a ingestão: sua presença dispara a produção de insulina, que reduz a glicemia e baixa o ânimo. A euforia vira depressão. Nada contra comer chocolate, contanto que ele tenha pouco açúcar e possa ser degustado com o sabor amargo original. Importante que tenha a manteiga e a gordura do cacau, para que, além da teobromina, possa fornecer os minerais e as vitaminas lipossolúveis A, D, E e K, todas presentes na castanha.

Guaraná e mate

O guaraná e o mate são bebidas de origem indígena que contêm cafeína e estimulam o sistema nervoso central. O guaraná também atua como estimulante tireoidiano e celular, promovendo o aumento do consumo de energia pelo corpo. Antes de consumir uma bebida energética, lembre que a energia do nosso corpo tem um valor. Ao ingerir energéticos, aumentamos o gasto dessa energia, que deverá ser reposta depois pelo próprio corpo. Por isso não vale a pena abusar de nenhum tipo de bebida energética, pois o custo será cobrado cedo ou tarde de seu corpo.

Para despertar o corpo naturalmente, sugiro atividades logo pela manhã, banhos de água fresca, caminhadas, uma postura de ioga simples como a Surya Namaskar (saudação ao Sol) e exposição solar. Se você vem de uma cultura que tem o hábito de consumir energéticos naturais, use-os com moderação, sem se deixar controlar por eles.

Leites vegetais

Enquanto a indústria de laticínios de origem animal e de soja demanda cada vez mais monocultura, agrotóxicos, estabulação, antibióticos e ração de soja, com o consequente desmatamento de biomas, a elaboração urbana e regional de laticínios vegetais de castanhas e nozes irá clamar por mais árvores, mais plantios, mais agroflorestas.

Ao final deste capítulo, Maya Beermann apresentará a receita ancestral do chocolate e os métodos pelos quais podemos obter leites, iogurtes, queijos e outros laticínios vegetais com a consistência e o gosto dos produtos de origem animal. Essa é uma porta que se abre a futuros chefs e a empreendedores.

E O CAFEZINHO?

De efeito muito parecido ao do chocolate, o café não chega a ser um grande problema se não se transformar em vício. A cafeína é um estimulante do sistema nervoso central. Há uma enorme diferença entre uma pessoa que beba um café para despertar e sentir-se bem e outra que fique horas na frente de um computador bebendo dezenas de xícaras da bebida açucarada. Em alguns lugares do Brasil, o café já é servido adoçado, e às vezes parece que colocam mais açúcar que pó de café.

Infelizmente, muitos profissionais – mesmo os de saúde – ingerem quantidades inaceitáveis da bebida, dando ao café *status* de droga, com todas as características: vício, tolerância e abstinência. Nos nossos cursos, sempre levamos um pacote de café orgânico, pois alguns alunos apresentam dor de cabeça severa pelo segundo dia. É a abstinência de café. Basta uma xícara pequena para a dor passar.

O café também recebe quantidades absurdas de agrotóxicos Existe um documentário alemão sobre o café que causa espanto. Para driblar a vigilância sanitária do país, que detecta a menor elevação no nível de agrotóxicos, os produtores brasileiros, em conluio com os distribuidores alemães, usam o critério da "diversidade", produzindo um coquetel que a vigilância sanitária aceita. Além disso, muitas empresas moem galhos e folhas para aumentar o volume do produto.

Minha sugestão para o melhor café: fresco, em grãos, orgânico, moído na hora, logo pela manhã, com leite de castanhas e sem açúcar. Afinal, quando um café é bom, ele não precisa de açúcar.

Quanto às bebidas energéticas com alta concentração de cafeína e taurina, acredito que devam ser usadas apenas por bombeiros e equipes de resgate, como um agente alopático. Não são alimento, embora sejam vendidas como tal.

Para saber se compreendeu este capítulo

1. Faça uma pausa na leitura e procure algum lugar na natureza, ao sol, e ouça o som de um riacho e o canto de pássaros. Se estiver muito longe disso, agende um fim de semana para estar com a Mãe Terra. Afaste-se dos sons da cidade, gradualmente e cada vez mais. Tenha mais atividade física em consonância com a natureza.
2. Encare os ansiolíticos e antidepressivos de tarja preta como inúteis. Se estiver fazendo uso deles, procure conversar com o seu psiquiatra sobre retirá-los gradualmente com o auxílio de uma alimentação baseada em vegetais e apoio psicoterápico. Se houver impulso suicida, desconsidere este item, mas procure conversar sobre o tema com seu psiquiatra.
3. Encare o cigarro, o álcool, a maconha do tráfico e a cocaína como o oposto da diversão. São substâncias que alteram o cérebro bioquimicamente, promovendo distúrbios que podem se transmitir para outras gerações através da genética.
4. Se você é adepto de baladas, saiba que existem baladas e *raves* matinais sem qualquer substância química, mas com muita música, movimento e gente alegre. Arrisque-se a participar de uma. Pode ser que nunca mais volte a uma balada noturna movida a química. Dançar e estar entre amigos é saudável, mas os meios artificiais utilizados para desinibir-se ou curtir não o são.
5. Procure ter mais contato social. Matricule-se em algum curso presencial, frequente palestras e grupos. Aprenda alguma dança ou outra forma de prática que permita o toque entre as pessoas. Acredite, nosso corpo é elétrico e despolariza ao encostar em outras pessoas. Não se "isole".
6. Deixe de lado a televisão, a internet e as mídias portáteis, reduzindo-as ao mínimo necessário. Não alimente frustrações ou rixas pela internet. Use-a para fazer e encontrar amigos. Não entre no jogo dos péssimos roteiros e argumentos de novelas e filmes enlatados. Eles são metodicamente preparados para abastecer seu corpo de "dor" e mantê-la ativada. Trazem a informação da cultura de guerra e violência, que é o oposto da cultura de paz. A paz espiritual é pré-condição para a recuperação do tecido mental.
7. Pratique alguma forma de meditação. Se você puder sentar-se à beira de um rio ou abraçar-se a uma árvore e mergulhar em um estado

expandido de consciência, faça-o. Essa é uma forma de meditação. Se você desliga a mente ao fazer crochê ou cozinhar, aproveite esses momentos. Mas, se quiser se aprofundar, procure um mestre ou um grupo de meditação. Após dar início à prática, arranje um cantinho em casa para seu novo hábito e veja que em pouco tempo estará imantado com uma energia especial.

8 Procure saber quais são as coisas que realmente o estimulam. Procure saber por que elas lhe foram negadas e perceba que os fatores que o impediam de seguir seu caminho pessoal já não estão mais atuando. Mesmo assim você não consegue sair do lugar. Tal como um pássaro dentro de uma gaiola cuja porta está aberta, você não consegue voar através dela. Quando perceber que é responsável pelas próprias escolhas, você irá encontrar a sua missão neste mundo, e nada mais o impedirá de ser contagiosamente feliz.

9 Apesar de não ser um músculo, nosso cérebro pode ser exercitado. Novas atividades, novas paisagens, novos desafios e caminhos diferentes para um mesmo lugar ativam pontos do órgão que estavam inertes. Matricular-se nas aulas de violão que não pôde frequentar na adolescência, por exemplo, é um poderoso "medicamento" estimulante da plasticidade cerebral e do surgimento de brotos neuronais.

10 Nosso cérebro é um tecido corporal. Predominantemente gorduroso, é favorecido por gorduras vegetais de baixo peso molecular e alto valor biológico. Alimente-se com gorduras do bem e evite as gorduras do mal. As gorduras trans e hidrogenadas se entremeiam no tecido nervoso, provocando alterações de neurotransmissão. Elas são também poderosos oxidantes que lesam núcleos e estruturas de modulação do estímulo nervoso, predispondo a doenças cerebrais degenerativas, como as doenças de Alzheimer e de Parkinson.

11 Descanse o corpo e a mente. Invista em melhores condições de sono. Melhore o fluxo das vias aéreas superiores, escolha um travesseiro e um colchão mais anatômicos, isole sons da rua e crie recursos para que seu sono não seja interrompido. A aveia, o maracujá e a valeriana, combinados, produzem um efeito sinérgico de redução da ansiedade e indução do sono, maior eficiência das fases REM (o sono profundo) e ativação do sistema nervoso ao despertar, atuando como verdadeiro antidepressivo matinal.

12 Algumas religiões promovem rituais que alteram o estado de consciência. Seguir uma religião pode, em alguns casos e para algumas

pessoas, aliviar as dores da alma e abrir novas portas. Cabe lembrar que as religiões são agremiações com diversas pessoas, o que atende aos primeiros itens aqui mencionados. Alguns grupos religiosos e terapeutas utilizam-se da *ayahuasca*. Em boas mãos e conduzidas de forma adequada, as meditações enteógenas vêm se consolidando no combate à dependência do álcool e de outras drogas, assim como atuam no cérebro na forma de antidepressivo de ação rápida.

13 Evite alimentos oriundos do abate de animais. Adote uma alimentação baseada em vegetais, com laticínios preparados com sementes e castanhas, ricos em zinco e selênio e precursores das endorfinas, catecolaminas e serotonina. A nutrição vegetal é plena de alegria da natureza. Ao nos alimentarmos das plantas, atendemos ao objetivo evolutivo delas, que é o de se estabelecer como espécie. Não há dor no ato da planta de ceder suas raízes, folhas e frutos. Mas a dor é inevitável para que um animal ceda seu corpo e suas secreções como alimento.

14 Ame mais. Ame seu próximo, ame a si mesmo e procure até amar a seus inimigos. Não se leve muito a sério e entenda que o humor é uma forma de amor. O amor é energia criativa, assim como o é o humor. Ria mais das adversidades, resmungue menos e profira menos palavrões e maldições. Adote sempre uma postura positiva e irradie essa postura. Tanto o comportamento negativo, destrutivo e depressivo quanto o positivo, construtivo e entusiasmado são muito contagiosos. Escolha ser vetor de contágio dos valores positivos que norteiam a ética humana. Seja feliz e faça os que o rodeiam felizes. A alegria pode ser epidêmica.

Receitas

Leite de aveia

Ingredientes:
- 1 xícara de aveia hidratada
- 1¼ xícara de coco ralado
- ½ xícara de uva-passa hidratada
- 1 maçã fuji sem casca e sem sementes
- ¼ de 1 banana-nanica
- 5 ameixas sem sementes
- 1 colher (chá) de essência de baunilha
- ¼ de colher (sopa) de noz-moscada
- ½ colher (sopa) de canela em pó
- uma pitada de sal do Himalaia
- 4 xícaras de água mineral

Preparo:
Bata todos os ingredientes no liquidificador e coe em um coador de voal. Dica: Guarde o resíduo do leite para outras preparações (pães, bolachas, docinhos).

Armazenamento: Na geladeira, dura 1 dia; no freezer, 3 meses.

Rendimento: 1 litro.

Lassi de manga

Ingredientes:
- 1½ xícara de manga palmer madura em cubos finos
- ½ xícara de amendoim hidratado
- 1 xícara de amêndoas hidratadas
- ½ xícara de uva-passa hidratada
- 4 colheres (sopa) de suco de limão
- 1 colher (chá) de cardamomo
- 1 colher (chá) de canela em pó
- ¼ de colher (chá) de missô

2 colheres (sopa) de coco ralado
4 xícaras de água mineral

Preparo:
Reserve a manga.
Bata todos os ingredientes no liquidificador e coe em um coador de voal. Acrescente a manga e bata novamente.
Dica: A manga palmer é o tipo mais doce; se utilizar outras, como a tommy, será necessário adicionar mais 1 xícara de uva-passa hidratada. Guarde o resíduo do leite para outras preparações (pães, bolachas, docinhos).

Armazenamento: Na geladeira, dura 1 dia; no freezer, 3 meses.

Rendimento: 1 litro.

Chai

Ingredientes:
2 xícaras de amêndoas hidratadas
4 xícaras de água mineral
2 colheres (chá) de chai (preparado de ervas aromáticas)
4 colheres (sopa) de açúcar de coco
1 xícara de uva-passa hidratada

Preparo:
No liquidificador, bata as amêndoas e a uva-passa com a água e coe em um coador de voal. Acrescente o chai e o adoçante escolhido e bata novamente. Amorne por alguns minutos, coe e sirva ainda morno.
Dicas: Substitua o mel por 1 xícara de tâmaras hidratadas. Guarde o resíduo do leite para outras preparações (pães, bolachas, docinhos). O chai é vendido pronto em lojas de produtos naturais.

Armazenamento: Na geladeira, o chai dura 1-2 dias; no freezer, 3 meses.

Rendimento: 1 litro.

Chocolate quente

Ingredientes:
2 xícaras de amêndoas hidratadas
1 xícara de tâmaras hidratadas
½ xícara de coco ralado
¼ de xícara de banana-nanica madura cortada fino
2 colheres (sopa) de cacau em pó
1 colher (chá) de baunilha em fava picadinha
uma pitada de sal do Himalaia
2 gotas de óleo essencial de laranja (opcional)
4 xícaras de água mineral

Preparo:
Bata todos os ingredientes no liquidificador e coe em um coador de voal. Amorne em panela de pedra, barro ou metal.
Dica: Guarde o resíduo do leite para outras preparações (pães, bolachas, docinhos).

Armazenamento: Na geladeira, dura 1 dia; no freezer, 3 meses.

Rendimento: 1 litro.

Cappuccino

Ingredientes:
2 xícaras de amêndoas hidratadas
1 xícara de tâmaras hidratadas
½ xícara de coco ralado
2 colheres (sopa) de cacau em pó
5 gotas de óleo essencial de café ou 1 xícara de café forte (expresso)
uma pitada de sal do Himalaia
1 colher (chá) de canela em pó (opcional)
4 xícaras de água mineral

Preparo:
Bata todos os ingredientes no liquidificador e coe em um coador de voal. Amorne em panela de pedra, barro ou metal.
Dica: Guarde o resíduo do leite para outras preparações (pães, bolachas, docinhos).

Armazenamento: Na geladeira, dura 1 dia; no freezer, 3 meses.

Rendimento: 1 litro.

Leite de nozes

Ingredientes:
- 1 xícara de nozes hidratadas
- 1 xícara de nozes-pecã hidratadas
- ½ xícara de tâmaras hidratadas
- 4 xícaras de água mineral

Preparo:
Bata todos os ingredientes no liquidificador e coe em um coador de voal. Amorne em panela de pedra, barro ou metal.
Dica: Guarde o resíduo do leite para outras preparações (pães, bolachas, docinhos).

Armazenamento: Na geladeira, dura 1 dia; no freezer, 3 meses.

Rendimento: 1 litro.

Milk-shake de leite de castanha-do-pará e morango

Ingredientes:
- 2 xícaras de castanha-do-pará hidratadas
- 2 colheres (sopa) de coco ralado
- 1 xícara de tâmaras hidratadas
- 2 xícaras de morangos em cubos
- ½ colher (chá) de canela em pó
- ½ colher (chá) de noz-moscada
- ½ colher (chá) de essência de baunilha
- uma pitada de sal do Himalaia
- 4 xícaras de água mineral

Preparo:
Bata todos os ingredientes no liquidificador e coe em um coador de voal. Amorne em panela de pedra, barro ou metal.
Dica: Guarde o resíduo do leite para outras preparações (pães, bolachas, docinhos).

Armazenamento: Na geladeira, dura 1 dia; no freezer, 3 meses.

Rendimento: 1 litro.

Milk-shake de leite de amêndoas e mirtilo

Ingredientes:
- 2 xícaras de amêndoas
- 2 colheres (sopa) de coco ralado
- ½ xícara de tâmaras hidratadas
- ½ xícara de mirtilo hidratado
- ½ colher (chá) de canela em pó
- ½ colher (chá) de noz-moscada
- uma pitada de sal do Himalaia
- 1 xícara de suco de laranja
- 3 xícaras de água mineral

Preparo:
Bata todos os ingredientes no liquidificador e coe em um coador de voal. Amorne em uma panela de pedra, barro ou metal.
Dica: Guarde o resíduo do leite para outras preparações (pães, bolachas, docinhos).

Armazenamento: Na geladeira, dura 1 dia; no freezer, 3 meses.

Rendimento: 1 litro.

Leite de gergelim

Ingredientes:
- 1 ½ xícara de gergelim cru hidratado (hidrate por, no máximo, 4 horas)
- 4 maçãs fuji grandes (extraia o líquido em coador de voal ou centrífuga)
- 1 xícara de coco ralado seco hidratado
- ½ colher (chá) de canela em pó
- 1 colher (sopa) de erva-doce
- ½ colher (chá) de noz-moscada

Preparo:
Bata todos os ingredientes no liquidificador e coe em um coador de voal.
Dica: Guarde o resíduo do leite para outras preparações (pães, bolachas, docinhos).

Armazenamento: Na geladeira, dura 1 dia; no freezer, 3 meses.

Rendimento: 500 ml.

Leite de amêndoas, aveia e gergelim

Ingredientes:
    1 xícara de amêndoas hidratadas
    ½ xícara de coco ralado hidratado
    ¼ de xícara de aveia hidratada
    ¼ de xícara de gergelim hidratado
    1 xícara de tâmaras hidratadas

Preparo:
Bata todos os ingredientes no liquidificador e coe em um coador de voal. Dica: Hidrate todos os ingredientes em um mesmo recipiente. Guarde o resíduo para outras receitas (pães, bolachas, docinhos).

Armazenamento: 2 dias na geladeira.

Rendimento: 1 litro

Leite de cânhamo, banana e baunilha

Ingredientes:
    1 xícara de sementes de hemp hidratadas/germinadas por 24 horas
    4 xícaras de água mineral
    2 bananas-d'água (banana-nanica)
    1 colher (chá) de baunilha em fava picadinha

Preparo:
Bata as sementes com a água no liquidificador e coe em um coador de voal, extraindo o leite branco puro. Adicione as bananas e a baunilha e bata novamente.

Armazenamento: 2 dias na geladeira.

Rendimento: 1 litro.

Vitamina I

Ingredientes:
- 600 ml de leite de nozes-pecã, aveia e gergelim
- 2 bananas-nanicas
- 1 xícara de mamão
- 1 colher (sopa) de chia hidratada
- 2 colheres de nibs de cacau
- ¼ de colher (sopa) de canela em pó
- ¼ de colher (sopa) de noz-moscada
- ½ colher (sopa) de semente de cardamomo

Preparo:
Bata todos os ingredientes no liquidificador.

Armazenamento: 1 dia na geladeira.

Rendimento: 1 litro

Vitamina II

Ingredientes:
- 1 maçã descascada e sem sementes
- 1 banana
- ½ xícara de morangos
- ½ xícara de mamão
- ½ litro de água ou a polpa de um coco
- 1 colher (sopa) de spirulina
- 1 colher (sopa) de ameixa hidratada
- 1 colher (sopa) de açaí liofilizado ou 50 g congelado

Preparo:
Bata todos os ingredientes no liquidificador.

Armazenamento: 1 dia na geladeira.

Rendimento: 1 litro.

Vitamina III

Ingredientes:
- 1 maçã descascada e sem semente
- 1 xícara de mamão
- 5 damascos
- 1 colher (sopa) de cacau em pó
- 600 ml de leite de castanhas
- 1 colher (chá) de canela em pó
- 1 colher (chá) de sementes de cardamomo
- 1 colher (sopa) de chia

Preparo:
Bata todos os ingredientes no liquidificador.

Armazenamento: Consuma no mesmo dia.

Rendimento: 1 litro.

3
Luz do Sol

A noite termina e os primeiros lampejos da luz solar surgem no céu. Você está em qualquer lugar do mundo, pode nem saber que horas são. Mas o relógio universal deste sistema que é o Sol emite seus raios. A luz do Sol direta ainda está em um país ou oceano vizinho. A Terra gira no éter. Mares, montanhas, rios, seres, biomas, cidades se expõem ao astro dourado. O Sol é uma inexplicável bola de gás e explosões – de incalculáveis megatons – que acontecem sem interrupção há bilhões de anos.

Essa bola um dia pertenceu a uma única fonte de luz, que também explodiu, lançando galáxias, sistemas, outros bilhões de sóis como este que já está quase se apresentando. Tudo há uma quantidade enorme de tempo, de uma maneira que nossa mente não consegue imaginar. E ainda vai demorar muito para que ele se extinga.

É ainda muito cedo. O céu estampa apenas reflexos, que brincam no manto violáceo da noite, fazendo desenhos que muitos de nós nem sequer viram. Mas hoje você disse para si mesmo: eu estarei aguardando sua chegada, como um noivo no altar aguarda que sua amada surja vestida de véus, com os olhos cheios de amor e emoção.

Então você fecha os olhos e espera. Ao fazê-lo, permite que o corpo recém-desperto relaxe, ao mesmo tempo que os primeiros raios do Sol ativam cada célula da pele, dos olhos, do couro cabeludo e de tudo o que você possa expor dependendo da temperatura. Um passeio geográfico e mágico passa por sua mente enquanto você toca aos poucos as articulações do ombro e do pescoço para ativar a circulação que estava em estado de sono e sossego.

Ainda com os olhos fechados, você percebe que a luz incide sobre o rosto, as pálpebras e a pele. Você não está só. Está fazendo contato com o maior astro de nosso sistema, a bola de fogo que aquece o planeta e traz a vida por onde passa, todos os dias, como uma prece que vem do céu. Então você pode dizer: Obrigado, Sol. Obrigado pela vida, pela alegria, pelo renascer, pela força. Obrigado pela saúde, pelo fim da doença, pelas folhas verdes, por todos os seres que habitam o planeta. Obrigado por ter me dado a vida, por trazer-me informação de luz todos os dias, estando eu aqui na sua frente ou não.

Eu havia me esquecido de ti, mas tu nunca te esqueceste de mim. Eu vivia na penumbra, enquanto tuas evoluções deixavam o céu azul, faziam os pássaros cantar, faziam a vida e as flores vicejar. Mas eu estava mergulhado em minha sombra, em meu torpor. Que amigo tu és! Enquanto eu estava revoltado e não queria saber de ti, batias à minha porta todos os dias.

Exercícios para dar boas-vindas ao Sol (ou em dias nublados)

Esses movimentos iniciais servem de aquecimento e preparação para quaisquer outros exercícios e atividades, sejam eles de práticas físicas e desportivas, sejam de trabalho agroflorestal ou de bioconstrução, por exemplo. Podem ser feitos em dias nublados, de chuva, sob altas ou baixas temperaturas, bem como em lugares amplos ou exíguos. Aqui temos o desenho da sequência de alongamentos denominada "Surya Namaskar" (Saudação ao Sol), que, dependendo do nível do atleta, pode fazer parte do aquecimento. Mas, para os "mortais comuns", já representa uma série de movimentos que supre a necessidade matinal de exercícios.

A fotocélula humana

Um aspecto importante da vida é a possibilidade de criação de campos vitais. Nossas células se comunicam entre si e com nossas bactérias. As árvores se comunicam umas com as outras, com o ambiente e com o universo. Espécies iguais ou diferentes estabelecem uma comunicação que vai muito além de simples "conexões moleculares" e dos tipos de comunicação (informática, visual, verbal etc.) que nós conhecemos.

Existe um plano vibratório e energético por trás de toda e qualquer reação que ocorre em nosso corpo, desde a esteira mitocontrial que produz, através de enzimas, a molécula energética-chave de nosso metabolismo, o ATP, até os fenômenos regulatórios do DNA. São padrões vibratórios, e não reações moleculares, que alinham e regulam nossos sistemas, principalmente o neuroendócrino.

A essência dessa comunicação de alta eficiência – para o bem ou para o mal – é a luz. Essa forma de energia está por trás da organização coerente de nossas células. Se organizada, e dentro de uma frequência natural, a luz traz equilíbrio ao sistema celular. Uma radiação desreguladora pode conduzir células sadias ao estado de doença, e uma informação solar adequada é fundamental na origem e no controle de células de câncer ou de distúrbios inflamatórios e imunológicos. A luz tem influência também sobre todo o sistema neuroendócrino, regulando desde o sistema sono-vigília até o sistema nervoso autônomo.

A enorme repercussão dos estudos sobre a vitamina D ressalta novamente o papel da luz solar nas doenças imunológicas, no câncer, nas doenças infecciosas, nas fibroses, nas esteatoses hepáticas (deposição de gorduras no fígado) e nas doenças hepáticas relacionadas ao alcoolismo, e eleva essa vitamina à condição de hormônio. Mas veremos aqui que o "nutriente funcional" e a "vitamina essencial" é o próprio sol.

A vitamina D é um hormônio fotossintetizado na pele e hidroxilado no fígado para formar o calcidiol, que é novamente hidroxilado nos rins para formar o análogo calcitriol; ambos, assim como a vitamina D, desempenham funções essenciais em nosso organismo. Ou seja, nós também realizamos uma "fotossíntese". Por isso não devemos nos afastar dessa fonte original de vida e saúde.

Mas vamos entender primeiramente como os biofótons são inseridos em nossas fotocélulas.

A FOTOSSÍNTESE: UM SALTO QUÂNTICO EM BAIXA TEMPERATURA

A ideia de que a luz é parte integral de toda a vida é evidente desde o início dos tempos. O Sol, nosso maior provedor de luz, calor e energia, sustenta não apenas toda a *vida* da Terra, mas a *própria* Terra. Pela energia da fotossíntese, ele sustenta o reino vegetal, que por sua vez sustenta todo o reino animal e os seres humanos, sendo também a fonte da maior parte do nosso conhecimento, se considerarmos que a maior parte do nosso aprendizado vem através dos olhos.

A luz do Sol subdivide-se em uma variedade de energias que são transmitidas à Terra na forma de ondas eletromagnéticas. Apenas uma pequena porção dessas ondas alcança de fato a superfície da Terra, e desse espectro eletromagnético apenas 1 por cento pode ser percebido pelo olho humano.

Essa porção visível do espectro eletromagnético, contendo todas as cores do arco-íris – desde o violeta (o menor comprimento de onda) até o vermelho (o maior) –, é uma das maiores chaves para o funcionamento e a evolução da espécie humana. Nossa vida, nossa saúde e nosso bem-estar são verdadeiramente dependentes dessas sete bandas da luz solar.

Embora pareça um mistério, a fotossíntese biológica ocorre de maneira muito simples, com água do solo (H_2O) e gás carbônico (CO_2) da atmosfera. A folha da planta capta a energia solar de forma muito

Luz do Sol   167

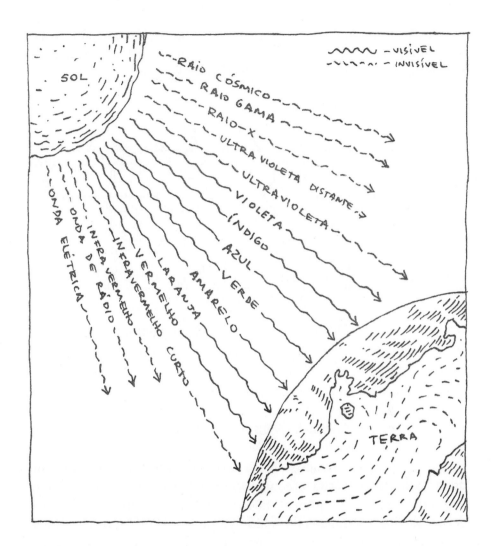

eficiente, permitindo o assombroso aproveitamento de 95 por cento dela. Para se ter uma ideia, uma máquina térmica produzida pelo homem para a geração de energia não é capaz de chegar a um rendimento superior a 20 por cento.

As reações cumulativas entre H_2O e CO_2 mediadas por fótons geram a molécula de celulose (fonte de toda fibra vegetal) e uma gama de moléculas, os carboidratos. A partir dessa base, as plantas desenvolvem milhões de reações que, envolvendo bactérias simbiônticas, produzem proteínas, lipídios, alcaloides e as maiores fontes de saúde do reino vegetal: os óleos essenciais, os fitoquímicos, as vitaminas e as "moléculas de luz", que são as enzimas. A clorofila não trabalha isoladamente, mas forma complexos denominados FMO, que têm sete moléculas de clorofila.

Clorofila / **Hemoglobina**

A LUZ NOS ALIMENTOS

Os alimentos frescos apresentam bioluminescência, uma propriedade biológica descrita e estudada pelo físico alemão Fritz Popp. Segundo Popp, a bioquímica não é um conglomerado de reações químicas, mas mudanças de estado vibracional. Esse conceito já era compartilhado por Samuel Hahnemann, o pai da homeopatia, e utilizado por ele como base para a descrição do modo de ação das preparações homeopáticas.

Imaginemos uma folha de couve recém-colhida de uma horta orgânica. Mesmo a cor de suas folhas difere da cor das folhas que vemos em mercearias ou supermercados. Um leve tom azulado, quase fluorescente, é detectável ao simples exame visual, o que confere à planta o adjetivo "viçosa". O viço é decorrente da forte irradiação de fótons. À medida que essa folha, retirada da planta de origem, se dirige ao local de venda, ocorre um desbotamento. Horas depois, a folha estará apenas verde. Mais alguns dias e ela se torna amarela e sem vitalidade.

Esse exemplo ilustra o fato que Popp descreve em seus experimentos como "decaimento de fótons". Ao ser retirada da planta de origem, a folha passa a emitir fótons, que até então capturava, de forma decrescente e hiperbólica. Isso parece não significar nada em uma sociedade como a nossa, na qual grande parte da alimentação dispensa os fótons – a alimentação contemporânea é um apanhado de aglomerados químicos inertes, sem informação solar. Mas alimentar-se de uma dieta desprovida de fótons é um grande erro. Em estado natural, os animais herbívoros obtêm seu alimento colhendo as folhas com a própria boca. Eles não esperam a colheita, o transporte e a embalagem para obter o nutriente mais essencial: a luz.

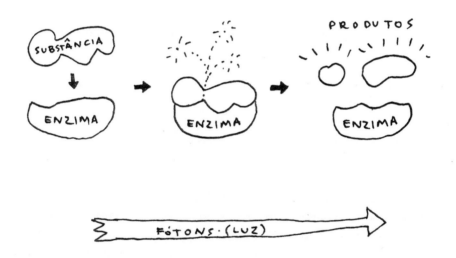

Esse elemento vibracional da dieta pode desempenhar um papel importante na prevenção e no tratamento de doenças degenerativas. Nossas moléculas biológicas mais ativas são as enzimas. Temos em nosso organismo pelo menos 300.000 enzimas diferentes, cada uma envolvida em um número infinito de funções. Temos apenas 30 enzimas digestivas. As outras atuam no interior das células, na respiração, nas transcrições do DNA, nas cascatas metabólicas e nos processos energéticos em geral.

Quando as reservas de enzimas ficam escassas, as funções celulares entram em colapso. Essas moléculas de luz são responsáveis por converter fatores inertes em fatores protetores da célula, agentes hipertensivos em fatores relaxantes da pressão, proteínas comuns em protetores contra o câncer, aminoácidos em neurotransmissores, componentes celulares em mediadores inflamatórios. Porém, devido à dieta desprovida de fótons, às rações inertes consumidas diariamente pelas populações urbanas ao redor do planeta, essas moléculas altamente reativas deixam de atuar. O resultado é nefasto: hipertensão, câncer, depressão, doenças autoimunes e inflamatórias poderiam ser prevenidas e até mesmo ser revertidas se adotássemos uma dieta e uma culinária plena de alimentos vegetais crus e orgânicos.

As plantas fazem fotossíntese ao estenderem suas folhas ao sol para a captura dos fótons. Nós, seres humanos, também somos dependentes da luz. Ao recebermos luz diretamente pela retina e pela pele, estamos da mesma forma fazendo fotossíntese, embora se possa afirmar que grande parte da oferta luminosa para nosso metabolismo poderia e deveria vir de uma alimentação abastecida de fótons. A parte crua e fresca da alimentação baseada em plantas tem essa característica.

No entanto, a dieta da maior parte das pessoas é desprovida desses alimentos. A alimentação industrializada é privada de elementos fotônicos: farinhas, amidos, açúcares, gorduras hidrogenadas, carnes, laticínios, tudo passa por processos de esterilização que terminam por exaurir toda e qualquer forma de atividade luminosa. Irradiações, pasteurização, congelamento e forno de micro-ondas destroem toda a organização molecular portadora de luz residual.

Os processos industrializantes desnaturam, eliminam e alteram a estrutura natural dos alimentos. Sob a insígnia da praticidade, proliferam em todas as prateleiras dos supermercados em todas as partes do mundo. Nas cozinhas das grandes e pequenas cidades vão para o prato daqueles que acreditam estar "ganhando tempo". Mas o tempo ganho no preparo desses alimentos sintéticos e semiprontos será dispendido nas intermináveis filas de postos de saúde e hospitais.

Tudo azul	Para "ver de" perto	Não passe em branco	Alvorada amarela e laranja	Vermelho é a cor mais quente
Memória, envelhecimento saudável, saúde do trato urinário	Visão, ossos e dentes fortes	Saúde do coração, colesterol	Coração, visão e sistema imunológico	Saúde do coração, memória, saúde do trato urinário
Fitoquímicos: antocianina, vitamina C e/ou fenóis	**Fitoquímicos:** luteína, zeaxantina, indóis, vitamina K e/ou potássio	**Fitoquímicos:** Alilsulfetos, alicina e quercetina	**Fitoquímicos:** Betacaroteno, vitamina A, bioflavonoides, vitamina C e/ou potássio	**Fitoquímicos:** Vitamina C e/ou antocianina e resveratrol
Frutas: ameixa, ameixa-preta, amora, mirtilo, uva roxa, uva-passa escura	**Frutas:** kiwi, maçã verde, melão amarelo, pera, uva verde	**Frutas:** Pera, maçã (polpa)	**Frutas:** Abacaxi, banana, damasco, laranja, limão-siciliano, mamão papaia, manga, melão cantalupo, nectarina, nêspera, pêssego, pera asiática, tangerina (todos os tipos), toranja, uva-passa clara	**Frutas:** Cereja, cranberries, framboesa, laranja-sanguínea, maçã (casca), melancia, morango, uva
Hortaliças: batata-doce roxa, berinjela, repolho roxo	**Hortaliças:** abobrinha, acelga, agrião, alface, aspargo, brócolis, cebolinha, couve, couve-de-bruxelas, endívia, ervilha, ervilha-torta, espinafre, pepino, pimentão verde, repolho, rúcula, vagem, verduras escuras	**Hortaliças:** alho, batata, milho branco (a canjica), cebola, alho-poró, cebolinha, cebolinha-francesa, couve-flor, nabo	**Hortaliças:** Abóbora (todos os tipos), batata-doce, cenoura, milho, pimentão amarelo, tomate-cereja amarelo	**Hortaliças:** Beterraba, cebola roxa, feijão-jalo, feijão-azuqui, pimentão vermelho, rabanete, repolho roxo, tomate

Guerra alimentar

Visualizemos um protótipo de alimentação contemporânea: pipoca para forno de micro-ondas. Milho transgênico, pulverizado com glifosato e outros agrotóxicos, embalado com gordura hidrogenada. O forno de micro-ondas aquece e explode o milho, formando pipocas "perfeitas". A vibração e a temperatura alta alteram ainda mais a gordura hidrogenada, transformando o amido do milho em acrilamida, uma substância cancerígena, e liberando as moléculas de dioxina presentes na embalagem, também elas cancerígenas. Após esse processo – tão prático – basta abrir o pacote e servir a pipoca, acompanhada do famoso refrigerante desvitalizado, escuro e gelado, cheio de açúcar e gás carbônico.

Ou os alimentos industrializados congelados, que vão direto ao forno de micro-ondas. Qual a chance de que tenham alguma informação luminosa? Zero. Mas vamos refletir sobre a origem do freezer e do forno de micro-ondas. Cerca de 75 por cento das patentes de invenções vêm dos Estados Unidos, e sua origem pode ser traçada até o Pentágono. Isso mesmo, a maior parte das invenções é criada pela indústria da guerra, ou seja, pela cultura da guerra. Congelar alimentos e depois submetê-los a um grande aquecimento é estratégico em manobras de guerra. Assim pode-se dispor de alimentos animais estocados a frio em qualquer clima de forma instantânea, algo excelente para submarinos nucleares ou para tanques de guerra. Mas faça-se a pergunta: no que isso adiciona energia e vitalidade ao seu dia a dia?

Aqui mais um exemplo de como a cultura da guerra e da violência é prevalecente em nossos tempos. Mesmo vivendo em paz, nos alimentamos com comida de guerra. O resultado não poderia ser outro: estamos em guerra com nosso alimento e o alimento em guerra com nosso organismo.

Assim como o bisturi a *laser* (uma forma de luz) é de grande importância em qualquer tipo de especialidade cirúrgica, os alimentos abastecidos de luz são capazes de operar capilares, neurônios, células e o próprio DNA de forma nanocirúrgica, precisa, rápida e eficiente. Muitos dos resultados que podemos ver em nossas atividades clínicas decorrem da natureza fitoquímica, nutracêutica, antioxidante e enzimática dos vegetais frescos e crus. Toda vez que nos alimentamos dessa forma deliciosa, recebemos, além das cores que alegram os olhos, as enzimas e os coloridos fitoquímicos antioxidantes. Gastamos alguns minutos para fazer um suco, uma caldeirada ou uma sobremesa viva, mas recebemos os incríveis nutrientes e seus benefícios preventivos.

Observe a diferença entre os alimentos vegetais portadores de luz, frescos, de cores vibrantes – repolho roxo, tomate vermelho, cenouras e cúrcuma cor de laranja, acelga e chicória, cebolinha e brócolis verdes, couve-flor branca – e as cores tristes da dieta contemporânea: pães marrons ou brancos, bolachas, massas, margarina e laticínios industrializados, frios, carnes, produtos de lanchonete. Preste atenção às cores. Predominam o marrom, o pardo e o branco. Se houver algo vermelho, verde ou amarelo, pode ter certeza de que é pigmentação industrial.

Nós mesmos viemos da luz solar. O renomado físico David Bohm afirma que "a matéria é luz condensada". Assim, somos também luz condensada. É possível que a nossa evolução como espécie esteja relacionada à nossa habilidade de captar e utilizar a luz, seja em nível físico, seja em nível espiritual. Essas questões vêm sendo discutidas cientificamente, e o que fica claro é que o entendimento de sábios clarividentes do passado não destoam muito das recentes descobertas científicas. Em uma era de aceleração do conhecimento humano, a ponte entre o conhecimento intuitivo e o pragmático vem sendo definitivamente transposta.

Albert Szent-Györgyi, ganhador do prêmio Nobel de Fisiologia e Medicina de 1937 pela descoberta da vitamina C, reconheceu como a luz e as cores afetam profundamente nossa saúde. De seu trabalho, ele concluiu que "toda a energia que armazenamos em nosso corpo é derivada do sol". Ele diz que, através do processo da fotossíntese, as plantas armazenam a energia solar, que por sua vez é ingerida pelos animais e pelos seres humanos. A digestão e a assimilação por animais e por seres humanos seria nada mais que a quebra, a transferência, o armazenamento e a utilização da energia criada pela luz solar.

Szent-Györgyi descobriu que grande parte das enzimas e dos hormônios envolvidos no processamento dessa energia tem cores específicas e é muito sensível à luz. A prova é que, quando são estimuladas por luzes de cores diferentes, enzimas e hormônios experimentam mudanças moleculares que alteram suas cores originais. As mudanças induzidas pela luz alteram significativamente a potência das enzimas e dos hormônios, que são responsáveis por reações dinâmicas em nosso corpo.

Szent-Györgyi também demonstrou que a cor de uma determinada molécula, responsável pela pigmentação da pele e pela cor de um alimento, pode ser um indicador de sua estrutura molecular. A luz que incide sobre o corpo pode alterar as funções biológicas básicas envolvidas no processo dos combustíveis celulares, que potencializam nossa vida. Assim sendo, se as cores e a luz têm efeitos tão poderosos sobre nós, qual seria o efeito de estar vivendo sob uma fonte de luz que é significativamente diferente da luz solar? Isso pode ser a diferença entre abastecer um automóvel com combustível de alto rendimento ou adulterado.

Conclusões similares foram encontradas por Martinek e Berezin em 1979. Eles descobriram que a luz e as cores podem desempenhar um papel importante na maneira como certos sistemas enzimáticos regulam a atividade biológica em nosso corpo. Mais especificamente, eles descobriram que algumas luzes de diferentes cores podem estimular certas enzimas a se tornarem até 500 por cento mais efetivas e que algumas cores podem aumentar a taxa de reações enzimáticas, ativar e desativar enzimas e afetar o movimento de substâncias através das membranas celulares. Esses achados permitem afirmar que a luz ocupa uma posição estratégica como reguladora de muitas funções biológicas do corpo.

> Experimentos em biologia com a cobra jararaca-ilhoa mostram que essa espécie teve de se adaptar ao isolamento terrestre, no último milhão de anos (período quaternário), a um novo tipo de comportamento diurno. Esse fator alterou a atividade letal de suas peçonhas regulada pela banda de luz diurna predominante. Na natureza, as cobras têm hábitos noturnos e entre suas presas estão os pequenos mamíferos. As espécies da ilha da Queimada Grande (litoral de São Paulo) não dispõem dessas presas, apenas de aves migratórias, já que as aves locais criaram comportamentos preventivos. É justamente o comportamento diurno, relacionado ao horário de pouso dessas aves, que faz a atividade enzimática da peçonha da cobra aumentar em 500 por cento, em relação a outras cobras da mesma espécie. A influência do "fator luz do Sol" sobre a atividade enzimática, nesse caso dramática, também ocorre em nosso corpo. Isso pode dar uma noção clara da diferença entre uma vida diurna e uma vida noturna.

Dia e noite

Quando os primeiros humanos abriam seus olhos pela manhã, percebiam que a luz de cada dia trazia consigo um novo começo. Através da história, viemos reconhecendo que esse recomeço associava a inspiração a um aumento da atividade fisiológica, aumento de energia e ação. Cada nascer do Sol, uma transição dos restos da escuridão da noite para o brilho fulgurante e energético do dia, infunde vida em todos os seres. Flores se abrem, animais e seres humanos despertam e o mundo todo se energiza com o início de um novo dia.

O dia é concebido e representado pelo amarelo do Sol, pelo azul do céu e o verde das plantas. À medida que o dia progride, mudanças ambientais nas cores tornam-se evidentes, assim como seus efeitos sobre todas as coisas vivas. Ao final do dia, a cor vermelho-alaranjada do pôr do sol dá lugar ao azul-escuro da noite, proporcionando uma redução gradual de toda a atividade fisiológica, rejuvenescimento e descanso. Essa transição do dia para a noite representa de forma dramática toda a mudança nas engrenagens biológicas que acontecem dentro de todos os seres vivos. À medida que a natureza se move gradualmente de uma faixa do espectro de cores (vermelho-alaranjado do dia) para a outra extremidade (azul-escuro da noite), nosso corpo passa de uma função (trabalho) a outra (descanso). Entre o brilho cintilante do nascer do dia e a escuridão da noite, ocorre um bem conhecido "clarão de verde" que domina o dia. A cor verde, que é a porção central do espectro visível, domina o dia como um patamar pelo qual todos seres vivos transitam antes de mudar de fase funcional e representa a vida como um todo.

Quando perdemos nossa orientação solar, perdemos também a regulação de nossas enzimas e hormônios. Se alguma de nossas enzimas não é ativada e sua falta interfere na vasodilatação sadia, o que acontece é a vasoconstrição. A vasoconstrição das arteríolas é premissa básica do aumento da resistência vascular e, consequentemente, da hipertensão arterial. Isto nos faz pensar que a privação solar acaba por induzir ao uso de medicamentos, quando eles nunca seriam necessários.

A luz do Sol não afeta apenas nosso comportamento, mas todas as atividades fisiológicas. O escritor Zane Kime, no livro *Sunlight* [Luz do Sol], mostra que a exposição gradual e continuada à luz solar tem efeitos equivalentes aos do condicionamento físico também gradual e continuado. Isso coloca a luz do Sol em um patamar fisiológico especial.

Ela é capaz de alterar a oxigenação do sangue, a pressão arterial, a frequência respiratória, a redução dos níveis glicêmicos do sangue, a capacidade do sangue de transportar o oxigênio e o equilíbrio do pH. Uma verdadeira farmácia vibratória.

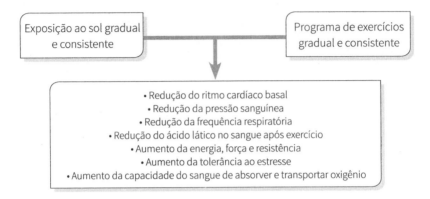

Olhe ao seu redor. Qual é a luz predominante em seu dia a dia? Lâmpadas de luz fria? Ambiente iluminado artificialmente? Internet, televisão, atividades de escritório e tribunal, docentes, de pesquisa e hospitalares, com equipamentos eletroeletrônicos, radiação, câmaras frias; apresentações noturnas, quartos de hotel, *shoppings* e tantas outras armadilhas confortáveis? Quando está em casa, você prefere o conforto da poltrona, da cama, dos controles remotos ou deixa uma hora livre para sair e procurar um lugar em que possa receber a radiação solar? Cuidado para não ficar "desiluminado", que é uma variação de desnutrido.

Eu quero a vitamina que o sol me dá

O afã da indústria de medicamentos em concentrar fragmentos separados da natureza em cápsulas ou comprimidos criou também o mito da vitamina D. Não há dúvida de que a reposição desta ou de qualquer outra vitamina é necessária se percebermos que um paciente está totalmente privado delas devido às suas opções alimentares ou aos seus hábitos de vida.

Um comprimido de vitamina D nunca será capaz de dar ao nosso corpo o que um amanhecer vibrante, com sua paleta de cores, pode oferecer. No entanto, muitas pessoas que vivem sob luz artificial preferem acreditar nessa falsa forma de luz solar encapsulada.

Pior que isso, com base na observação de casos de pessoas do tipo caucasiano (pele muito branca) sob exposição intensa ao sol, criou-se o factoide médico de que o sol tem um papel determinante no surgimento de câncer de pele. É bom lembrar que os sujeitos observados eram soldados em missão naval ou no deserto. Foi o Pentágono que criou o filtro solar, com o intuito de proteger militares americanos brancos expostos à radiação solar intensa nos países em que eles estivessem ocupando ou invadindo. Mais uma contribuição da cultura e da ciência da guerra capaz de influenciar negativamente nossos hábitos.

A verdade é que, se nos expusermos de forma apropriada e gradual à luz do Sol, teremos benefícios e proteção adicional contra o câncer, pois produziremos enzimas protetoras naturais e a tão falada vitamina D. A vitamina D é um hormônio cujas síntese e ativação dependem da exposição solar da pele. Ela reforça os ossos e ativa o sistema imunológico, reduzindo o risco de diversos tipos de câncer, como o de ovário, o de mama, o de rim e o de cólon. A ativação inflamatória desencadeada pelo acúmulo de colesterol nos vasos sanguíneos também pode ser totalmente prevenida pela vitamina D endógena, ativada por luz solar.

CARÊNCIA DE VITAMINA D

A falta de irradiação solar – interpretada como falta de vitamina D – é hoje em dia frequente até mesmo em países com grande irradiação solar, como o Brasil. Ela determina uma série de sintomas que são bastante fáceis de identificar pela sigla MANCO:

Músculos: dores musculares após pequenos esforços, como o de arrumar um quarto; cãibras; tremores; fraqueza muscular.
Adinamia: falta de energia para realizar tarefas; fraqueza; fadiga de longa data e desmotivação.
Nervos: distúrbios da função neuronal, que incluem insônia, cefaleia, depressão e ansiedade. Também observa-se ataxia, ou seja, desequilíbrio durante o movimento.
Circulação: distúrbios da circulação periférica e microvascular; extremidades frias.
Ossos: Osteoporose e outros distúrbios de rarefação óssea; osteomalácia (dores decorrentes da deformação óssea)

O Sol pode ser também considerado um fator epigenético de saúde, pois a exposição continuada e constante aos seus raios, sem excessos, afeta a ativação ou a neutralização de *loci* gênicos relacionados ao câncer e a doenças degenerativas. A luz do Sol previne doenças cardiovasculares e enfermidades crônicas. É importante saber que é muito bom alimentar-se corretamente, mas isso não supre por completo a função da luz solar. Isoladamente, nenhum alimento atua em tantos setores de nosso corpo. Por assim dizer, a única verdadeira fonte dos "hormônios solares" é o sol.

NÃO FILTRE O SOL, USE-O COM MODERAÇÃO

A indústria viu no pânico criado contra a luz solar uma nova fonte de lucros. Os protetores solares estão à venda por preços elevados em todas as farmácias, mas a proteção que eles prometem acabou se tornando um tiro que saiu pela culatra. Assim como o uso excessivo de óculos escuros. Como veremos adiante, a retina e toda a nossa pele captam luz solar e a transformam nos hormônios que participam de nosso sistema neuroendócrino.

Segundo o Environmental Working Group (EWG), uma organização sem fins lucrativos com sede em Washington, não há provas de que o protetor solar previna o câncer de pele, mas há evidências de que ele aumenta o risco de se desenvolver a forma mais letal da doença. Pesquisadores detectaram um aumento no risco de melanoma entre os usuários de protetor solar. Os cientistas dizem que os radicais livres liberados pelas substâncias químicas presentes no produto durante a exposição ao sol pode ser a causa do problema.

O aiurveda (medicina tradicional indiana) nos dá um conselho essencial: "Não ponha na pele algo que você não possa comer". Já provou o sabor de uma colherada de filtro solar?

Um estudo recente da FDA indica que, ao ser aplicado na pele exposta à luz solar, o palmitato de retinol (uma forma de vitamina A) acelera o desenvolvimento de tumores. Os usuários do produto têm maior risco de desenvolver melanoma. Devemos lembrar que a vitamina A, quando ingerida, é antioxidante e retarda o envelhecimento da pele; por esse motivo, a indústria farmacêutica a utiliza na formulação do filtro solar.

Recentemente, a FDA conduziu um estudo das propriedades fotocancerígenas genéticas da vitamina A, constatando a possibilidade de que ela resulte em tumores cancerígenos quando usada na pele exposta à luz solar. Os cientistas sabem que a vitamina A pode estimular o crescimento excessivo da pele (hiperplasia), e que, se exposta à luz solar, forma radicais livres que danificam o DNA.

Para evitar tudo isso, bastaria que as pessoas entendessem que o melhor horário para se expor diretamente ao sol é ao amanhecer, por vinte minutos. Depois, devem evitar a exposição direta e também a exposição à iluminação artificial, ou luz fria. Com essa exposição, a vitamina D se forma e garante seus efeitos protetores em todo o corpo.

Um assunto pouco abordado é o impacto das lâmpadas queimadas ou quebradas na saúde humana e no meio ambiente. Elas são tão tóxicas quanto as pilhas, mas não há coleta seletiva para elas. O governo faz campanhas para que as lâmpadas incandescentes sejam substituídas pelas fluorescentes. Essa substituição significaria uma grande redução no consumo de energia, mas as novas lâmpadas, mais econômicas, contêm cádmio, mercúrio e chumbo, cujo potencial tóxico já é bem conhecido. Mais um risco ambiental para a população pobre que vive perto de lixões. Essas substâncias se alastram pela terra e pelas águas, atingindo de forma direta ou indireta a todos os que consomem água supostamente potável.

O RITMO DA VIDA

Apoiado no fato de que as variações das cores durante o dia estão intimamente conectadas com as mudanças rítmicas diárias do corpo, o ser humano reconheceu que as mudanças de cores das diferentes estações também determinam alterações biológicas em todos os seres vivos. Como um exemplo prático, os tradicionais acupunturistas chineses recomendam tratamentos de rotina na mudança das estações.

As estações e suas mudanças características de cor predominante formam a mais óbvia reflexão sobre o papel que as cores e a temperatura têm em diferentes aspectos da experiência da vida. É por meio dessas mudanças que através dos tempos os agricultores escolheram diferentes estações para semeadura, crescimento, colheita e armazenamento das plantas. Os animais, assim como as plantas, também estão envolvidos nessa conexão solar: a hibernação, a camuflagem, as grandes migrações, a procriação e a forma de alimentação ocorrem de maneira sazonal, sempre relacionadas a mudanças na luz do ambiente.

Nos seres humanos, a exposição à luz do sol influencia de forma significativa uma gama de funções fisiológicas e psicológicas. A fertilidade e o humor são as mais profundamente influenciadas, conforme se pode ver em países do norte europeu, como a Noruega e a Finlândia, onde há vários meses de escuridão durante o ano. Nesses países encontra-se uma estreita correlação entre a reduzida exposição à luz solar e a alta incidência de irritabilidade, fadiga, enfermidades, insônia, depressão, alcoolismo e suicídios. Além disso, constatou-se que na Finlândia mais crianças são concebidas entre os meses de junho e julho, quando o sol chega a brilhar vinte horas por dia.

O Sol como terapia

Desde a citação bíblica "Faça-se a luz" até a ideia de um "ser iluminado", a luz desempenha um papel importante no desenvolvimento de todos os seres vivos. Os antigos egípcios, romanos, gregos, incas, astecas, maias e outros povos importantes fizeram uso medicinal significativo da luz. Embora tenham sido os médicos egípcios os primeiros a usar as cores no tratamento de doenças, foram os gregos que pormenorizaram e documentaram a teoria e a prática da terapia solar. A cidade grega do Sol, Heliópolis, era famosa por seus templos de cura, onde a luz solar era dividida em seus componentes espectrais (cores) para que cada uma fosse utilizada em problemas médicos específicos. Sendo elas manifestações da luz, as cores também tinham um significado divino.

A cor também pode indicar o estágio de vida de uma pessoa, ou mesmo seu estado de consciência. A doença afeta por completo a cor de uma pessoa, deixando-a sem brilho e pálida, assim como uma situação embaraçosa pode nos deixar vermelhos, ao passo que a cor harmoniosa de um ser vivo em plena saúde agrada aos olhos de qualquer um. Ou seja, o estado mental modifica a nossa capacidade de captar, utilizar e expressar a luz.

Resumidamente, esses achados, somados aos de muitos outros renomados cientistas e médicos, indicam que o corpo humano é, na verdade, uma fotocélula viva cuja energia deriva da luz solar, o nutriente básico da humanidade. Ao reconhecermos que a luz tem efeitos profundos em nossa vida e que nós a percebemos através dos olhos, fica evidente que a função desses órgãos sensoriais não se resume apenas a enxergar.

Quando a luz dos olhos teus...

Quem pode olhar profundamente nos olhos de alguém? Seja um ser querido, uma criança ou um animal, olhar nos olhos é um exame profundo de outro ser, é uma experiência amorosa hoje evitada por quase todos nas cidades. A visão de um ônibus ou um vagão lotado de pessoas olhando para a tela de seus aparelhos eletrônicos dá a medida do desconforto que é olhar para o outro.

Em nossos cursos, diversos momentos permitem que esse bloqueio coletivo seja rompido, e é justamente no meio da semana que algumas vivências nos possibilitam olhar diretamente nos olhos de outros participantes. Ocorrem reações suaves, de prazer, de bem-estar e de alegria. Algumas pessoas ficam mais tocadas, deixam lágrimas correr, pois esse gesto, tão banal, pode retirar um véu de décadas.

Os olhos são ferramentas para o exame e o entendimento do universo, assim como fonte primária de contato social e autoexpressão, a fluidez de uma dança invisível que ocorre quando dois pares de olhos se entregam a uma comunicação não verbal, que acessa diretamente os sentimentos alheios. Shakespeare disse: "Os olhos são a janela da alma". Sabe-se atualmente que os olhos revelam nossa saúde mental e física como um espelho. Seu exame meticuloso pode nos informar sobre aproximadamente 3.000 funções ou condições pertinentes à nossa saúde física ou, de forma acurada, indicar nossos estados mentais e modos operacionais individuais.

Olhos: um exame acurado do corpo humano

A relação entre os olhos como maiores pontos de entrada de informação no corpo e seus efeitos subsequentes no desenvolvimento de nossa consciência e nosso funcionamento total foi notada muito precocemente na história. Hipócrates usava os olhos como uma janela para dentro do corpo a fim de recolher informações essenciais e determinar medidas para a recuperação da saúde.

Mesmo o mestre Jesus, como terapeuta, observava os olhos como um acesso direto às mazelas do corpo e da alma. "Os olhos são a candeia do corpo. Quando os seus olhos forem bons, igualmente todo o seu corpo estará cheio de luz. Mas, quando forem maus, igualmente o seu corpo estará cheio de trevas." (Lucas 11: 34).

De fato, se observarmos pessoas que têm uma alimentação baseada em vegetais, seja ela mais radical, seja composta de pelo menos 80 por cento de vegetais, percebemos que seus olhos brilham. Embora essa observação seja subjetiva, podemos inferir que uma dieta de vegetais frescos, plenamente abastecida de fótons vibratórios, muda o olhar das pessoas. Já uma dieta de alimentos processados, sem nenhuma fruta ou legumes, o hábito de fumar e ingerir bebidas, a vida noturna e as doenças psíquicas ou do corpo claramente embotam o brilho do olhar.

Isso se deve ao fato de os olhos humanos não apenas capturarem e interpretarem a luz solar, mas também refletirem e até mesmo irradiarem luz. A parte fotossensível do olho humano, composta pela íris e pela pupila, pode ser examinada, e os resultados desse exame podem oferecer informações sobre os órgãos do corpo e as características emocionais do examinado.

Os olhos formam um mapa microscópico do corpo, conforme descobriu o médico húngaro Ignatz von Peczely, que descreveu o que atualmente é a ciência clínica da iridologia. Alguns clínicos contemporâneos analisam a íris para revelar situações anormais, inflamações e condições tóxicas de órgãos e tecidos, como o saudoso dr. Fernando Hoisel, de Salvador, que incorporou uma simples lupa ao equipamento de exame físico. Não se trata de diagnosticar doenças através da íris, mas de utilizar a aparência dela para avaliar a integridade corpóreo-tecidual, a qual, se não estiver intacta, é precursora de todas as moléstias. Pude perceber no consultório do dr. Hoisel que, ao fornecer a história clínica completa, o paciente omite uma série de informações importantes sobre a própria saúde. Após o exame iridológico, fazem-se novas perguntas e, surpreendentemente, os pacientes "lembram-se" de alterações importantes de órgãos e sistemas, que da forma convencional passariam desapercebidas.

Um artigo de dezembro de 1989 publicado na revista *Soviet Life Magazine* mostra o estudo de um grupo de pesquisadores soviéticos que, utilizando-se de câmeras de vídeo ultrassensíveis, encontraram uma correlação de 100 por cento entre os achados da recém-desenvolvida tecnologia iridodiagnóstica e a condição de saúde real dos 150 indivíduos avaliados. Os avaliadores não viram os pacientes, apenas sua íris, pois estavam em outra cidade.

Embora muitos ainda considerem a iridologia uma pseudociência, ela tem dado saltos importantes desde os tempos de Von Peczely, e vem sendo continuamente investigada como uma possível ferramenta diagnóstica na área da medicina preventiva. Trata-se de um exame complementar diagnóstico de grande precisão e baixíssimo custo, que permite o aprofundamento da semiótica tradicional, composta normalmente por história clínica e exame físico. É os dois ao mesmo tempo, pois conta a história do paciente, assim como fornece sinais diagnósticos.

Por exemplo, ao atender um paciente que se queixa de doença pulmonar, podemos ver na íris, eventualmente, sinais de acometimento prostático. Pedimos uma ultrassonografia e encontramos uma hipertrofia de próstata. Isso significa economia em saúde, pois uma ferramenta diagnóstica de baixo custo induz ao exame de outra parte do corpo, que passaria desapercebida.

A iridologia não substitui os métodos complementares de diagnóstico consagrados, como os bioquímicos, histológicos e de imagem. Mas, ao fazer parte do exame físico, permite a solicitação de exames específicos com sensibilidade e especificidade razoáveis.

Nossos olhos são equipamentos de alta tecnologia

Se considerarmos os olhos não apenas como receptores de luz - os olhos como os conhecemos são receptores e integradores da luz -, mas como um complexo sistema organizador do sinal luminoso e arquivo de armazenamento da memória visual, estaremos diante de um sistema tão fabuloso como um universo. Toda memória começa com o processo de codificação, seguida por armazenamento. Muito do que chamamos de inteligência resulta da capacidade de recuperação desses dados.

Um pesquisador americano da Universidade de Syracuse, em Nova York, conseguiu comprovar que o cérebro humano é capaz de arquivar até 10 terabytes de informação. A pesquisa partiu da contagem de neurônios do cérebro e do princípio conservador de que cada neurônio seja capaz de armazenar apenas um bit. Para se ter uma ideia do que isso significa, se pudéssemos armazenar programas de TV, por exemplo, a memória humana permitiria que arquivássemos 3 milhões de horas de vídeo, o que equivale a deixar uma tela ligada ininterruptamente durante trezentos anos para ocupar todo o espaço livre.

Mas as regras de arquivamento cerebral diferem muito das de computadores eletrônicos, já que somos seres biológicos. O computador tende a operar com normas lógicas rígidas. As informações que chegam ao cérebro não são lineares, mas resultado do processamento das informações originadas dos órgãos dos sentidos, em uma espécie de "conversa" entre 800 bilhões de neurônios conectados em uma enorme rede de comunicação. E temos uma capacidade especial para esquecer o que não é necessário. Infelizmente, com o tempo, acabamos esquecendo também o necessário.

Um olho contém 137 milhões de fotorreceptores e mais de 1 bilhão de peças microscópicas. Ele abriga 70 por cento dos receptores sensitivos do corpo e é o ponto de entrada de 90 por cento de toda a informação adquirida no decorrer de uma vida (com exceção dos cegos, que recebem a maior parte de sua informação por outros órgãos dos sentidos). Dos 3 bilhões de mensagens transmitidas ao cérebro a cada segundo, 2 bilhões provêm dos olhos. O terço posterior do cérebro, predominantemente a região occipital, guarda o banco de memória e grande parte de nossa inteligência, sendo a porção do cérebro utilizada na visão.

Embora os olhos e o cérebro representem apenas 2 por cento do peso total do corpo, eles requerem 25 por cento de nossa ingestão nutricional. Apenas os olhos exigem o equivalente a um terço do oxigênio usado pelo coração. Necessitam dez a vinte vezes mais vitamina C que as cápsulas articulares envolvidas nos movimentos de nossas extremidades, e requerem mais zinco (nosso mineral da inteligência) do que qualquer outro sistema do corpo.

A ciência moderna vem começando a observar os olhos como possíveis rotas para a mente. Alguns pesquisadores indicaram a correlação entre a cor dos olhos e o comportamento. Eles acreditam que cada cor afete diferentes áreas do cérebro e, consequentemente, nossa personalidade e comportamento. Se isso for verdade, olhar para cores específicas pode também afetar diferentes áreas do cérebro.

Outro grupo de cientistas encontrou uma relação significativa entre problemas visuais e doenças mentais. Seus achados indicam que embora apenas 9 por cento da população em geral sofra de problemas visuais, 66 por cento dos indivíduos com depressão, esquizofrenia e alcoolismo têm problemas visuais. O que então significa realmente ter problemas visuais? Será uma condição dos olhos ou da mente? A experiência do dr. Jacob Lieberman no tratamento de milhares de pessoas mostra uma nítida correlação entre a "visão" do olho mental e os padrões visuais correspondentes do olho físico. Durante seus 32 anos de prática médica, ele percebeu essa relação frequente entre padrões mentais específicos e a função (ou disfunção) dos olhos. Segundo o dr. Lieberman, a terapia da visão é um meio altamente bem-sucedido de modificar padrões tanto nos olhos como na mente. Isso parece consubstanciar o valor terapêutico do uso dos olhos, especificamente de padrões visuais, como um meio de diagnosticar e tratar o corpo e a mente.

A LUZ COMO ALIMENTO SUTIL

"Eu sinto os raios do Sol nascente
Entrarem no ponto central de meu ser
Lá, no centro, onde os anjos do dia e da noite se encontram
O poder do Sol será meu para que se dirija a todas as partes de meu corpo."

Comunhão essênia com o Anjo do Sol; texto datado de 3000 a.C.
Descobertas do Deserto Judaico, Universidade de Oxford, 2004.

Conforme mencionado no início deste capítulo, culturas muito anteriores à nossa sabiam tirar proveito do poder do Sol. Mas nossa mente pragmática e científica tende a ver essas práticas como de exclusivo aspecto ritualístico, destituídas de qualquer caráter terapêutico, quanto mais nutricional. Mas vamos observar agora como nossos olhos utilizam nosso nutriente mais básico: a luz.

Embora a visão seja um de nossos processos mais dinâmicos, mudando constantemente de acordo com nosso estado físico e mental, a maioria de nós – inclusive cientistas e profissionais de saúde – ainda acredita que ver seja a única função dos olhos. Não fomos alertados para o fato de que a captação de imagens é apenas um aspecto de um processo dinâmico amplo. Nem para a ideia de que os olhos podem ser um espelho da nossa saúde física e emocional, bem como indicadores acurados de nosso estilo de pensar e aprender. Isso é extremamente importante, pois conecta conhecimentos antigos e recentes – que relacionam os olhos com as funções essenciais do cérebro – e que nos unem intrinsecamente com a natureza.

Consideremos os antigos egípcios. Embora sua tecnologia e aquisições permaneçam ainda um mistério para nossas mentes lógicas modernas, foram eles os primeiros a utilizar templos elaborados especificamente para tratar seus enfermos. Os gregos não apenas acreditavam nas propriedades curativas da luz, como sabiam que as propriedades curativas dos tratamentos à base de luz eram mais efetivas se realizadas através dos olhos. Eles acreditavam que os olhos eram a rota mais acessível aos órgãos internos.

Quando falamos sobre saúde, equilíbrio interno e regulação fisiológica, estamos nos referindo às funções dos maiores mantenedores da saúde do corpo: o sistema nervoso e o endócrino, que são diretamente estimulados e regulados pela luz em uma extensão muito maior do que podemos imaginar. Sabendo que nossos olhos são nosso verdadeiro sistema de navegação, será útil examinar como eles usam a luz para cumprir essa tarefa.

O OLHO HUMANO, A RETINA E A VISÃO

O olho humano é objeto de uma especialidade médica fascinante, a oftalmologia, mas aqui vamos nos deter apenas no globo ocular. A camada externa desse órgão é constituída pela córnea e pela esclera, que são tecidos protetores e de contato com o ambiente. A camada média, ou vascular, é formada pela íris e pelo plexo coroide. A camada interna é constituída pela retina, que é na verdade uma extensão do tecido nervoso do cérebro. É um emaranhado de nervos dispostos em camadas se fundem para formar o nervo óptico. O globo ocular contém ainda o cristalino, o humor vítreo e o humor aquoso. O cristalino é uma lente reguladora de foco. O humor vítreo é uma substância gelatinosa que preenche todo o espaço interno do globo ocular atrás do cristalino, e o humor aquoso é um líquido incolor que está entre o cristalino e o humor vítreo. Tudo isso mantém a forma esférica do olho.

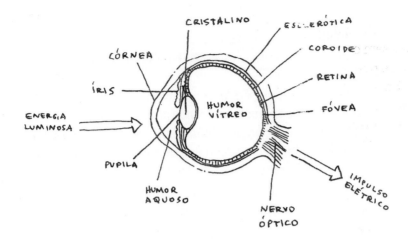

O cristalino situa-se atrás da pupila e orienta a passagem da luz até a retina. Da retina partem os sinais da luz, traduzidos em impulsos nervosos pelo nervo óptico, para que o cérebro os interprete. O cristalino pode ficar mais fino ou espesso, e graças a isso faz os raios luminosos se concentrarem na direção da fóvea, a parte mais sensível da retina, onde se acumulam os cones fotorreceptores de luz. Quando os objetos se aproximam, o cristalino fica mais arredondado; quando os objetos se afastam, sua espessura diminui. A isso chamamos de acomodação visual.

A retina é um tecido representativo da organização funcional do próprio sistema nervoso central. O estudo dessa fabulosa camada de células nervosas rendeu a Ramón y Cajal, neurofisiologista espanhol, o prêmio Nobel de Medicina.

Os raios de luz chegam ao fundo do olho e precisam atravessar toda a camada de nervos que compõe a formação reticular da tela ocular. Só depois de atravessar essa camada os fótons chegam aos fotorreceptores, as verdadeiras células captadoras de luz. Os fotorreceptores ficam mergulhados em uma camada pigmentada de melanina, de um negro muito profundo, razão pela qual os fótons não se refletem no interior do órgão visual. Mas em uma pessoa albina, por exemplo, não existe melanina para pigmentar essa camada. Os raios de luz se espelham e deixam a visão muito borrada. É por isso que os albinos têm que usar óculos escuros grossos.

Existem aproximadamente 130 milhões de fotorreceptores chamados bastonetes e 7 milhões denominados cones. Os cones funcionam principalmente à luz do dia e estão relacionados à acuidade visual e à discriminação de cores em alta intensidade de iluminação; ficam bem concentrados na fóvea, uma pequena área da retina. Os bastonetes funcionam principalmente no crepúsculo e à noite, estão mais relacionados à visão sem cores e a movimentos em baixo índice de iluminação; distribuem-se por toda a retina.

O mais fascinante da visão, no entanto, ocorre em nível bioquímico. Nos discos microscópicos que formam os fotorreceptores existem formas moleculares que se assemelham a molas escalonadas. Sobre essas molas deslizam bilhões de moléculas de rodopsina. A localização de cada uma delas ao deslizar sobre as molas moleculares em determinado momento focal da visão gera um potencial de ação, um estímulo nervoso elétrico que será integrado às camadas da retina em um processo muito complexo e depois sairá do nervo óptico para os centros integrativos talâmicos com informações sobre cor, profundidade, contraste, brilho e velocidade. Esse processo é muito ativo e consome muita energia do corpo, assim como demanda muita vitamina A (a rodopsina é basicamente composta de vitamina A) e antioxidantes.

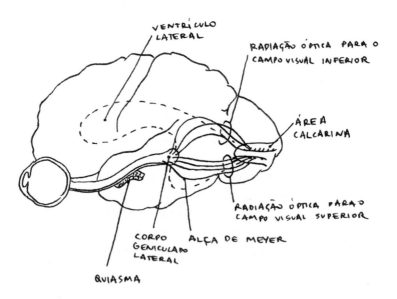

As fibras que resultam da integração dos fotorreceptores com as camadas de células da retina vão se deslocando até o disco óptico, um "escoador" nervoso no qual o nervo óptico recém-formado mergulha em direção ao sistema nervoso central. Os nervos ópticos direito e esquerdo se cruzam no denominado quiasma óptico. O trajeto no sistema nervoso é também complexo e envolve uma região do tronco cerebral onde ocorre a estratificação e a integração da informação luminosa, um verdadeiro computador denominado tálamo. O impulso luminoso nervoso parte, então, do tálamo de forma organizada para a interpretação e o armazenamento no cérebro.

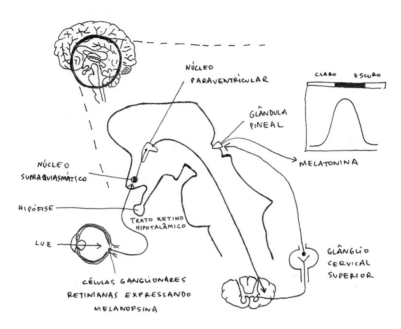

O SISTEMA RETINO-HIPOTALÂMICO

Os impulsos luminosos trafegam ao longo de diferentes rotas que envolvem o cérebro por inteiro. Mas parte deles forma um sistema específico, que se dirige para o hipotálamo e afeta de forma profunda nossas funções vitais. Essa conexão neurológica, denominada rede retino-hipotalâmica, tornou-se hipótese no final dos anos 1800, foi empiricamente observada em 1920 e, posteriormente, ao longo dos anos 1950, mas apenas no início dos anos 1970 a ciência foi capaz de comprovar definitivamente que a luz que entra pelos olhos não apenas possibilita a visão, mas também é enviada para uma das áreas mais importantes do cérebro, o hipotálamo. Assim, a ciência aceitou que a luz que entra pelos olhos serve tanto a funções visuais como a outras não visuais.

Mas o que Berson descreveu em 2003 utilizando técnicas de histoquímica e imunofluorescência é um fato incontestável. Existe um tipo de axônio (extensão nervosa) de um tipo muito raro de células fotorreceptoras ganglionares que forma um conjunto de feixes nervosos que sai da retina, transita pelo hipotálamo e deixa conexões nesse nível do sistema nervoso central, no núcleo supraquiasmático. Depois dessas conexões, o conjunto de feixes nervosos faz sinapses no nível da coluna intermediolateral da medula e através do gânglio cervical superior, abastecendo com impulsos a glândula pineal.

Resumindo, a retina dispõe de um tipo específico de células fotorreceptoras sensíveis à melanopsina, um fotopigmento. São muito poucas células quando comparadas aos cones e aos bastonetes, mas seus dendritos se espalham por toda a área da retina. Esses fotorreceptores não estão ali para a função visual, mas para um tipo muito específico de manejo da informação solar. A glândula pineal, a hipófise e o hipotálamo, setores vitais no controle da fisiologia dos seres vivos, recebem fibras diretamente desse feixe especial. Ou seja, a informação luminosa ambiental/solar não "pega carona" nos fotorreceptores visuais e nos feixes nervosos tradicionais. Esses setores cruciais na vida humana têm seus próprios fotorreceptores na retina e feixes nervosos exclusivos, tal a importância de sua função.

Isso nos informa também que o hipotálamo, a hipófise e a glândula pineal são abastecidas diretamente pelos impulsos solares que incidem na retina, seja o indivíduo capaz de enxergar ou não, pois esse processo independe dos fotorreceptores tradicionais. Por exemplo, se fecharmos os olhos sob o sol, como mencionado na meditação do Sol que abre este capítulo, mesmo assim estaremos estimulando os fotorreceptores de melanopsina.

O SISTEMA NERVOSO AUTÔNOMO

Imagine que você acaba de fazer uma deliciosa refeição à base de vegetais; depois do almoço você escolhe a sombra de uma pequena árvore e estende uma esteira de palha para curtir uma relaxante *siesta*, um hábito bastante saudável. Lá está você, relaxado e com suas enzimas ativadas para a digestão. Algo como 3 litros de sangue de sua circulação (que conta com 5 litros no total) estão sendo mobilizados para o abdome. Seus músculos estão relaxados e seus brônquios estão com o calibre normal, pois você respira em uma frequência lenta. Seu pulso é lento e suas pupilas estão normais. Sua mente se esvazia e seu corpo todo descansa, pois está empenhado na função de recolher nutrientes e direcioná-los para as células, abastecendo-as de substâncias estruturais e energia.

Seu corpo está totalmente em descanso. Tudo vai muito bem, e você já está quase sonhando, quando algo frio enrosca-se na sua perna. Algo frio, que se move em direção ao joelho. Seu olho se entreabre e a visão é terrível! Uma jararaca está prestes a dar um bote! Uma explosão de adrenalina invade seu sangue e seus neurônios. Um frio corre pela espinha e pela barriga, todos os seus músculos se contraem e você salta dois metros de altura, agarrando-se aos primeiros galhos que vê. Sua respiração está ofegante, seu pulso muito rápido e sua digestão se interrompeu, pois o sangue todo foi desviado para os músculos. Os brônquios e as pupilas estão dilatados. O coração parece que vai sair pela boca de tão forte e rápido que está batendo. Sua mente está superativada e seu corpo está na maior tensão possível. Um sistema automático que independe de sua racionalidade o torna apto a lutar pela vida ou fugir.

Essa história mostra bem como funciona o sistema nervoso autônomo, que é "autônomo" exatamente por ser independente do sistema nervoso central voluntário. E esse sistema independente é composto por duas seções de efeitos opostos: o sistema nervoso parassimpático e o simpático.

Antes de filosofarmos que a "contradição é inerente à alma humana", vamos refletir sobre a oposição desses dois sistemas. Um ativa, outro relaxa; um abre, outro fecha; um acelera, outro diminui o ritmo. Eles existem simultaneamente e exercem seus efeitos sobre nós o tempo todo. Portanto, nosso batimento cardíaco neste momento é o resultado da soma de fatores ambientais, fisiológicos, de volume e também da oposição do estímulo simpático ao estímulo parassimpático. Por causa dessa oposição, efetuada basicamente através de estímulos nervosos e hormonais (por meio de hormônios e neurotransmissores), os vasos digestivos se fecham para que os musculares se abram (efeito simpático, ativação para "fugir ou lutar"); ou os vasos musculares se fecham e os digestivos se abrem (efeito parassimpático, ativação de digerir e descansar). Em geral, a maior parte de nossos órgãos internos é afetada simultaneamente pelos dois sistemas.

É muito difícil e até errôneo definir características fixas para cada um dos grupos do sistema nervoso autônomo, mas, se pudéssemos ter uma regra geral, até simplória, diríamos que o sistema nervoso parassimpático é anabólico (junta energia) e redutor das atividades cardíaca e respiratória, enquanto o sistema simpático é catabólico (gasta energia) e ativador das atividades cardíaca e respiratória. O sistema nervoso parassimpático predomina no período do descanso, rejuvenescimento e digestão, enquanto o sistema nervoso simpático predomina nos períodos de reação ao ambiente, como o estresse, a luta e a fuga.

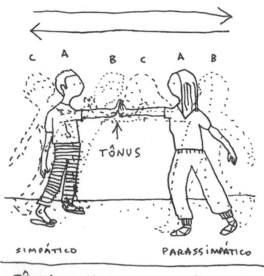

TÔNUS: UMA DEMONSTRAÇÃO COM DOIS VOLUNTÁRIOS APOIADOS PELA MÃO E EM PÉ.

No momento em que você lê este livro, sua frequência cardíaca é o resultado da soma dos estímulos simpático e parassimpático, que agem ao mesmo tempo e de forma oposta sobre o coração e os vasos arteriais. O nome fisiológico dessa contradição é tônus. O tônus é um estado de tensão em equilíbrio, que, se ajustado, nos mantém afinados com as demandas da vida cotidiana – como um violão afinado, no qual cordas com notas diferentes emitem um som harmônico.

O sistema nervoso autônomo cuida das funções automáticas e involuntárias, enquanto o sistema nervoso motor, que é parte do sistema nervoso central, controla os músculos voluntários. Assim, mais uma forma de ver o sistema nervoso autônomo é pelo tipo de músculos que ele inerva. Enquanto o sistema nervoso motor, racional e voluntário, inerva suas fibras nervosas para os músculos esqueléticos ou estriados, que são voluntários, o sistema nervoso autônomo inerva as fibras lisas, que são involuntárias. Exemplificando: não somos nós que mandamos os brônquios ou a pupila se dilatarem. Essa reação ocorre de forma automática e autônoma. Imagine se, ao dormir, precisássemos enviar comandos voluntários para os músculos respiratórios. Não precisamos, pois quem cuida deles, assim como de diversas atividades fisiológicas automáticas, é o sistema nervoso autônomo.

A base do sistema motor voluntário e das fibras que se dirigem aos músculos estriados voluntários é o cérebro tal como o conhecemos, mas que a ciência chama de telencéfalo. A base do sistema nervoso autônomo involuntário e das fibras que se dirigem aos músculos lisos é o tronco cerebral, um cérebro menor e mais primitivo, porém de extrema complexidade, que se constitui de mesencéfalo, ponte e bulbo, onde estão incluídas as já mencionadas regiões de estratificação do estímulo luminoso, ou seja, o tálamo e o hipotálamo.

Embora o estado de equilíbrio do corpo seja constantemente regulado pelo sistema nervoso autônomo, este na verdade apenas cumpre as ordens enviadas pelo hipotálamo, região central do tronco cerebral situada acima da hipófise. O hipotálamo, por sua vez, recebe a energia da luz pela via ocular descrita e com ela coordena e regula a maior parte das funções mantenedoras da vida, quando também inicia e direciona as reações e adaptações ao estresse. Ele atua como um gerente que passa ordens do cérebro (a direção-geral) para o resto do corpo (a equipe de trabalho). E observa tudo o que acontece.

O hipotálamo compõe-se de duas zonas principais. A primeira controla o sistema nervoso simpático e estimula a produção de hormônios como a adrenalina, e a outra controla o sistema nervoso parassimpático e inibe a produção hormonal. Como maior centro coletor de informações fundamentais para o bem-estar do organismo, o hipotálamo recebe todas as informações externas captadas pelos órgãos sensoriais e todos os sinais internos do sistema nervoso autônomo e da psique. Entre suas funções estão os já mencionados controles do sistema nervoso autônomo; o equilíbrio energético; o equilíbrio hídrico; a regulação da temperatura, do sono e da atividade; a circulação e a respiração; o crescimento e o amadurecimento; a reprodução e o equilíbrio emocional. Assim, o hipotálamo pode ser considerado a mais importante unidade reguladora do cérebro, o alto-comando da manutenção do equilíbrio do corpo.

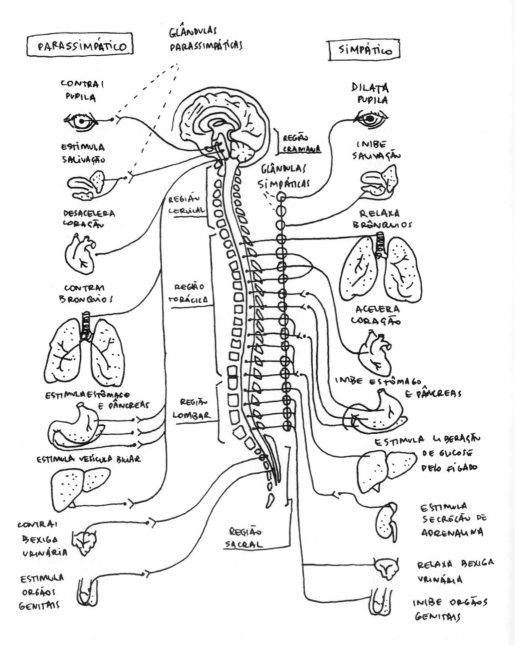

O sistema nervoso simpático e o parassimpático têm um desenho lindo, harmonioso como a natureza, cheio de nuances e detalhes em cada órgão ou sistema que inervam. Eles são como grandes florestas ou grandes ecossistemas, precisam de harmonia entre seus elementos e fazem a ecologia interna emanar saúde.

Para se aprofundar no fascinante mundo da fisiologia, recomendo os livros de Guyton & Hall ou Berne & Levy. Não penso em esgotar o assunto aqui, mas apenas sinalizar alguns pontos, pois meu objetivo é mostrar como uma alimentação à base de plantas e hábitos saudáveis – como tomar sol – podem influenciar a saúde.

Anteriormente lemos que o sistema nervoso autônomo recebe fibras do sistema retino-hipotalâmico, através das fibras originadas da retina, órgão luminoso – o que nos leva a concluir que o hipotálamo, a sede do sistema nervoso autônomo, é regulado pela luz do Sol. Pode-se comprovar, agora com base científica, o que os povos e sábios antigos já sabiam. A luz do Sol regula nosso maior sistema de equilíbrio fisiológico, o sistema nervoso autônomo. E, quando ele está desequilibrado, podemos apresentar os seguintes sintomas: nervosismo, palpitações cardíacas (taquicardia), sudorese, respiração ofegante, tremores e espasmos musculares, desmaios e palidez.

Pode parecer ridículo, mas essas queixas fazem parte da rotina de qualquer pronto-socorro, no Brasil e no mundo. Diante delas os médicos se saem logo com o diagnóstico de P.T., que vem do inglês *psichiatric treatment* e se pronuncia "pí tí". Na verdade, trata-se de uma doença descrita no código internacional como distonia neurovegetativa (DNV). Ela não oferece risco de internação, mas, como pode enganar os colegas iniciantes, é motivo de riso quando algum interno confunde o P.T. com infarto agudo e pede todos os exames típicos, ou quando confunde com convulsões epilépticas ou solicita inalações. Em outros casos, profissionais de saúde se irritam, pois pensam estar diante de algum tipo de manipulador emocional, que vai ao hospital para mostrar aos parentes que está "muito mal".

O P.T., ou DNV, é, no entanto, uma ocorrência clínica real. Embora seja de baixo risco, não é irrelevante e precisa de apoio da área da saúde. Em um pronto-socorro cheio não há como conversar com essa pessoa, mas, mesmo que houvesse, ela relataria problemas do cotidiano que podem, sim, ser fatores importantes na origem dos sintomas, mas não são sua causa real. A decisão de dez entre dez médicos nesses casos é prescrever tranquilizantes e mandar o paciente aos centros de atenção psicossociais (CAPs).

A incidência desse quadro aumentou de maneira alarmante nas últimas décadas. Queremos mudar isso com o modelo biogênico de saúde. Queremos ver como reage um indivíduo diagnosticado com distonia neurovegetativa em nível ambulatorial, com um ciclo de alimentação vegana saudável, irradiação solar frequente, hidratação e sucos verdes, práticas diárias de Surya Namaskar e passeios na natureza – com o médico!

A conexão do Sol-glândulas endócrinas

Como vimos, os impulsos nervosos originados na retina atingem o hipotálamo, participando da modulação e do equilíbrio do sistema nervoso autônomo. Mas o hipotálamo continua e se estende para baixo, formando a parte nervosa da hipófise, ou neuro-hipófise. É flagrante a contiguidade entre os nervos ópticos, o quiasma óptico e a projeção inferior da neuro-hipófise. Ou seja, a conexão entre os feixes nervosos originados das células fotorreceptoras de melanopsina e o hipotálamo pode ser estendida para a neuro-hipófise e, pela conexão vascular denominada sistema hipotalâmico porta-hipofisário, para a adeno-hipófise (hipófise anterior). Assim, a informação recebida pelo hipotálamo é também utilizada para controlar as secreções da glândula hipófise anterior e posterior, o que afeta todo o sistema regulador hormonal do corpo, o sistema endócrino.

O sistema endócrino regula os processos químicos e físicos envolvidos na manutenção geral da vida (metabolismo), assim como as taxas variáveis de reações químicas dentro de cada uma de nossas células. Isso é feito através da secreção de mensageiros químicos chamados hormônios, que são despejados diretamente na corrente sanguínea. Uma vez no sangue, os estimuladores endócrinos secretados pela hipófise circulam para todas as partes do corpo e afetam células e tecidos endócrinos específicos, capazes de receber e decodificar suas mensagens.

Não é uma hipótese que a luz do Sol possa representar um forte regulador das secreções de pré-hormônios ou hormônios, tanto da neuro-hipófise quanto da adeno-hipófise. As conexões nervosas já estão precisamente definidas. Faltam estudos de potencial evocado com diferentes bandas de luz incidindo sobre as células fotorreceptoras mediadas pela melanopsina e presentes na retina. Qual seria o efeito da banda de luz lilás? Ou da cor laranja? Ou verde? Qual o grupo endócrino afetado?

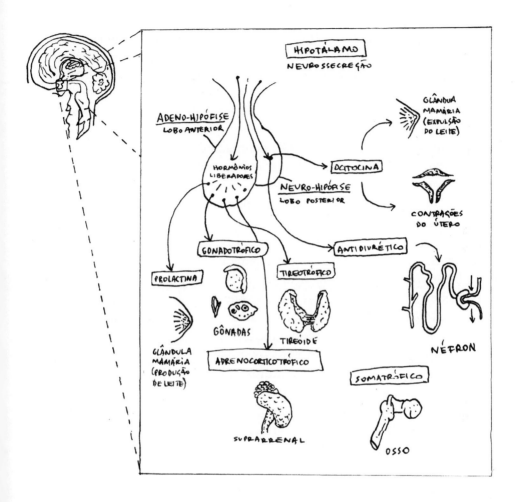

    O aiurveda, o milenar sistema medicinal indiano, tem uma resposta. A cada chacra relaciona-se uma cor, ao mesmo tempo que a cada chacra relaciona-se um grupo de glândulas endócrinas.

    O sistema endócrino consiste nas seguintes glândulas: pineal, hipófise (pituitária), tireoide, paratireoide, timo, adrenais, pâncreas e gônadas. A principal delas é a hipófise, também conhecida como glândula mestra, porque controla a maioria das secreções hormonais, mede suas quantidades e realiza reajustes constantes de acordo com as necessidades corporais. A hipófise é dividida em duas porções distintas: a anterior (adeno-hipófise) é glandular, secreta no sangue hormônios que afetam a tireoide, o córtex adrenal, os testículos, os ovários, as mamas e o crescimento dos ossos longos, dos músculos e dos órgãos internos. A posterior (neuro-hipófise) utiliza impulsos nervosos que afetam as glândulas mamárias e os rins. Embora a hipófise desempenhe um papel importante no funcionamento do sistema endócrino, ela não pode decidir por conta própria quais hormônios são apropriados, ou quais devem ser os níveis plasmáticos deles em situações específicas. Essas decisões são tomadas pelo hipotálamo e convenientemente comunicadas à hipófise por meio de uma eficiente conexão neuroanatômica.

É provável que estudos futuros revelem que tanto as bandas de luz de diferentes cores como alimentos de diferentes cores (luz ingerida) podem afetar positivamente os mecanismos de regulação dos grupos de glândulas endócrinas. É patente que pessoas que recebem luz solar todos os dias são saudáveis e longevas. Precisamos agora, a partir dessas pistas, estabelecer novos questionamentos científicos.

Em minha atividade médica, indico cada vez mais a exposição diária, moderada e sadia ao sol. Seria o encontro de uma nova saúde a motivação para um êxodo urbano e uma nova estrutura fundiária? Se aqueles que vivem nos apartamentos das grandes cidades e trabalham em prédios comerciais claustrofóbicos – sejam eles ricos ou pobres – pudessem experimentar a vida na natureza, plantando (e ingerindo) vegetais coloridos e vibratórios, com certeza veríamos desaparecer as insuficiências tireoidianas, supra-renais, gonadais e a onipresente exaustão glandular crônica que vemos hoje nas clínicas de todo o país.

Glândula pineal: o assento da alma

René Descartes é um mestre da ciência muito criticado por ter pensado o corpo humano e a natureza em geral como uma máquina, ou um relógio. "O resultado de cada parte tem efeito no todo, e cada parte pode ser estudada separadamente." E hoje o mundo científico faz exatamente isso, estuda tudo separadamente. Na área da saúde, isso deu origem à medicina especializada, também cada vez mais verticalizada em um único foco, que se torna objeto de estudo e atuação de um profissional por toda a vida. Esse "cartesianismo" é criticado pela ciência holística e integrativa.

Vivemos atualmente o ápice da era da especialização em todas as áreas do conhecimento. Mas, ao criarmos especialidades, reduzimos a visão do todo, e passamos a nos dedicar a uma parte reduzida da realidade. Ao verticalizar o foco do estudo, nos aprofundamos, mas perdemos também a noção do sistêmico, da relação entre os diferentes compartimentos ambientais ou fisiológicos, ou seja, do todo. Essa é a razão pela qual a medicina está dividida em tantas especialidades e subespecialidades. Essa é a razão pela qual hoje a medicina está reduzida a sintomas e medicações que atuam especificamente sobre os sintomas.

Quando adotei em minha prática a abordagem holística, com base na nutrição à base de vegetais, fui admoestado pelo Conselho Regional de Medicina a me enquadrar em algum tipo de especialidade médica ou a me ligar a algum tipo de associação de especialistas. Ao que respondi dizendo que posso usufruir do direito de ser médico. Apenas médico, mas em seu aspecto mais amplo. Alguns pacientes também me perguntam qual é a minha especialidade. Ao que respondo que a minha especialidade não é uma especialidade, mas um todo. Como enquadrar um médico que vê o todo, não apenas o corpo humano, mas sua relação com os alimentos, a agricultura, a economia e a organização fundiária?

O título deste livro não é então uma ironia, mas uma homenagem à minha antiga especialidade. A cirurgia é uma intervenção. Ela intervém na doença estabelecida. E é "verde" porque realiza suas intervenções na fisiologia do corpo humano com o reino vegetal.

Fritjof Capra, um dos maiores críticos do excesso de especialização nas ciências, criou mesmo um termo que pode ser bem entendido: o reducionismo. De fato, quando verticalizamos um foco de estudo sobre um órgão ou mesmo sobre uma bactéria específica ou, mais ainda, sobre um tipo de membrana celular, ou uma proteína de membrana, adquirimos grande profundidade. Nos assemelhamos, como cientistas ou profissionais, a algo como uma sonda que atinge grande profundidade e extrai um produto específico do fundo da terra. Quando estamos em uma situação crítica, poderemos ter uma resposta salvadora vinda de um cientista reducionista. Mas quando abordamos saúde pública faz-se necessária a abordagem holística, que é oposta à reducionista.

O termo *holos* refere-se ao "todo". É horizontal por natureza, vê as coisas por uma ótica de amplidão. Acredito que é chegada a hora de retirar Descartes do banco dos réus, até porque esse homem fabuloso dotado de uma profunda inteligência e de uma inesgotável resiliência desafiou o poder da Igreja e a Inquisição. Auxiliou a retirar o caráter religioso e tornar a ciência laica. Os fatos do mundo físico deixaram de ser apenas o resultado da intervenção divina. Foi nesse movimento que Galileu Galilei escapou de ser queimado em praça pública pela Inquisição. Ele constatara, cientificamente, que não era o Sol que girava ao redor da Terra, mas o oposto: a Terra girava em torno do Sol. Para não morrer, pelas mãos da então opressora Igreja, teve que desmentir todos os seus achados, por escrito. Na esteira desses gênios da ciência, como Descartes e Galileu, surgiu o físico inglês Isaac Newton, o rei de todos os cientistas, aclamado e adorado por todos os tempos, por haver formulado as leis da física moderna.

E foi justamente com a chegada da física quântica e dos conceitos holísticos que todas essas leis foram colocadas em xeque. Se hoje realizamos proezas com apenas um toque no telefone celular, tudo isso se deve ao domínio e à aplicação dos princípios da física quântica. Hoje, a forma de pensamento sistêmico chega à área biológica, como às ciências da biologia vegetal e do entendimento da comunicação entre as plantas de uma floresta. Denomina-se a ciência dos sistemas vivos.

Não há erro em Descartes ou Newton. Eles representaram aspectos evolutivos importantes na ciência. Assim como não há erro na teoria dos sistemas vivos, fartamente aplicada neste livro e em todas as práticas médicas do modelo biogênico. São todas elas formas de evolução dos nossos modos de pensar. Suas abordagens, todas elas, sujeitas a críticas e adaptações. Esse é o verdadeiro motor da ciência. É importante compreender que todos estamos em constante movimento.

Toda vida é baseada em conexões e relações. Isso tem início na concepção, em que dois indivíduos se unem no processo de trazer à vida um terceiro. No útero, o ser em desenvolvimento continua a desenvolver uma ligação com a mãe, que, quando reestabelecida, após o nascimento, determinará a base na qual a criança irá se relacionar com os outros e com o resto do planeta. Essa relação, que se pressupõe originar de uma sincronicidade "coração-coração" entre mãe e filho, é um microcosmo da relação sincronizada da humanidade com a natureza e o resto do universo.

A pineal, cuja função foi intuitivamente reconhecida por antigas civilizações e, até recentemente, muito subestimada pela ciência moderna, serve para nos assistir em nossa conexão com o universo.

Embora tenha sido descrita de forma variada: "O esfíncter do pensamento" por Herophilus no século IV, "o assento da alma" por René Descartes no século XVII e como "terceiro olho" por místicos indianos e praticantes de ioga, o verdadeiro significado funcional da pineal tem sido sempre questionado pela literatura científica. No início do século XX, ela foi descrita como uma estrutura vestigial – um apêndice do cérebro –, não tendo um significado mais profundo. Mas a literatura científica recente vem apresentando uma grande expansão do conhecimento sobre a glândula pineal, indicando o seu devido lugar central como uma glândula-mestre (além da hipófise) dentro do corpo. Dessa forma, essa porção previamente desacreditada do cérebro pode ser muito bem o novo tesouro da ciência.

O FOTÔMETRO DO CORPO

Com o formato de uma pinha (daí o nome "pineal"), essa glândula se localiza profundamente no centro do cérebro entre os dois hemisférios, atrás e acima, em uma apresentação oposta à da hipófise. Em humanos, sua localização pode ser presumida se apontarmos os dois dedos indicadores por detrás das orelhas e na direção da abóboda craniana. O ponto onde os dedos iriam se encontrar, se pudessem se tocar, é a localização aproximada da pineal.

Embora ela seja apenas do tamanho de uma ervilha, tem inúmeras funções. Ela atua como um fotômetro, recebendo informação ocular ativada pela luz (pelo trato retino-hipotalâmico-pineal) e enviando mensagens hormonais que têm efeitos profundos na mente e no corpo. Sua função, regulada por mudanças de incidência de luz ambiental e pelo campo eletromagnético da Terra, é transmitir para o corpo informação pertinente ao comprimento de onda da luz predominante do dia ou da estação do ano.

E, como o comprimento de onda está na função da estação, essa informação transmitida da pineal informa todas as partes do corpo se está claro ou escuro, se os dias estão se tornando mais longos ou mais curtos ou em que estação do ano estamos. Dessa forma, tornamo-nos "afinados" com as variações da natureza e prontos a fazer ajustes fisiológicos apropriados, que irão nos preparar para lidar com essas mudanças ambientais.

Um exemplo drástico disso no reino animal é o ajuste da pelagem (cor e espessura) com a aproximação do inverno. O corpo do animal não pode esperar, obviamente, pela primeira queda de neve para ser lembrado de que deve usar "casaco branco". O "casaco marrom" anterior representa um contraste flagrante contra o fundo alvo, e, por não ter se adaptado à "moda invernal", o animal tem mais chances de ser devorado pelo predador.

O sistema de resposta à luz é extremamente importante, já que o reino animal, em seu ambiente natural, necessita acompanhar finamente as variações do ambiente, até para poder sobrevivier e obter alimentos. O grau dessa sincronização, portanto, está diretamente relacionado ao lugar onde os animais vivem.

Uma das atividades mais importantes de Descartes foi o estudo da anatomia do corpo. Uma de suas gravuras do século XVIII, provável mecanismo de integração entre a visão e o movimento, mostra o interesse que ele tinha pelo sistema nervoso e pela visão. Nessa época, acreditava-se que a visão era integrada ao movimento pelos nervos e que os nervos conduziam líquidos dentro deles que foram denominados de humores. Hoje se sabe que os nervos não funcionam por sistema hidráulico e que as proporções da glândula pineal estão exageradas. Essa glândula era vista por Descartes como o "assento da alma". No passado foi conferido um aspecto integrativo da pineal no eixo de visão e movimento, que seria obviamente errôneo.

Mas muito mais errôneo é o desprezo com que a ciência moderna ainda trata esse pequeno acidente anatômico, que fica localizado em uma porção muito central do cérebro. Minúscula, a glândula pineal é capaz de realizar façanhas ainda maiores que as da hipófise – cuja função endócrina já descrevemos sumariamente. Essa glândula fica localizada em uma posição oposta à da glândula hipófise. Enquanto a hipófise se projeta de cima para baixo e na base do crânio, a pineal projeta-se de baixo para cima, também no centro do cérebro, mas do outro lado do tronco cerebral.

Ao vermos um bebê recém-nascido, percebemos aquela região da cabeça denominada moleira, o espaço da calota craniana que não é ocupado por osso. No amadurecimento do lactente essa moleira é fechada e fica ali conformada uma sutura óssea, que se denomina "sutura coronal". Mas, se imaginarmos a "moleira" como uma abóbda craniana por onde passa a luz, esta estaria chegando de forma direta à glândula pineal. Em algumas espécies de peixes e outros animais menos complexos, a glândula pineal recebe diretamente a luz do Sol ou a luz do ambiente. Essas informações luminosas são tão importantes para a glândula pineal desses animais, que ela chega mesmo a dispor de um tecido retiniano, o mesmo tecido retiniano que descrevemos neste capítulo.

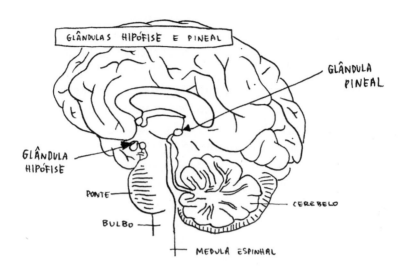

Por alguma razão estratégica e evolutiva, a nossa sutura coronal fecha-se e deixamos de receber a entrada direta de luz no cérebro humano. Mas, para suprir essa rota luminosa, dispomos também do já descrito "trato retino-hipotalâmico" e da continuidade dessas fibras via gânglio cervical, para que o estímulo luminoso chegue de forma neurológica e indireta a esse verdadeiro centro integrativo das informações luminosas e ambientais em nosso corpo.

A glândula pineal é um integrador de informações eletromagnéticas, climáticas, geográficas e ambientais e de todo tipo de ondas vibratórias. É um sistema de tamanha simplicidade, e que é responsável por manifestações tão complexas em nosso corpo que não pode, nem como metáfora, ser comparado a qualquer dispositivo eletrônico que conhecemos hoje. Mas, digamos que se possa comparar uma de suas funções – muito vulgarmente com o equipamento chamado "GPS", que hoje está em praticamente todos os aparelhos celulares conhecidos.

É a glândula pineal de pássaros, peixes, baleias e outros mamíferos que gera estímulos de orientação e permite que grandes grupos desses seres se desloquem de um hemisfério do planeta para outro ou mesmo possam atravessar grandes espaços na busca sazonal de água e alimentos ou de um clima mais ameno para reprodução e gestação. De fato, nos causa surpresa que animais que não possuem uma mente como a nossa nem dispõem de informações geográficas ou de mapas possam fazer tamanhos deslocamentos sem cometer sequer um erro de percurso.

Também é muito importante a percepção da mudança das estações e das temperaturas e a integração desses eventos climáticos dentro da nossa própria biologia para que o nosso corpo se modifique e, com essa modificação, aconteçam adaptações inestimáveis na natureza da sobrevivência no ambiente. Além da mudança da cor dos pelos de um animal, uma fêmea que não tenha estímulo sexual para reprodução na data correta pode ter os seus filhotes em um período de grande dificuldade climática, o que significaria a morte de toda a prole.

Espero que o leitor esteja compreendendo o valor inestimável da glândula pineal em diferentes espécies e relacionado à própria vida, à sobrevivência e à evolução do planeta. Surge então a pergunta inevitável: como pode a pineal ter tamanha importância em tantas espécies? Qual seria a importância dessa pequena glândula, capaz de secretar praticamente um único neurotransmissor –, a melatonina – sobre a vida e a saúde do ser humano?

Vamos começar pelo que está distorcido: pensemos em uma pessoa que se alimenta em lanchonetes ou consome *fast-food* e vive em uma cidade onde o sol não entra no seu apartamento. Alguém que chega em casa de noite, bebe álcool, fuma um cigarro e vai se divertir ou trabalhar. Por exemplo, imaginemos plantonistas em hospitais de todo o mundo. Transformando a noite em seu horário mais comum de trabalho e dormindo nas horas em que o sol está oferecendo a informação diurna. Imaginemos uma criança pequena sentada diante de uma televisão em uma poltrona, sedentária, alimentando-se mal e bebendo refrigerante. Ou debruçada sobre um *tablet* ou um celular, dentro de um shopping.

Eu pergunto ao leitor que tipo de informação estará recebendo essa glândula integrativa ao meio ambiente nesses tipos de vida aqui exemplificados e que não são nem um pouco incomuns nos dias de hoje. É muito fácil concluir que essas informações estão corrompidas, estão alteradas e, com isso, a glândula pineal não consegue emitir seus sinais regulatórios para a hipófise nem a secreção adequada de melatonina.

É muito curioso que um órgão integrativo de funções ambientais tão complexas se manifeste de uma forma tão simples e binária do tipo sim/não. A pineal trabalha com secreção ou não secreção de melatonina. Essa simples diferença entre haver mais secreção ou menos secreção de melatonina tem uma influência gigantesca em nosso corpo.

A melatonina em excesso em um momento em que ela deve ser baixa ou melatonina baixa em um momento em que ela seja necessária em maiores quantidades provoca uma completa desregulação dos nossos sistemas endócrinos e, com isso, de todas as nossas glândulas e de todos os nossos órgãos. Hoje podemos identificar claramente uma série de manifestações de doenças e manifestações clínicas que são decorrentes da desregulação desse pequeno, minúsculo, porém fundamental órgão neurológico e ambiental.

A depressão, por exemplo, pode ser causada tanto por um aumento como por uma diminuição da atividade da melatonina, assim como por diferentes manifestações clínicas.

SINAIS DE FUNÇÃO DE MELATONINA EQUILIBRADA
Calma
Tranquilidade
Humor constante
Contentamento

SINAIS DE FUNÇÃO DE BAIXA ATIVIDADE DE MELATONINA
Insônia
Depressão
Ansiedade

SINAIS DE FUNÇÃO DE ALTA ATIVIDADE DE MELATONINA
Depressão
Estupor matinal
Letargia

É incrível que existam médicos e terapeutas prescrevendo melatonina para essas alterações. Em um sistema de tamanha importância em nossa vida, esta é a mensagem que o estudo dessa pequena glândula deixa para todos nós.

Devemos adotar uma forma de alimentação baseada em plantas, orgânica, sem agrotóxicos, natural e o mais fresca possível. Também devemos buscar água potável, mesmo para lavar o rosto, tomar banho ou escovar os dentes, que não esteja tão potencialmente contaminada por flúor, por elementos químicos, por excedentes industriais e metais pesados, como é o sistema de água hoje da cidade de São Paulo.

> A presença de flúor na água e nos alimentos resulta na acumulação desse mineral na glândula pineal. É comum a presença nessa glândula de cristais de apatita, que, na verdade, funcionam como uma "antena intuitiva". O acúmulo de minerais excedentes na dieta, e especificamente do flúor, nos deixa sujeitos ao estado de estupor ou de desconexão com eventos da natureza e do cosmos. Os nazistas fluoretavam a água dos campos de concentração para inibir as iniciativas dos prisioneiros. E você? Que tipo de água está bebendo?

Devemos nos deixar reger pelos sinais da natureza. Devemos dormir quando o sol se põe e acordar quando o sol surge novamente no horizonte. Devemos acompanhar as circunvoluções solares durante o dia e através do ano e das diferentes estações. Podemos organizar nossa agenda de acordo com o calendário lunar.

É de fundamental importância adotar a prática da meditação, que nada mais é do que buscar o silêncio, durante alguns minutos, longe de estímulos externos. Para que a glândula pineal não fique recebendo continuamente impulsos eletromagnéticos do meio externo e, principalmente, os impulsos eletromagnéticos de seu próprio pensamento. Mesmo a terra e as bactérias homeostáticas do solo emitem sinais de integração e comunicação com o nosso sistema alimentar e o nosso sistema neurológico. Através da respiração, podemos equilibrar a acidez do sangue. O pH do sangue é de fundamental importância para o bom ou mau funcionamento da glândula pineal.

É neste momento, ao falarmos desse pequeno e quase esquecido órgão do corpo humano, que a mensagem deste livro se mostra por inteiro. Não se trata apenas de melhorar a alimentação. É necessário que mudemos por completo a maneira como estamos vivendo. Como é a nossa casa? Como estão dispostas as janelas? Como é o ar que estamos respirando e a água que estamos bebendo? Qual é o ritmo que adotamos, que tipo de trabalho? Sob que tipo de iluminação estamos trabalhando?

Muitos povos antigos como os egípcios já conheciam a importância da glândula pineal, e mesmo as culturas pré-colombianas sabiam da importância de estarem alinhadas com os astros do céu, com as estrelas, com a Lua e com o Sol. É nesse aspecto que a glândula pineal adquire sua expressão mais interessante. A glândula pineal está relacionada com o estado de "iluminação" ou com o estado de "despertar espiritual".

É interessante entender que não precisamos buscar um estado de iluminação, mas que pelo menos saibamos manter a chama dessa pequena vela que está acesa dentro do nosso cérebro. Mantê-la alimentada de estímulos ambientais saudáveis, praticar exercícios e caminhadas. Estar em contato com a natureza, praticar formas de meditação ativa como atividades em uma horta orgânica ou em uma floresta.

Na verdade, proponho que o leitor busque uma nova forma de vida, em contato com a terra e a natureza, sendo você mesmo um pequeno produtor rural de alimentos ou produzindo seus próprios alimentos, para sua casa ou para uma comunidade autossustentável da qual você faça parte.

Parece não ser apenas uma indicação do futuro do nosso planeta, mas, principalmente, uma indicação do futuro da saúde da humanidade como um todo.

Alimentando-se de luz

Sempre que optarmos por uma alimentação baseada em plantas frescas e orgânicas, em um prato bem colorido, que seja pelo menos 80 por cento cru ou pouco processado, estaremos recebendo diretamente da seiva desses nutrientes os fótons, os elementos vibratórios contidos nos alimentos.

A própria natureza nos oferece uma pista da evidência do papel destes que são denominados biofótons, e que foram profundamente estudados pelo físico alemão Fritz Popp durante os últimos quarenta anos. Popp determinou – e mostrou em laboratório – a existência dos biofótons, na forma de ondas de luz de baixa intensidade emitida pela maior parte das células vivas. Seus experimentos mostram com clareza o decaimento desses biofótons à medida que a folha é separada do caule da planta. A queda dos biofótons se dá regularmente com a passagem das horas.

As cores dos alimentos frescos reproduzem essa queda em escala perfeita, em tons, profundidades e contrastes das cores originadas pela luz do Sol. Sabemos que a cenoura, uma raiz bastante irradiante de luz laranja – mas também existem cenouras das mais variadas cores, até o roxo –, é rica em retinol, substância mais ativa da visão. Após sua ingestão, o retinol (ou vitamina A) é metabolizado em ácido retinóico; também são disponibilizadas proteínas denominadas rodopsinas, que apresentam papel fundamental na transdução da visão, não apenas de escuro, mas em todo o processo visual. É justamente essa característica que nos leva a crer que a luz, na forma de biofótons, participa de forma crucial do metabolismo celular e corporal.

O que representa para a nossa saúde uma nutrição baseada em plantas, repleta de cores vibrantes? Exatamente tudo o que vimos neste capítulo. Ou seja, tudo que a luz do Sol faz por nossa saúde é replicado pelo "efeito sol" em todos os alimentos saudáveis e vibrantes que incluímos em nossa dieta cotidiana. Aqui, os biofótons são absorvidos na dieta e participam em todas as reações importantes do interior da célula. Da mesma forma que o exemplo do retinol, os biofótons, que são originados do DNA de células vivas, participam da estrutura das enzimas, as moléculas mais ativas da bioquímica, e são responsáveis por todas as funções corporais.

Muitas das doenças conhecidas hoje, da hipertensão arterial até o câncer, têm por base a ausência de antioxidantes na dieta. Esse fato está plenamente confirmado. Uma deficiência de enzimas e antioxidantes na dieta, com a consequente disfunção celular e de regiões do corpo, acontece no cotidiano de milhões de pessoas ao redor do planeta no momento em que elas adotam uma dieta industrializada.

Vejamos aqui de uma forma inversa. Que papel no estoque de antioxidantes e enzimas tem uma dieta composta de alimentos processados, fritos e cozidos, bolachas, *chips*, margarinas, congelados, sorvetes, pães, macarrão, gorduras hidrogenadas e açúcares? Zero!

Pergunto ao leitor, mesmo que não seja um cientista de física quântica, qual é a quantidade de biofótons presentes em uma pipoca de micro-ondas?

Existem fótons, existe energia e vibração nesses alimentos?

Por que, então, são esses os alimentos mais oferecidos a uma criança?

A meu ver, essa dieta é a responsável pela maior epidemia de doenças degenerativas já vista na história da humanidade, e o fator principal é o que já mencionamos aqui: falta de informação solar na dieta.

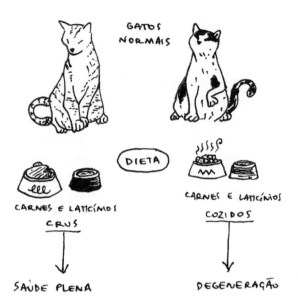

A presença ou ausência de biofótons na dieta e suas consequências na saúde são explicadas por um antigo estudo, apresentado por Pottenger, muito antes do conhecimento desse nível de energia biológica pela física quântica. Gatos receberam dietas de carnes e laticínios cozidos, enquanto outro grupo de felinos recebeu a mesma dieta crua. A saúde dos gatos que ingeriram alimentos exclusivamente cozidos foi degenerando, de geração em geração, até que se tornassem estéreis, com graves deformidades e osteoporose. Os gatos alimentados com proteínas animais cruas, como ocorre em seus nichos ecológicos da natureza selvagem, manteve os animais em plena saúde.

Isso leva a uma reflexão importante para aqueles que ainda se alimentam dessa forma obsoleta e antiecológica de alimentação, a carne. Com algumas exceções, a espécie humana tem repulsa por carne crua. Mas essa deveria ser a forma de ingestão, para justificar o consumo do animal morto. Comê-lo vivo e cru. É isso o que fazem os carnívoros no ambiente natural. Correm atrás das presas, abatem-na e as devoram em seguida. Com isso, as enzimas e antioxidantes presentes na carne são absorvidos e aproveitados para a saúde do predador.

Mas aqueles que se alimentam de carne perdem todo o acesso a essa informação, pois o fazem na forma assada, cozida ou frita. Perdem-se de 90 a 99 por cento das vitaminas, enzimas, antioxidantes e da tão falada vitamina B12. Mesmo as proteínas, o maior argumento de quem come carne, se degradam com o aumento da temperatura, levando a uma perda proteica de 50 por cento.

Em contrapartida, o reino vegetal não se importa de oferecer seus frutos, sementes, flores, raízes e folhas vivos, muito menos há sofrimento nessa oferta. Afinal, é a estratégia que o reino vegetal criou para se desenvolver na natureza. Oferece frutos, para que suas sementes sejam espalhadas. Oferece sementes, para que as germinemos e plantemos. Não há dor. Os frutos vivos da natureza também não causam asco em qualquer tipo de ser humano. E quanto mais rapidamente possam ser colhidos e consumidos, melhor para aquele que os consome, pois os nutrientes solares estarão agindo sobre os sistemas vitais, acelerando as reações enzimáticas.

Fritz Popp, estudioso à frente do seu tempo, afirma que o corpo humano não funciona com base em reações químicas, mas sim em mudanças de estado vibratório. Muitas reações que são vistas como metabólicas e químicas na verdade ocorrem mediadas por partículas luminosas. A neurotransmissão, discutida no capítulo anterior, passa por uma revisão na qual os fótons teriam participação fundamental. A regra tende a ser seguida com relação a todos os outros compartimentos corporais. Segundo Hahnemann, o pai da homeopatia, as reações corporais saudáveis ocorrem na presença de elementos vibratórios saudáveis. Com base nesse princípio, a nutrição baseada em plantas, com pelo menos 80 por cento de sua constituição crua e viva, permite um perfeito funcionamento vibratório da economia corporal e é também uma nutrição "homeopática".

O biofísico e biólogo molecular russo Pjotr Garjajev, membro da Academia de Ciências da Rússia, está investigando o comportamento vibracional da molécula de DNA e sua holografia. O cientista afirma que o DNA é um bioformador, um supercondutor de luz e, além disso, há evidências de que ele atua como receptor, armazenador e doador ou transmissor de luz. Surpreendentemente, sua visão coincide com a concepção proposta por Amit Goswami, Ph.D. em Física Quântica, professor titular da Universidade do Oregon, nos EUA, e autor de diversos livros sobre o tema, na saúde e na sociedade.

Vamos para uma vida solar

Ao estabelecer que somos seres solares, ou que somos "luz condensada", devemos mobilizar todos os esforços para resgatar uma vida que tenha a irradiação solar como protagonista e não coadjuvante. A meu ver, isso não se resume a nos afastarmos das lâmpadas fluorescentes, dos ambientes fechados e da vida noturna. Podemos e devemos iniciar um trajeto de volta à natureza em todos os aspectos. Pode soar romântico ou mesmo lunático, mas creio mesmo que muita gente já está fazendo esse movimento, que chamo de "êxodo urbano".

Deixando para trás o estresse, o tempo perdido nos congestionamentos, a poluição do ar e da água e o distanciamento da família, casais e famílias inteiras de funcionários públicos ou autônomos estão deixando apartamentos e rotinas urbanas para trás e dedicando-se a uma vida rural simples, buscando opções de negócios, normalmente agricultura familiar e orgânica. De posse de conhecimentos anteriormente adquiridos nas cidades, como *softwares* e planilhas de controle de estoque, entrada e saída de produtos e materiais, fazem dessa outra parte da vida um empreendimento de sucesso e alegria.

Mas esse movimento precisa ainda ganhar contornos mais definidos e atrair mais gente. O campo perde cada dia mais sua população, em um ritmo frenético ditado pelo modelo adotado no Brasil do agronegócio. Se o modelo biogênico de saúde apresentado no final do livro tiver sucesso, isso possibilitará que um grande número de famílias possam se arriscar nessa empreitada, que cada vez oferecerá menos riscos e mais prosperidade.

Inflamação: um assunto quente

Estudei inflamação na faculdade de medicina durante o curso de farmacologia na UnB, nos anos 1980. Tudo era novo para um jovem estudante de 17 anos de idade. Logo o professor Aucélio escreveu no quadro-negro a reação muito conhecida:

Membrana celular → Ácido Aracdônico (AA) →
via enzima ciclo-oxigenase → forma prostaglandina-2 (PG-2) →
inflamação

Membrana celular → AA → Aspirina – bloqueia ciclo-oxigenase →
não há PG-2 → não há inflamação

Foi fascinante perceber que o principal substrato da inflamação vem da nossa própria membrana celular. Vou dar o exemplo do que pensei naqueles idos anos de minha juventude. Imagine que você está fixando um prego na parede. Você erra o alvo e acerta o dedo. A dor é enorme e imediata. Após alguns minutos, passa. Mas horas depois seu dedo está latejando, com uma dor muito mais intensa.

O que aconteceu? O martelo, com seu peso e força cinética, "esmagou" diversas células do seu dedo. Várias membranas celulares se romperam, liberando o principal componente de nossa "carne", o ácido aracdônico.

Olhem como a natureza é sábia. Para nos proteger e nos mostrar qual parte foi esmagada pelo martelo, nosso corpo usa a própria célula rompida como sinalizador. O ácido aracdônico, componente da membrana celular, liberado com o golpe, é o precursor da prostaglandina-2 (PG-2), nosso principal sinalizador inflamatório. O mesmo ácido aracdônico, parte da estrutura da membrana, dá origem a leucotrienos, tromboxano, fator de necrose tumoral e um variado leque de substâncias denominadas citocinas, todas elas sinalizadoras de atividade inflamatória.

O processo inflamatório é complexo, envolvendo outros sinalizadores vasculares e imunes como o PAF (fator de adesividade plaquetária), a histamina e a bradicinina, e pode ser agudo ou crônico. O processo agudo envolve a presença de células de defesa aguda como neutrófilos e mastócitos e fenômenos vasculares. A inflamação crônica já muda de figura, envolvendo células mononucleares, macrófagos, linfócitos e proliferação de tecido conjuntivo, todos elementos imunes de resposta tardia.

Mas para que serve a dor e a inflamação? Por que temos que sofrer? Eu respondo imaginando o contrário. O que seria se não sentíssemos dor? Imagine se seu pé fosse insensível e você pisasse em um prego. Primeiro, você não sentiria a dor. Depois, você nem notaria a ferida e só começaria a perceber que algo estava errado no momento que um cheiro apodrecido subisse dos pés. Sim, seu pé perfurado por um prego haveria infectado, aberto uma ferida profunda e agora até os ossos estariam com pus. Horrível, não é? Mas é exatamente por isso que passam muitos diabéticos. A chamada neurite periférica, que ocorre como doença secundária, anestesia as extremidades, principalmente os pés. São tão comuns essas lesões em diabéticos, que ganharam a denominação de "pé diabético".

Portanto, devemos agradecer à inflamação. Ela é uma ferramenta evolutiva que nos permite identificar uma determinada área do corpo que foi ferida ou danificada. A hipersensibilidade (dor), a temperatura alta (calor), a vermelhidão (rubor) e o inchaço (tumor) são os chamados quatro sinais inflamatórios que, em conjunto, impedem que você utilize essas regiões afetadas e trate de cuidá-las e limpá-las, para que o processo que causou o ferimento esfrie e a cicatrização ocorra. O conjunto de sinais inflamatórios auxilia ainda no fechamento da ferida e na cicatrização.

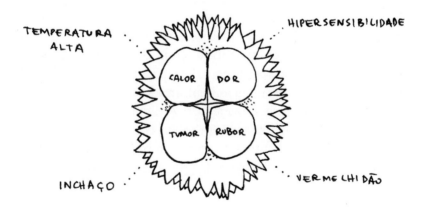

Mas o que acontece hoje? Que síndrome cosmopolita é essa, em que grande parte da população caminha como se tivesse levado marteladas por todo o corpo? Dores articulares e musculares, de cabeça, cólicas, lombalgias e todas as doenças que terminam por "ite" (bronquite, mastite, dermatite, colite, gastrite etc.) revelam que hoje nós estamos padecendo de uma síndrome inflamatória generalizada, tanto fisicamente, em diferentes regiões do corpo, quanto geograficamente, por regiões do planeta. Os anti-inflamatórios não esteroidais (aspirina, paracetamol, ibuprofeno e diclofenaco) são o tipo de droga mais consumida no mundo industrializado, mobilizando um mercado anual de 6 bilhões de dólares. Mais que isso, a inflamação é o processo fisiopatológico mais importante por trás das alergias, dos acidentes vasculares e infartos, do *diabetes mellitus*, do câncer, da aterosclerose e mesmo da depressão.

Como os mediadores inflamatórios estão agindo de forma sistêmica, sem que tenha havido um trauma? O que faz a célula liberar ácido aracdônico? Como está ativada a enzima de conversão ciclo-oxigenase? Por que não entram em ação bloqueadores corporais da enzima? Por que sentimos tanta dor?

São muitas respostas, mas a principal está naquilo que fazemos três vezes ao dia de forma inadvertida. Ingerimos diariamente agentes inflamatórios pela dieta, a saber: carnes e proteínas animais, laticínios, amidos e açúcar.

Pense no seu café da manhã habitual: café com leite e pão com manteiga, queijo, ovos e presunto. É uma verdadeira bomba inflamatória! Ou seja, você pode tomar café e imediatamente depois dele seu comprimido de anti-inflamatório. Então vem o lanche: salgados fritos com amido e proteína animal com refrigerante. Mais uma dose de anti-inflamatório. Depois o almoço: arroz, batatas, massas e carne, seguida de uma sobremesa. Pode usar uma dose mais forte ainda. As dores e a inflamação latente irão perseguir você por todo o dia e pela noite adentro.

A associação entre proteína animal, amido e açúcares faz com que a insulina aumente de forma exagerada. A dieta contemporânea, com base nos sabores doce/salgado, de cor parda, consistência pastosa, sem cores e sem vida, plena de proteína animal, amidos e açúcar (basta ver o cardápio das mais conhecidas redes de lanchonetes) é uma bomba produtora de insulina. E a insulina funciona como um querosene jogado por cima do fogo. Criamos um estado de inflamação crônica. A cada pico de insulina após uma refeição, transformamos precursores inertes em prostaglandinas, os principais mediadores da dor e dos sinais de inflamação aguda.

Se adotarmos, ao contrário, uma nutrição baseada em plantas, alcalina, plena de antioxidantes, com a quantidade de proteína equilibrada para nossa nutrição e nossas funções, com pouco ou nenhum açúcar e amido, mas permitindo, segundo a constituição física e atividades de cada um, algum cereal e raízes cozidas, estaremos exigindo do pâncreas uma menor quantidade de insulina, o que é ótimo em todos os aspectos.

Para os diabéticos, que não dispõem de insulina ou não respondem à ação desse hormônio, utilizar uma dieta que exija pouca ou nenhuma insulina é algo mágico e reconfortante. Assim, todo diabético deve trabalhar ativamente sua dieta para que dependa cada vez menos de insulina injetada, pois a pouca necessidade de insulina tem suas maiores consequências na cadeia inflamatória, que é desarticulada na origem com muito mais eficácia que com o uso de qualquer droga anti-inflamatória. Além de sentir menos dores, a ausência de ação inflamatória reduz o edema do endotélio promovendo a estabilidade de todas as membranas epiteliais, sejam elas intestinais ou da pele, brônquicas ou gástricas.

Todas as medicações anti-inflamatórias disponíveis hoje apresentam severas consequências para aqueles que delas se utilizam de forma cotidiana. A mesma ciclo-oxigenase que é bloqueada para suspender a produção de prostaglandina tem função importante em nosso corpo, que é a proteção da mucosa gástrica. O primeiro alvo de efeitos colaterais do uso de anti-inflamatórios é a mucosa gástrica, com possibilidade de gastrite, sangramento e úlceras.

Procuro lembrar que a eliminação da dor por meio de anti-inflamatórios é extremamente perigosa. Quando um paciente que está com uma intensa dor lombar recebe um medicamento eficiente no bloqueio dos sintomas, irá "pisotear" com seu peso justamente as articulações e pivôs vertebrais que estão lesados e não sentirá dor, pela ação do anti-inflamatório. Ou seja, o paradoxo do tratamento anti-inflamatório é que, ao mascarar os sintomas, permite a evolução e o agravamento do fenômeno causador dela. A dor lombar reflete mau estado fisiológico das vértebras, músculos e ligamentos que sustentam nossa posição ereta, mostra que o paciente está com excesso de peso e mau condicionamento físico, apresenta desvios e alterações ósseas e articulares.

Tudo o que um paciente com lombalgia precisa é de uma mudança no seu padrão alimentar, de uma dieta inflamatória para uma que equilibre a cascata da inflamação e que também leve à perder peso, aumentando a força muscular da musculatura paravertebral. É importante lembrar que, principalmente nos casos crônicos (artroses), algum lugar pode estar doendo, mas o fenômeno da inflamação é sistêmico, ou seja, ocorrre em todo o sangue, plasma intersticial, células e tecidos do corpo. A inflamação se manifesta onde as condições osteoarticulares ou teciduais são propícias.

No diabetes, em doenças cardiovasculares e câncer, a inflamação ocorre no revestimento interno dos vasos, levando a uma série de fenômenos que acabam por alterar o fluxo capilar, conduzindo assim à hipóxia (baixa oferta de oxigênio e hipofunção dos tecidos vitais). Isto será visto no próximo capítulo.

Nas doenças degenerativas neurológicas e na depressão, os fenômenos inflamatórios estão por trás das alterações na quantidade e na qualidade dos neurotransmissores, pois o processo inflamatório também interfere na síntese e na distribuição sináptica da serotonina e das endorfinas. Mesmo outros núcleos integrativos mediados por neurotransmissores, como os núcleos da base do crânio, são afetados, gerando doenças como a doença de Parkinson.

As doenças inflamatórias intestinais, como a colite ulcerativa, a doença de Crohn e, em menor escala, a síndrome do cólon irritável, respondem quase que imediatamente a uma nutrição vegetal, que "esfria" o processo inflamatório da parede intestinal imune.

Mesmo quadros inflamatórios graves como as fibromialgias e outras síndromes reumáticas crônicas cedem, acompanhando o padrão alimentar que retire do cardápio proteínas animais, laticínios, amidos e açúcar.

A lista é grande, pois não há parte do corpo que não seja vulnerável à inflamação. Escolher uma nutrição vegetal adequada é a base fundamental para a cura de dermatites, gastrites, bronquites, rinites, processos alérgicos de todos os tipos, inflamações intestinais e as doenças sistêmicas que têm base inflamatória e que já foram mencionadas.

Infelizmente, a maioria dos médicos recebeu aquela aula que menciono no início deste texto e não se permitiu evoluir no conceito. A base fisiológica explicada estava, sim, correta. Mas a estratégia medicamentosa é falha em toda sua aplicação.

É óbvio que uma intervenção medicamentosa alopática anti-inflamatória pode ser eficaz no trauma e em situações cirúrgicas em que a analgesia e a redução dos sintomas inflamatórios sejam necessárias. Mas temos, de uma vez por todas, que sair dessa condição em que estamos inseridos: a de supermedicação de um grande número de pacientes inflamados crônicos.

Diversos estudos mostram a redução de 85 a 90 por cento dos sintomas inflamatórios de diversos tipos após a adoção de uma dieta baseada em plantas. É importante que a abordagem do indivíduo inflamado seja multifatorial e possa abranger todos os pontos mostrados neste livro.

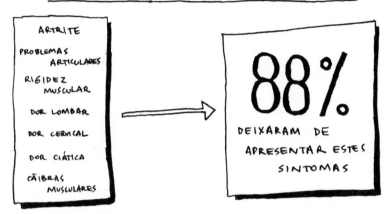

CARNE E LATICÍNIOS: A BOMBA INFLAMATÓRIA

Proteínas de origem animal (carne e leite) causam resposta inflamatória e elevam os índices de PCR, que é a proteína C-reativa produzida pelo fígado e é um marcador específico de condições inflamatórias no corpo. Substituiu mesmo a homocisteína como marcador inflamatório.

Estudos científicos de diabetes e doenças cardiovasculares mostram um aumento da PCR em razão direta do consumo de carnes e laticínios. Outros estudos opostos, isto é, de introdução de dietas vegetarianas, mostram exatamente o contrário, a redução dos níveis de PCR.

Cabe acrescentar que o marcador inflamatório PCR apresenta potente efeito lesivo da camada de células internas dos vasos sanguíneos, o endotélio, assim como a homocisteína. Manter uma dieta com elevado consumo de carne e laticínios é um evidente estimulador da inflamação que acompanha as doenças cardiovasculares e o diabetes.

Medidas para adotar se compreendeu este capítulo

1. Adotar uma vida que permita exposição solar de pelo menos 20 minutos no início da manhã, durante o dia e ao entardecer.
2. Mude com as estações; mude com a lua. Se possível, adote o calendário lunar anual para marcar eventos, aulas, retiros, plantios e festejos.
3. Ingerir alimentos derivados do reino vegetal em 80 a 100 por cento da dieta. Dentro da dieta vegana, consumir pelo menos 80 por cento dos alimentos crus, deixando 20 por cento para cereais e raízes cozidas, abstendo-se de açúcares e amidos.
4. Ingerir gorduras vegetais *in natura*, como o abacate e a polpa de coco ou sementes de pequeno porte germinadas (linhaça, gergelim, alpiste, cânhamo). Elas são ricas nas vitaminas denominadas lipossolúveis (A, D, E e K) e todas elas são importantes na fisiologia da visão e do metabolismo hormonal.
5. Ginástica não traumática efetiva na movimentação músculo-esquelética. Exemplos: hidroginástica, natação, pilates, caminhadas e ioga.
6. Uso de ciclos de fitoterapia vegetal que atuem nos níveis inflamatórios osteomuscular e hepático. Exemplo: ipê-roxo (pau-d'arco), unha-de-gato e pariparoba.
7. Sucos verdes e alimentos contendo dente-de-leão e hortaliças levemente amargas como: chicória, almeirão, catalonha ou serralha.
8. Abster-se por completo de açúcar, seja refinado, mascavo ou melado. Evitar frutas como banana, atemoia ou jaca em seu estado mais doce (existem variedades menos doces).
9. Abster-se de alimentos sem informação solar como carne, laticínios processados, margarinas, bolachas, *chips*, sorvetes e afins.
10. Procurar comer uma paleta de cores diariamente. Monte saladas que contenham as cores branca, lilás, azulada, verde, amarela, laranja e vermelha. Lembre-se de que o dourado e o prateado, assim como o preto e o branco, estão todos presentes na natureza.
11. Deixar trabalhos que sejam frequentemente noturnos, como plantões. Diminuir a carga semanal noturna através de rodízio e procurar dormir o suficiente para repor a noite em claro. Após acordar à tarde, buscar o contato com o restante de luz do Sol que estiver disponível.
12. Deixar empregos ou atividades que exijam a exposição diuturna a lâmpadas fluorescentes ou artificiais.

13 Evitar filtros solares e óculos escuros em situações de luz solar amena. Aproveite a maravilhosa sensação de receber raios solares suavemente nos olhos e na pele
14 Não deixe que seus alimentos de origem vegetal decaiam em transportes e prateleiras. Valorize os produtos frescos e regionais que crescem em abundância, sem auxílio artificial. Valorize as frutas de época, as que estão mais abastecidas de fótons, antioxidantes e nutracêuticos.

Mas a principal de todas as medidas é a adoção de uma nutrição baseada em vegetais.

Receitas

Aproveitem o cardápio solar de Maya Beermann e equipe. Essas oficinas são muito disputadas no curso Bases por seu caráter lúdico e pelo resultado – sempre surpreendente – dos sabores dos diferentes pães e *crackers* feitos pelos participantes.

Cracker sabor chimichurri

Ingredientes:
- 2 xícaras de água
- 1 colher (sopa) de chia
- 1 tomate
- ½ colher (sopa) de chimichurri (sem alho)
- ¼ de colher (chá) de pimenta calabresa
- 2 colheres (chá) de sal do Himalaia
- 2 colheres (sopa) de azeite
- 1 xícara de farinha de linhaça dourada (reserve algumas sementes inteiras)

Preparo:
Bata todos os ingredientes no liquidificador, exceto a farinha de linhaça. Em uma tigela, coloque a farinha de linhaça e acrescente aos poucos a água temperada, mexendo sempre para não formar grumos. Deixe por 6 a 8 horas na geladeira para apurar os temperos.

Espalhe a mistura, com o auxílio de uma espátula, em uma folha de teflex o mais fino possível, sem deixar espaços vazios. Aproveite para espalhar as sementinhas de linhaça inteiras.

Dica: Se quiser agilizar o preparo, pode deixar a massa descansar por menos tempo, de 15 a 20 minutos, apenas o suficiente para que a linhaça solte a mucilagem e chegue ao ponto necessário, que permite espalhar na folha de teflex.

Em seguida, desidrate em um desidratador por 12 horas; as primeiras duas horas a 68 °C e, depois, reduza para 43 °C. Outra opção é fazer a desidratação ao sol, desde que a temperatura permaneça constante entre 28 °C a 38 °C. Se esta for a escolha, espalhe a massa em uma placa de vidro e vire com a ajuda de uma espátula quando a parte superior estiver firme.

Por fim, quebre a massa com as mãos ou corte com tesoura. Guarde em recipiente de vidro hermético.

Dica: Para fazer farinha de linhaça, coloque as sementes inteiras no liquidificador (encaixe o copo na base com cuidado; para não separar o copo da base, segure a parte superior do copo com uma mão e, com a outra, segure a base por baixo). Ligue o aparelho na potência mínima e, com vigor, faça movimentos seguidos de subir e descer para que as sementes virem e sejam totalmente trituradas. Se o seu liquidificador separa a base e o copo com facilidade, coloque uma fita-crepe para prendê-los.

Armazenamento: 6 meses em recipiente de vidro hermético em temperatura ambiente.

Rendimento: 50 unidades.

Cracker sabor pizza

Ingredientes:
2 xícaras de água
1 colher (sopa) de chia
2 azeitonas pretas sem caroço
1 tomate
1 colher (chá) de orégano
1 colher de sopa de tempero de vinagrete desidratado
¼ de colher (chá) de pimenta-de-caiena
2 colheres (chá) de sal do Himalaia
2 colheres (sopa) de azeite
1 xícara de farinha de linhaça dourada

Preparo:
Bata todos os ingredientes no liquidificador, exceto a farinha de linhaça. Em uma tigela, coloque a linhaça e acrescente aos poucos a água temperada, mexendo sempre para não formar grumos. Deixe por 6 a 8 horas na geladeira para apurar os temperos.

Espalhe a mistura, com o auxílio de uma espátula, em uma folha de teflex o mais fino possível, sem deixar espaços vazios.

Dica: Se quiser agilizar o preparo, pode deixar a massa descansar por menos tempo, de 15 a 20 minutos, apenas o suficiente para que a linhaça solte a mucilagem e chegue ao ponto necessário, que permite espalhar na folha de teflex.

Em seguida, desidrate em um desidratador por 12 horas; as primeiras duas horas a 68 °C e, depois, reduza para 43 °C. Outra opção é fazer a desidratação ao sol, desde que a temperatura permaneça constante entre 28 °C a 38 °C. Se esta for a escolha, espalhe a massa em um vidro e vire com a ajuda de uma espátula quando a parte superior estiver firme.

Por fim, quebre a massa com as mãos ou corte com tesoura. Guarde em recipiente de vidro hermético.

Dica: Para fazer farinha de linhaça, coloque as sementes inteiras no liquidificador (encaixe o copo na base com cuidado; para não separar o copo da base, segure a parte superior do copo com uma mão e, com a outra, segure a base por baixo). Ligue o aparelho na potência mínima e, com vigor, faça movimentos seguidos de subir e descer para que as sementes virem e sejam totalmente trituradas. Se o seu liquidificador separa a base e o copo com facilidade, coloque uma fita-crepe para prendê-los.

Armazenamento: 6 meses em recipiente de vidro hermético em temperatura ambiente.

Rendimento: 50 unidades.

Granola

Ingredientes:
- 1 xícara de sementes de abóbora
- ½ xícara de sementes de girassol
- ½ xícara de gergelim
- ½ xícara de tâmaras hidratadas
- 2 xícaras de amêndoas
- ¼ de xícara de castanha-do-pará
- 2 maçãs descascadas, sem sementes e cortadas grosseiramente
- 2 colheres (sopa) de mel ou agave (opcional)
- 1 colher (chá) de canela em pó

½ fava de baunilha
uma pitada de sal do Himalaia
¼ de colher (chá) de raspas de limão ou laranja
¼ de xícara de uvas-passas (opcional)
½ xícara de coco ralado

Preparo:
Hidrate todas as sementes juntas e a tâmara separada por 8 horas. No processador, triture as sementes hidratadas, a tâmara e os demais ingredientes, exceto a uva-passa e o coco ralado. Adicione à mistura o coco ralado e a uva-passa e incorpore tudo com o auxílio de uma colher.
Espalhe na folha de teflex e desidrate por 12 a 14 horas; as duas primeiras horas a 68 °C e depois reduza para 43 °C. "Esmigalhe" com as mãos para formar a granola – quando se passarem 8 horas ou um dos lados da massa já estiver seco.
Outra opção é fazer a desidratação ao sol, desde que a temperatura permaneça constante entre 28 °C a 38 °C. Se esta for a escolha, espalhe a massa em uma placa de vidro e vire com a ajuda de uma espátula quando a parte superior estiver firme.

Armazenamento: 3 meses na temperatura ambiente em recipiente hermético.

Rendimento: 800 g.

Pizza vegetariana

Ingredientes:
Massa (massa de pão essênio em discos ou o que segue)
　　1 azeitona preta sem caroço
　　½ dente de alho ou o equivalente em alho-poró
　　2 colheres (sopa) de azeite de oliva
　　2 colheres (chá) de sal
　　1 colher (chá) de ervas finas
　　½ xícara de água
　　2 xícaras de massa de leite de amêndoas (resíduo)
　　4 colheres (sopa) de linhaça dourada

Recheio
  Molho de tomate
    1 xícara de tomate seco hidratado
    ½ xícara de água
    ½ dente de alho ou o equivalente em alho-poró
    1 colher (sopa) de azeite
    1 colher (sopa) de orégano
    1 colher (chá) de sal
  Queijo de amêndoas
    1 xícara de amêndoas hidratadas sem casca
    ½ xícara de soro de queijo fermentado
    1 colher (chá) de sal

Cobertura
  ½ xícara de escarola picadinha fino salteada com alho e sal
  ½ xícara de palmito pupunha aferventado por 3 minutos
  3 azeitonas pretas cortadas em rodelas
  1 abobrinha cortada em rodelas fininhas
  ¼ de cebola cortada em rodelas finas
  ½ tomate cortado em rodelas finas

Preparo:
Massa
Bata todos os ingredientes, exceto a linhaça e a massa de amêndoas, no liquidificador. Em uma tigela, coloque a linhaça e a massa de amêndoas e acrescente aos poucos a água temperada, mexendo sempre para não formar grumos. Deixe a massa descansar por 15 minutos ou até a linhaça soltar a mucilagem. O ponto ideal é uma massa espessa e não quebradiça.
Modele a massa com as mãos na espessura e no formato de pizza (use um aro de torta para ajudar a modelar) na bandeja do desidratador com a folha de teflex por 12 horas; nas duas primeiras horas a 68 °C e depois reduza para 43 °C.

Molho de tomate
Bata todos os ingredientes no liquidificador. Reserve.

Queijo de amêndoas
Bata todos os ingredientes no liquidificador e reserve. Se não dispuser de soro fermentado, substitua por 1 colher (sopa) de suco de limão.

Montagem: Sobre a massa já desidratada, espalhe o molho de tomate, o queijo de ricota e, de forma criativa, arrume os ingredientes da cobertura.

Armazenamento: Consuma no dia, mantenha refrigerado.

Rendimento: 1 unidade grande.

Rocambole de banana

Ingredientes:
Recheio
    ½ xícara de banana-nanica em rodelas
    1 colher (chá) de canela em pó
    ¼ de colher (chá) de noz-moscada
    ½ xícara de nozes-pecã trituradas
    1 colher (sopa) de óleo de coco
    1 colher (chá) de suco de limão
    1 colher (sopa) de agave, açúcar de coco ou mel (opcional)
    2 colheres (sopa) de coco ralado fino

Cobertura
    ½ xícara de ameixa
    1 xícara de água
    ½ xícara de coco ralado

Massa
    1 disco de pão essênio de 25 cm de diâmetro e 1 cm de espessura. Veja receita na pág. 230.

Preparo
Amorne a banana, a canela, a noz-moscada e as nozes trituradas numa panela de pedra com o óleo de coco. Quando o recheio esfriar um pouco, acrescente o limão, o agave e o coco ralado. Misture bem.
Bata no liquidificador os ingredientes da cobertura até virar uma pasta.

Montagem: Recheie e enrole os discos de pão essênio como rocambole. Coloque a cobertura de ameixa e polvilhe com o coco ralado.
Na hora de servir, aqueça em uma chapa de pedra, barro ou metal.

Armazenamento: 3-4 dias na geladeira em refratário de vidro com tampa.

Rendimento: 12 a 14 porções.

Rocambole de maçã

Ingredientes:
Massa
    2 xícaras de massa de leite de amêndoas (resíduo)
    5 colheres (sopa) de linhaça
    1 xícara de água
    ½ xícara de tâmaras hidratadas
    ¼ de colher (chá) de sal
    2 colheres (sopa) de chia

Recheio
    2 maçãs raladas no ralo grosso sem casca
    1 colher (chá) de canela em pó
    ¼ de colher (chá) de noz-moscada
    4 damascos picadinhos fino
    ½ xícara de nozes-pecã trituradas grosso
    ¼ de colher (chá) de sal do Himalaia

Glacê
    4 colheres (sopa) de manteiga de coco
    2 gotas de óleo de laranja ou limão

Preparo:
Em uma tigela, misture a massa de amêndoas com a linhaça.
No liquidificador, bata a água com a tâmara e o sal. Despeje o líquido por cima da mistura de linhaça e da massa de amêndoas. Com as mãos, misture bem até formar uma massa espessa que desgruda facilmente das mãos. Deixe descansar por 15 minutos para a massa chegar à consistência adequada para enrolar.
Espalhe uma camada fina da massa no formato de retângulo no teflex do desidratador. Reserve.
Em outra tigela, misture os ingredientes do recheio. Espalhe uma camada fina por toda a massa.

Coloque uma bandeja do desidratador coberta por um teflex sobre uma mesa. Disponha, por cima, o outro teflex, onde está a massa. Segure com as duas mãos uma das extremidades do teflex da massa e levante devagar, para cima e para frente, na direção da outra extremidade, que deve estar mais abaixo. O objetivo é fazer com que a força da gravidade faça a massa enrolar totalmente.

Coloque para desidratar por mais ou menos 2 horas na temperatura de 68 °C, depois reduza para 43 °C por mais 2 a 4 horas ou até que a superfície da massa fique firme. Retire do desidratador, corte em fatias com espessura de um dedo. Espalhe o glacê em cada fatia e leve para desidratar por mais 6 horas ou até ficar firme.

Armazenamento: 3-4 dias na geladeira em refratário de vidro com tampa. Dica: Aqueça na chapa de pedra no momento de servir.

Rendimento: 12-14 porções.

Rosquinhas de coco

Ingredientes:
   1 xícara de amêndoas hidratadas e sem pele
   1 maçã Fuji sem pele, casca e sementes
   1 colher (sopa) de suco de laranja
   2 colheres (sopa) de creme de coco
   1 colher (sopa) de farinha de linhaça
   1 colher de óleo de coco virgem
   um pedacinho de gengibre sem casca
   ¼ de colher (chá) de alecrim desidratado
   uma pitada de sal do Himalaia
   uma pitada de erva-doce
   uma pitada de raspas de laranja

Preparo:
Bata tudo no liquidificador com o auxílio de um biossocador até obter um creme espesso. Coloque no saco de confeitar. Modele biscoitinhos bem fininhos em forma de caracol na folha de teflex. Leve ao desidratador por 12 a 14 horas.

Armazenamento: 5 dias na geladeira em pote hermético.

Rendimento: 35 biscoitinhos.

Bolacha de amendoim

Ingredientes:
    ½ xícara de amêndoas hidratadas e sem pele
    ½ xícara de castanhas de caju
    ½ xícara de amendoim hidratado sem casca
    2 colheres (sopa) de óleo de coco
    2 gotas de óleo essencial de laranja
    8 colheres (sopa) de agave ou mel
    4 colheres (sopa) de coco ralado

Preparo:
Bata tudo no processador até obter um creme espesso. Modele biscoitinhos e leve ao desidratador por 8 horas (não use o teflex).

Armazenamento: 5 dias na geladeira em pote hermético.

Rendimento: 35 unidades.

Amanteigado de coco com maracujá

Ingredientes:
    1 xícara de amêndoas hidratadas e sem pele
    ½ xícara de castanhas de caju
    2 colheres (sopa) de manteiga de coco
    2 colheres (sopa) de suco de maracujá
    3 colheres (sopa) de agave, açúcar de coco ou mel
    1 colher (chá) de sumo de gengibre (ralar e espremer)

Preparo:
Bata tudo no processador até obter uma massa homogênea. Modele biscoitinhos e leve ao desidratador por 12 horas; as duas primeiras horas a 68 °C e depois reduza para 43 °C (não use o teflex).

Armazenamento: 5 dias na geladeira em pote hermético.

Rendimento: 35 unidades.

Pão de sementes

Ingredientes:
¼ de xícara de sementes de abóbora
¼ de xícara de sementes de gergelim
¼ de xícara de sementes de girassol descascadas
¼ de xícara de farinha de linhaça
2 xícaras de massa de leite de amêndoas (resíduo)
½ xícara de tomate picadinho
¼ de xícara de cebola picadinha
¼ de xícara de azeitonas pretas picadinhas
¼ de colher (chá) de pimenta-de-caiena ou dedo-de-moça
¼ de xícara de salsinha picadinha
1 colher (sopa) de orégano
2 colheres (sopa) de azeite de oliva extra virgem
1 colher (sopa) de sal
¾ de xícara de água mineral

Preparo:
Amorne separadamente as sementes de abóbora, gergelim e girassol. Em seguida, faça uma farinha de sementes: abóbora, gergelim, girassol e linhaça. Bata no processador com hélice em "S" até triturar por igual e virar farinha. Reserve.
Em uma vasilha, misture bem com as mãos a farinha de sementes com os demais ingredientes até formar uma massa homogênea e com liga, para espalhar sem esfarelar.

Espalhe a massa por toda a bandeja do desidratador com o teflex numa espessura de bolacha. Com uma espátula, marque levemente quadradinhos na massa.
Leve ao desidratador por 12 horas; as duas primeiras horas a 68 °C e depois reduza para 43 °C.
Dica: Aqueça na chapa de pedra na hora de servir.

Armazenamento: 1 semana em pote hermético, na geladeira.

Rendimento: 90 pães de 4 cm x 2 cm ou 2 bandejas do desidratador. Pode ser cortado da forma que desejar.

Pão essênio

Ingredientes:
- 4 xícaras de trigo germinado
- 2½ colheres (sopa) de sal com ervas ou sal do Himalaia
- 50 ml de azeite de oliva extra virgem
- ¼ de xícara de gergelim preto
- ¼ de xícara de gergelim branco
- ¼ de xícara de sementes de girassol
- ¼ de xícara de sementes de abóbora sem casca
- ½ colher (chá) de assafétida (opcional)

Preparo:
Como germinar o trigo para o preparo de pães
O trigo deve ser de boa qualidade; os mais adocicados ficam mais saborosos. Lavar bem os grãos em água corrente. Coloque as sementes por 8 horas em imersão na água, utilizando o triplo do volume que colocou de trigo. Após essa fase de hidratação, escorra toda a água com a ajuda de uma peneira. Lave bem as sementes em água corrente. Deixe o trigo sobre uma peneira. A peneira deve ficar acomodada em uma vasilha redonda maior, que possibilite um espaço entre ela e o fundo da vasilha. Assim, haverá maior circulação de ar e evita-se que a água que escorre da semente entre em contato novamente com ela.

Uma bancada ou mesa, em um local arejado da cozinha, é um bom lugar para germinar as sementes, pois permite que você acompanhe a brotação e controle a hidratação.
Mantenha o trigo sempre úmido lavando em água corrente toda vez que estiver seco. Escorra bem a água para não acumular no fundo da vasilha. Quando o brotinho sair na extremidade da semente, o trigo já pode ser utilizado.
O trigo germinado não deve estar duro, pois, se isso ocorrer, a massa fica pesada. Os fatores que podem deixar o trigo duro depois de germinado é a hidratação escassa (para evitar isso, aumente a rega) ou o frio (banhe o trigo em água morna ou escolha dias mais quentes para germinação). Quando a brotação aumenta muito, a semente fica mais úmida e adocicada, o que prejudica o sabor e a textura ideal da massa.

Moagem
Opção 1: Use o moedor de carne. Passe todo o trigo pelo moedor de carne. Triture o trigo mais uma vez, modelando pequenas bolinhas que possam passar novamente pelo moedor. A massa deve ficar clara e elástica.
Opção 2: Use um processador de alta potência (1000 W). Coloque as sementes no processador na velocidade mínima até que estejam trituradas. Adicione o azeite. Aumente a velocidade gradualmente até chegar à velocidade máxima. Processe até a massa agrupar totalmente e formar uma mistura lisa e homogênea.
Opção 3: Coloque as sementes de trigo germinadas nas bandejas do desidratador e desidrate as duas primeiras horas a 68 °C e depois reduza para 43 °C por mais 6 horas. O trigo deve ficar completamente seco. Retire do desidratador e bata no liquidificador de alta potência (600 W ou mais) ou na máquina de moer trigo até formar uma farinha fina.

Amassando o pão
Preparo da massa que foi moída no processador ou moedor de carne: amasse sem adição de água. Utilize uma superfície lisa (mármore ou vidro) para amassar. Coloque um pouco de óleo nessa superfície, próximo da área em que vai amassar o pão. Amasse a massa com as mãos, fazendo movimentos para baixo e colocando o peso do corpo sobre a massa. Aos poucos, incorpore um pouco do óleo para a massa ficar mais elástica e desgrudar das mãos. Amasse até obter uma mistura clara, lisa, elástica e bem macia. Se a massa estiver muito ressecada e dura, acrescente um pouco de água.

Preparo da massa com a farinha de trigo germinada: coloque um pouco de óleo na superfície lisa próximo da área em que vai amassar o pão, para ser incorporada na massa aos poucos. Coloque a farinha de trigo germinada em uma vasilha grande, adicione água aos poucos até a massa agrupar e permitir que se faça uma bola não quebradiça. Amasse com movimentos para baixo, colocando o peso do corpo sobre a massa. Repita o procedimento até obter uma mistura lisa, clara, elástica e macia.

Modelagem e tempero
Adicione o sal e outros ingredientes secos para temperar a massa. Incorpore bem os temperos à massa.
Aqueça as sementes na chapa de pedra ou frigideira antiaderente, mexendo com uma colher de pau até que fiquem crocantes.
Salpique as sementes em uma superfície lisa. Faça uma bola com a massa, abra o que puder com as mãos (como um "pizzaiolo") e achate com as mãos modelando um disco no maior diâmetro que conseguir sem rachar a massa. Coloque a massa por cima das sementes apertando levemente com as mãos. Salpique novamente sementes sobre a superfície e coloque o outro lado da massa para incorporá-las.
Em seguida, passe o rolo de macarrão sobre a massa levemente na horizontal e depois na vertical para aumentar o disco. Vire novamente a massa repetindo esse movimento (sempre com cuidado, sem apertar muito a massa contra a superfície para não grudar). A massa deve ficar com a espessura de 0,5 a 1 centímetro.
Com forminhas de modelar bolachas ou copinhos virados com a abertura para baixo, modele a massa no formato escolhido. Se preferir, modele em discos finos no formato de "chapatis" (pão indiano).

Desidratação
Opção 1: Use o desidratador. Coloque os pães nas bandejas do desidratador e desidrate por 30 minutos; 10 minutos a 68 °C e depois reduza para 43 °C.
Opção 2: Faça desidratação solar. Coloque os pães em uma tábua de vidro e leve ao sol por 30 minutos, virando nos primeiros 15 minutos. O tempo pode variar conforme a intensidade solar.
Opção 3: Use uma chapa de pedra. Coloque os pães sobre a chapa quente até formar uma casquinha. Vire o pão e aqueça no ponto que desejar, mais crocante ou macio, de acordo com sua preferência.

Armazenamento: 1 semana na geladeira em pote hermético.
Dica: Aqueça na chapa de pedra na hora de servir.
Observação: Esta massa pode ser utilizada para fazer pastéis, esfihas, pizzas. Você também pode escolher os temperos de sua preferência: ervas, tomate, azeitonas, alho-poró, cebola, alho. Para pães doces, faça pastas liquidificando uvas-passas, ameixas e damasco e tempere com canela e/ou erva-doce.

Rendimento: 80 pãezinhos.

Pasta de grão-de-bico

Ingredientes:
1½ xícara de grão-de-bico germinado sem casca
5 colheres (sopa) de suco de limão
½ xícara de azeite de oliva extra virgem
1 colher (chá) de sal do Himalaia
1 colher (chá) de cúrcuma
½ dente de alho
1 colher (sopa) de chimichurri (opcional)
½ colher (chá) de pimenta dedo-de-moça picadinha (opcional)
1 xícara de água

Preparo:
Bata tudo no mixer ou liquidificador com a ajuda de um biossocador até obter uma pasta cremosa e homogênea.
Se quiser uma pasta fermentada, coloque em um recipiente de vidro faltando 1 cm para chegar até a borda. Complete com água e coloque a tampa sem rosquear (para não explodir ao abrir). Coloque em local escuro com um prato embaixo para recolher o líquido que escorrer. Deixe fermentando por 8-12 horas.

Armazenamento: 3-4 dias na geladeira em recipiente de vidro com tampa.

Rendimento: 250 g.

Pasta de castanha de caju

Ingredientes:
- 1½ xícara de castanhas de caju hidratadas
- 2 colheres (sopa) de suco de limão
- 1 colher (sopa) de azeite de oliva extra virgem
- 1 colher (chá) de missô
- 1 colher (chá) de sal do Himalaia
- ½ dente de alho
- 1 colher (sopa) de salsa picadinha
- ½ xícara de água

Preparo:
Bata tudo no mixer ou liquidificador até obter uma pasta cremosa e homogênea.

Armazenamento: 3-4 dias na geladeira em recipiente de vidro com tampa.

Rendimento: 250 g.

Manteiga

Ingredientes:
- ½ xícara de azeite de oliva extra virgem
- 8 colheres (sopa) de óleo de coco
- 4 colheres (sopa) de óleo de linhaça
- 1 colher (sopa) rasa de manteiga de coco
- ¼ de colher (chá) de cúrcuma em pó
- 1 colher (chá) de sal do Himalaia

Preparo:
Bata tudo no mixer ou liquidificador. Coloque em um recipiente e leve à geladeira por 30 minutos. Retire do recipiente e bata no liquidificador novamente. Despeje em recipiente retangular forrado com um plástico e leve novamente à geladeira até endurecer. Retire do recipiente puxando o plástico (a manteiga vai ficar no mesmo formato do recipiente). Mantenha na geladeira.

Armazenamento: 5-8 dias na geladeira em recipiente de vidro com tampa.

Rendimento: 200 g.

Requeijão

Ingredientes:
    1 xícara de macadâmias hidratadas
    1 xícara de castanhas de caju hidratadas
    1 colher (chá) de sal do Himalaia
    soro de leite de castanhas ou água

Preparo:
No liquidificador ou mixer, bata a macadâmia, a castanha de caju e o sal com um pouquinho do soro ou água até formar um creme.

Armazenamento: 3-4 dias na geladeira em recipiente de vidro com tampa.

Rendimento: 250 g.

Patê de amendoim

Receita de Celia Cristina, integrante da Oficina da Semente

Ingredientes:
    1 xícara de amendoim hidratado e sem casca
    ½ xícara de tofu
    2 colheres (sopa) de azeite de oliva
    1 colher (chá) de sal do Himalaia
    suco de 2 limões
    1 colher (sopa) de chimichurri seco
    ½ xícara de tomate seco reidratado
    ¼ de colher (chá) de pimenta calabresa

Preparo:
No liquidificador ou mixer, bata todos os ingredientes até formar um creme.

Armazenamento: 3-4 dias na geladeira em recipiente de vidro com tampa.

Rendimento: 250 g.

Queijinhos temperados de abacate

Ingredientes:
    1 abacate
    2 colheres (sopa) de cebolinha picadinha
    2 azeitonas pretas picadinhas
    1 colheres (sopa) de molho de soja
    1 colher (sopa) de alcaparras
    1 colher (chá) de orégano
    1 colher (sopa) de azeite de oliva

Preparo:
Corte o abacate em cubinhos, acrescente os outros ingredientes e misture levemente para não amassar o abacate.

Armazenamento: 3-4 dias na geladeira em recipiente de vidro com tampa.

Rendimento: 20 queijinhos.

4
Água de beber

Você já teve acesso a uma piscina natural de água pura em que pudesse se banhar? Ou nadar com os olhos abertos e, se quisesse, ter o prazer de abrir a boca e engolir água? Ou já esteve numa praia limpa e despoluída e mergulhou no mar como se fizesse um ritual de purificação?

Talvez você não saiba, mas estava realizando de fato um ritual de limpeza com esse elemento que forma oceanos, glaciares, rios e córregos, presente em toda a vida do planeta, em estado líquido, gasoso ou sólido, na forma de chuva, neblina, garoa ou neve.

A água é condição fundamental para a existência de vida. Os estudos astronômicos de prospecção de vida dentro e fora do sistema solar buscam sempre o fator básico para sua existência: a água. Na verdade, esses cientistas nem esperam encontrar uma praia de Copacabana sideral, lotada de alienígenas no verão. Águas congeladas ou ferventes de planetas distantes, com condições climáticas e temperaturas inimagináveis, mas que contivessem algum tipo de bactéria primitiva, já seriam um achado suficiente para a constatação de que existe vida em outro planeta. Em 28 de setembro de 2015, a Nasa detectou a presença de correntes anuais da água salinizada em Marte – a primeira informação que permite especular a existência de vida nesse planeta, pelo menos em nível microscópico. As bactérias mostram-se capazes de sobreviver em ambientes inusitados para nós, seres humanos, como crateras de vulcão, águas salobras ou o fundo gelado de glaciares e oceanos.

Foi nas águas do planeta Terra que a vida surgiu em abundância, diversidade e inteligência. Ao que tudo indica, somos o único planeta, a anos-luz dos vizinhos, a abrigar vida complexa, em um processo que levou bilhões de anos para acontecer, até se formar um emaranhado primordial de moléculas de carbono ativado pela energia solar em emulsão aquosa. A presença da água é tão crítica nesse processo que mesmo a grande oferta de carbono e as altas quantidades de energia existentes em outros planetas não são capazes de fazer a vida surgir. Tudo depende do fator crucial – a água –, em uma escala de valores de tempo sempre na casa dos bilhões de anos.

O ambiente de água líquida, no qual as moléculas se movem e reagem umas com as outras com grandes possibilidades de combinações, permite que a vida, como atividade biológica complexa, exerça seu papel. A Terra está tendo esse privilégio há 3 bilhões de anos. Marte, por sua vez, apresenta complexas malhas de cânions e desenhos geográficos que denunciam perfeitas bacias hidrográficas secas. As análises mais recentes das missões não tripuladas da Nasa ao nosso vizinho mostram que sua estrutura geológica contém camadas sedimentares, um testemunho de atividade geológica envolvendo ciclos de água, uma indicação de que um dia o planeta vermelho pode ter tido vida. Já Europa, uma das luas de Júpiter, um pouco menor que a nossa, é coberta de gelo, com fissuras que se dirigem para o seu interior. Medições informaram que essa água abaixo da gélida superfície é quente. Ou seja, essa pequena lua tem potencial para abrigar vida.

E nós, privilegiados detentores da vida sofisticada, único planeta em um raio de distância de milhares de anos-luz, o que estamos fazendo com as águas de nosso planeta? Interferindo diretamente em sua qualidade, em sua salinidade, em sua temperatura, em suas correntes marítimas e camadas de gelo, mudando as chuvas e suas características. Nunca em tantos bilhões de anos uma única espécie foi capaz de poluir e alterar tanto os sistemas hídricos como faz o homem.

Olhemos para as veias dos nossos braços. O que estamos fazendo com as águas que habitam nossos sistemas internos, nossas células e o sistema condutor de água, denominado sistema circulatório? Curiosamente, o mesmo que fazemos com as águas que nos são externas: poluindo-as com substâncias biológicas e químicas de todo tipo, alterando suas concentrações salinas, seus reservatórios, sua viscosidade e induzindo deformações em todos os seus condutores internos, os vasos sanguíneos.

Encontros com a água

Em um cálice de vidro bem limpo, despeje água mineral de uma garrafa também de vidro. Observe através do cálice a transparência da água e sua pureza. Mova o cálice como se fosse um vinho muito selecionado, observe as paredes internas se molhando e a água escorrendo por elas. Como um *sommelier*, cheire a água; você não sentirá nenhum odor, apenas seu frescor penetrando pelas narinas. Agora prove um gole. Perceba que a água fresca na boca lhe transmite uma sensação de prazer que percorre a língua e o céu da boca. Sinta a água passar pela garganta como se ela estivesse limpando e purificando os locais por onde passa. Essa bênção da natureza está fazendo exatamente isso.

Observe agora a água dentro da garrafa e dentro do cálice. Embora sejam dois recipientes de formatos diferentes, a água adapta-se perfeitamente à forma de cada um deles. Ela se conforma com o vasilhame – um sinal de sua sabedoria. Conformar-se não significa que a água seja passiva, e sim que ela permite que sua forma e sua capilaridade mudem, com a inteligência da natureza, como um camaleão que muda de cor para ter sucesso em seu ambiente. Adapta-se sem reagir ou agredir. Diz-se que a água, ao encontrar um obstáculo – uma pedra, por exemplo –, não o enfrenta, mas o contorna, seguindo seu caminho. Mas não tente bloquear as águas que descem uma encosta: elas se acumularão até transbordar.

Encha o cálice com água até a borda. Então adicione mais água, gota a gota, e observe sua superfície junto às bordas do cálice. Ela cria uma espécie de abóbada e não transborda. A água tem tolerância, tem conformidade, tem pureza e sabedoria. Mas chega um ponto em que "uma gota d'água faz o conteúdo do copo transbordar". A molécula de água tem as propriedades individuais de todas as moléculas, mas também guarda uma característica que a faz formar um polímero (macromolécula composta por moléculas idênticas) de água. Assim, a água comporta-se da mesma maneira, seja em grande escala (imagine o tamanho do mar), seja em suas partes mais minúsculas (imagine a água do plasma, a porção líquida do sangue, dentro de um capilar).

Foi ao entrar em uma banheira cheia e ver a água transbordar que o matemático grego Arquimedes (287-212 a.C.) descobriu que dois corpos não ocupam o mesmo lugar ao mesmo tempo. Ele observou que aquela água correspondia ao volume de seu corpo e, incontido, teria saído correndo nu pela rua, gritando "Eureka!" (Encontrei!). Se você colocar uma pedra de gelo em seu copo cheio, o líquido que transbordar terá o volume da pedra de gelo.

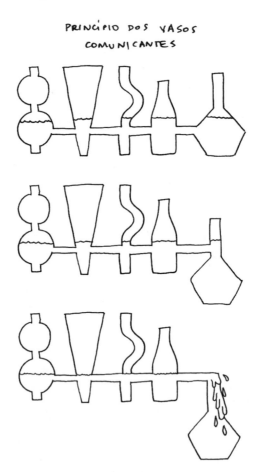

Veio também da Grécia o fabuloso princípio dos vasos comunicantes, ainda de grande prática hoje em dia. Imagine várias caixas-d'água, de diversos tamanhos e com diferentes volumes de água, alinhadas com a base em um mesmo nível. Se você conectar a base dessas caixas-d'água com canos do tipo usado para encanamento em construção, a água circulará por eles e em minutos seu nível (altura) em todas as caixas será o mesmo, independentemente da forma e do volume delas. Se uma das caixas for deslocada para um plano meio metro abaixo, a água assim seguirá. Se a caixa-d'água cair abaixo do nível mínimo, toda a água das caixas irá transbordar pela beirada da caixa um nível abaixo.

Esses princípios foram absorvidos pelos romanos, que os aplicaram em notáveis obras de arquitetura do mundo antigo: os aquedutos. Um belo exemplar dessas maravilhas da engenharia ainda pode ser visto na Lapa, bairro da zona central do Rio de Janeiro. Construído no século XVIII, o Aqueduto da Carioca (hoje conhecido como Arcos da Lapa) conduzia a água do morro de Santa Teresa para o atual centro do Rio, que na época correspondia a toda a cidade. Só que hoje, em vez de levar água, o aqueduto leva os bondinhos de Santa Tereza. Outro exemplo é o belíssimo e imponente Aqueduto das Águas Livres, em Lisboa, que no passado tinha a mesma função.

Essas leis antiquíssimas se aplicam à água na natureza, na qual esse elemento circula livremente. Para entender o sistema de circulação do corpo humano, que é fechado e plasmático, muitos outros estudos foram e ainda são necessários. Mas a água sempre respeita seus princípios básicos – assim, nosso corpo é o reflexo daquilo que acontece com a água do ambiente. Basta refletir: no corpo, a mesma água bombeada pelo coração com uma onda de pressão de 120 mm de mercúrio – pressão equivalente à do jato forte de uma mangueira de jardim – chega aos tecidos, menos de meio metro e alguns segundos depois, com a pressão de uma gota de orvalho.

Um copo de água pode estar envenenado com uma substância sem sabor, sem cheiro e invisível, que, dependendo da intensidade, pode causar morte imediata ou alterar as células até provocar um câncer. Na natureza, a água pode levantar-se do mar em *tsunamis* e dos leitos dos rios em enxurradas, provocando grande destruição. Uma nuvem negra pode despejar em apenas um dia o que cairia de chuva durante meses, levando consigo encostas, casas e pessoas.

Ou a água pode desaparecer das vertentes e dos poços, causando enorme desolação, sede e morte. Em lugares onde já existiram árvores gigantescas pode surgir um deserto de areia em que nenhum ser superior pode sobreviver. As mesmas águas onde proliferam peixes e crustáceos podem estar contaminadas com poluentes e metais pesados como mercúrio, chumbo e cádmio, intoxicando toda a cadeia alimentar e, finalmente, os animais irracionais que as poluem.

A água é uma espada que pode cortar dos dois lados. O mesmo líquido benfazejo que nos hidrata e promove a saúde de todas as células do nosso corpo pode trazer para dentro delas substâncias tóxicas. Pois a água também penetra no organismo pela pele, evaporando-se após um banho quente, mas deixando substâncias nocivas no interior dos tecidos. Um princípio aiurvédico mencionado no capítulo 3 cabe aqui: "Não aplique sobre sua pele uma água que não possa beber."

Na natureza, a mesma água que permeia a terra, dando-lhe viço e fertilidade, gerando plantas e frutos, pode trazer a chuva ácida que desfolha uma floresta inteira. A água que escorre das enormes monoculturas do agronegócio está cheia de pesticidas que ganham os leitos dos rios e os mares. Hoje pode-se detectar a presença de pesticidas agrícolas na gordura de ursos polares. Uma calma beira de praia ou rio pode esconder contaminação radiativa. Onde poderemos obter fonte segura de água para asseio, limpeza de casa ou para saciar a sede? Como fomos capazes de transformar a fonte da vida em um perigo mundial?

O mais curioso é que o homem ignora o fato de que nossas águas internas, o plasma dentro dos vasos sanguíneos, refletem, em imagem e semelhança, as águas e canais do ambiente externo. Tudo o que fizermos ao ambiente se refletirá dentro de nós, em cada uma de nossas células, que são unidades de água cercadas por membranas.

E o que dizer das "más águas"? (Note-se que a contração das palavras resulta em "mágoas".) A constituição bioquímica da lágrima de dor é diferente da constituição da lágrima de felicidade. As águas trazem também os humores, que são denominações antigas, mas ainda hoje utilizadas para descrever nosso sistema endócrino ou glandular como "sistema humoral". Os ciclos da Lua atraem as águas de nosso planeta, com influência em todo o reino animal e vegetal.

Os alimentos são na sua maior parte compostos por água. Dependendo da vibração mental e emocional de quem os prepara, a água contida nos ingredientes pode ser energizada e transferir essa informação para a comida. De nada adianta preparar um alimento natural e vivo com sentimentos de rancor e ódio. Essa gravação de emoções na água pode envenenar os comensais. A água é magnética, e, da mesma maneira que leva consigo sais e moléculas de diferentes qualidades, leva também sentimentos de amor e de alegria ou de raiva e ansiedade. Nossa equipe de cozinha é zelosa quanto a isso. Durante uma semana ou mais, dezenas de pessoas seguem nosso cardápio orgânico gourmet e alimentam-se de pratos deliciosos e saudáveis que vêm da mesma cozinha. Todos os ingredientes são lavados em água corrente e banhados em componentes naturais bactericidas. Mas cada um dos participantes da cozinha, e isso inclui os novos e os nossos estagiários, são apoiados quando algum deles manifesta uma emoção negativa. Chamamos isso de segunda higiene dos alimentos.

ÁGUAS E ALMA

Algumas religiões ou caminhos espirituais têm na água alguns de seus mais importantes símbolos de limpeza espiritual e purificação. Os rituais do candomblé e dos cultos afro-brasileiros e indígenas, por exemplo, são realizados na beira de rios, cascatas ou na orla do mar. Na celebração do Ano-Novo e na festa de Todos os Santos, na Bahia, em que a cultura cristã se funde à afro-brasileira, fazem-se oferendas na forma de flores e pequenos barcos que são depositados no mar. Dentro das igrejas católicas ainda existem as pequenas pias de água benta.

A religião judaica tem no *mikvah* um importante ritual de transmutação, entrega e purificação. Trata-se de um banho de imersão, em estado de nudez, realizado antes da celebração do *shabat* (semanal) ou do *Yom Kippur* (anual). Basta observar as ruínas de Qumran, em Israel, à beira do mar Morto, para constatar com facilidade como os essênios iniciados – como Jesus e João Batista – praticavam a meditação dentro das águas como parte essencial do processo de purificação e transmutação espiritual. Nessas ruínas existem muitas cisternas onde ocorriam os banhos sagrados.

O momento bíblico do "batismo" é na verdade o encontro dos dois jovens rabinos às margens do rio Jordão, na prática do *mikvah*. Após esse importante banho ritual, Jesus deposita sua batina aos pés de João Batista, como um sinal de que a liderança espiritual essênia seria desse pastor, seu primo. É exatamente após um longo mergulho que Jesus se desapega da disputa da sucessão da seita judaica e inicia sua caminhada como o Messias eternizado na memória deste planeta, e que surge a religião monoteísta com maior número de seguidores entre suas diferentes Igrejas. Mais uma vez, o simbolismo da água, como elemento de transformação, está presente, mesmo com seu significado primordial modificado pelo tempo.

É conhecida a importância do rio Ganges, na Índia. Ali, o rio sagrado representa muito mais que águas que correm em direção ao mar. Nele está todo o significado da vida física e espiritual. Faz parte do cotidiano desse povo entregar-se a essas águas em profunda meditação. Já o Nilo, para os egípcios, simboliza a própria vida. O mesmo ocorre em rios do Japão, da China e de muitas outras culturas. Isso apenas nos informa do poder espiritual da água.

Tomando seu banho sagrado

Não é preciso ser judeu, hindu ou cristão para conhecer e praticar o banho sagrado. Tampouco é necessário seguir qualquer religião ou ter um orientador espiritual. Na verdade, o banho é muito simples; difícil é encontrar água limpa e apropriada. Algumas sinagogas dispõem de banheiras com água da chuva, mas permitem o banho apenas para seguidores do judaísmo. Até uma piscina pode ser utilizada, com a condição de que seja salinizada ou pouco clorada. Um lago de águas límpidas, o mar em uma praia tranquila ou um rio como o Jordão, de águas transparentes e curvas mansas, são locais excelentes. Também é conveniente, mas não necessário, estar acompanhado.

O ideal é estar nu, mas também se pode usar traje de banho. Entre na água aos poucos, sentindo que ela envolve os tornozelos, as pernas e o tronco. É bom que os pés alcancem o chão quando seus braços estiverem imersos na água para que estes possam se estender. De olhos fechados, comece a fazer um movimento de abertura e fechamento dos braços ao nível da água, para a frente e para trás, como se fosse um pássaro batendo asas, mas um movimento que acompanhe sua respiração. Ao inalar, abra os braços, e ao exalar, feche-os, imaginando que com a exalação você se despede de sentimentos antigos e perdoa a si mesmo e a outras pessoas envolvidas em sua vida. É muito importante sentir paz em todo esse momento, que pode durar vários minutos. Pense que você está "lavando a alma" – e de fato está. Sinta que de seu corpo se desprende uma água suja, que tinge a água ao seu redor, mas que nela se dilui e desaparece. Deixe suas emoções fluir e dar lugar a um suave sorriso.

Após esse curto período inicial de respirações e movimentos, você dará três mergulhos. Abrace as pernas, na posição que as crianças chamam de "bombinha", flutuando com a caixa torácica cheia de ar, ou solte-se como quiser. Com a mente em meditação ativa – na qual ela ainda está presente no comando das ações, como em uma dança sufi –, esvazie os pulmões aos poucos, fazendo borbulhas na água, e, como um submarino, submerja devagar, até que sua massa física envolta por água toque o chão com suavidade. Procure ficar o maior tempo possível no fundo. Então, com os pés, empurre o corpo suavemente para cima, volte à superfície e inale ar de novo. Repita essa operação mais duas vezes, ou um pouco mais, se achar necessário. Por fim, levante-se e sinta a presença da água, e como seu corpo e sua mente foram expandidos. Procure perceber como estão seus braços e suas pernas, os batimentos cardíacos e a respiração. Como está envolto pela água, esse elemento ainda está agindo sobre seu sistema nervoso autônomo, ativando a resposta parassimpática (relaxante). Receba esse estado fisiológico e expanda-o para o mental. Saia e sente-se fora da água ou permaneça dentro dela e siga seu estado meditativo pelo tempo que quiser.

Desidratação

Todos sabem que diarreias graves seguidas de desidratação levam a situações críticas e à morte. Mas esse estado pode ser atingido de formas cotidianas, menos evidentes, e conduzir a um estado de doença crônica. Comecemos por examinar a nós mesmos. Perceba sua língua dentro da boca. Ela está úmida e livre dentro da cavidade oral? Ou seca e travada, como a de um papagaio? Mesmo sem perceber, ficamos muitas vezes nesse estado durante o dia. Parece estranho, mas é verdade.

Quando atendo em plantões em hospitais, peço a todos os pacientes, como parte do exame físico, que mostrem a língua. Sugiro que meus colegas médicos observem esse fato. Verão que a quase totalidade dos pacientes tem a mucosa oral desidratada. É claro que eles estão aguardando atendimento há algumas dezenas de minutos ou apresentam estados clínicos que levam à secura da boca. Mas nós nos surpreenderemos se fizermos uma pesquisa fora do ambiente hospitalar.

A maior parte do estado de desidratação coletiva e crônica vem do fato de não encontrarmos mais tempo para beber água, ou de não nos lembrarmos de fazê-lo. Normalmente, bebemos água apenas quando sentimos sede. E sentir sede é um sinal de que as reservas corporais de água baixaram e a tonicidade do plasma aumentou. Isso leva à ativação da vasopressina, um hormônio secretado pela hipófise posterior que aumenta a reabsorção renal de água, inibe a produção de urina e ativa o reflexo da sede. Ou seja, bebemos água como uma resposta fisiológica a um estado crônico de desidratação e não para nos hidratarmos.

Quando não nos mantemos hidratados, somos como uma flor murcha dentro de um vaso sem água. Os tecidos da flor – as pétalas – são hidratados por canais microscópicos, verdadeiros capilares do reino vegetal. Por um brilhante truque da natureza, a planta suga a água contra a força da gravidade, mas tudo isso depende desses minúsculos canais. E o que ocorre com as pétalas da flor é o que acontece também em nossos tecidos internos. Nos momentos em que nos descuidamos da hidratação, muitas dessas "pétalas" (nossos tecidos) murcham dentro de nós.

Imaginemos a boca seca e, como ela, a mucosa intestinal. O corpo precisa de água. Para reidratar-se, já que não ingerimos água, o corpo passa então a beber a água que está no intestino grosso, o que provoca o ressecamento das fezes. Os rins retêm a água, e a urina fica concentrada, amarelada. A pele, os olhos, as articulações e a mucosa respiratória "murcham", e as secreções brônquica e intestinal tornam-se espessas. O cérebro fica menos irrigado. A memória e a concentração se alteram. A longo prazo, a desidratação crônica conduz o cérebro a um encolhimento. As glândulas endócrinas, totalmente dependentes de hidratação adequada para sua fisiologia normal, passam a funcionar de forma claudicante, como em períodos equivalentes a uma seca. Os ossos da coluna se ressecam e se ressentem; é a base de toda dor lombar.

Levantamos e bebemos um copo de água, com muito amor pelas nossas células. Somos então invadidos pelo elemento água, que ocupará cada ínfimo rincão do corpo, devolvendo aos tecidos um estado de viço e frescor. Simples como a natureza. Mas difícil pela nossa natureza. Já não podemos mais dispor de água pública e limpa. Precisamos comprar água. Ela é muitas vezes apenas filtrada, contém cloro e flúor e vem dentro de copos ou garrafas de plástico. A água dita "mineral" custa mais que um refrigerante. O plástico que as contém libera a substância bisfenol A (BPA), que interfere nas moléculas-base do nosso sistema glandular e gonadal.

Então, escolhemos um refrigerante. Ao bebê-lo, recebemos uma descarga de ácidos gaseificados e uma dose hipertônica (hiperconcentrada) de açúcar. O fato de ser uma bebida ou de estar gelada nos dá a falsa impressão de estarmos nos hidratando, quando na verdade ocorre exatamente o oposto. O efeito hipertônico do açúcar faz com que o plasma fique concentrado e puxe mais líquido dos tecidos. Muitas pessoas ingerem refrigerante com amidos e outros carboidratos simples, como bolachas, salgados e frituras, o que piora a situação de maneira dramática. E, se vão dormir com o organismo nesse estado, exigem que o corpo trabalhe mesmo durante o sono apenas para reequilibrar a hidratação dos tecidos. O sono é o momento em que ocorre a desintoxicação do corpo. Nossa urina é muito ácida pela manhã, indicando que esse trabalho é realizado pelos rins durante o descanso. Não há dúvida de que a má hidratação é um péssimo hábito.

Em muitos países, os refrigerantes já são mais baratos que água potável engarrafada, tornando-se acessíveis e às vezes a única forma de ingestão de água para as populações de baixa renda. Ao serem ingeridas, as bebidas gaseificadas alteram por completo a viscosidade do plasma. A enorme quantidade de açúcar muda o pH, deixando o plasma com tendência ácida, o que provoca um comportamento atípico de nossas águas internas e das atividades bioquímicas que mantêm a vida.

Sal, alimentos salgados, frituras e salgadinhos são desidratantes. Nosso tradicional café da manhã (café com leite e açúcar e pão com manteiga) é desidratante. Todos os comprimidos, mesmo os de vitaminas e suplementos, são desidratantes. A cerveja ou qualquer tipo de álcool é desidratante. Os cigarros são desidratantes. O ar poluído também. O estresse e a respiração ofegante podem aumentar a perda líquida pelos pulmões de até 2 litros em um dia. Carnes, queijos, pães, comida *junk* e processada, chicletes, pipoca e doces, tudo isso retira água dos tecidos. Uma festa de aniversário infantil é um festival de desidratação de crianças.

A desidratação crônica faz com que o sangue fique mais espesso, aumentando sua viscosidade e, consequentemente, criando resistência ao fluxo sanguíneo, o que faz com que o bombeamento cardíaco e a pressão sanguínea aumentem. Manter o corpo hidratado garante o bom funcionamento do sangue e do aparelho cardiovascular, permitindo que os nutrientes adequados cheguem suavemente aos tecidos.

Para manter o corpo hidratado, beba líquidos de forma que possa urinar a cada duas ou três horas. Procure se lembrar de quantas vezes urinou hoje. Há quem o faça uma ou duas vezes durante todo o dia. A urina estava concentrada? Imagine o grau de desidratação que seu corpo, seus órgãos e células estão sofrendo.

Fisiologia da microcirculação

A principal função do sistema cardiovascular é a respiração.

A água é uma grande mutante, condutora da vida, dotada de poderes quase sobrenaturais. Nosso sistema circulatório é todo desenhado com base nas propriedades desse elemento. Com isso, cumpre-se a função de entregar os minúsculos nutrientes no interior de cada uma das células do corpo.

Nosso nutriente essencial é o oxigênio, e é graças à perfeição dessa rede de vasos e capilares que ele está disponível para a combustão e a respiração celular. Logo, a maior função do sistema circulatório é a respiração. Não me refiro à ventilação pulmonar, também uma importante parte do processo circulatório e respiratório, mas ao padrão mais crítico da respiração, que ocorre em nível molecular, dentro das células. O que chamamos erroneamente de "respiração" – a eficiência do conjunto de músculos e movimentos que permitem a entrada de ar atmosférico no corpo humano – é, na verdade, "ventilação".

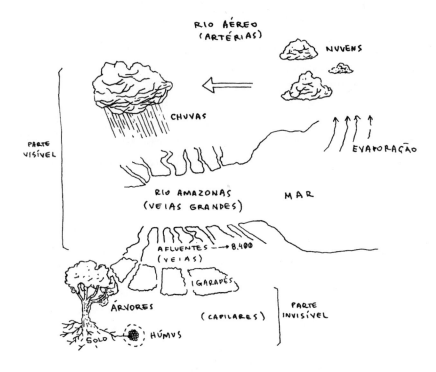

A maior parte das pessoas – e isso inclui a maioria dos estudantes de medicina – aprende a fisiologia circulatória através de leis que regem o coração e os grandes vasos, e mesmo até um nível muito estreito, o das arteríolas, cujo diâmetro chega a 100 mícrons. Mas, se o momento crítico da circulação – o momento em que a circulação se torna "respiração" – é regido pelos vasos mais microscópicos, os capilares, convém aprender um pouco mais sobre esse vasto território.

Pensemos na fabulosa floresta Amazônica e na maior bacia hidrográfica da Terra. Logo vem à mente o rio Amazonas despejando no oceano Atlântico cerca de 17 trilhões de litros de água (volume equivalente a um mar) por dia. Pensemos nos 8.400 rios que vêm de toda a bacia, desde os Andes, e nos milhares de igarapés, córregos, riachos, banhados e nascentes. Mergulhemos mais profundamente ainda em cada grânulo de húmus ao redor das raízes das majestosas árvores, que transforma essa área numa esponja de uma imensa quantidade de água.

Devemos lembrar que aquele mar doce despejado todos os dias no Atlântico é formado a partir de cada raiz microscópica e por cada gota de água da chuva que é agregada ao húmus após cada chuva. Assim como em outros sistemas, o todo é composto de pequenas partes. A água não foge a essa regra. Já o homem vem infringindo todas as regras, alterando todo o plano fisiológico do planeta. No caso da Amazônia, em nome do crescimento de pastagens e plantações do agronegócio, a floresta vem sendo desmatada a níveis perigosíssimos. Rios, banhados e pântanos estão secando, pondo em risco a vida de milhares de animais e de espécies, ameaçadas de extinção.

Todos os dias, um rio Amazonas suspenso volta do mar na direção das cabeceiras da floresta como nuvens de vapor e desaba na forma de chuva. Um sistema hídrico e térmico perfeito, que se repete há milhares de anos e que pode ser alterado pelo desmatamento proposto por esses grupos de interesse econômico.

Somos o rio Amazonas

De forma semelhante, nossos vasos sanguíneos concentram a parte palpável do fluxo sanguíneo nas veias, no coração e nas artérias. É o que a grande maioria de nós percebe, através da palpação do pulso arterial ou das veias cheias. Essa é a água concentrada nos grandes vasos.

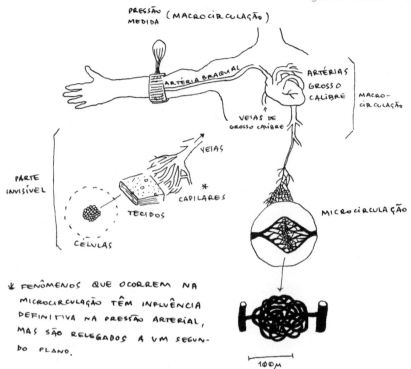

Parece que a medicina alopática enxerga o mesmo, e há dezenas de anos todos os tratamentos do sistema circulatório são dedicados a esses territórios, denominados *macrocirculação*. É como se quiséssemos resolver os problemas da bacia Amazônica olhando apenas para o leito dos rios maiores, negligenciando o território mais importante no equilíbrio das águas e da floresta: o húmus com as raízes, as nascentes e os riachos, os igarapés e os banhados, toda essa fascinante diversidade que não se vê nos mapas.

Remédios vasodilatadores, por exemplo, são dilatadores do diâmetro dos vasos. Eles atuam sobre os vasos da macrocirculação que são revestidos por músculos lisos, e estes músculos são enervados pelo sistema nervoso autônomo simpático e parassimpático. Na bacia Amazônica, isso seria equivalente a aumentar as margens dos 8.400 rios afluentes com máquinas, para alterar o fluxo de suas águas. Como resultado, veríamos uma redução da força das águas sobre as margens dos grandes rios dragados. No corpo humano, ela equivaleria à redução da pressão arterial medida com o manguito insuflável ao redor do braço. Aqui a artéria braquial, onde a pressão é medida, equivale a um rio afluente.

Mas as drogas vasodilatadoras não agem nos "igarapés" de nossos sistemas vasculares, ou seja, não agem nos capilares, pois estes *não* dispõem de musculatura lisa ao seu redor, que é onde a maioria dos remédios dilatadores atua. Para os vasodilatadores agirem, precisam relaxar a parede muscular dos vasos – e o fazem, mas apenas nos "rios maiores". O problema persistirá no território mais vasto, o território capilar. Se a Amazônia tem 8.400 rios, quantos igarapés terá? Esse número ao quadrado? E quantos córregos e nascentes? Dezenas de milhares? A medicina busca uma substância que atue nos igarapés, córregos e nascentes de nosso corpo, isto é, na nossa microcirculação. É nela que o "elo perdido" da origem da hipertensão acontece. Esse medicamento seria o Eldorado da farmacologia. Mas ele, assim como o Eldorado, só existe para os olhos de quem sabe ver.

Já os medicamentos diuréticos, também comuns no tratamento da doença hipertensiva, equivalem a uma redução do caudal do rio, que, assim, faz com que este tenha menor volume. Comparando com nosso corpo, ao medir a pressão ao nível do braço, o resultado do uso de diuréticos será a redução da pressão. Mas isso não acontece sem uma repercussão negativa, tanto no sistema corporal como no florestal. Reduziu-se o volume do Amazonas, mas às custas de que consequências no nível dos sistemas hídricos da floresta? Reduziu-se o volume do sangue, mas às custas de que consequências nos territórios capilares e células do corpo? Os diuréticos aumentam a viscosidade do sangue. Se a pessoa produzir uma urina com água em excesso, significa que seu sangue ficará concentrado. A pressão é reduzida, mas isso representa menos irrigação para os tecidos.

Existem ainda os medicamentos que agem sobre o músculo cardíaco, reduzindo sua contração. Usá-los equivale a promover fenômenos climáticos na foz do Amazonas ou mexer com o oceano Atlântico. O coração é apenas um executor grandalhão e forte, que obedece a ordens fisiológicas de aumentar ou reduzir a frequência e a força de sua contração. Ele depende de tudo o que acontece nos menores vasos de nossos corpos. São os capilares que mandam. O coração é um gigante em todo esse sistema, mas, da mesma forma que em nossa analogia geográfica, a foz está à mercê das raízes e dos córregos que formam o grande rio.

Tsunamis e furacões podem alterar bastante a paisagem da foz do Amazonas e da ilha de Marajó e até o fluxo do rio-mar, mas não estarão influenciando os fatos que ocorrem na floresta, como tratores a derrubar árvores e queimadas. Esses eventos, hoje monitorados por satélite, aparecem na vastidão da floresta como microscópicos em termos geográficos, mas, quando multiplicados em escala geométrica, podem alterar não somente a paisagem do gigantesco rio e da floresta como do planeta inteiro.

Se quisermos cuidar do sistema amazônico, teremos que nos dedicar a reparar o mal já feito. Transformar as terras degradadas pela pecuária e pelo plantio de grãos transgênicos em agroflorestas produtivas, que atuem de maneira a corrigir o regime de águas alterado. Reflorestar as cabeceiras que vêm sendo mutiladas (isso envolve outros países da bacia) e impedir, de uma vez por todas, que as populações ribeirinhas despejem nos rios o resultado de atividades humanas.

O que o homem vem fazendo com seu ecossistema hídrico geográfico equivale ao que ele faz com seu ecossistema hídrico corporal. Todos os tratamentos em medicina cardiovascular visam corrigir alterações que, comparadas ao mundo natural, são decorrentes de más ações e más decisões ambientais, de lixo acumulado no sistema, de falta de cuidado com os córregos e nascentes.

As medidas que vêm sendo tomadas em relação às águas no Brasil, como as enormes plantas de despoluição e desassoreio na foz de rios e baías, são ineficazes e caríssimas. Gastamos milhões para limpar o que nossa própria população faz com as águas, desde suas nascentes, ao despejar nelas urina, fezes e toda sorte de dejetos biológicos, lixo, poluentes químicos e, no caso da Amazônia, metais pesados usados em explorações clandestinas de minério.

> Embora 82,7 por cento das pessoas tenham acesso a água tratada no país, apenas 22 (0,4 por cento) dos 5.570 municípios brasileiros contavam com 100 por cento de cobertura desse serviço em 2012. A coleta de esgotos, por sua vez, alcança menos da metade (48,3 por cento) da população. A taxa de tratamento de esgotos fica em apenas 38,7 por cento na média nacional, ou 41,3 por cento nos maiores municípios. São bilhões de litros de água não tratada despejados em córregos, rios, lagos e praias. A situação se agrava ainda mais nas regiões Norte e Nordeste, onde os índices de coleta de dejetos são de cerca de 15 por cento e 20 por cento, respectivamente. Mesmo a maior metrópole do país, São Paulo, capaz de recolher vultosa quantia de 96,1 por cento do esgoto, trata apenas 52,2 por cento dos dejetos.

Bastaria que o Estado iniciasse uma frente de educação ambiental universal, tanto no nível urbano quanto no rural, para que os problemas relacionados com águas desaparecessem em um prazo ainda resgatável. Pois nossa geografia está muito próxima de um infarto agudo ou de um acidente vascular. "Varizes", "hipertensão", "aterosclerose", "edemas" e "isquemias" dos ecossistemas, até a poluição de nossos mares, já estão evidentes em todo o país.

Do mesmo modo, bastaria que o poder público desse início a uma enorme campanha de alimentação orgânica e saudável para toda a população, de alfabetização fisiológica e ecológica simultâneas, para que varizes, isquemias, aterosclerose e edemas que afetam o corpo humano começassem a ceder lugar a um ecossistema corporal equilibrado e sadio, e em nível populacional. Na esperança de que essa analogia geográfica seja útil, e guardadas as devidas proporções e ordens inversas, vamos seguir em frente e explorar o universo microscópico da microcirculação.

Os verdadeiros gigantes

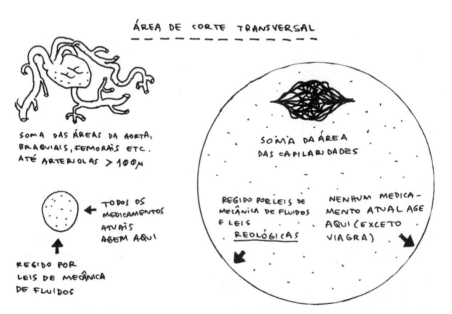

Dentro dos capilares circulam cerca de 70 por cento de todo o volume sanguíneo. Considerando que temos mais ou menos 5 litros de sangue no corpo, apenas 1,5 litro de sangue se encontra nos grandes vasos pulsáteis e de volume, que podemos ver e sentir, enquanto 3,5 litros estão contidos dentro de microvasos – os capilares – invisíveis para nós, com paredes de células tênues, sem músculos e regidos pelas leis de fluxo capilar.

Costumamos resistir a essa informação, mas tenho um exemplo prático muito interessante. Imagine uma bela cabeleira. Olhe para cada fio de cabelo – como são finos, mal se consegue enxergá-los individualmente. Agora, com o polegar e o indicador, "abrace" a cabeleira e deslize-os até o fim dela. Observe o diâmetro formado pelos dedos: é maior que o de um cano de construção de ¾ de polegada! Milhares de fios de cabelo de diâmetro ínfimo juntos formam um diâmetro no qual podem passar 10 litros por segundo! A isso se chama "área de corte transversal". Milhares de capilares que temos em nosso corpo, somados, têm área de corte transversal muito maior que as artérias aorta, braquiais e cerebrais, ilíacas e femorais e todas as outras grandes artérias reunidas!

Não é preciso ser médico ou cientista para entender essa importante chave. Quem manda em nosso território de resistência e, por consequência, em nossa pressão arterial? O "pequeno" território de vasos arteriais de grande porte ou o "gigantesco" território de vasos capilares de ínfimo calibre?

Se pensar agora em sua pele rosada ou olhar-se no espelho puxando a pálpebra, você verá outros territórios irrigados. O território microvascular não pulsa nem tem volume, apenas deixa a coluna sanguínea correr, com um fluxo contínuo e constante. Se você estiver anêmico, suas conjuntivas e sua pele estarão pálidas. Essa é uma informação que vem direto do mundo microscópico dos capilares, manifestada como "coloração da pele". É tão importante que faz parte do exame clínico.

A dimensão microscópica do sistema vascular guarda ainda mais segredos. Os capilares são regidos por leis muito mais específicas que qualquer outra estrutura do corpo. *Grosso modo*, elas seriam comparáveis às leis da mecânica dos fluidos, que regem, por exemplo, o fluxo de água ou de óleos por dentro de tubos rígidos. Mas, como se trata de um sistema biológico, essas leis ficam sujeitas a diversos fatores. Por isso, o conjunto de leis fisiológicas que regem os capilares denomina-se "reologia". A água que está dentro do sangue não é cristaloide e mineral, como na física, mas coloide e biológica, na ciência da saúde.

Em meados do século XIX, Jean-Louis-Marie Poiseuille, médico e físico francês, desenvolveu uma equação que definia o fluxo de sangue pelos vasos de fino calibre. Tive uma cópia desse artigo histórico em mãos, na Alemanha, e fiquei maravilhado. Uma lei fisiológica de tamanho impacto – e, além do mais, ainda atual – aparecia na minha frente como o resultado de uma dezena de páginas de cálculos matemáticos.

Poiseuille sabia que as fórmulas desenhadas para a mecânica de fluidos não explicariam o fluido dentro dos sistemas vivos, pois eles são influenciados por outras variáveis. Viscosidade do sangue, diâmetro e extensão do vaso são variáveis biológicas; portanto, uma lei física e matemática seria incompleta e inexata nessa dimensão. Na equação de Hagen-Poiseuille:

$$R = \frac{\eta \times l \times 8}{\Pi r^4}$$

"R" representa a resistência ao fluxo. É o resultado da equação em que "η" é a viscosidade do sangue, "l" é a extensão a ser percorrida e "8", uma constante matemática. Esses valores acima do traço da fração influenciam a resistência de forma *diretamente* proporcional.

Assim, quando a viscosidade do sangue é alta, a resistência aumenta, e quando a extensão de vasos a irrigar é maior, também aumenta a resistência ao fluxo. Se a viscosidade diminuir, a resistência tenderá a diminuir também. Se a extensão dos vasos a serem irrigados se reduzir, isso repercutirá na redução da resistência ao fluxo.

Abaixo do traço da fração estão as variáveis que influenciam *inversamente* a resistência. E como influenciam! Elas estão nessa equação elevadas à quarta potência. Isso significa que uma mínima variação que reduza o calibre do vaso em décimos de mícrons repercute aumentando a resistência à quarta potência! Da mesma forma, basta que o vaso se dilate um mícron que seja para que a equação resulte em uma grande redução da resistência ao fluxo.

Se você achou complicado, não desanime. Quase todos os estudantes de medicina têm dificuldade para entender essa equação. Muitos a decoram, e a grande maioria a esquece. E por que isso acontece? Porque ela deixa de ter utilidade tão logo concluem a disciplina de fisiologia. Meses após, os alunos estarão cursando farmacologia e aprendendo a utilizar diferentes diuréticos, vasodilatadores e inibidores de angiotensina (que acabam agindo como vasodilatadores também) que atuam sobre o território da *macrocirculação*, e terão suas prescrições e atividades previstas e regulamentadas pelas academias e conselhos. A fabulosa lei que regula o território microcirculatório, o mais importante na determinação da resistência vascular, fica esquecida. Os capilares, que guardam a solução da reversão da hipertensão arterial, ficam relegados a segundo plano.

Mas quero ser persistente e fazer você entender essa equação, pois acho que ela é fundamental para identificarmos os efeitos de uma alimentação mais saudável sobre a microcirculação e a viscosidade sanguínea.

Comprovando a Lei de Poiseuille

Certo dia, ao folhear alguns livros de fisiologia modernos, deparei-me com essa prática. Ela permite que qualquer um compreenda a lei de Poiseuille, que rege o fluxo sanguíneo dentro dos capilares. Material a ser utilizado: dois copos de vidro, um canudo de plástico grosso, um canudo fino e uma tesoura.

Encha um copo com suco de melancia e o outro com suco de manga não coado. O suco de melancia é bem menos viscoso que o de manga. Aqui temos a variável "viscosidade" da equação de Poiseuille.

Pegue o canudo fino e sugue o suco de melancia. Você suga (cria uma pressão negativa), e o suco fluido enche sua boca. Isso quer dizer que, mesmo em um vaso fino, um fluido menos viscoso passa com menor resistência. Lembre-se apenas de que no sistema circulatório a pressão do coração é positiva, como se ele estivesse bombeando o suco para dentro do canudo, mas o princípio é o mesmo.

Agora, com o mesmo canudo fino, sugue o suco de manga. Você aplica a mesma pressão negativa oral, mas o suco, mais espesso, chega com dificuldade à sua boca. Isso quer dizer que um sangue viscoso fluirá com dificuldade por dentro de um capilar de calibre diminuído, e o tecido irrigado terá baixa perfusão (irrigação). Os hábitos alimentares de hoje são "espessantes" do sangue. Açúcar, amido e gorduras vegetais hidrogenadas tendem a aumentar a inflamação sistêmica, o que também aumenta a viscosidade do sangue.

Pegue a tesoura e corte o canudo mais fino ao meio. Com o meio canudo, sugue o suco de manga. Não foi mais fácil agora? Isso mostra que, com a redução da extensão do vaso (variável "l" da equação), também ocorre redução da resistência ao fluxo. É o que acontece com indivíduos obesos que emagrecem. Como a extensão dos vasos para irrigar o tecido gorduroso diminui após o emagrecimento, a resistência periférica cai, e a pressão arterial diminui. Não porque algo a reduziu, mas porque menos tecido precisa ser irrigado.

Finalmente, pegue o canudo grosso e sugue o suco de manga mais uma vez. Bastou o calibre aumentar para a resistência se tornar mínima. Sua boca foi preenchida facilmente pelo suco de manga mais viscoso. Isso é interpretado como aquela parte da fração inversamente proporcional e à quarta potência (pi x r⁴). Seu sistema de vasos recebeu uma pequena variação no diâmetro dos capilares, e, como num passe de mágica, a resistência ao fluxo caiu. No corpo, isso tem grande influência na queda da resistência e, consequentemente, da pressão arterial vascular periférica.

Usamos nessa prática uma pressão negativa ao sugar pela boca. Nosso sistema cardiovascular usa a pressão positiva do bombeamento sanguíneo, mas não importa se a "tração" é dianteira ou traseira. Os fenômenos da resistência ao fluxo que acontecem na microcirculação seguem as mesmas regras do que o que foi visto na prática com os sucos e os canudinhos.

Entendeu? Agora beba o que sobrou. Essas bebidas vão melhorar sua perfusão tecidual.

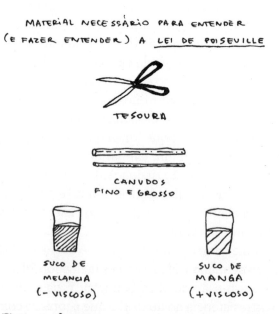

Conhecendo melhor os capilares

O líquido "sangue", assim como a seiva das plantas e o néctar não diluído das frutas, é uma água denominada coloidal ou plasmática. Entre seus componentes estão proteínas (albumina e globulina, além de transferrinas), colesterol, moléculas e elementos do sistema de coagulação e inflamatório que formam o plasma. A essa base líquida coloidal adicionam-se o que chamamos de elementos figurados: linfócitos, monócitos e eosinófilos (leucócitos, ou glóbulos brancos), além de grande quantidade de hemácias (glóbulos vermelhos). Assim, o sangue se comporta como um tecido líquido, um néctar vivo e mutante, que pode alterar suas configurações de acordo com o local e as condições do tipo de tecido por onde circula.

Um aumento na atividade inflamatória – por exemplo, em uma gripe – também eleva a atividade das plaquetas e dos elementos imunológicos do sangue. Basta que a atividade inflamatória se torne sistêmica (em todo o corpo) para que esse aumento de atividade inflamatória determine o aumento da viscosidade do plasma.

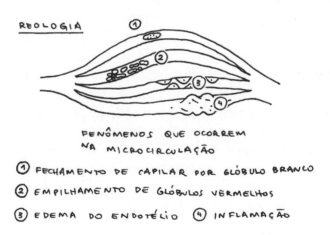

Pelas leis da reologia, um simples glóbulo branco pode fechar um capilar, por estar aderido às suas paredes. Muitas são as causas externas que determinam o aumento da adesão de leucócitos: alimentos processados, fumaça de cigarro e poluição, remédios, agrotóxicos e substâncias químicas em geral, presentes na água e nos alimentos. Esse efeito fisiológico microscópico faz parte da reação inflamatória, desenvolvida por nossa economia corporal em milhões de anos, para identificar agentes nocivos e permitir que os glóbulos brancos presentes no sangue extravasem para os tecidos onde irão agir, neutralizando os efeitos dos invasores. Mas acabamos por sabotar nosso sistema de imunidade primária e ativamos a resposta inflamatória pelos hábitos da vida moderna, fazendo com que os leucócitos, nossos defensores de invasores externos, passem a atuar contra nosso próprio corpo, aderindo aos capilares.

A reação inflamatória está por trás de quase todas as doenças que denominamos crônicas, como vimos no capítulo anterior. No sistema cardiovascular, isso se torna ainda mais dramático, pois o que caracteriza a circulação é exatamente o fato de ser sistêmica e onipresente, abrangendo toda a economia corporal. Milhares de reações desse tipo ocorrendo em escala corporal terminam por determinar áreas de baixa perfusão, de hipóxia (baixa oxigenação) por todo o organismo. A célula do corpo humano, objetivo final de toda a função circulatória, passa a receber menos oxigênio e entra em disfunção.

Uma das formas de a medicina alopática evitar a coagulação do sangue dentro dos vasos é através do uso da aspirina, tática descoberta por acaso. Percebeu-se que os indivíduos com doença cardiovascular que faziam uso crônico de aspirina apresentavam menos riscos de enfartar que os doentes que não usavam essa substância. O efeito da aspirina é o bloqueio de uma enzima denominada ciclo-oxigenase, que intermedeia a conversão de ácido araquidônico, um componente natural da membrana celular, em prostaglandina 2 (PG-2), um potente mediador inflamatório. A PG-2 amplia a atividade de coagulação, por aumentar a adesão de plaquetas. A aspirina reverte esse processo, sem ser necessariamente um anticoagulante. Parece muito engenhoso usar aspirina para esse fim, mas podemos obter o mesmo efeito redutor de coagulação intravascular através de uma nutrição baseada em vegetais, essa, sim, de efeitos anti-inflamatórios fisiológicos consistentes e duradouros.

Um leitor astuto poderia pensar: mas se eu tiver menos glóbulos vermelhos, algo que acontece nas anemias, meu sangue seria menos viscoso e fluiria melhor. Ser anêmico, então, é bom para a saúde vascular? Definitivamente, não. Tudo é uma questão de equilíbrio. A falta de hemácias leva à pouca oxigenação das células e ao estresse do sistema respiratório celular. Qualquer pessoa com anemia tem uma sensação crônica de cansaço, porque menos oxigênio chega aos tecidos. Mas existe também uma condição fisiológica de excesso de glóbulos vermelhos, a policitemia, que acontece em pessoas que vivem em locais de grande altitude, como o Altiplano da Bolívia. Com o ar rarefeito e pouco oxigênio disponível, o corpo, de forma inteligente e engenhosa, produz mais glóbulos vermelhos. Esse é o pesadelo de esportistas brasileiros ao jogar nesses lugares. Como grande parte de nossa população vive próximo ao nível do mar, nossa contagem de glóbulos vermelhos está dentro da normalidade. Ao viajar para um jogo, lá estarão os brasileiros com 44 por cento de hemácias, contra os bolivianos, com 54 por cento.

Os cirurgiões do passado eram também barbeiros, profissionais hábeis com as navalhas, que eram mantidas sempre afiadas para extirpar um corpo estranho ou auxiliar em um parto cortando o cordão umbilical. Um dia, eles descobriram que as pessoas que perdiam sangue de forma moderada mostravam-se bem-dispostas e com boa saúde depois da perda. Assim, passaram a praticar as sangrias, hoje um procedimento extinto. Ao atender alguém que estivesse congestionado e sem vitalidade, o barbeiro cortava-lhe um vaso. O paciente sangrava muito, e depois a hemorragia era estancada. Muitos mostravam melhora, mas, entre aqueles cuja saúde já estava comprometida ou que estavam anêmicos, o resultado era a piora do quadro. Inúmeras mortes já aconteceram na história da medicina por causa de procedimentos estabelecidos para a época. E hoje não é muito diferente.

Existe uma maneira moderna e muito nobre de fazer uma "sangria". Basta procurar um posto de saúde especializado e doar sangue. Além de auxiliar a salvar vidas, esse procedimento faz uma hemodiluição fisiológica, melhora a capacidade de perfusão dos tecidos e estimula a medula óssea a produzir sangue novo. Lembre-se de que a doação de sangue ou a redução da atividade inflamatória pela alimentação baseada em vegetais estarão reduzindo o fator "η" (viscosidade) da equação de Poiseuille.

Os capilares também podem sofrer com as agressões ambientais que você promove no seu corpo. Como o revestimento desses vasos é também biológico, feito por um delicado sistema de células planas, ele pode, refletindo seus hábitos, aumentar a espessura delas, que na fisiologia normal é quase virtual. Esse efeito chama-se "edema da célula do endotélio". Como o diâmetro dos capilares é sobremaneira crítico, podemos imaginar o que um edema de endotélio da espessura de 1 micra pode representar para a economia corporal. Menos células do plasma passarão por dentro dos capilares e menos oxigênio chegará aos tecidos.

Também é no endotélio que, através de reações do tipo inflamatório, se dá a formação das placas de ateroma (deposição de colesterol na parede vascular) e todo o processo que resulta no endurecimento dos vasos. É também quando o endotélio das veias está inflamado que surgem as varizes. É no endotélio que começam as manifestações que conduzem o tecido à isquemia e ao infarto. Um dos meus mestres na Alemanha, o dr. Michael Menger, menciona em um de seus artigos publicados no *American Journal of Physiology* que é no nível da microcirculação que praticamente todas as doenças começam e depois se agravam.

Quando li seu artigo, ainda antes de ser publicado, fiquei muito impressionado com a afirmação de que a hipertensão tem origem na microcirculação. De volta ao Brasil, trabalhei durante anos em laboratórios que estudavam a hipertensão em nível capilar. Aí repousa uma espécie de "Santo Graal" da medicina: aquele que "descobrir" a substância que atue sobre a microcirculação e reduza a resistência do tecido ao fluxo sanguíneo ocupará um lugar entre os mais respeitados pesquisadores.

Mas aqui compartilho com o leitor um segredo. A única substância que pode agir no nível da microcirculação, evitando não apenas as manifestações da hipertensão, mas de todas as doenças crônicas e degenerativas desse território, não é "uma" substância, mas um fractal delas. É a alimentação baseada em vegetais, orgânica, viva e saudável, composta de bilhões de moléculas que agem como nanocirurgias operando os capilares em sua intimidade.

Da mesma forma, ocorre também o oposto: se revascularizarmos uma coronária entupida com cateter de alta tecnologia (*stent*), não recuperaremos a vascularização do miocárdio, pois o acometimento das outras coronárias – e todo o seu território microvascular colateral – compromete todo o tecido. Para curar um coração é necessário "abri-lo" – e não apenas os vasos coronários entupidos com placas de aterosclerose, mas os capilares de todo o órgão. O que se faz de uma única forma: adotando uma dieta com alimentos da natureza, frutas, vegetais e cereais. Isso é medicina pura e atual!

Saúde do coração significa *irrigação* do coração. E a natureza nos proveu com uma fabulosa rede de vasos sanguíneos, que garante a integridade dessa irrigação. Então, que relação pode haver entre isso e "entupir" as coronárias de gorduras originadas de uma dieta à base de carne, laticínios e alimentos processados? Alimentos que vêm da morte ou da escravidão de milhões de animais. Que significado simbólico está embutido nessa manifestação muitas vezes individual, mas plenamente representada por estatísticas epidemiológicas mundiais, que faz da doença cardiovascular a recordista em internações e mortes? Aparentemente, essa condição individual e global explica de alguma maneira que não estamos "ouvindo nosso coração" quando escolhemos nossos alimentos.

O ENDOTÉLIO

O cérebro é meu segundo órgão mais importante.
Woody Allen

Nunca um tecido corporal adquiriu tanta importância em período tão curto como o endotélio. Até cinquenta anos atrás, ele era reconhecido apenas como "revestimento interno dos vasos". Foi quando pesquisadores intrigados com a reação vascular após um experimento resolveram remover esse tecido gelatinoso do interior de pequenas artérias e as expuseram a um hormônio vasodilatador, a acetilcolina.

Os pesquisadores perceberam que os vasos providos de seu endotélio reagiam com vasodilatação, enquanto aqueles dos quais haviam sido removidas as camadas internas ficavam inertes. Assim, aquela delgada gelatina que recobria os vasos por dentro era muito mais que um revestimento: eram células que produziam intermediadores bioquímicos inteligentes, capazes de reagir com a camada muscular mais externa do vaso, alterando seu diâmetro.

Nos anos seguintes, foram sendo descritas substâncias capazes de estimular essas células endoteliais e provocar uma reação no interior dos vasos. Depois da acetilcolina, a primeira substância identificada como vasodilatadora por intermédio do endotélio, vieram muitas outras, até se chegar ao óxido nítrico (NO). Presente em estado inerte dentro da célula, o NO pode ser ativado até pela própria acetilcolina, fazendo parte da resposta vasodilatadora.

Além disso, percebeu-se que a atividade do endotélio era completamente dependente do tecido onde ele se encontrava. Ou seja, uma célula de endotélio do cérebro tem características biológicas completamente diferentes das de uma célula de endotélio localizada na parede de um capilar do fígado.

O mais importante disso tudo é que o pênis, o "principal" órgão masculino segundo Woody Allen, pode reagir com ereção quando uma droga permite

> a liberação do NO no nível do endotélio dos vasos penianos. Abrem-se os canais dos corpos cavernosos, e o "milagre" acontece. Portanto, deve-se corrigir o querido diretor: o órgão mais importante do corpo é o endotélio, por ser um órgão difuso e onipresente, que assume características biológicas de acordo com o local onde se encontra.
>
> Foi assim que surgiram o premiado Viagra e todos os seus análogos. Uma revolução que se refletiu até na esfera jurídica: uma família cujo patriarca septuagenário e viúvo já se aposentou da vida sexual pode ter de mudar os documentos sucessórios de herança, pois um ou dois novos irmãos legítimos podem surgir, com uma nova esposa.
>
> Tantos efeitos sobre essa importante descoberta nos aspectos sexual e social renderam aos seus autores o prêmio Nobel de Fisiologia ou Medicina de 1998. Aplaudidos de pé por anciãos em êxtase.

Basta uma simples tragada de fumaça de cigarro ou o ato de respirar o ar poluído em um engarrafamento para que a conformação do endotélio e dos glóbulos vermelhos mude. Esses últimos, capazes de deformar-se para adentrar estreitos capilares, perdem a flexibilidade da membrana e, em vez de passar deslizando por dentro do capilar, "friccionam-se" contra o revestimento do endotélio. São fenômenos de fisiologia em escala microscópica, que, assim como descrito na analogia da floresta, acabam por aumentar a resistência vascular total e a pressão medida por aparelhos.

Tenho muita gratidão aos meus mestres alemães que, durante quatro anos, me conduziram ao mundo da pesquisa de alta tecnologia em microcirculação – que rendeu mais de 120 publicações em todas as melhores revistas científicas do mundo e várias premiações científicas. Foi no Instituto de Pesquisa Cirúrgica da Universidade Ludwig Maximilian, de Munique, que despertei para esse maravilhoso território denominado microcirculação. Não era para menos, já que, com o uso de potentes microscópios intravitais, câmeras de alta sensibilidade e técnicas informatizadas de estudo da microcirculação de animais, tínhamos acesso às fascinantes imagens do território microvascular de diferentes tipos de tecidos e órgãos. Cabe lembrar que entre 1990 e 1994 os ratos e *hamsters* que utilizávamos como cobaias já eram protegidos por leis de proteção animal.

Esse período de estudos foi marcante em minha formação. Pude pela primeira vez visualizar, por um monitor de vídeo, o fluxo de diferentes capilares em diferentes situações fisiopatológicas, como após transplantes, lesões químicas, inalação de fumaça de cigarro e alimentação inadequada com a respectiva reposição de vitaminas.

Minha primeira visão de um capilar irrigado *in vivo*, como era comum nesse laboratório fantástico, deixou-me extasiado. Era possível ver as plaquetas, os glóbulos brancos e os glóbulos vermelhos transitando no interior do espaço microscópico dos capilares. Ao aprofundar-me um pouco mais nas pesquisas, meus mestres me informaram quais seriam as camadas que eu estudaria: o endotélio, que podia ser visualizado em algumas preparações e mostrava a possibilidade de aderir aos leucócitos, ou glóbulos brancos. Visualizávamos também o empilhamento de glóbulos vermelhos ou de leucócitos a impactar e obstruir um determinado capilar, simplesmente porque havia um pequeno edema na parede do endotélio. Observávamos como diferentes processos fisiopatológicos, ao obstruir alguns capilares, eram capazes de fechar toda a irrigação de um grupo de células. Víamos como a natureza era, dentro de nós. Como o fluxo fazia desvios microscópicos em nível capilar, para que a entrega do oxigênio e dos nutrientes se fizesse mesmo em condições de alterações fisiológicas.

Para estudar os chamados fatores reológicos da microcirculação, era primordial elaborar de maneira adequada as preparações que envolviam placas de titânio e lamínulas de cristal, para que os microvasos pudessem ser analisados com os animaizinhos colocados dentro de tubos de acrílico. Os ratinhos e *hamsters* não eram submetidos a nenhum tipo de sofrimento, pois dessa forma estavam vivendo em condições normais, podendo até reproduzir-se com as plaquinhas de titânio inseridas na pele das costas, que era bastante expansível. Isso não os incomodava, e quando a preparação estava bem feita e tudo era realizado a contento no experimento, víamos toda a beleza da microcirculação.

Ela atinge níveis muito parecidos aos que vemos na natureza. Era possível observar, por exemplo, o chamado fluxo laminar, descrito em diversos livros de fisiologia. Uma folha que trafega no centro da corrente de um rio corre com maior velocidade do que as folhas que correm junto à margem. Quando uma folha está correndo na beira do rio, ela seguirá a corrente nessa beira, acompanhando o seu fluxo, seguindo pela mesma margem o tempo todo. Se houver uma bifurcação no rio, o fluxo seguirá por ela no mesmo padrão. A folha que estava junto à margem direita seguirá pelo braço direito da bifurcação. A que estava junto à margem esquerda seguirá pelo braço esquerdo da bifurcação. É exatamente isso que vemos dentro do fluxo sanguíneo em nossos capilares.

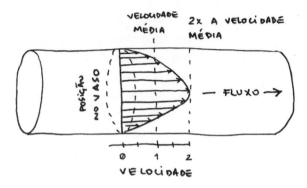

Em meus experimentos, especialmente nos intestinos de ratos Lewis, pude ter acesso aos vasos linfáticos dentro das camadas musculares e às diferentes formas de arquitetura capilar que ocupam a camada muscular longitudinal, a camada transversal dos músculos lisos do intestino delgado, e, após realizar uma manobra inédita, consegui abrir a mucosa intestinal. Ao focar o microscópio na mucosa intestinal, que é a camada absortiva desse órgão, obtive imagens de extrema beleza e suavidade das vilosidades intestinais, verdadeiras ilhotas por onde os capilares circulavam com o propósito de absorver os nutrientes recebidos através das refeições.

Muito interessante também era ver a distribuição da água dentro das células, do tecido denominado intersticial e dos vasos (plasma), observações que me permitiram estudar alterações patológicas. O edema (acúmulo de água), seja ele intracelular (no interior da célula), intersticial (no tecido intermediário entre a célula e o plasma) ou do endotélio capilar (edema do revestimento interno do vaso), mostra como esses padrões de água se desviavam de dentro da célula para o interstício, ou de dentro do interstício para as células do endotélio, ou de dentro dos vasos para o interstício (extravasamento).

Essas microvariações de volume de água vistas ao microscópio seriam responsáveis por enormes repercussões em todo o organismo. Quando comparávamos aqueles achados microcirculatórios a grandes marcadores bioquímicos e de pressão arterial dos animais do experimento, víamos que os pequenos incidentes que ocorriam no nível microcirculatório eram reproduzidos em progressão geométrica em todo o organismo, e se manifestavam de forma dramática na pressão arterial e nos parâmetros vitais daqueles animais.

Assim, lembrando a analogia apresentada no início deste capítulo, a floresta Amazônica, seus igarapés, riachos, grandes rios e a desembocadura no mar nada mais são do que a réplica perfeita, em imagem e semelhança, do nosso próprio corpo. Em imagem porque são idênticos do ponto de vista anatômico, e em semelhança porque também são idênticos em tudo que ocorre em termos de sua função. Podemos falar em fisiologia celular, em fisiologia animal, em fisiologia vegetal, em fisiologia geológica, em fisiologia do planeta ou até em fisiologia do universo, pois tudo o que está vivo segue as mesmas leis.

Portanto, devemos nos alimentar e nos hidratar como se fôssemos uma flor dentro de um vaso. Ou pensar na perfeição divina que é o sistema de águas da Terra. Somos um reflexo do planeta, temos dentro de nós córregos, riachos, cachoeiras, pântanos e lagos. Água pura em boa quantidade, eis o alimento/elemento-chave que a natureza nos proporciona para termos saúde e uma vida melhor.

Agora que expusemos esses fatos tão importantes sobre o território cardiovascular na sua macrocirculação e na sua microcirculação, passemos a uma das doenças mais prevalentes em todo o planeta, responsável pelo maior número de mortalidades e morbidades. Trata-se da hipertensão arterial, a mais comum das doenças cardiovasculares. Basta abrir um livro de fisiologia e logo percebemos a importância que esse tema tem para a medicina. Enquanto alguns assuntos ocupam algumas páginas, o tópico "pressão arterial" costuma se estender por dezenas de páginas desses livros didáticos. Já a hipotensão é praticamente ignorada. Mas, como veremos, é preciso revisar alguns mecanismos dessa denominada hipotensão.

No início da minha prática nessa nova área da medicina, a nutrição baseada em vegetais, ainda no Rio de Janeiro, atendi um paciente que estava com câncer, lamentavelmente já em estado avançado. Após a consulta e o exame físico, prescrevi ao casal uma oficina de culinária vegana, que ensinava a preparar o suco verde – que, sabe-se hoje, tem grandes propriedades de suporte nutracêutico (protetivo e antioxidante) e probiótico (imunoestimulante) nas neoplasias. Sua esposa, ao final da oficina, se propôs a fazer dois ou três sucos verdes frescos por dia.

Uma semana depois, recebi uma ligação dela, alarmada, informando que o paciente havia desmaiado. Imediatamente perguntei se ele havia medido a pressão. A esposa disse que o marido estava com "pressão baixa", e que isso era "estranho", porque ele era hipertenso e "usava vasodilatador e diurético". Cocei a cabeça, já nervoso, e perguntei por que eles não haviam me informado desse fato, já que havia perguntado na história clínica sobre medicações em uso. Ela respondeu que tinham pensado que medicação de anti-hipertensão não era relevante em uma consulta sobre câncer. Desliguei o telefone abalado com a ocorrência e por não haver perguntado sobre toda a medicação que o paciente usava, coisa que hoje é rotina em meu protocolo de atendimento. Mas o fato suscitou imediatamente a questão: "o suco verde e a dieta com base em vegetais têm enorme efeito hipotensor".

O que havia acontecido com aquele paciente? Ele já usava diurético e vasodilatador para o controle da hipertensão arterial. A introdução do suco verde na dieta teve como efeito abrir sua microcirculação. Isso, somado aos efeitos do diurético e do vasodilatador sobre a macrocirculação, gerou uma queda abrupta da pressão, que denominamos tecnicamente "lipotimia", e meu paciente caiu durante o banho.

Imediatamente marquei uma nova consulta e alterei a medicação cardiovascular, reduzindo cada uma delas em 25 por cento. A surpresa é que em menos de um mês o paciente só precisava de metade da dose, e em dois meses já não necessitava mais dos medicamentos anti-hipertensivos. A reintrodução das drogas alopáticas voltaria a causar hipotensão. Eu tinha nas mãos um fato muito relevante para estudar. Encorajado pelo resultado, iniciei uma prática semelhante com todos os meus pacientes hipertensos e obtive as mesmas respostas.

O que observamos aqui é a realidade sobre a doença hipertensiva. Acredito mesmo que o nome "doença hipertensiva" deveria mudar para "doença do déficit de perfusão tecidual" ou "doença hipoperfusiva", se assim fosse permitido. Na verdade, o que chamamos de hipertensão arterial é uma resposta fisiológica ao déficit de perfusão tecidual. A medicação atualmente disponível para o tratamento da hipertensão arterial não melhora o déficit de perfusão tecidual – e na verdade até o piora de forma flagrante e perigosa. É preciso perceber o fato de que pacientes que usam esses medicamentos não evitam o infarto agudo do miocárdio ou o acidente vascular cerebral, ambos decorrentes da falência de perfusão tecidual, agravada de forma mais aguda e intensa.

Sem essa visão, correta em sua interpretação fisiológica, a maioria dos médicos prescreve medicações voltadas à macrocirculação, que envolve os vasos maiores que 100 mícrons de diâmetro, ficando o principal território de resistência vascular – a microcirculação – sem nenhum tipo de controle.

A medicina convencional não está equivocada ao mencionar as razões hoje conhecidas da hipertensão, como as placas de ateroma, os problemas renais, o estresse, entre outras. De fato, essas são as causas da hipertensão arterial na macrocirculação, pois apenas nessa circulação de vasos arteriais existe uma camada muscular que reage a fatores do tipo de vasodilatadores ou a variações de volume, no caso dos diuréticos.

No caso do paciente acima descrito, seria muito mais provável que, após o episódio de hipotensão, o médico alopático convencional suspendesse imediatamente a dieta baseada em vegetais e o suco verde. Contudo, a ciência mostra que a dieta com base em vegetais, em protocolos nos Estados Unidos, onde estão os maiores pesquisadores nessa área, pode reverter até as temíveis placas ateromatosas nas coronárias, substituindo uma cirurgia ou a colocação de um *stent*. Isso deixa claro o que sugere o título deste livro. É no reino vegetal que vamos encontrar os maiores antídotos para essa doença que assola grande parte da humanidade.

O conceito que exponho aqui tem base fisiológica. Embora sua interpretação seja inédita, acredito que muitos estudos poderão comprovar essa hipótese, e para a qual desenvolvi um modelo bastante original de apresentação, para que qualquer pessoa possa compreendê-la.

Com base nas observações realizadas em quatro anos de doutorado, em mais sete anos de pesquisa microcirculatória após o retorno ao Brasil, e em toda a experiência dos últimos dez anos de prática com nutrição baseada em vegetais, posso afirmar: as descrições aqui expostas como analogias e teatralização são a mais plena expressão da verdade fisiológica.

Uma peça de teatro fisiológica

Apresentei essa performance pela primeira vez em 2009, nas oficinas Alimentação e Saúde que ministrei em Osasco, município da Grande São Paulo, com o apoio da Secretaria do Meio Ambiente. A apresentação foi muito aplaudida, o que me estimulou a repeti-la outras vezes, e com o tempo ela ganhou em técnica, humor e informação científica ao mostrar o mecanismo da hipertensão arterial. *Eureka!*

A encenação depende essencialmente da participação do auditório. O ideal é que tenha no mínimo 21 participantes, que devem estar sentados, dispostos em três fileiras de sete pessoas. Cada um deles faz o papel de uma célula do corpo, e os pequenos espaços entre as fileiras de cadeiras representam dois capilares.

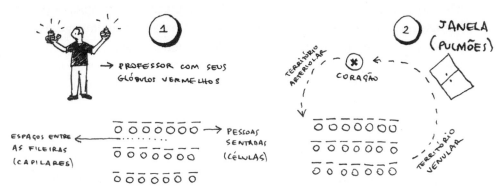

O corredor de um lado das cadeiras representa o território arteriolar, e o corredor do lado oposto, o território venoso. Uma porta ou janela marca o local que representa os pulmões, e outro ponto da sala representa o coração. Uns quatro tomates ou maçãs que caibam confortavelmente em suas mãos fazem o papel de glóbulos vermelhos.

Comece a encenação interpretando uma pessoa com pressão arterial, coração e microcirculação normais. Caminhe pelo território venoso com os "glóbulos" de tomates bem soltos na mão em direção ao ponto onde ficam os pulmões, inspire profundamente e diga: "Acabo de pegar o oxigênio nos pulmões". Então vá até o local do coração, dê uma corridinha para representar o bombeamento cardíaco e gradualmente diminua a velocidade à medida que chega perto dos capilares (as fileiras entre as células-público).

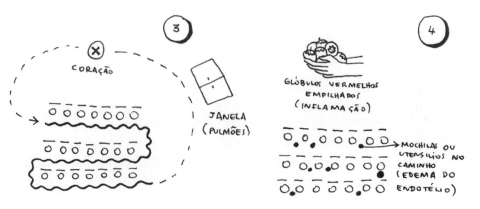

Uma vez dentro de um dos capilares, passeie calmamente e, movendo os tomates, mostre que eles estão entregando oxigênio (não entregue os tomates! Não é isso que o sangue faz). Sorrindo, pergunte para cada célula: "Quer um oxigênio fresquinho?" Normalmente os participantes devolvem o sorriso, pois sabem o que isso significa. Percorra essa fileira, passe pela outra e volte a caminhar pela corrente venosa em direção aos pulmões e ao coração.

A essa altura, você já capturou seu público, que está completamente ligado no que vai acontecer. Então diga: "Imaginemos agora que esse indivíduo, do qual nossas células, capilares, pulmões e coração fazem parte, começa a comer cachorro-quente, salgadinhos, doces, bolachas, frituras e refrigerantes, não faz mais exercícios nem recebe luz solar".

Nesse momento, use a imagem da equação de Poiseuille, já abordada neste capítulo e que deve estar escrita no quadro, junto com a tabela com os fatores inflamatórios mencionados no capítulo "Luz do Sol", para lembrar ao público que os fatores inflamatórios gerados por uma má alimentação fazem com que os glóbulos vermelhos percam a elasticidade e se tornem mais aderentes, resultando no aumento da viscosidade do sangue, e a parede dos capilares (o endotélio) fique edemaciada (inchada de água). Peça então aos participantes que deixem alguns objetos (mochilas, casacos) sobre os joelhos, o que fará o corredor capilar ficar "mais estreito", e diga: "Vejam, montamos um novo cenário: o sangue está mais viscoso e com mais dificuldade para passar pelos capilares".

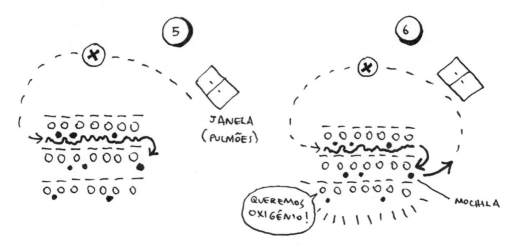

Repita o trajeto inicial, voltando para os pulmões e inalando o oxigênio. Passe pelo ponto do coração, dê aquela corridinha para representar o bombeamento e caminhe na direção dos capilares, olhando para as células (o público). Elas estão olhando para você também. Mostre os tomates agrupados, "aderidos" na sua mão, sem a flexibilidade de antes. Começa aí a parte dramática da encenação. Entre no capilar, diga: "Você quer oxigênio?" – a pessoa responderá que sim – e vá entregando o que pode, simulando estar com muita dificuldade para passar. Quando tentar entrar no outro capilar, mostre que não tem como fazê-lo e simule a tentativa de forçar a entrada, sem êxito. Então dirija-se a todos os indivíduos (células) que estão nesse território microvascular. Mostre que os tomates estão aderidos um ao outro ao chegar à entrada de uma fileira. Diga: "Vocês vão me desculpar porque eu estou um pouco mais viscoso. Sinto muito, mas não vou poder entregar oxigênio para vocês", e siga direto na direção do retorno aos pulmões e do coração.

Olhe então para as células que ficaram sem oxigênio e pergunte: "O que acham disso? Estão gostando de ficar sem oxigênio?" Normalmente todos respondem timidamente que não. Insista: "Não gostei desse 'não' tímido. Acabo de negar o nutriente básico de todos vocês! Falem mais alto: 'Queremos oxigênio!' Vocês têm que enviar um abaixo-assinado comunicando que estão insatisfeitos. Vocês são súditos desse reino, pagam seus impostos! Têm seus direitos e querem seu oxigênio! Repitam: 'Queremos oxigênio, queremos oxigênio!'"

O público ainda não sabe como vai acabar essa história. É hora de você, o diretor e ator principal da peça, explicar o que vai acontecer.

"Espero que vocês compreendam que um acidente vascular cerebral ou um infarto agudo do miocárdio são exacerbações dramáticas disso que acabo de mostrar. É preciso entender que uma pessoa que se nutre mal, tem sangue viscoso, é obesa e não faz exercícios tem edema das células do endotélio e não está oxigenando apropriadamente seus tecidos. Isso ainda não tem um nome muito preciso, mas desde já podemos chamar de 'hipóxia sistêmica crônica'. Hipóxia quer dizer pouco oxigênio. É diferente de anóxia, que é nenhum oxigênio, como quando ocorre o infarto ou um acidente vascular cerebral. Uma hipóxia é um déficit da oferta de oxigênio para as células do tecido. É exatamente isso que vocês estão sentindo. A nutrição das células é falha e os sintomas são sistêmicos, como dor de cabeça, cansaço, dor nas pernas e muito mais. Também acontecem durante todo o dia e por toda a vida, são crônicos. Vocês já estão se sentindo mal, estão reclamando que querem oxigênio. E qual será o órgão que vai entrar em cena agora?"

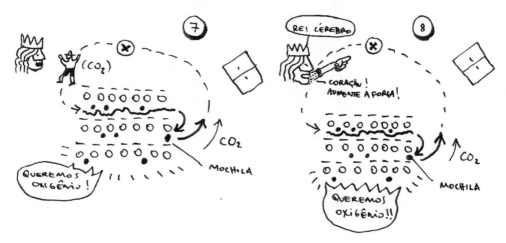

Nesse ponto, entra em cena um novo personagem: o cérebro. Explique aos participantes que ele é o "rei" desse país que é o corpo, a autoridade decisória suprema dessa grande "corte" de órgãos. Ele fica no gabinete real, dentro do crânio, na maior tranquilidade, à espera de que tudo esteja correndo normalmente. Conte então que o mensageiro real chega ao rei--cérebro em missão urgente, dizendo que percorreu o reino e soube que os súditos andam muito insatisfeitos com a baixa de suprimentos. A entrega de oxigênio está comprometida, as células estão ácidas, com o metabolismo prejudicado. Os canais de suprimento estão estreitos, o que dificulta a entrega do valioso nutriente, e os dejetos se acumulam.

O rei ouve as más notícias e faz cara de desdém: "Que posso fazer, se o dono de todos nós não tem consciência, se entope de pão, leite, carne, massas e açúcar? Não come verduras nem frutas? Não posso fazer nada!" O mensageiro insiste: "Excelência rei-cérebro, ouça a voz dos súditos!" Nesse momento, peça aos participantes que se manifestem: "Queremos oxigênio! Ouça, rei, o senhor tem que fazer alguma coisa!"

Explique a seguir que o mensageiro, em termos fisiológicos, é o dióxido de carbono (CO_2). É ele que vai ao cérebro e conduz sinais de acidez intracelular e intersticial, que vão determinar respostas fisiológicas como o aumento da ventilação pulmonar e a frequência e a força de contração do miocárdio. É quando o rei-cérebro responde: "Anuncie no reino que aumentarei a força do coração!"

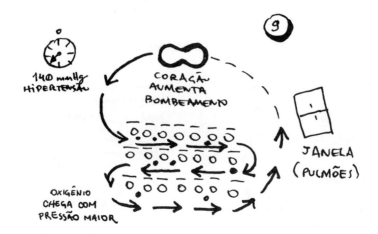

Olhe então para o público com os quatro tomates empilhados na mão (lembre que os glóbulos vermelhos estão aderentes e o sangue, viscoso) e diga: "Preparem-se, pois teremos cenas fortes. O rei determinou uma ordem que não pode ser desobedecida!" Volte ao local dos pulmões, respire e, ao passar pelo ponto do coração, mostre que está sendo bombeado com muita força e, em seguida, corra para dentro dos capilares (cuidado para não machucar ninguém!). Ao passar pelas células que estavam sem suprimento, entregue apressadamente o oxigênio que estava em tão urgente demanda.

A essa altura, todos estarão rindo, ou muito concentrados ou impressionados com o seu desempenho. É o momento de você perguntar: "Como se chama essa doença? Ela é muito conhecida!" Alguns arriscarão, timidamente: hipertensão. Explique então que essa é a verdadeira origem da hipertensão arterial. Essa doença nada mais é do que uma resposta fisiológica, uma ordem dada pelo cérebro para aumentar a força de bombeamento cardíaco com a qual um sangue viscoso é jogado contra capilares mal-irrigados. Esses capilares estão com um déficit de perfusão, ou seja, o sangue não está passando apropriadamente por dentro desses pequenos vasos. Os tecidos estão ressentidos com a baixa oferta de seu nutriente mais essencial, o oxigênio.

Explique a seguir o que acontece quando o paciente é examinado. Mede-se a pressão no seu braço e constata-se a hipertensão arterial. São necessárias três medidas repetidas em diferentes ocasiões para que o diagnóstico de hipertensão seja confirmado. Com esses dados nas mãos, o médico prescreverá dois medicamentos típicos: um diurético e um vasodilatador. Lembre então a equação de Poiseuille.

O que acontecerá após a ingestão de diurético? O paciente elimina água pelos rins, e essa água eliminada virá do sangue, ou seja, do plasma. Se água do plasma é retirada, o sangue se torna mais viscoso. E, com o aumento da viscosidade, como fica a perfusão dos tecidos e a oxigenação das células? Vejamos a atuação da outra droga, o vasodilatador. Ele dilata os vasos arteriais que se encontram antes dos capilares. Isso não muda a situação dos capilares, pois reduz a cabeça de pressão na entrada desses microvasos, pressão essa que era necessária para "empurrar" sangue oxigenado para dentro deles.

Ou seja, nenhum dos dois remédios mais utilizados para o tratamento da hipertensão melhora a condição do tecido, e talvez até mesmo a piore. E o mais curioso é que, após a introdução dos anti-hipertensivos, quando o médico voltar a medir a pressão no braço (que é a pressão da macrocirculação), essa "pressão arterial dos grandes vasos" terá caído. A medicação dilatou os vasos de maior calibre ou retirou volume do território da grande circulação, e com isso reduziu a pressão arterial. Mas não mudou em nada a saturação da microcirculação, os capilares. Essa é também a razão pela qual um paciente que usa anti-hipertensivos, mesmo que assiduamente, acabará sofrendo infarto agudo do miocárdio e acidentes vasculares cerebrais. Ou, ainda pior, desenvolve condições que evoluem para uma necessidade cada vez maior de medicamentos, para uma pressão arterial cada vez mais crescente. Reduziu-se a pressão na medida no braço, mas não se retirou a causa real da doença, a microcirculação.

Isso é o mesmo que dar um caráter maligno a uma doença que é essencialmente benigna. A hipertensão arterial é uma doença crônica, degenerativa, mas é benigna. E pode ser amenizada, prevenida ou até revertida.

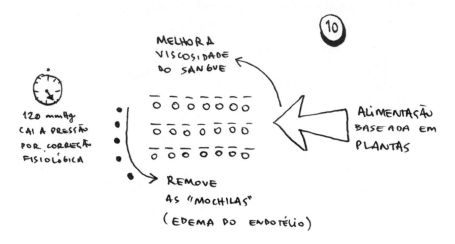

Imaginemos agora que nosso paciente conheceu a nutrição baseada em vegetais ou médicos dessa nova abordagem da medicina. Aprendeu todas as receitas práticas dessa forma de alimentação e passou a aplicá-las em pelo menos 80 por cento da dieta. Os 20 por cento restantes não incluem mais gorduras hidrogenadas, açúcares e amidos. O que foi descrito é o que ocorreu no caso do meu paciente que desmaiou. O edema do endotélio começará a se reduzir, e o sangue se tornará menos viscoso. A entrada do sangue nos territórios teciduais fica facilitada, e a demanda por uma arteriolar diminui na origem. Ocorre um reflexo cardíaco inverso e a queda da pressão arterial, dessa vez real e intensa.

Isso acontece porque se removeu a principal causa da hipertensão arterial, que é o déficit de perfusão, ou aumento da resistência ao fluxo microcirculatório. A pressão do manguito caiu porque a pressão foi reduzida *de forma real*. A forma artificial se dava através dos medicamentos. É necessário que essas teorias, facilmente comprováveis, entrem em protocolos de pesquisa e sejam imediatamente absorvidas pelo Sistema Único de Saúde (SUS) e pelos currículos acadêmicos. Algumas aulas de fisiologia aplicada a nutrição serão suficientes. E muitas vidas serão melhoradas em tempo e qualidade.

Estando o paciente medicado e o médico a par desses conhecimentos, é hora de iniciar a remoção dos medicamentos. O primeiro é o diurético, e deve-se orientar o paciente que já faz a dieta baseada em vegetais a beber água suficiente durante o dia e a usar sal com moderação, mas privilegiando os sais vegetais que são ricos em sódio, magnésio e potássio de forma equilibrada. Depois, uma vez comprovada a adesão do paciente à dieta, retira-se gradualmente o vasodilatador. Ao mesmo tempo, vão se tornando cada vez menos necessárias as drogas acessórias, como redutores de colesterol, anti-inflamatórios e anticoagulantes.

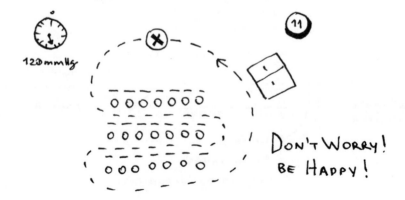

Pacientes com problemas sérios de qualquer tipo – por exemplo, hipertensão grave ou comprometimento severo da circulação coronariana, ou que usem vasodilatadores coronarianos, anticoagulantes e outros medicamentos cuja remoção possa ser prejudicial – devem ser acompanhados com cuidados muito especiais. Os médicos precisam estar preparados nessa terapia de remoção alopática, quando as medidas selecionadas para a dieta baseada em plantas se tornarem cotidianas na nossa população – o que, espero, aconteça o mais breve possível.

Chega o fim da peça, que teve um final feliz: o paciente procurou um grupo de compartilhamento de alimentação baseada em vegetais. Mostre que os tomates na sua mão estão livres de adesão e capazes de "andar" enfileirados. Os capilares estão desimpedidos. Volte ao ponto dos pulmões, passe pelo coração, que bate de forma suave, e, com expressão alegre e cantarolando, entre nos capilares, distribuindo oxigênio, a alegria das células. "Don't worry, be happy!" (Não se preocupe, seja feliz!)

A DISTRIBUIÇÃO DE ÁGUA NO PLANETA

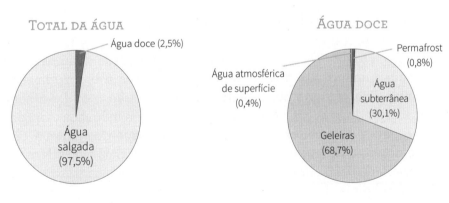

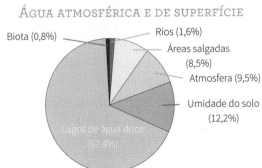

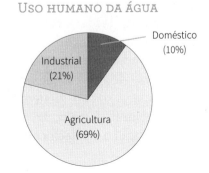

O gráfico anterior nos mostra que o consumo humano corresponde à menor parte (10 por cento) do consumo geral de água. Os restantes 90 por cento são consumidos pela agropecuária, a maior bebedora, com 69 por cento, e a indústria, com 21 por cento. Ao fazer dos grãos e da carne bovina alguns dos nossos principais produtos de exportação, na forma de *commodities*, não estamos inserindo no preço do produto o gasto ambiental e de água. São necessários 1.300 litros de água para produzir 1 quilo de grãos. Já quando se trata de 1 quilo de carne, a conta chega a 15 mil litros de água. A fabricação de um carro, por sua vez, demanda 45 mil litros.

Em todo o planeta, a água já é um recurso natural raro. Segundo o Fundo das Nações Unidas para a Infância (Unicef), 2,6 bilhões de pessoas, ou um terço da população mundial, não dispõem de água suficiente para o saneamento básico. Um bilhão de pessoas não têm acesso à água potável e quase 1,5 milhão de crianças morre anualmente por ingestão de água não potável envenenada.

Poluição e desequilíbrio das águas

O aquecimento global põe em risco meio século de progresso na saúde. Uma importante comissão médica se manifestou por meio do jornal médico inglês *The Lancet*, mostrando a gravidade do impacto da atividade humana não apenas sobre o clima, mas sobre parâmetros de saúde. Segundo um dos integrantes da comissão, o prof. Anthony Costello, do University College de Londres (UCL), a mudança climática tem o poder de reverter os ganhos em saúde que ocorreram a partir do desenvolvimento econômico global nas últimas cinco décadas. Decorrem da ação climática direta, de condições mais instáveis, e de efeitos indiretos, como inimagináveis migrações humanas e redução da estabilidade social. Esses efeitos poderiam ser revertidos nos dois âmbitos, desde a redução da emissão de carbono até a melhora da dieta da população.

Ondas de calor, inundações, secas e tempestades levam a um grau imenso de morbidade e mortalidade, devido à disseminação de doenças que já se consideravam extintas e à mudança de padrão de doenças infecciosas. A poluição do ar e das águas, a insegurança alimentar e a desnutrição, os deslocamentos e conflitos compõem o quadro restante.

Segundo o prof. Hugh Montgomery, também do UCL, a mudança climática é uma emergência médica e, portanto, exige uma resposta de emergência. Apela para que as tecnologias disponíveis passem a ser aplicadas. A ciência já oferece recursos para essas implementações, mas elas não são levadas adiante por falta de vontade política em diferentes nações e devido a interesses econômicos de um pequeno grupo de investidores que concentram o capital global. Na verdade, o primeiro fator é concatenado ao segundo, pois cada país tem seu grupo de políticos que não representam o povo, mas o interesse dessa plutocracia.

Está no foco das atenções o consumo de carne vermelha, por todo o seu potencial mórbido no corpo humano, mas também pelo impacto ambiental provocado pela criação de gado. Um esforço concentrado dos governos para prover benefícios à saúde através de uma dieta saudável encontraria resposta direta nos parâmetros de saúde pública. Faz-se necessária a redução das emissões de carbono, do consumo de combustíveis fósseis, através da adoção de estratégias não poluentes de mobilidade urbana, do consumo de tabaco e da poluição do ar, com suas consequentes doenças pulmonares.

Lixo e esgoto nas águas

A decomposição da parte orgânica biodegradável do lixo (restos de alimento), feita por microrganismos, produz gases e um líquido chamado chorume, ambos muito poluentes. Em um lixão, esse processo polui o solo, as águas superficiais e subterrâneas e o ar. Além disso, alguns materiais contidos no lixo não se degradam facilmente, permanecendo no ambiente por muito tempo.

O lixo jogado no ambiente também é responsável por enchentes, ao impedir o livre curso da água. Já a poluição das águas, tanto superficiais como subterrâneas, é causada pelo lançamento de efluentes industriais, agrícolas, esgoto doméstico e resíduos sólidos, o que compromete sua qualidade. Rios e lagos são os ambientes mais ameaçados, devido principalmente à construção de hidrelétricas em ecossistemas valiosos à canalização de cursos d'água em aglomerações urbanas.

Os esgotos domésticos, ricos em nitrogênio, provocam o crescimento de algas e plantas aquáticas, que reduzem a entrada de luz e do oxigênio do ar. Os nitratos presentes nos fertilizantes e no esgoto humano contaminam as águas subterrâneas. A perfuração sem controle de poços profundos em regiões sem manancial também pode contaminar os lençóis. No Brasil, parte importante do esgoto é despejada sem tratamento em rios, mares, lagos e mananciais.

O QUE ESTAMOS BEBENDO?

Após o oxigênio, a água é nosso mais importante nutriente. Sem ela, seria impossível viver. Ela compõe 90 por cento do corpo de um bebê e ao redor de 65-70 por cento do corpo de um adulto. Nossos músculos são compostos por 75 por cento de água. Até nossos duros ossos são compostos por 22 por cento de água. Ela é o maior componente de nossos alimentos.

O planeta contém apenas 1 por cento de água potável, e 15 por cento dessas reservas estão no Brasil. Podemos então nos referir ao nosso país como detentor do "ouro azul", o recurso mineral que será decisivo no século XXI. Além disso, os brasileiros e outros povos dos trópicos detêm a melhor água potável de origem do mundo. Com isso, estou me referindo a uma fruta/castanha dotada de propriedades hídricas inimagináveis: o coco. O mestre em alimentos vivos Aris LaTham diz que o coco foi criado por Deus para seu próprio usufruto. Para estar bem à Sua mão, Deus o colocou bem no alto.

Ainda não despertamos para o potencial dessa fruta/castanha nutritiva e hidratante. Ela recolhe água salgada, salobra ou mesmo de regiões áridas, filtra e acumula o precioso líquido em cabaças verdes que são a alegria de uma pessoa sedenta ou com desidratação.

E não se trata apenas de água, mas de eletrólitos e minerais ativos, assim como de poderosos nutracêuticos antifúngicos, os ácidos láurico e caprílico. Embora tão prodigioso na produção desse fruto, o Brasil ainda não sabe a maneira correta de cultivá-lo, dispondo as plantações em fileiras geometricamente alinhadas. Quando o coco é plantado de forma agroflorestal, junto com mangueiras e cajueiros, nas regiões próximas ao mar, ou com outras espécies florestais longe do mar, a fascinante comunicação entre as plantas faz com que as palmáceas subam acima da copa das demais árvores e produzam frutos gigantescos, com muito mais polpa e água.

Muitas outras frutas contêm alta quantidade de água – aproximadamente 85 por cento –, e as verduras, um pouco menos. A cenoura pode conter até 88 por cento de água. Essa água contida na estrutura celular de alimentos vegetais crus, denominada *água estruturada*, é a mais biologicamente ativa disponível. A água estruturada contém, ou tem a capacidade de conter, mais energia e poder fisiológico de hidratação que a água não estruturada, como a destilada ou mineral. Algumas pesquisas mostraram que na água estruturada o ângulo da ligação molecular entre os átomos de oxigênio e hidrogênio é diferente do da água não estruturada e sem carga energética. A água estruturada pode ser facilmente desestruturada através de aquecimento e fervura, tornando-se apenas uma bebida hidratante.

Dentro do corpo temos três lagos com águas estruturadas, mas com diferentes elementos em cada um deles. O primeiro é o da água intravascular, que é o sangue, rico em proteínas, ocupado por glóbulos vermelhos e brancos, imunoglobulinas e plaquetas; dependendo da alimentação, estará repleto de nutrientes (aminoácidos, carboidratos, gorduras, vitaminas etc.). O segundo é o da a água intersticial, que banha as células por fora, composta de um plasma sem proteínas, portanto muito menos denso e viscoso. E por último o lago mais vasto, o intracelular, a água que habita o interior de nossas células, repleta de proteínas e veículo de todas as reações que envolvem a vida. Independentemente do lago a que pertençam, nossas águas internas são todas coloidais, biológicas: são estruturadas.

Beber água da torneira?

Muita gente não percebe a gravidade do problema da poluição das águas potáveis. Ao coletar água da torneira e examiná-la, veremos que é incolor e sem substâncias em suspensão. Em muitos países, não tem gosto nem cheiro. Mas, infelizmente, em algumas cidades do Brasil a presença de poluentes químicos é tão intensa que se percebe o cheiro dela mesmo ao tomar banho. E seu gosto pode ser tão desagradável que a torna repugnante até para escovar os dentes.

Na minha infância, nas cidades em que vivi, Brasília e Rio de Janeiro, era comum chegar em uma padaria ou bar e pedir – e beber – um copo de água de torneira. Hoje, a água tem um gosto tão ruim, por causa da alta quantidade de cloro, flúor e poluentes químicos, que não poderíamos bebê-la. No máximo podemos usá-la para fins de limpeza.

A condição das águas e dos mananciais em países como o Brasil, a Venezuela e o México é tão grave que a maior parte da população desses países ingere líquidos à base de refrigerantes, que não hidratam, ou água mineral em garrafas de plástico, que, a longo prazo, também são prejudiciais à saúde. Cada vez mais a água potável passa a ser um sonho romântico, perdido em algum tempo remoto. Mas o que todos devemos saber é que a água é um patrimônio de cada Estado soberano. Não apenas a água potável, mas a que possa ser usada em banhos, para beber ou para regar plantas e lavar alimentos. Como cidadãos, devemos lutar por esse direito, da mesma forma que o fazemos ao exigir hospitais ou escolas melhores. Nossas águas não são apenas um problema de saúde, são também um grande desafio geopolítico.

Apesar de o Brasil deter 15 por cento da água potável do planeta, grande parte de nossas nascentes, microbacias hidrográficas de cabeceiras de rios e fontes medicinais estão sendo sistematicamente compradas por empresas multinacionais, como Nestlé e Coca-Cola.

O aquífero Guarani, a maior reserva subterrânea de água doce do mundo, estende-se pelo Paraguai, Argentina e Uruguai, e sua maior área encontra-se no Brasil, ocupando quase toda a nossa Região Sul. Curiosamente, o clã texano dos Bush, tradicionais *oilboys* e deflagradores das guerras pelo petróleo, compraram milhares de hectares de terra no Paraguai sobre o aquífero Guarani. Após o golpe de Estado recente contra o presidente Fernando Lugo, o governo dos Estados Unidos negociou com o país vizinho a instalação de uma base aérea. Possivelmente nossas reservas aquíferas já são vigiadas por *drones* americanos. Na Argentina, a agenda neoliberal do presidente Macri abre as portas a novas bases militares americanas. No Brasil, o golpe de Estado de 2016 abre as portas aos interesses internacionais.

Donos da maior reserva de água potável do planeta, há muito tempo não estamos lidando bem com nosso patrimônio. O Brasil vem desmatando de forma desenfreada a floresta Amazônica, a Mata Atlântica e o Cerrado. O novo Código Florestal tem brechas que permitem o desmatamento e são exploradas por posseiros e grileiros violentos que estão a invadir mananciais, reservas florestais e indígenas e florestas na busca de lucro desenfreado com agronegócio e agropecuária, práticas antiecológicas, escassas, caras, latifundiárias, monocultoras, dessecantes e obsoletas.

Nas cidades, o saneamento básico ainda é exceção. Apenas 45 por cento das casas têm esgoto sanitário. Mas em outras cidades do Brasil e de outros países, níveis muito tóxicos de contaminantes podem estar presentes na água inodora, transparente e insípida. Uma análise completa para contaminação microbiana, inorgânica e orgânica pode ser a única maneira disponível de determinar a qualidade e a segurança de uma fonte de água.

Uma pesquisa coordenada pelo Instituto Nacional de Ciências e Tecnologias Analíticas Avançadas (INCTAA), realizada no Instituto de Química da Universidade Estadual de Campinas (Unicamp), trouxe à tona uma triste informação. Elementos que interferem no sistema hormonal humano, entre muitos outros contaminantes, já estão presentes na água que bebemos. Não têm nem gosto, cor ou cheiro.

Por não estarem previstos nas diretrizes do Ministério da Saúde, esses novos contaminantes, denominados "emergentes", estão invadindo nossa água potável por uma razão ainda mais inaceitável: as comunidades humanas que crescem ao redor dos mananciais despejam esgoto *in natura* na água que dará origem à nossa água de torneira. Além dos agrotóxicos e solventes, todos eles insípidos e invisíveis, temos uma nova classe de substâncias denominadas interferentes endócrinos, que atingem o sistema endócrino de seres humanos e animais. São substâncias do grupo da dioxina, que já causaram muitos estragos no meio ambiente e na saúde de animais e seres humanos nos Estados Unidos. As dioxinas são anéis aromáticos largamente utilizados na indústria de plástico e brinquedos, protetores solares, repelentes de insetos, produtos de higiene pessoal, hormônios sintéticos e anticoncepcionais, medicamentos e novos materiais de uso doméstico.

O mercado industrial mundial despeja todo ano mais de mil novas substâncias em diferentes aplicações, como agrotóxicos, produtos industriais, medicamentos e produtos de higiene domiciliar e pessoal. Elas estão relacionadas a distúrbios endócrinos, feminização de homens, graves deformidades neonatais e câncer. O desconhecimento dos seus efeitos sobre o meio ambiente e a saúde por parte das autoridades médicas é muito grande. Será preciso criar um sistema mais ágil para analisar o comportamento e o tempo de vida dessas substâncias químicas, antes que elas provoquem danos em larga escala.

Como essas substâncias contaminantes não são filtradas pelos sistemas de purificação dos mananciais, o grupo de pesquisadores da Unicamp utilizou no estudo mencionado um indicador de excreta humana e de esgotos humanos, a cafeína. A cafeína não faz parte das substâncias presentes na natureza e é naturalmente concentrada no hábito de ingerir café, mate, refrigerantes, energéticos e medicamentos. O coordenador do estudo, Wilson Jardim, afirma que mais de 95 por cento da cafeína encontrada na água do manancial ou mesmo na água tratada para consumo humano é oriunda de esgoto doméstico. Mostra-se, portanto, boa indicadora de atividade estrogênica, além de estar presente em concentrações elevadas nas amostras.

Agrotóxicos

A cidade de Lucas do Rio Verde, no Mato Grosso, orgulha-se de ser a "capital brasileira do agronegócio". Em frequentes matérias pagas que veicula nas maiores emissoras de TV do país, mostra um sistema de saúde pública e escolas eficientes, informando que o município tem o "maior Índice de Desenvolvimento Humano" (IDH) do Brasil. Mas o dinheiro acumulado por esses grupos econômicos não traz necessariamente felicidade.

A análise do leite materno coletado de mães em fase de amamentação, em postos de saúde dessa cidade, mostra contaminação de todas as amostras com produtos agrotóxicos em índices muito acima do aceitável. O uso de alguns dos agrotóxicos encontrados não é mais permitido no Brasil. Lembremos que, na alimentação do lactente, a maioria da água provém do leite materno. É quase como colocar esses poluentes químicos neurotóxicos em linha direta com cérebros em formação.

A análise dos poços de água potável da região revelou, em 83 por cento deles, a presença de diversos tipos de agrotóxicos. A água potável do Brasil pode conter traços de até 13 tipos de metais pesados, 13 solventes, 22 agrotóxicos e 6 desinfetantes.

Além de causar prejuízos à água que chega às torneiras, a contaminação atinge também as chuvas. Das amostras de águas pluviais, estrategicamente coletadas em pátios de escolas de Lucas do Rio Verde, no Mato Grosso, 56 por cento carregavam os potentes venenos agrícolas. Não bastasse a água da chuva estar contaminada, os agricultores se encarregam de despejar chuva química direto nas escolas e na população. Em uma escola da cidade de Rio Verde (GO), uma infeliz manobra de um piloto de avião causou intoxicação aguda em mais de oitenta crianças, que foram levadas ao pronto-socorro com sintomas respiratórios agudos superiores e inferiores, alergias de vários tipos e conjuntivite química.

A agricultura de hoje se gaba de eliminar as ervas que crescem nas plantações de soja e milho transgênicos para aumentar a produtividade, ignorando por completo o potencial nutricional que essas "ervas daninhas" têm para o homem, os animais e até como fertilizantes para a terra. O ritual consiste em aplicar dessecantes nas folhas da própria plantação, eliminando também ervas daninhas. Dessa planta leguminosa seca e morta é que, com a ajuda de máquinas, se colhe aquilo que sobrou do ataque químico, na forma de produção agrícola de soja e milho.

Em nome dessa prática de dessecagem, o herbicida Paraquat é pulverizado em áreas do entorno de centenas de cidades rurais brasileiras, como na mato-grossense Lucas do Rio Verde, com o uso de máquinas terrestres ou, pior ainda, por pulverização aérea, prática infelizmente ainda permitida no país. A última vez que o vento levou a nuvem tóxica para essa cidade, houve perda de milhares de plantas ornamentais e de 180 canteiros de plantas medicinais, e quebra na produção de 65 pequenos produtores rurais.

Os estragos nos leitos de água são os mais perenes. Após agir nas plantações de monocultura típicas do agronegócio, os agrotóxicos penetram o solo e atingem as bacias hidrográficas e lençóis freáticos, contaminando a água que será utilizada posteriormente para consumo humano. Como nos exemplos mencionados, eles não têm cheiro nem gosto e são invisíveis.

Radiação

A radiação é um dos contaminantes mais mortais presentes na água. Existem formas naturais de radiação ao longo de nosso país, originadas do urânio, do rádio e do radônio, que estão em contato com águas subterrâneas.

O rádio na água potável é uma das mais importantes causas de defeitos congênitos e de altas taxas de incidência de câncer. Essa taxa elevada vem sendo associada a índices elevados de leucemia. Em um estudo americano, foi constatado o aumento de câncer em centros populacionais cujos índices de rádio na água ultrapassavam 5 picocuries por litro de água (o padrão federal máximo para esse elemento disponível na água). Os tipos de câncer prevalentes foram os de pulmão e bexiga, entre os homens, e de mama e pulmão, entre as mulheres. A taxa de leucemia em crianças dobra em áreas onde a água potável tem concentrações altas de rádio.

Os níveis máximos de radônio na água não devem exceder 10 picocuries por litro. Como ele é um gás, uma unidade de aeração para remover esse elemento dissolvido na água, antes de sua entrada pelas tubulações da casa, torna-se uma solução eficiente para o problema da contaminação. Filtros de carvão ativado também o removem. Sistemas de purificação de água por osmolaridade reversa, por sua vez, podem remover o urânio e o rádio.

Além de estar exposta à radiação natural, a população corre o risco de se contaminar devido a vazamentos de radiação de fontes artificiais, que podem ser de equipamentos hospitalares e de esterilização alimentar – o acidente com césio-137 ocorrido em Goiânia em 1987 é um exemplo. Muitas dessas fontes, subnotificadas aos órgãos de vigilância da saúde pública, decorrem do desleixo com o lixo radiativo e com o descarte de equipamentos usados e mal acondicionados em nosso país.

Proteção contra águas poluídas

A água usada pela população tem duas origens: águas subterrâneas, como poços e fontes, e águas de superfície, como as de rios e lagos. Na atualidade, ambas estão se tornando gradativamente mais poluídas, à medida que produtos químicos tóxicos, chuva ácida, volume bruto de bueiros urbanos, herbicidas agrícolas, restos de pesticidas, cloro, flúor, garapão de origem rural e sobras radiativas são despejados ou impregnados nelas.

A tradição de acrescentar substâncias tóxicas à água iniciou-se com a adição de cloro. O objetivo era nos proteger contra doenças originadas da água, como cólera, tifo, disenteria e hepatite. Desafortunadamente, o cloro é um agente químico volátil, que apresenta alta afinidade com vários poluentes industriais presentes na água. As combinações dele com certos elementos químicos formam uma classe de químicos tóxicos denominados tri-halometanos (THMs). Alguns exemplos de THMs são o tetracloreto de carbono e o clorofórmio. Como se não bastasse, o despejo e o vazamento de pesticidas no solo traz ainda muitos outros hidrocarbonetos clorados para nossas águas, como o DDT e a já mencionada dioxina. Essa substância química tóxica, cuja origem remonta à Guerra do Vietnã (quando ficou conhecida como agente laranja), é hoje considerada a mais violenta substância criada pelo homem, e seu grau de periculosidade ultrapassa o do urânio e o do plutônio. Entre os males causados pela dioxina citam-se o extermínio das defesas orgânicas (como ocorre no caso da aids), câncer e teratogenia, isto é, a geração de crianças com deformidades: falta de nariz, lábio leporino, olhos ciclópicos (um olho central) e ausência de cérebro.

Chegando a esse ponto de informação sobre a poluição irrestrita da água, torna-se óbvio que os dirigentes de grupos econômicos privados estão agindo de forma irresponsável no que se refere à saúde pública e ao bem-estar da população, e que seus interesses visam atender prioritariamente aos acionistas dessas corporações, muitos dos quais nem vivem em nosso país. Fica claro também que as agências governamentais ainda não conseguem, ou não querem, reforçar as leis de proteção da qualidade da água. Só nos resta então assumir como responsabilidade individual a proteção contra águas poluídas e tóxicas.

A melhor maneira de fazer isso é tomar posse da água destinada a beber e cozinhar e, se possível, também da água de banho. Foi o que fiz ao comprar uma propriedade com água própria. Seria uma nova e real ambição, para aqueles que estão despertando para uma nova era.

Ter a posse da própria água hoje em dia é ter a consciência de ser dono de uma mina, ou de um tesouro, já que durante os minutos que permanecemos sob a água podemos absorver, através da pele, toxinas e metais pesados. Após os eventos climáticos críticos de 2014 em São Paulo e o uso do denominado volume morto das represas de abastecimento da gigantesca capital, a água que sai pela torneira e chuveiros é impraticável para o banho e mesmo para escovar os dentes, tal a carga de química a ela adicionada.

Um estudo realizado na Califórnia mostrou uma taxa de abortos e filhos com defeitos congênitos menor em mulheres que bebiam água mineral engarrafada ou filtrada, em comparação com mulheres que apenas a obtinham diretamente da torneira. Não consigo imaginar o resultado de um estudo semelhante a esse, se realizado no Brasil, tal o grau de contaminação da nossa água de torneira.

Fontes alternativas de água incluem água engarrafada, de poço, mineral, filtrada, destilada e purificada por várias espécies de equipamentos, como purificadores de ozônio, de carvão ativado e sistemas de osmose reversa. Cada tipo tem suas vantagens e desvantagens.

A água engarrafada, seja de fonte, seja mineral, é acondicionada em recipientes de plástico, do qual absorve agentes químicos e cujo gosto pode ser detectado sem maiores dificuldades. Ao comprar água de estabelecimentos comerciais, o melhor é que seja de garrafas de vidro. A água mineral e a água de poço diferem no sentido de que o primeiro tipo vem de fontes terapêuticas e geralmente contém mais minerais que o segundo. A água mineral é definida como aquela que contém 500 partes por milhão de sólidos dissolvidos.

Algumas águas minerais podem conter partes muito altas de um determinado mineral ou vários minerais que poderiam potencialmente criar um desequilíbrio no organismo de algumas pessoas, se consumidos em grandes quantidades através do tempo. Um dos maiores problemas com a água engarrafada é que o consumidor pode não saber exatamente o que está na garrafa, ou se ela foi rotulada de maneira indevida como "água mineral". Muitas das "águas minerais" vendidas em locais públicos em garrafas ou copos plásticos nada mais são que água da torneira filtrada e engarrafada clandestinamente.

Algumas empresas tratam a água com ozônio, desionização ou mesmo cloro, de maneira a purificá-la. Essa também não passa de água de torneira maquiada. Em alguns casos, pode ser até água não tratada acondicionada em uma garrafa limpa. Escolher boas marcas é uma decisão acertada, mas não garante a qualidade. É possível, e acontece com frequência maior do que imaginamos, que compremos água de uma marca conceituada, porém falsificada. Convém sempre ler os rótulos e escolher empresas de reputação sólida. É importante ler no rótulo se a água foi retirada de uma fonte ou de um poço artesiano.

Sistemas de filtragem

Não existem águas seguras nas cidades brasileiras, assim como em seus grandes entornos. É triste passar informações sobre como consertar aquilo que nunca deveria ter sido estragado – aquilo que deveria ser, por direito nosso, um bem público e de baixo custo. Seria demasiado simplificador dizer: "Basta usar este ou aquele filtro para obter água puríssima". A verdade é que nenhum dos sistemas de filtros que mencionarei oferece a água energizada e vibrante da natureza. Em tempos de escassez, quando alguns países já deram início à transformação de esgoto em água potável e o nosso "maior detentor de água potável do planeta" está próximo daquele destino, não podemos mais denominar uma água cheia de tratamentos químicos como saudável ou segura.

A seguir, apresento diferentes recursos disponíveis para ao menos mitigar os efeitos tóxicos da água pública contemporânea.

Filtros de carvão ativado

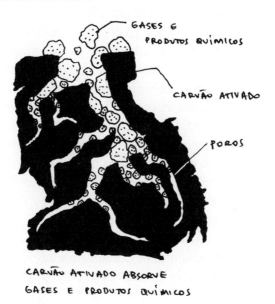

Desde a Antiguidade o carvão vegetal era utilizado na Índia e no Egito para filtragem da água, e Hipócrates também recomendava seu uso para esse fim. Reconheceu-se o uso industrial do carvão ativado no início do século XX, para o refino do açúcar. A partir dos anos 1930, ele começou a ser utilizado para retirar o cheiro e o gosto da água. Hoje, tem aplicação industrial ampla, na purificação da água de compostos como tintas ou em filtros de ar. Antes de chegar a nossas torneiras, a água passa por carvão ativado nas estações de tratamento.

O carvão utilizado em filtros domésticos é do tipo antracito. Mas já existem no mercado filtros feitos com carvão de casca do coco, de fibras de madeira ou bambu e de sementes de frutas. O carvão é "ativado" a altas temperaturas e em exposição a vapor de água, processo que determina a formação de uma quantidade gigantesca de poros microscópicos. Pode-se chegar a uma superfície efetiva de 1.400 m² por grama de carvão ativado, tal a área ampliada por esses poros. A porção interna dessa superfície é carregada positivamente e apresenta comportamento apolar, isto é, atrai substâncias orgânicas derivadas do petróleo, como agrotóxicos, por exemplo. O carvão ativado é cotado por sua capacidade de remover iodo e fenóis. Mas, mesmo com tanta oferta de filtragem, essa área vem sendo gradualmente ocupada pelos poluentes.

Por isso, devemos respeitar o prazo de validade do filtro, para evitar o risco de ele não estar mais filtrando a água. Ocorrem também fissuras ou canais por onde a água pode passar diretamente e, portanto, não ser filtrada. A melhor maneira de evitar isso é prestar atenção a qualquer mudança no gosto, no cheiro ou na cor da água e uma redução no seu fluxo. Deve-se ler o prazo de validade do filtro e, para maior margem de segurança, trocá-lo em um prazo 75 por cento inferior ao tempo recomendado. Se, por medida de economia, o usuário quiser esperar por uma mudança no gosto, redução no fluxo ou surgimento de cheiro na água, é possível que já esteja bebendo contaminantes em sua água potável. Outra recomendação importante no que se refere à eficiência do filtro de carvão é o tempo de contato com a água. Quanto mais lento o fluxo e mais carvão no filtro, melhor ele funciona.

Em ambientes industriais, é possível fazer o processo de reversão de fluxo e eletrostática, já que os poluentes aderem ao carvão por uma força física débil, denominada "adsorção". Já os filtros domésticos são compostos por carvão ativado granuloso, formado por partículas de tamanhos equivalentes a grãos de areia, empacotados em um recipiente de plástico ou aço inoxidável.

A filtragem de carvão ativado atende a diferentes tipos de demanda. Há filtros que suportam maior pressão, e que portanto podem ser instalados na chegada da água à casa, antes ou depois da caixa-d'água ou de modo a filtrá-la antes de chegar a chuveiros, algo muito recomendável. Filtros pequenos instalados na pia da cozinha, por sua vez, proveem água livre de produtos tóxicos para toda a cadeia culinária. Pessoas que cozinham, seja macarrão ou raízes e sopas, devem evitar fazê-lo com água da torneira, sob o risco de introduzir nos alimentos cozidos essas substâncias tóxicas.

Os filtros de carvão ativado são a forma mais barata de obter proteção contra a poluição orgânica baseada em carbono, pesticidas, herbicidas, inseticidas, bifenilos policlorados (PCBs), cistos de parasitas, metais pesados, asbesto, químicos voláteis orgânicos e os tri-halometanos de nossas águas municipais. Eles também eliminam cloro e odores desagradáveis.

Não conseguem, no entanto, absorver sais minerais inorgânicos como flúor, sódio, nitratos e minerais solúveis. Por essa razão, tornam-se apropriados para sistemas de água urbana, mas não para poços, que podem estar poluídos com altas quantidades de nitratos oriundos de dejetos agrícolas. Outras desvantagens do filtro de carvão são a tendência a se tornar um campo fértil para bactérias, leveduras e mofo, assim como sua incapacidade de remover alguns outros poluentes, como dioxinas e hormônios.

OSMOSE REVERSA

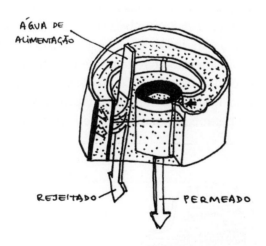

A osmose reversa é um sistema mais caro do que o dos filtros de carvão ativado. Trata-se de um equipamento de alta tecnologia que utiliza uma membrana semipermeável, de forma grosseiramente comparável ao sistema de filtragem renal. A água impura é forçada contra a membrana que a separa de outras concentrações. Ela segue o gradiente osmótico e atravessa a membrana, deixando para trás as impurezas que não conseguem vencer a barreira. Em condições favoráveis de pressão da água e contando com algum grau de pureza, obtém-se uma ótima filtragem, com baixo gasto de energia.

As unidades de osmose reversa são capazes de remover bactérias, vírus, nitratos, fluoretos, sódio, cloro, partículas de sílica, metais pesados, asbesto, químicos orgânicos e minerais dissolvidos. No entanto, não impedem a passagem de gases tóxicos, clorofórmio, fenóis, THMs, alguns pesticidas e compostos orgânicos de baixo peso molecular. Já combinadas com um sistema de filtro de carvão ativado, conseguem purificar a água potável de todo o espectro de impurezas, incluindo químicos orgânicos e inorgânicos. Muitas unidades de osmose reversa têm pré- e pós-filtros, que se encarregam de proteger contra quaisquer impurezas residuais não removidas pelo sistema.

Uma bomba pressurizadora se faz necessária, caso a quantidade de minerais dissolvidos na água seja maior que mil partes por milhão. A água se torna tão pura quanto a destilada, embora não hiperaquecida como esta e, assim, não desestruturada, o que é uma grande vantagem. O maior problema com a osmolaridade reversa é a fragilidade da membrana semipermeável. Algumas membranas podem ser destruídas por água clorada, água muito alcalina ou temperaturas altas. Se a água a ser filtrada tiver cloro, é preciso usar uma membrana de celulose. Se não, basta uma membrana de polímero.

No passado, algumas unidades de osmose reversa requeriam grande quantidade de água para trabalhar de maneira apropriada, desperdiçando muita água não filtrada, o que é uma desvantagem, em especial nos períodos de seca. Alguns dos modelos mais novos foram desenhados justamente para operar com uma quantidade mínima de água.

Destilação

A destilação da água é muito eficaz na retirada de praticamente tudo: cloro, flúor, cálcio, magnésio, toxinas orgânicas e inorgânicas e metais pesados como mercúrio, chumbo e cádmio. Nenhuma bactéria sobrevive à temperatura de fervura da água, e logo no início desta os compostos radioativos evaporam. Já os compostos de maior peso molecular aderem ao fundo do frasco de ebulição. É uma manobra simples que, se associada a filtros, é capaz de remover até alguns compostos mais tóxicos, como os tri-halometanos e as dioxinas.

A destilação é usada em estratégias de obtenção de água potável por países carentes desse recurso. A água do mar pode ser transformada em água potável com o uso de novas tecnologias. Hoje já existem plantas de tratamento de água movidas a energia solar e eólica, com potencial para ser no futuro uma importante fonte de água potável em abundância.

A maior desvantagem da água destilada é sua perda de estrutura, ou seja, ela deixa de ser estruturada para tornar-se uma água "morta". Mas pode passar por diferentes processos de reativação, como adição de sais, ativação solar ou movimentos em vórtex, ou mesmo uma associação desses métodos.

Ionizadores

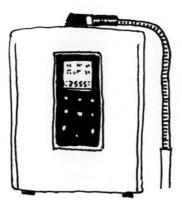

Embora não proteja contra a presença de toxinas, a ionização é um método revolucionário, baseado em tecnologia japonesa, que faz a água reproduzir as "qualidades revivificantes" das águas de fontes de montanhas de grande altitude. Os ionizadores têm três funções distintas: micropulverizam os complexos de moléculas de água em pequenas unidades, o que aumenta sua absorção; produzem água com diferentes graus de alcalinidade, gerando água ácida, que serve para lavar a pele e os cabelos e tem outras propriedades, como a de cicatrizar feridas. Já a água alcalina ionizada com bilhões de íons HO – que atuam como poderosos antioxidantes – pode ter efeito terapêutico, por conter os radicais livres.

Filtro de barro

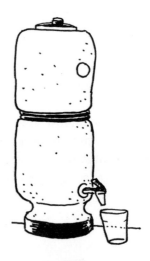

O filtro de barro é o mais comum no Brasil e, de certa forma, considerado obsoleto, já que o mercado foi invadido por dezenas de modelos de filtros de fluxo rápido. Ele é composto por duas unidades: uma superior, onde é despejada a água potável a ser filtrada, e uma inferior, onde se acumula a água já filtrada. Entre as duas câmaras fica o filtro propriamente dito.

A parede da peça é feita de cerâmica microporosa, em alguns tipos associada a carvão ativado e prata coloidal. Item doméstico antigo e que desperta certa nostalgia, até considerado *vintage*, o filtro de barro passou a ter muita procura após o início da crise hídrica do Sudeste brasileiro. De fato, ele é de um tempo em que a vida era mais calma, e exatamente aí reside seu trunfo. A filtragem não ocorre sob pressão extrema e apressada, exigindo apenas uma pressão gravitacional exercida pela coluna de água do compartimento superior.

A exposição das moléculas nocivas da água ao processo de filtragem é menos estressante, e por isso sua purificação é mais efetiva e a duração do filtro, muito maior, bastando que ele se seja lavado regularmente. O filtro deve ser trocado ao final de um período específico para cada marca.

> Existem atualmente no mercado filtros que se propõem a elevar o pH da água, ou seja, a torná-la alcalina. Cabe lembrar que eles contêm íons de bicarbonato de sódio, que são gradualmente liberados junto com a água, e, portanto, devem ser trocados de tempos em tempos para que obtenham seu efeito alcalinizante. Encaro essa questão com cuidado, pois nossa água não precisa ser alcalina, apenas neutra. A neutralidade é bem-vinda ao nosso organismo. Devemos, é claro, fugir de uma dieta ácida, à qual estamos expostos diariamente por comodidade. Porém, de nada adianta beber água alcalina e passar o resto do dia a ingerir alimentos ácidos e acidificantes. Ou seja, nada contra a compra de filtros para sua água – afinal, filtrar é fundamental. Nada contra o filtro alcalino, se você não fizer disso sua tábua de salvação em meio a um mar de ácidos. Senão, teremos em breve também o hambúrguer alcalino, o cachorro-quente alcalino, o refrigerante alcalino...

Hidroginástica

Não se pode deixar de mencionar os esportes aquáticos como de alta eficiência na manutenção da saúde. Além de solicitar a musculatura e os ligamentos, ossos e tendões, eles melhoram a capacidade aeróbica e a circulação, o transporte de oxigênio pelo sangue e a eliminação de dejetos ácidos pelas células, apresentando também efeitos no equilíbrio da mente. Assim é com a natação, com as práticas que envolvem prancha e vela e com qualquer outra atividade esportiva na água. Mas muitos desses esportes, embora aquáticos, podem ser de grande impacto agressivo.

A hidroginástica, no entanto, é uma prática de baixo impacto. Dentro de uma piscina, com a água batendo na altura do peito ou abaixo do pescoço, liberamos o corpo da sensação da gravidade. Pode-se dizer, sem erro, que esse é o primeiro esporte que praticamos, justamente dentro do útero materno: ainda na condição de fetos, movimentamos braços e pernas livremente dentro do líquido amniótico.

De igual maneira, ao nos exercitarmos em uma piscina morna, deixamos as pernas e os braços livres para fazerem movimentos em todas as direções. Mas não são apenas os membros que são exercitados na hidroginástica. Os maiores beneficiários dessa prática são os músculos paravertebrais, ou seja, os músculos que estão ao redor da coluna.

Dores na coluna são a maior causa de consultas e procura por medicação anti-inflamatória. Milhares, ou milhões, de pacientes padecem desses sintomas, buscando na alopatia uma solução que é apenas paliativa e, pior que isso, se agrava com o uso continuado de anti-inflamatórios cada vez mais potentes e menos efetivos. Isso porque, com o alívio da dor, os grupos osteomusculares envolvidos são novamente submetidos a impactos e a trabalhos que não poderiam ser realizados sem a medicação.

A maioria das dores da coluna não têm causa óssea, ligamentar ou discal. São originadas de espasmos, distensões e contraturas de um grupo numeroso e complexo de músculos que se localizam ao redor da coluna vertebral em camadas, como as de uma cebola. Justapostos às vertebras estão músculos minúsculos, os transversos espinhosos, os semiespinhosos, rotatórios do dorso e multífido da raque. Cada um desses grupos, por sua vez, tem fascículos com diversas direções e funções. Eles estão entre as apófises transversas – aquelas típicas protuberâncias das vértebras – entre si ou relacionados às apófises espinhosas. São o grupo mais interno. Logo após essa camada, surgem os músculos do grupo grande espinhoso, também com diversos fascículos. A camada seguinte compõe-se dos músculos grande dorsal e serrato. Ainda existe um potente músculo interno, o psoas, que confere estabilidade a toda a coluna. A capa externa é composta de músculos vigorosos.

Na evolução da nossa espécie, deixamos de usar esses músculos em sua forma natural, que nos permitiam andar usando os quatro membros ou escorando-nos em apoios naturais, para que passássemos a andar sobre os dois membros inferiores, em posição ereta. De fato, foi um salto evolutivo, mas de cujas consequências padecemos até hoje. A mencionada organização muscular "em cebola" tem, é claro, capacidade de manter nossa coluna ereta e permitir uma enorme liberdade e habilidade de movimentos dos membros inferiores, o que se pode perceber ao ver um grande jogador de futebol. Mas esse não é o caso da maioria de nossa população.

Com amidos, açúcares, gorduras hidrogenadas e todo tipo de agentes inflamatórios fornecidos pela alimentação, e um estilo de vida sedentário, vamos criando um mecanismo semelhante a uma bomba-relógio. O sedentário mal alimentado passa a se utilizar da forte capa externa de músculos para manter o equilíbrio da coluna. Sem exercitar suas musculaturas paravertebrais mais internas com movimentos de contração e alongamento, condena essas estruturas à inatividade, à baixa perfusão sanguínea e à acidez tecidual, com deposição de ácido láctico e fatores inflamatórios. O resultado é uma dor crônica local, normalmente na região lombar, que, graças à capa muscular externa e suas fascias, vai se mantendo dentro dos limites do tolerável. É justamente quando o indivíduo vai amarrar um sapato ou apanhar um objeto no chão que a "bomba-relógio" dos músculos paravertebrais mais internos explode.

A enorme dor que se segue só pode retroceder com largas doses de medicação anti-inflamatória. Procura-se o médico, que prescreve um remédio por via oral ou injetável (muscular ou venosa), em altas concentrações. O tempo de recuperação pode durar semanas e manter o indivíduo afastado de suas atividades produtivas. Não é pequeno o número de afastamentos por lombalgia e outras dores de coluna.

A pessoa com esse tipo de patologia inflamatória não encontra alívio, e sua vida passa a girar em torno de quando ocorrerá a próxima crise. Ela depara com mais sofrimento quando decide praticar diferentes tipos de atividades físicas consideradas leves, como caminhadas, pilates, ioga ou mesmo natação. Verá a frequência e a intensidade das dores aumentar, para seu total desespero. Eis que surge a hidroginástica.

Ao estar parcialmente mergulhado em uma piscina de água morna, o indivíduo encontra de súbito as pernas livres para movimentos em todos os sentidos. Ao acolher as instruções do professor de educação física habilitado para essa prática, passa a mover livremente os membros inferiores. E com isso percebe a mobilização da musculatura interna da coluna, há anos prisioneira e relegada ao esquecimento, e lembrada apenas quando da explosão de dor. A camada interna de músculos, mal irrigada, acidificada e cheia de fatores inflamatórios, passa a existir e, mais que isso, passa a ser exercitada em situação antigravitacional e de baixo impacto; ganha oxigenação, irrigação e liberta-se da grande quantidade de agentes inflamatórios. O inusitado exercício permite que essas camadas se fortaleçam e a pessoa comece a exercer suas atividades cotidianas normalmente, sem necessidade de medicamentos.

Após um período de condicionamento físico e aeróbico, que pode demorar meses, o indivíduo reabilitado por essa prática benéfica torna-se apto a realizar os esforços mais variados. A caminhada, o pilates e a ioga passam a ter valor de musculação e não trazem mais sofrimento. Sem dúvida, a prática de alongamentos e extensões típicos dos *asanas* da ioga contribuirá de forma irreversível para a manutenção de uma musculatura interna da coluna íntegra, bem irrigada e sem inflamações.

A hidroginástica não é uma prática de "velhinhas" e "aposentados". Faz parte do programa de condicionamento de esportistas de alto desempenho, jogadores de futebol, surfistas e praticantes de todas as formas de atletismo. E, ao mesmo tempo, pode ser praticada por obesos, diabéticos, hipertensos, sedentários, portadores de síndrome de Down, crianças e idosos. Assim, recomendo-a a todos os que estiverem lendo este texto, portadores de dores na coluna ou não.

Para saber se compreendeu este capítulo

1. Passe a língua no céu da boca. Você está adequadamente hidratado? No que consistiu seu desjejum hoje? Foi desidratante ou hidratante? Beba água ou néctares de frutas e sucos, de forma que sua diurese possa ocorrer a cada duas ou três horas.
2. Nosso maior volume de sangue está nos capilares. É nesse território da microcirculação que têm origem todas as doenças cardiovasculares. Use sempre um "microscópio" em sua mente, para poder imaginar o que está acontecendo com seus capilares, com seus tecidos.
3. O endotélio, fina camada que recobre os vasos por dentro, é uma espécie de órgão onipresente, pois suas células recobrem simplesmente todos os vasos do corpo, sejam eles linfáticos, capilares ou grandes vasos, e o coração. Pense no seu endotélio e cuide dele como um jardineiro cuida de suas flores. Esse tecido tênue e onipresente esconde todos os mistérios da nossa saúde.
4. Toda doença cardiovascular tem uma importante base inflamatória. Todas as causas de inflamação já mencionadas são também lesivas para o sistema circulatório. Lembre-se de que uma dieta com teores equilibrados, nunca altos, de amido e açúcar e que não inclua leite e proteínas animais atua como um potente agente anti-inflamatório, o maior de todos eles.
5. Está em suas mãos livrar-se do uso excessivo de medicamentos alopáticos para hipertensão e diabetes. A alimentação baseada em vegetais é fundamental para reverter esses males. Procure médicos que já tenham sido esclarecidos sobre os benefícios dessa forma de alimentação e caminhe na direção de eliminar as causas dessas doenças pela sua origem funcional e fisiopatológica.
6. Adote uma floresta, adote um agroflorestoeiro. Agroflorestas geram água. O alimento que se origina da floresta tem características benéficas para a saúde: frutas, tubérculos, hortaliças, palmitos e castanhas, que podem produzir uma dieta proteica equilibrada e deliciosa, leites e carnes vegetais. Não consuma leite de origem animal, adote o leite e os laticínios vegetais.
7. Fique atento ao seu entorno. Para onde vai a água de sua descarga? Para onde vai seu lixo? Para onde vão todos os efluentes químicos de desinfetantes e produtos de limpeza que você usa em casa? Estarão

eles sendo despejados em cursos d'água? Lembre-se de que o universo interno reflete o externo, e que tudo o que determinarmos ao ambiente voltará para nós.

8 Construa sua fossa seca. Seja um pioneiro em seu bairro ou comunidade. Desconecte-se do decadente sistema de esgotamento sanitário que prevalece no país e no mundo. Isole seus excrementos e os de sua família dos leitos fluviais. Permita que os cursos d'água possam fluir limpos e com ecologia preservada.

9 Torne-se um fabricante de sabões e detergentes de baixo impacto ambiental. Crie esse conceito para sua própria comunidade. Evite o uso de cosméticos e detergentes que, ao serem descartados, poluirão o planeta.

10 Adote um córrego ou uma nascente. Defenda-o dos predadores humanos que os poluem e destroem. Forme uma comunidade na internet, proporcionando esclarecimento aos usuários de uma microbacia. Junte crianças e ofereça aulas de ecologia, associadas a aulas de fisiologia.

11 Procure atuar junto à municipalidade para que a água que você utiliza para o banho possa ser a mesma que utiliza para beber. Pode parecer um sonho romântico, mas todo habitante de nosso país e de nosso planeta tem direito a água limpa e de baixo custo para o preparo de alimentos, para a higiene e para beber.

12 Enquanto isso não acontece, lance mão de filtros para purificar a água que usa em sua casa.

13 Coma frutas e procure obter sua alimentação baseada em vegetais de origem 100 por cento orgânica. Ajude a quebrar o monopólio de alimentos transgênicos e contaminados por agrotóxicos. Os venenos agrícolas já estão presentes em todas as águas do planeta. Isso precisa parar!

14 Os agricultores ecológicos são o maior movimento ambientalista do planeta. Para plantar, precisam proteger todas as formas de vida. Ao permitir a vida dos besouros rola-bosta, permitem também que os canais que esses insetos fazem sirvam de espaço para a brotação da água. A agricultura orgânica é a chave para salvar nosso ambiente da desertificação.

Receitas

Vejamos agora alguns doces sem açúcar ou laticínios, mas capazes de fazer seu paladar "decolar". Como diz Maya Beermann no curso Bases: "Se não fizer humm, então não atingimos nosso objetivo!". São doces com frutas – hidratadas e hidratantes – e fica a dica: é deliciosa a degustação com água de coco pura!

Torta maravilha

Ingredientes:
Massa
    ½ xícara (chá) de nozes
    ½ xícara (chá) de nozes-pecã
    1 xícara de amêndoas
    ½ xícara de damasco
    2 xícaras de tâmaras
    1 colher (chá) de sal do Himalaia

Creme
    1 xícara de cajus ou morangos maduros cortados grosseiramente
    1 xícara de tâmaras hidratadas
    1 colher (chá) de cardamomo
    ½ colher (chá) de missô

Cobertura
    1 figo maduro cortado em fatias
    1 manga Palmer madura cortadas em fatias
    ¼ de xícara de uvas verdes partidas ao meio
    ¼ de xícara de uvas vermelhas partidas ao meio
    1 ameixa madura cortada em fatias

Preparo:
Massa
Bata no processador todos os ingredientes até a massa agrupar e ficar lisa e homogênea. Se a massa não agrupar, adicione 2 a 6 colheres de água e bata novamente. Abra a massa numa fôrma redonda de aro removível. Reserve.

Creme
Bata todos os ingredientes no liquidificador (para facilitar, use o biossocador) até formar um creme. Distribua por cima de toda a massa.
Cobertura
Enfeite com as frutas: figo, manga, uvas e ameixas.

Armazenamento: 1 dia na geladeira em refratário de vidro com tampa.

Rendimento: 10 a 11 porções.

Cheesecake de chocolate com laranja

Ingredientes:
Massa
 1½ xícara de amêndoas
 5 colheres (sopa) de manteiga de coco
 2 colheres (sopa) de óleo de coco
 5 colheres (sopa) de agave, mel ou tâmaras hidratadas
 1 colher (chá) de pimenta-da-jamaica
 2 colheres (sopa) de cacau em pó
 2 colheres (sopa) de nibs de cacau
 6 colheres (sopa) de água
Cobertura
 1½ de xícara amêndoas hidratadas sem pele
 1½ xícara de suco de laranja-lima
 1 colher (chá) de gengibre ralado
 1 sachê de ágar-ágar diluído em 250 ml de água
 ¾ de xícara de damasco
 1 colher (sopa) de suco de limão
 ½ xícara de agave ou tâmaras hidratadas

Preparo:
Massa
Bata no processador todos os ingredientes até obter uma massa espessa e homogênea. Inicie na velocidade mínima e aumente à medida que as sementes forem trituradas em partes menores e ficarem se agrupando. Reserve.

Cobertura
Bata no liquidificador (para facilitar, use o biossocador) as amêndoas, o suco de laranja e o gengibre. Coe em um coador de voal. Devolva o líquido ao liquidificador e bata com o ágar-ágar diluído, o damasco, o suco de limão e o agave.
Dica: Dissolva o ágar-ágar em 250 ml de água fria e leve ao fogo mexendo, deixe ferver por 3 minutos até formar um gel esbranquiçado.

Montagem:
Num refratário de vidro ou fôrma de aro removível, espalhe a massa, despeje o creme por cima e leve ao congelador até endurecer.
Na hora de servir, deixe por alguns minutos fora de refrigeração, até que amoleça um pouco e facilite o corte.
Dica: A torta também pode ser servida sem ir ao congelador; a textura será diferente, mas o sabor continuará delicioso. Se o seu processador for grande, dobre a receita para conseguir triturar a massa.

Armazenamento: 1 semana em congelador.

Rendimento: 8 a 10 porções.

Torta de frutas

Ingredientes:
Massa
    ¼ de xícara de nozes hidratadas
    ¼ de xícara de castanhas-do-pará hidratadas
    1½ xícara de amêndoas
    ½ xícara de linhaça dourada
    1½ xícara de uvas-passas
    ¼ de fava de baunilha
Creme
    1 xícara de polpa de coco
    1 xícara de tâmaras hidratadas
    1 colher (chá) de noz-moscada
    2 colheres (sopa) suco de limão

Cobertura
    1 figo maduro cortados em fatias
    1 manga Palmer madura cortadas em fatias
    ¼ de xícara de uvas verdes cortadas ao meio
    ¼ de xícara de uvas vermelhas cortadas ao meio
    1 ameixa madura cortada em fatias

Preparo:
Massa
Bata no processador todos os ingredientes até a massa agrupar e formar uma mistura lisa e homogênea. Se a massa não agrupar, adicione 2 a 6 colheres de água e bata novamente. Reserve.
Creme
Bata todos os ingredientes no liquidificador (para facilitar, utilize o biossocador) até formar um creme. Distribua por cima de toda a massa.
Cobertura
Enfeite com as frutas: figo, manga, uvas e ameixas.

Armazenamento: 1 dia na geladeira em refratário de vidro com tampa.

Rendimento: 10 a 11 porções.

Torta de maçã

Ingredientes:
Massa
    2 xícaras de amêndoas
    1 xícara de uvas-passas
    1 colher (sopa) de óleo de coco
    2 gotas de óleo essencial de laranja
Creme
    Chocolate de abacate (ver Creme de chocolate na receita Torta festiva II, na pág. 308)
Cobertura
    2 xícaras de maçãs Fuji fatiadas em lascas finas, sem casca e sem sementes
    ½ colher (sopa) de óleo de coco
    1 colher (chá) de canela em pó

Preparo:
Massa
Bata no processador todos os ingredientes até a massa agrupar e formar uma mistura lisa e homogênea. Se a massa não agrupar, adicione 2 a 6 colheres de água e bata novamente. Abra a massa em uma fôrma redonda de aro removível. Reserve.
Creme
Confira a receita na pág. 308. Coloque sobre a massa.
Cobertura
Amorne em panela de pedra as fatias de maçã com o óleo de coco até ficarem macias. Polvilhe a canela. Coloque sobre o creme.

Armazenamento: 1 dia na geladeira em refratário de vidro com tampa.

Rendimento: 10 a 11 porções.

Torta delícia

Ingredientes:
Massa
- 2 xícaras de uvas-passas
- 1 colher (sopa) de óleo de coco
- 2 xícaras da mistura de sementes: gergelim, semente de girassol sem casca e semente de abóbora sem casca

Recheio e cobertura
- 2 xícaras de maçãs Fuji cortadas em *chips* sem casca e sem sementes
- 1 colher (sopa) de óleo de coco
- ½ colher (chá) de canela em pó
- 2 xícaras de macadâmia hidratada
- 4 colheres (sopa) de cacau em pó
- 6 colheres (sopa) de agave ou mel
- 1 pedaço ou 1 colher (chá) de essência de baunilha
- 1 xícara de água
- 2 colheres (sopa) de coco ralado
- Damasco e goji para decorar (opcional)

Preparo:
Massa
Bata no processador todos os ingredientes, exceto a mistura de sementes, até a massa agrupar e formar uma mistura lisa e homogênea. Se a massa não agrupar, adicione 2 a 6 colheres de água e bata novamente. Abra a massa em uma fôrma redonda de aro removível. Reserve.
Recheio e cobertura
Em uma panela de pedra, barro ou ferro, amorne a maçã no óleo com a canela até amolecer um pouco, mas permanecer firme. Distribua a maçã sobre a massa.
Bata no liquidificador a macadâmia, o cacau, o agave e a baunilha (para facilitar, utilize o biossocador), acrescentando um pouco de água até formar um creme.
Finalize a torta com uma camada desse creme sobre a camada de maçã e salpique coco ralado, damasco (em formato de flor) e goji.

Armazenamento: 1 dia na geladeira em refratário de vidro com tampa.

Rendimento: 10 a 11 porções.

Torta festiva

Ingredientes:
Massa
 ½ xícara (chá) de farinha de nozes-pecã
 1½ xícara de amêndoas
 ½ xícara de ameixas hidratadas no caldo de uma laranja
 ½ xícara de maçã (unidade pequena) sem casca e sem sementes
 ½ colher (café) de sal do Himalaia
 1 colher (chá) de fava de baunilha picada ou óleo essencial puro
 ½ colher (café) de canela em pó
 1 colher (café) de sementes de cardamomo
 ½ colher (café) de noz-moscada
 2 colheres (sopa) de manteiga de coco
 ¼ de xícara de farinha de linhaça dourada

Creme
    1 xícara de uvas-passas
    1 xícara de morangos
    2 colheres (sopa) de manteiga de coco
    1 colher (chá) de canela
    ¼ de colher (chá) de missô

Cobertura
    1 xícara de morangos cortados ao meio
    1 xícara de manga cortada em tiras
    1 colher (sopa) de castanha-do-pará ralada
    1 colher (chá) de raspas de laranja

Preparo:
Massa
Bata no processador todos os ingredientes até a massa agrupar e formar uma mistura lisa e homogênea. Se a massa não agrupar, adicione 2 a 6 colheres de água e bata novamente. Abra a massa em uma fôrma redonda de aro removível. Reserve.

Creme
Bata todos os ingredientes no liquidificador (para facilitar, utilize um biossocador) até formar um creme.

Montagem:
Em uma fôrma desmontável ou um refratário de vidro, coloque a massa e espalhe com a ajuda de uma espátula. Coloque o creme cobrindo toda a massa reservada. Arrume as frutas formando um desenho. Finalize polvilhando a castanha-do-pará ralada e as raspas de laranja.

Armazenamento: 1-2 dias na geladeira em refratário de vidro com tampa.

Rendimento: 12 porções.

Torta festiva II

Ingredientes:
Massa
    1½ xícara de amêndoas
    1 xícara de nozes-pecã
    ½ xícara de ameixas
    ½ xícara de damasco
    1½ xícara de tâmaras

Recheio
    Creme branco
    1 xícara de castanha de caju hidratada
    1 xícara de damasco
    suco de 2 laranjas-limas
    1 colher (sopa) de damasco
    uma pitada de sal do Himalaia
    1 colher (sopa) de agave ou tâmaras hidratadas
    Creme de chocolate
    1 abacate maduro
    2 colheres (sopa) de mel ou tâmaras hidratadas
    2 colheres (sopa) de cacau em pó
    1 colher (sopa) de óleo de coco
    1 colher (sopa) de farinha de linhaça
    1 colher (chá) de sementes de cardamomo

Cobertura
    ½ sachê de ágar-ágar
    ½ xícara de caqui-passa hidratado ou creme de caqui
    ½ xícara de água de coco
    1 colher (chá) de canela em pó

Decoração
    Uvas verdes cortadas em pétalas e goji

Preparo:
Massa
Bata no processador todos os ingredientes até a massa agrupar e formar uma mistura lisa e homogênea. Se a massa não agrupar, adicione 2 a 6 colheres de água e bata novamente. Abra a massa em uma fôrma redonda de aro removível. Reserve.

Creme
Bata todos os ingredientes no liquidificador até formar um creme.
Cobertura
Dilua o ágar-ágar em 200 ml de água fria e leve ao fogo, mexendo até que forme um gel esbranquiçado. No liquidificador, coloque o caqui hidratado, o gel de ágar-ágar (ainda quente), a água de coco e a canela. Bata até formar um creme homogêneo.

Montagem:
Em uma fôrma de vidro ou de aro removível, coloque a massa espalhando bem com as mãos. Faça uma camada com o creme de chocolate e depois outra com o creme branco. Por último, espalhe o creme de caqui. Utilize uvas para decorar em formato de flores. Em cada flor, coloque uma goji.

Armazenamento: 1 dia na geladeira em refratário de vidro com tampa.

Rendimento: 10 a 11 porções.

Docinho da massa de leite de castanhas (resíduo sólido)

Ingredientes:
　　1 xícara de resíduo de leite de castanhas
　　½ xícara de castanha de caju
　　2 colheres (sopa) de óleo de coco
　　1½ xícara de tâmaras
　　4 colheres (sopa) de suco de maracujá
　　½ colher (chá) do sumo do gengibre ralado e espremido
　　½ xícara de coco ralado
　　1 colher (chá) de essência de baunilha
　　1 xícara da mistura de gergelim preto e branco (partes iguais)

Preparo:
Bata no processador todos os ingredientes, exceto a mistura de gergelim, até a massa agrupar e formar uma misture lisa e homogênea. Se a massa não agrupar, adicione 2 a 6 colheres de água e bata novamente.
Em uma frigideira ou chapa de pedra, adicione a mistura de gergelim em fogo baixo, mexendo com colher de pau para não queimar, até as sementes ficarem tostadas.
Enrole os docinhos e passe no gergelim.
Dica: Se o seu processador for grande, dobre a receita para conseguir triturar a massa.

Armazenamento: 3-4 dias na geladeira em refratário de vidro com tampa.

Rendimento: 20 docinhos.

Docinho de festa

Ingredientes
    1 xícara de amêndoas
    ½ xícara de nozes
    1 xícara de ameixa
    ½ xícara de damasco
    ¼ de colher (chá) de óleo essencial de laranja
    2 colheres (sopa) de água
    ½ xícara de castanha de caju
    ½ xícara de coco ralado

Preparo:
Bata no processador todos os ingredientes, exceto a castanha de caju e o coco ralado, até a massa agrupar e formar uma mistura lisa e homogênea. Se a massa não agrupar, adicione 2 a 6 colheres de água e bata novamente.
Bata a castanha de caju e o coco ralado no liquidificador até virar uma farinha fina. Para conseguir bater a seco, é necessário segurar o liquidificador e a base com as duas mãos e fazer movimentos para cima e para baixo com vigor enquanto o aparelho está ligado no mínimo. Aumente a velocidade aos poucos até formar a farinha.

Enrole os docinhos e passe na mistura de coco e castanha de caju. Coloque em forminhas e decore com pedacinhos de damasco e ameixa. Dica: Se o seu processador for grande, a receita deve ser dobrada para conseguir triturar a massa.

Armazenamento: 3-4 dias na geladeira em refratário de vidro com tampa.

Rendimento: 20 docinhos.

Docinho de figo e gergelim

Ingredientes
    1 xícara de figo
    1 xícara de maçã desidratada sem casca
    1 xícara de gergelim
    1 colher (sopa) de erva-doce
    ½ colher (chá) de noz-moscada
    1 colher (chá) de canela em pó
    2 colheres (sopa) de água
    1 xícara de castanha de caju
    1 colher (chá) de cravos-da-índia para decoração

Preparo:
Bata no processador todos os ingredientes, exceto a castanha de caju e os cravos, até a massa agrupar e formar uma mistura lisa e homogênea. Se a massa não agrupar, adicione de 2 a 6 colheres de sopa de água e bata.
Faça a farinha de castanha de caju no liquidificador. Para conseguir bater a seco, é necessário segurar o liquidificador e a base com as duas mãos e fazer movimentos para cima e para baixo com vigor com o aparelho ligado no mínimo. Aumente a velocidade aos poucos até formar a farinha. Enrole os docinhos e passe na farinha de castanha de caju. Coloque em forminhas e decore com cravos-da-índia.
Dica: Se o seu processador for grande, dobre a receita para conseguir triturar a massa.

Armazenamento: 3-4 dias na geladeira em refratário de vidro com tampa.

Rendimento: 20 docinhos.

5
Ar, oxigênio e respiração

Coisas que a gente se esquece de dizer,
frases que o vento vem às vezes me lembrar [...].
Lô Borges e Ronaldo Bastos, "O trem azul"

Nada pode ser considerado mais onipresente em nossa vida que o ar. No útero, flutuamos dentro de uma bolsa d'água, onde durante nove meses vivemos com o oxigênio que, por meio do cordão umbilical, nos chega através do sangue materno e nutre e amadurece nossas células fetais. Nossas células respiram e crescem, mas através da ventilação pulmonar de nossa mãe. Quando nossos pulmões primordiais se formam, como pequenos brotos saindo de uma haste traqueal, eles se preenchem de líquido amniótico. Logo que o coração passa a ter seus primeiros batimentos, iniciam-se também movimentos respiratórios, e esse líquido ocupa todos os espaços pulmonares e os alvéolos. Embora a comparação seja estranha, o fato é que no útero a ventilação pulmonar é preenchida de água, de modo que parecemos peixinhos dentro de um aquário, com os pulmões inspirando e expirando líquido, treinando a ventilação aquática para o dia do parto. O oxigênio mesmo só chega pelo umbigo, através do sangue da mãe.

Então, de repente, deixamos essa zona de conforto oxigenada e quentinha. Depois de um grande esforço do músculo do útero materno, nossos pulmões, encharcados de água, são comprimidos no canal do parto e despontamos no canal vaginal com os alvéolos em pleno colapso. Ainda não existe ar dentro deles, mas também já se expulsou grande parte da água, e continuamos recebendo oxigênio através do cordão umbilical. Mas essa façanha só é possível aos bebês que nascem de parto normal ou assistido. Aqueles que vêm ao mundo através de cesariana têm o líquido das vias aéreas imediatamente aspirado por um cateter de plástico e não passam pelas massagens fisiológicas através do canal do parto, que expulsam o líquido amniótico dos pulmões.

Chega então o momento crucial de "cortar o cordão umbilical" – frase que se consagrou como metáfora para "deixar de ser dependente de alguém". O responsável pelo acompanhamento do parto comprime o cordão com uma pinça e, usando uma tesoura, interrompe em definitivo o elo que nos une tão profundamente a nossa mãe. Nossos sensores cerebrais ainda virgens dão o alarme. Começa a cair o nível de oxigênio no plasma e aumenta o de dióxido de carbono. A resposta é uma enorme inspiração, que se encontra com o líquido amniótico residual, seguida de um engasgo, tosse e um sonoro berro. Nascemos. Sim, de fato, só nascemos quando realizamos nossa primeira inspiração.

E qual é o verbo que designa o fato de que alguém acaba de morrer? "Expirou." Portanto, nossa vida consiste em um momento entre a inspiração inicial – o nascimento – e a expiração final – a morte. A vida é ritmo.

Assim começamos este capítulo, para que nossa atenção se concentre em nossos órgãos respiratórios: nariz, cavidade nasal, traqueia, pulmões, pleuras, caixa torácica e diafragma. Esse equipamento fabuloso, orquestrado pelo mestre cérebro e por diferentes sensores, nos mantém em estado oxigenado mesmo em condições climáticas e geográficas adversas. Na Sibéria, a - 40 °C, ou no Saara, a 50 °C, no nível do mar, com o ar pleno de oxigênio, ou nas altitudes dos Andes, onde o ar é rarefeito, na úmida Amazônia ou na seca do Cerrado brasileiro, nossos alvéolos recebem o ar atmosférico pelas vias aéreas superiores, sempre com a mesma umidade, temperatura e saturação. Um verdadeiro aparelho de ar condicionado.

Não importa se estamos agitados ou serenos, contentes ou estressados: nosso sistema de ventilação não para um minuto sequer. Em seu ritmo binário, ele controla a oxigenação das células e, muito mais que isso, funciona como um poderoso órgão excretor de acidez, controlando o pH do plasma, do qual depende nossa saúde. Por isso, podemos – e devemos – aprender a respirar melhor.

Através da respiração podemos nos aquietar e desacelerar o ritmo de nosso metabolismo, modificar nosso estado de consciência e ter acesso a esferas mais elevadas de pensamento. É através da respiração e da observação atenta da sua parte ventilatória que atingimos o estado expandido de consciência denominado meditação.

Embora isso não seja muito valorizado na nossa cultura, muitas outras, como a indiana, dão a todos os grandes pensadores a denominação de *mahatma*. Essa palavra do idioma sânscrito significa "grande alma", e também pode ser entendida como "grande respirador". Gandhi (1869-1948), o estadista que libertou a Índia do domínio inglês, tomava decisões e fazia mudanças de rumo em sua trajetória política após longos períodos de meditação e respiração consciente, e por isso é conhecido como "Mahatma Gandhi".

Curiosamente, o verbo "respirar", em sânscrito, é *athma*, e em alemão, *Atmen*. Em português, a palavra "espírito" tem origem no verbo latino *"spirare"* ("soprar", "respirar"), provando mais uma vez a relação da ventilação/respiração com nossa vida espiritual.

Na respiração repousam nossas emoções e sentimentos, e é muito comum adoecermos dos pulmões quando, por exemplo, vivemos uma situação de tristeza. Já no momento em que criamos uma obra artística ou uma poesia, ou em que elaboramos uma nova ideia, agimos sob a influência de forte "inspiração". Ou seja, temos muito mais a ver com esse ato involuntário – mas submetido a controle voluntário – do que imaginamos.

Nossas emoções acompanham movimentos ventilatórios. O maravilhoso artista cênico Avner Eisenberg nos lembra:

> A respiração se reflete naquilo que percebemos. Quando vemos algo novo, inspiramos, e, logo que sabemos que estamos seguros e confortáveis com o novo fato, expiramos. Meu trabalho como diretor é fazer com que as pessoas respirem.

Nada é mais "aqui e agora" do que a respiração. Ela nos acompanha durante toda a nossa existência, e sua manutenção está diretamente relacionada com o fato de estarmos vivos. Isso tem uma consequência prática que muitas pessoas desconhecem: para acessar um momento "aqui e agora" e usufruir dos efeitos das correntes vibratórias especiais que estão na natureza que nos circunda ou no cosmos, com notáveis efeitos sobre nossa fisiologia, devemos respirar conscientemente. Podemos passar de um estado de profundo estresse para outro de grande tranquilidade, de tristeza para estabilidade mental, da insônia para o sono profundo e outras mudanças radicais do estado de consciência somente através do ato de respirar.

Mas como um simples ritmo binário composto de "inspiração e expiração" pode ter tanta influência sobre nosso estado anímico e fisiológico? Aí reside o fato mais fabuloso desse incrível sistema respiratório. Ao ampliar a profundidade ou a frequência da respiração, mudamos por completo a oxigenação e a quantidade de dióxido de carbono (CO_2) do plasma. Com essa simples manobra temos o poder de mudar o pH do nosso corpo e do plasma. Simples assim. O sistema respiratório compete de igual para igual, e com muito mais agilidade, com o sistema renal na regulação da acidez do plasma.

Se você prender a respiração, sua pele começará a ficar roxa, seu sangue ficará com baixa concentração de oxigênio e saturado de dióxido de carbono, e o pH do plasma se tornará ácido. A resposta será uma hiperventilação reflexa, isto é, logo após a manobra de prender involuntariamente você passará a respirar de forma rápida e profunda. Já se você fizer voluntariamente uma hiperventilação, sua pele tenderá a ficar rosada, seu sangue ficará repleto de oxigênio e com baixa concentração de dióxido de carbono, e o pH se tornará alcalino. A resposta reflexa será uma respiração em ritmo muito lento.

Isso se dá porque o sistema ventilatório é controlado pela respiração celular. É o pH ou o CO_2 do plasma que dá as ordens na região central do cérebro. E este responde com comandos que aumentam ou diminuem a frequência e a amplitude respiratória e dos batimentos cardíacos. O princípio básico da mudança do estado de consciência através da respiração vem exatamente dessas regras fisiológicas. Se observarmos nosso ritmo respiratório, seja em que situação for, e modificarmos sua frequência ou profundidade, teremos um efeito imediato no corpo. E esse efeito está relacionado à mudança do pH do sangue. É desse princípio que vêm os conselhos populares "Respire" ou "Conte até dez" para quem está prestes a perder o controle emocional. Essa pausa respiratória de um a dez pode mudar a saturação de oxigênio do sangue e, assim, influenciar a reação a um determinado estímulo – por exemplo, uma atitude agressiva.

Para comprovar na prática como a respiração pode induzir a um estado de calma, sente-se confortavelmente em uma almofada ou cadeira, em uma posição na qual sua coluna fique ereta, sem esforço. Deixe os braços relaxados e os quadris ou os pés em contato com o chão.

Ar, oxigênio e respiração   317

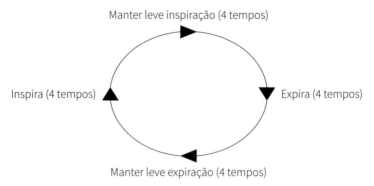

Respiração alveolar/mudança da atmosfera alveolar

Certa ocasião, acessei uma informação universal através da ventilação ritmada, e depois de alguns minutos recebi instruções de uma prática que compartilho aqui.

Mantenha a respiração normal e perceba o volume de ar que entra e sai dos pulmões a cada ciclo. A seguir, inspire e encha os pulmões de ar o máximo que conseguir. Com os pulmões cheios, respire normalmente. Achou que não conseguiria? Eu também fiquei surpreso com essa "respiração no alto da montanha", como passei a chamá-la. Ela é uma respiração predominantemente alveolar, que favorece a expansão pulmonar e faz com que a ventilação prevaleça sobre a perfusão (a irrigação sanguínea dos alvéolos). O ar alveolar ficará mais parecido com o ar atmosférico. Mantenha essa "respiração no alto da montanha" o tempo que achar necessário. Ela lhe dará visão de longo alcance, permitindo que você enxergue mais longe em relação ao momento presente.

Agora, o mais surpreendente. Elimine todo o ar dos pulmões e, ao final desta manobra, deixe o ar entrar e sair deles. Sim, isso é possível. Esse tipo de respiração, que chamei de "respiração do pantanal", favorece a capacidade de permanecer estável, "com os pés na terra", diante das tempestades da vida. Ela ocorre na base dos pulmões, onde predomina a perfusão pulmonar em relação à ventilação, fazendo com que o ar alveolar fique mais parecido com a concentração de gases no sangue.

Resumidamente, a troca gasosa pulmonar depende muito mais do ritmo de entrar e sair, que determina o denominado "volume corrente", ventilação de entrada e saída de 500 ml de ar, em média, capaz de manter a chamada "atmosfera alveolar".

Concentre a atenção na respiração e no ritmo respiratório. Inspire por quatro tempos (contando mentalmente de um a quatro), mantenha uma inspiração residual do ar durante quatro tempos, depois expire em quatro tempos e feche o ciclo expirando levemente o ar durante quatro tempos. Repita esse ciclo, mantendo a atenção no ritmo. Com isso, você estará se iniciando no universo infinito denominado meditação. É como aprender a andar para depois jogar futebol. Repita essa prática quantas vezes quiser e surpreenda-se com os resultados. Os exercícios respiratórios podem ser mestres de grande sabedoria!

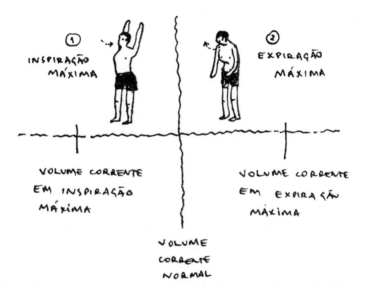

A respiração causa tantas alterações no corpo e na mente porque o diafragma, principal músculo respiratório, é controlado por um nervo exclusivo, que sai direto do cérebro, chamado nervo frênico. O cérebro recebe informações dos pulmões através do nervo vago. Esses nervos, que pertencem aos doze "pares cranianos", trabalham ligados ao centro respiratório bulbar, que é autônomo e gera o ritmo automático e involuntário da respiração. Por outro lado, ela pode ser regulada pela saturação de gases no plasma. Mas o que torna o sistema respiratório ainda mais fascinante é que podemos controlá-lo de maneira voluntária, como fazemos no ato de falar, cantar ou tocar instrumentos de sopro.

Quando "assumimos o comando" da respiração, também o fazemos em relação ao nosso próprio ser.

Odores

As ruas têm cheiro de gasolina e óleo diesel [...].
Renato Russo, Fê Lemos, Flávio Lemos e André Pretorius,
"Música urbana"

O olfato, na fisiologia humana e no reino da biologia, é o mais primitivo dos sentidos, e tem papel fundamental na sobrevivência das espécies. Para se ter uma ideia da importância dessa faculdade sensorial para o ser humano, basta pensar como foi fundamental, na luta pela sobrevivência, sentir o cheiro de chuva ou de seca, de ventos que indicavam mudanças climáticas, fêmeas em fase reprodutiva, bebês, alimento disponível, carcaças humanas ou bichos em decomposição, animais predadores, abelhas, flores, pólen. Nosso olfato já foi (e ainda é) capaz de perceber todos esses odores, sejam eles repugnantes ou agradáveis. Grande parte de nossas emoções e reações estiveram (e ainda estão) atreladas a diferentes cheiros. É compreensível, então, querer que esse sentido funcione apropriadamente.

A vida em um ambiente urbano pleno de gases de exaustão na atmosfera, odores pútridos de esgotos e rios poluídos, fumaça de cigarro, com uma alimentação à base de amidos e carnes fritos em gordura, além de outros produtos animais, leva nossos bulbos olfatórios – duas estruturas do cérebro que constituem a área central do olfato, o primeiro dos doze pares cranianos – a uma espécie de miopia olfativa. O mesmo acontece com animais criados em cativeiro. Eles perdem a faculdade de perceber os odores da natureza e treinam seu faro para captar o cheiro de ração industrializada, com a qual identificam seu alimento. Ao nos acostumarmos com maus odores, e isso pode envolver nossa dieta, induzimos o cérebro a se adaptar a eles. Deixamos de sentir repugnância e passamos a aceitar os sinais do ambiente alterado e hostil.

Manter odores naturais ao nosso redor é uma prática muito eficiente para alinhar nosso sistema anímico-corporal. Viver em uma comunidade sustentável, em meio à natureza, é uma chance de realinhar os estímulos externos com uma nova saúde interna. Perceber os odores de ervas, folhas e flores, frutas frescas ou podres e estrume que surgem a cada período do ano ativa nossa sensação de sazonalidade, permitindo-nos a adaptação de uma série de fatores celulares e metabólicos. Melhor explicando, o verão tem seus cheiros, o outono tem outros, do mesmo modo que o inverno e a primavera. Assim como mencionado no capítulo sobre a luz do Sol, o ar e seus odores influenciam sobremaneira nossas glândulas e nossos sistemas corporais.

> *Como um relógio de ouro o podre*
> *oculto nas frutas*
> *sobre o balcão (ainda mel*
> *dentro da casca*
> *na carne que se faz água) era*
> *ainda ouro*
> *o turvo açúcar*
> *vindo do chão*
> *e agora*
> *ali: bananas negras*
> *como bolsas moles*
> *onde pousa uma abelha*
> *e gira*
> *e gira ponteiro no universo dourado*
> *(parte mínima da tarde)*
> *em abril*
> *enquanto vivemos.*

"Bananas podres" – Ferreira Gullar

Pranaiama

O pranaiama (ou controle do *prana*, palavra do idioma sânscrito que significa "fonte de energia", "respiração") é uma prática comum no aiurveda, o milenar sistema de medicina tradicional indiana, e compõe-se de centenas de exercícios respiratórios diferentes. Em um deles, muito fácil, deve-se fechar uma narina, deixando o ar fluir por uma cavidade nasal apenas, e depois fazer o mesmo com a outra narina. O fluxo do ar ora pela narina direita, ora pela esquerda nos permite detectar a sensibilidade dos bulbos olfatórios direito e esquerdo alternadamente, da mesma forma que conseguimos discernir entre a visão ou a audição direita e esquerda. Com essa prática, estimulamos os dois hemisférios cerebrais de maneira alternada.

Embora isso pareça para nós, ocidentais, algo muito simplista, devemos lembrar que cada hemisfério cerebral humano exerce funções superiores e cognitivas (relacionadas à consciência) muito diferentes. Enquanto o cérebro esquerdo é de liderança, planeja atividades e estratégias de sucesso, portanto ligadas à vigília e à logística, o cérebro direito é mais intuitivo, artístico e introspectivo, responsável por abstrair e acessar o subconsciente. Em uma vida equilibrada, nenhum seria predominante ao outro, quer dizer, deveríamos ter igual distribuição de atividades concretas e abstratas.

Mas um artista plástico precisa pensar na comercialização de seus quadros, e um diretor de empresa precisa "pensar em nada". Esse jogo entre os dois hemisférios cerebrais nos leva ao equilíbrio do "tao".

A VENTILAÇÃO

A ideia que geralmente se tem de que o ar que respiramos simplesmente entra nos pulmões é errônea. O ar que nos circunda tem pressão de 1 atmosfera no nível do mar, mas essa pressão não é suficiente para que, a cada inspiração, inalemos em média 500 mililitros de ar. Para entender como de fato funciona o sistema ventilatório, é preciso conhecer um pouco de sua anatomia.

Os pulmões, um tecido esponjoso formado por milhões de microbolhas, são recobertos por uma estrutura semelhante a um plástico impermeável, chamada pleura visceral. Já a parte interna da cavidade torácica é recoberta por outro "plástico biológico", a pleura parietal, que, aderida aos ossos e músculos do tórax, abraça os pulmões e sua pleura. Uma fina camada de líquido entre as duas estruturas, o líquido pleural, funciona como um lubrificante, fazendo com que ambas estruturas separadas, embora aderidas por capilaridade, deslizem suavemente uma sobre a outra.

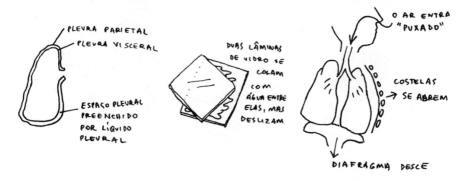

Na base dos pulmões fica o diafragma. Quando inspiramos, o diafragma se contrai e desce na direção do abdome. Como uma pleura é ligada por capilaridade à outra, ambas deslizam com eficiência. Nessa descida, em que a pleura parietal cria uma pressão negativa sobre a pleura visceral, o tecido pulmonar, portanto os alvéolos pulmonares, se dilatam, e o ar "entra", sugado pelo diafragma, ao mesmo tempo que o volume da caixa torácica aumenta.

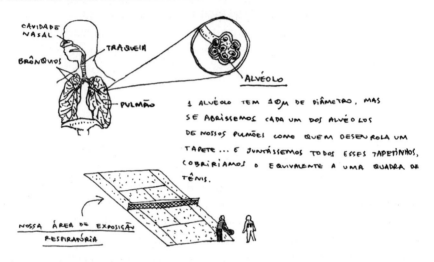

Prosseguindo nessa breve descrição de nosso fabuloso sistema ventilatório, chegamos aos 480 milhões de alvéolos dos pulmões. Essas estruturas, semelhantes aos orifícios de uma esponja, têm, cada uma, apenas 10 mícrons de diâmetro. (Mas, se pudéssemos abrir os alvéolos um a um e estendê-los, cobriríamos o equivalente à área de uma quadra de tênis!) E cada um desses sacos microscópicos é envolto por uma rede de mil capilares, o que nos dá uma ideia da complexidade do processo da respiração.

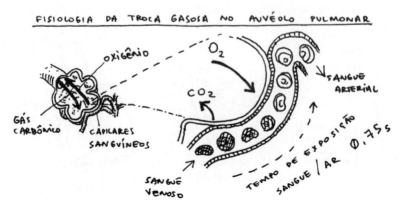

Depois que o diafragma suga o ar para dentro dos pulmões, é nos alvéolos que finalmente ocorre a transferência do oxigênio para o plasma. Quando o sangue venoso passa pelo alvéolo, ele precisa de apenas 0,75 segundo para carregar-se de oxigênio, ao mesmo tempo que libera dióxido de carbono.

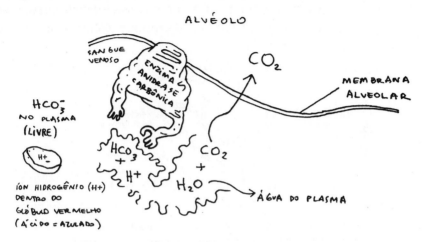

Esse sangue venoso é cheio de bicarbonato livre e contém o íon hidrogênio dentro do glóbulo vermelho, que está ácido. É dessa forma que o CO_2 é transportado no plasma. O íon hidrogênio é o radical ácido, e, ao tornar ácido o glóbulo vermelho, faz com que o sangue assuma uma cor azulada. Para que o CO_2 seja liberado do plasma, de onde vem sob a forma de bicarbonato livre, é necessária uma enzima – a anidrase carbônica – que, ao somar o íon hidrogênio retido no glóbulo vermelho ao bicarbonato livre, gera CO_2 gasoso (que vai para fora do sangue e do corpo, por via do alvéolo) e água (que fica no plasma). Sem essa enzima, não cumpriríamos essa simples etapa de soltar o CO_2, e nos seria impossível viver. Como é bonita a vida, não?

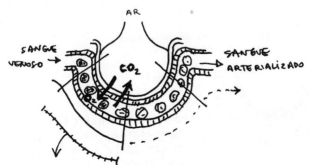

Esse fantástico sistema enzimático consegue fazer todas as suas reações em apenas 0,25 segundo, isto é, em apenas um terço do tempo disponível para a eliminação do gás nocivo. Ou seja, a natureza nos coloca à disposição 0,75 segundo para que a função da respiração pulmonar ocorra, e nós precisamos de apenas um terço desse tempo para realizá-la. Isso significa que temos "de sobra" 0,5 segundo. A isso se denomina reserva fisiológica respiratória.

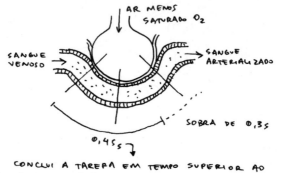

Suponhamos agora que, durante uma gripe muito forte, os pulmões estejam tomados por muco. Obviamente, a saturação de gás e a área de exposição do alvéolo ao ar estarão comprometidas. É aí que a reserva fisiológica respiratória se mostra importante. Devido ao comprometimento ventilatório, não será possível fazer as trocas gasosas em apenas 0,25 segundo. Mas, com 0,5 segundo de reserva, ainda conseguiremos tranquilamente cumprir essa tarefa.

Digamos que isso seja feito em 0,45 segundo, sobrando ainda 0,3 segundo de exposição do ar ao plasma. O resultado é que nossa hipotética gripe não causará mais do que um desconforto.

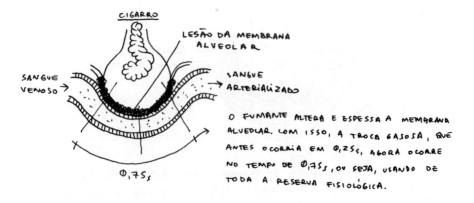

Mas o que acontece no caso de um fumante? As (pelo menos) 3.500 substâncias tóxicas e oxidantes contidas na fumaça do cigarro agridem de forma constante os alvéolos e dilapidam as estruturas das paredes alveolares e dos chamados sacos alveolares, deixando cada vez mais escassa a superfície de exposição do ar ao plasma.

Para o fumante, a impressão é de que consegue "fazer tudo": nadar, correr, ter suas atividades normais, pois o cigarro não lhe faz mal nenhum. Mal sabe ele que está perdendo a área de exposição ventilatória de forma permanente e irreversível. A armadilha vem exatamente da reserva fisiológica.

SACO ALVEOLAR "SADIO"

CACHOS DE ALVÉOLOS QUE SE DESDOBRAM EM TRABÉCULAS. GRANDE ÁREA DE EXPOSIÇÃO AR/SANGUE

SACO ENFISEMATOSO

FUMAÇA TÓXICA LESA AS TRABÉCULAS, COM CONSEQUENTE PERDA DE ÁREA DE EXPOSIÇÃO AR/SANGUE

Essa perda acontece aos poucos. De início, o fumante utiliza o 0,25 segundo disponível para fazer a troca gasosa. Depois, passa a usar 0,5 segundo e, a seguir, todo o tempo de exposição disponível do plasma ao alvéolo (0,75 segundo) para realizá-la. Mas aí já é tarde demais. Basta uma gripe para que a reserva fisiológica entre em colapso, dando início a uma crise de insuficiência respiratória. Com dificuldade para eliminar o dióxido de carbono, o indivíduo desenvolve cianose, uma cor azulada que é visível na boca e na ponta dos dedos. Essas crises de insuficiência respiratória passarão a se repetir sempre que um evento extra – uma doença respiratória ou mesmo um esforço médio, como atravessar uma rua – sobrecarregue a reserva fisiológica. Uma vez atingido o ponto da perda da reserva fisiológica por perda de área de exposição alveolar, basta que o indivíduo tenha uma simples gripe para experimentar crises de asfixia terríveis. É a isso que os médicos se referem quando dizem que o paciente "se descompensou".

Lamentavelmente, e por imposição da dependência do cigarro, muitos não largam o hábito e continuam a degenerar essa área de superfície. É quando aparece a doença pulmonar obstrutiva crônica (DPOC), que evolui de maneira inexorável para o enfisema pulmonar, dentre muitas outras enfermidades do sistema respiratório. O tabagista crônico pode até escapar do câncer, mas do enfisema e da insuficiência respiratória ele não escapará nunca. Fumar é um desacato contra a consciência humana.

> Mesmo assim, não pretendo julgar quem quer que seja por seus hábitos. Apenas convidaria o leitor fumante a examinar o aspecto "spiritu" da ventilação e o aspecto comunicativo da respiração/ voz/ fala.
>
> Já se perguntou por que "marca" sua ventilação com fumaça? Precisa ver o que exala? Será que você não é um pesquisador dos mistérios do ar e não sabe? Por que não faz um teste consigo mesmo? Viva a experiência de uma meditação com foco na respiração.

A RESPIRAÇÃO CELULAR

A principal função do sistema circulatório é a respiração.

Passemos agora para outro tipo de respiração – aliás, a verdadeira respiração. Trata-se da respiração celular. Ela é realizada pelo sangue e pelos capilares, entregando oxigênio a cada célula do corpo e removendo delas o dióxido de carbono. Todo o sistema ventilatório, toda a superfície de troca gasosa, o coração, os grandes vasos e os capilares nada mais fazem do que desempenhar um papel de "coadjuvantes" da respiração celular, a verdadeira respiração, que é o evento mais crítico da nossa vida.

O EQUILÍBRIO ÁCIDO-BASE

O grau de acidez é uma propriedade química importante do sangue e de outros líquidos orgânicos. A acidez expressa-se na escala pH, em que 7 é o valor neutro; valores acima desse indicam uma solução básica (alcalina), e abaixo, uma solução ácida. Um ácido forte tem pH muito baixo (cerca de 1), enquanto uma base forte tem pH muito elevado (próximo de 14). Em geral, o sangue é ligeiramente alcalino e próximo do neutro, com pH que varia entre 7,35 e 7,45.

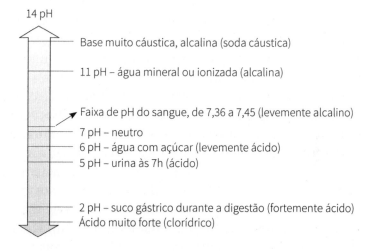

ESCALA PH

O controle do equilíbrio ácido-base, uma função fundamental na sobrevivência do corpo humano, é feito através do transporte dos gases dentro do plasma. O pH do plasma – isto é, a sua acidez – é controlado por meio do equilíbrio desses gases em uma manobra metabólica espetacular: o íon hidrogênio, que é responsável pelo fator ácido (pH quer dizer *"potentia hidrogenii"*, ou "potencial hidrogeniônico"), vai para dentro dos glóbulos vermelhos, razão pela qual eles se tornam azulados. Ou seja, o ácido fica "empacotado" dentro do glóbulo vermelho, enquanto o plasma se mantém alcalino, por conta da presença do íon bicarbonato. Esse truque fantástico resulta da simples reação entre o CO_2 e a água do plasma.

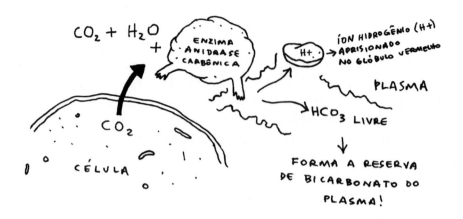

E novamente a protagonista desta façanha em nível celular é a enzima anidrase carbônica, só que desta vez de forma inversa. O gradiente iônico fez essa inversão de rumo ocorrer.

Mas, afinal, por que essa manobra metabólica é importante? O leitor já deve ter ouvido falar do ácido láctico, que se acumula nos músculos após praticarmos exercícios extenuantes. Nós reconhecemos sua presença pela dor muscular que produz. Na verdade, praticamente tudo – e não apenas o que se refere aos músculos – que resulta do nosso funcionamento celular e das nossas funções metabólicas libera radicais ácidos. Se não houvesse um sistema que neutralizasse todos esses ácidos produzidos no corpo a cada minuto, não conseguiríamos sobreviver por um dia sequer, pois, acidificado, todo o sistema se degeneraria. Assim, a manobra bioquímica de jogar o hidrogênio para dentro do glóbulo vermelho e deixar o bicarbonato no plasma é suficiente para criar o denominado sistema tampão bicarbonato. Ou seja, o nosso plasma é capaz de lidar com diversas cargas de ácido nele lançadas.

Eis que, mais uma vez, desafiamos nossas reservas fisiológicas. Dispomos de um sistema fabuloso de neutralização de ácidos, ultrassimples e inteligente, que se utiliza dos recursos dos rins e da respiração. E o que fazemos? Adotamos uma nutrição baseada em alimentos eminentemente geradores de ácidos: carnes, laticínios, amidos, açúcares e todo tipo de comida processada e industrializada. Após a ingestão desses alimentos, geramos uma grande quantidade de radicais ácidos, que são então tamponados pelo bicarbonato presente no plasma. Isso evita que entremos em acidose após um simples lanche.

Já quem tem diabetes não dispõe dessa reserva fisiológica, pois a glicemia alta típica dessa doença, também ácida, consome grande parte do bicarbonato. Como está em um regime fisiológico com tendência a ser ácido, se o diabético faz uso exagerado de algum tipo de açúcar, ele entra rapidamente em um estado denominado acidose metabólica.

O pH do sangue normalmente é mantido em uma faixa estreita que vai de 7,36 a 7,42. Em uma acidose metabólica grave, esse valor cai para 7,2, e essa simples queda de 0,2 do pH pode levar a pessoa a uma internação em uma unidade intensiva hospitalar. Isso mostra o potencial ácido da ingestão de açúcar. Da mesma forma que o fumante subestima sua área de exposição alveolar, subestimamos a reserva fisiológica de bicarbonato no plasma e passamos a viver em um estado limítrofe de "acidose tamponada" do plasma, que não nos leva para uma UTI, mas mantém o pH intracelular constantemente em 7,36, ou próximo do ácido – uma porta para vários outros eventos degenerativos, que fazem o metabolismo e o organismo perderem saúde e longevidade.

Uma alimentação vegana saudável, composta de 80 por cento de alimentos vivos e 20 por cento de alimentos vegetais cozidos rapidamente no vapor, é capaz de manter o corpo em seu equilíbrio ácido-básico, sem desafiar nossos sistemas excretores com grandes cargas de hidrogênio ácido. Mantém nossa reserva de bicarbonato sempre plena e a postos para neutralizar algum fator ácido. Ela é a garantia do perfeito funcionamento celular e de nosso material genético, assim como de nossas membranas celulares e de nossas estruturas plasmáticas intra e intersticiais. Já o oposto se observa com um padrão de alimentação processada, com base em laticínios e carnes, amidos e açúcares, que contribuem para a degeneração ácida dessas delicadas estruturas de vida. Nosso plasma tem mecanismos para manter nosso pH sempre neutro, mas nossos tecidos, não.

> Quando eu era médico interno, ainda estudante de medicina, adentrou no pronto-socorro um senhor de idade, em coma, com a respiração profunda e acelerada, as pupilas imóveis. Parecia estar em risco de morte iminente. Um médico mais experiente solicitou exames e puncionou a artéria radial (do pulso) do paciente. Logo uma seringa pequena de vidro, contendo sangue arterial, estava em minhas mãos, para que eu subisse à UTI e dosasse a gasometria do paciente. Na

UTI, um médico residente injetou o sangue em um aparelho chamado gasômetro, que em segundos analisou a amostra. O colega residente descreveu o que leu no papelzinho amarelo: "pH 7,2. Alta saturação de oxigênio. Exaurimento da reserva de bicarbonato. Acidose metabólica do plasma com resposta hiperventilatória".

Como o paciente estava fazendo ventilações profundas, entendia-se que estava saturado de oxigênio. Ele usava a ventilação forçada para se oxigenar e eliminar todo o CO_2 (ácido) possível pelos pulmões. A reserva de bicarbonato indica que esse tampão protetor havia sido consumido por uma grande quantidade de ácido. Mas de onde viria esse ácido? Na época, fiquei surpreso com o fato de um pH (7,2) tão próximo do normal (7,4) já poder levar um paciente àquela catástrofe clínica. Mas, com o tempo, percebi que tudo que sai da estreita faixa de pH do sangue leva a uma imensa descompensação, tanto para o ácido como para o alcalino. Sim, eu estava diante de uma "acidose metabólica compensada por hiperventilação".

Quando voltei ao pronto-socorro com o resultado, o médico, sorrindo, aplicava bicarbonato no paciente por via intravenosa. A filha do idoso havia chegado com uma caixa de bombons vazia, contando que o pai fora encontrado desacordado no banheiro, onde tinha comido os bombons de licor escondido. Era diabético. A glicemia colhida na hora mostrava um valor acima de 600 mg/dl. O episódio foi bastante ilustrativo na minha formação, mas na época não o associei à nutrição. Hoje sei muito bem qual é o papel do açúcar na acidificação do sangue. Lógico que o caso clínico descrito foi extremo. Um diabético não consegue manter a glicemia baixa após a ingestão de uma "libação de açúcar" – ou melhor, uma "overdose de ácido". Hoje compreendo não apenas o potencial de acidificação do açúcar, do amido e de todos os seus derivados, mas também que uma nutrição baseada em vegetais que exclua essas duas "bombas de ácido nutricionais" e mantenha o sangue mineralizado e equilibrado em glicemia e pH pode representar a cura definitiva de alguns casos de diabetes e a redução drástica da necessidade de medicamentos na maioria deles.

OS RINS

Esse par de órgãos desenvolveu-se com a função de retirar todo o excesso de ácido do plasma e eliminá-lo na forma de urina. É claro que sua função excretora não se resume à eliminação de ácido. Nosso sistema de filtração de glomérulos e túbulos renais é capaz de atuar como um verdadeiro filtro seletivo, eliminando todos os elementos que não deveriam estar no plasma (ureia, oxalato, medicamentos) e conseguindo manter todos aqueles que ali devem continuar (sais, proteínas, vitaminas). Os rins também são atingidos quando da adoção de uma dieta acidificante que compõe a ração industrializada contemporânea em constante sobrecarga. Não espanta que muitas pessoas estejam desenvolvendo insuficiência renal pelas mais diferentes razões.

Existe um mito profundamente arraigado na cultura médica de que alimentos naturais e vivos, originados de vegetais – leia-se suco verde –, podem trazer malefícios para pacientes portadores de insuficiência renal crônica. Mas o que a ciência atual nos diz é exatamente o contrário: a ingestão regular de vegetais verdes e de sucos verdes oferece ao paciente uma grande quantidade de magnésio na forma de clorofila, que é alcalinizante por natureza, assim como diversos sais alcalinos, presentes em folhas verdes e viçosas.

É muito comum ver os pacientes interromperem a progressão da insuficiência renal logo após a adoção do consumo diário de suco verde e de uma alimentação vegetal, crua e orgânica. Mas o que surpreende mesmo é saber que o paciente voltou ao seu médico alopático original, e este tentou convencê-lo a abandonar a ingestão do suco verde, alegando que ele iria aumentar a quantidade de potássio, com o qual os rins não podem lidar. É óbvio que, dependendo do grau da insuficiência renal, os níveis desse mineral no organismo devem ser controlados, mas existem vegetais verdes e frescos que não contêm tanto potássio e podem ser usados por aqueles que tanto se beneficiam de uma dieta vegetal alcalinizante.

A nova bibliografia de cura nutricional oriunda de centros de pesquisas americanos e europeus já informa que o paciente renal se beneficia de dietas com 70 por cento da sua constituição fresca, viva e orgânica. Torna-se importante, então, uma reavaliação da atual prática de nutrição para o paciente renal. Para tanto, necessita-se de um maior diálogo entre a medicina e a nutrição.

Medição do pH urinário

Graças à nossa capacidade de eliminar o ácido pelos rins e à facilidade para medir o pH da urina, podemos fazer essa medição várias vezes ao dia e durante semanas para monitorar a quantidade de hidrogênio ácido que estamos produzindo. Em uma curva normal de eliminação de ácido pela urina, como a reproduzida a seguir, pode-se observar que no início do dia, no momento do despertar, a urina está muito ácida.

Dieta ácida originada da "ração" industrializada contemporânea causa:

- **Sobrecarga renal**
  Rins são demandados a eliminar ácido

- **Sobrecarga plasmática**
  O sistema tampão bicarbonato sofre com a constante sobrecarga

- **Sobrecarga tecidual**
  O ácido em excesso é excretado por vias gástrica, intestinal, brônquica e dérmica

A medicina atual trata:

- Gastrites com antiácidos
- Bronquites com inalação
- Dermatites com antialérgicos e corticoides
- Alergias com anti-inflamatórios

... mas não trata a origem.

Como isso é possível logo após um sono reparador? Acontece que, enquanto o corpo se encontra deitado sobre uma cama em pleno descanso, o organismo se esforça para eliminar todos os radicais ácidos produzidos durante as atividades do dia. Portanto, é normal que a urina matinal seja tão ácida. Ela vai se tornando menos ácida durante o período da manhã, mas isso não quer dizer que o corpo está produzindo menos ácidos. Quer dizer apenas que eles estão no organismo, mas ainda não foram eliminados. Logo após o almoço, a urina volta a ficar ácida. Isso se dá porque a hora do almoço é também (ou deveria ser) um período de repouso, após uma manhã cheia de atividades. Nesse repouso, o corpo aproveita para se livrar do ácido acumulado pela manhã. Praticamente a mesma coisa ocorre ao longo da tarde e da noite, e, quando vamos nos deitar novamente, já estamos iniciando o processo de eliminação de ácido. É importante prestar atenção em um detalhe: não é nada saudável ter a urina alcalina! Ela é sempre ácida, pois isso indica que os rins estão funcionando e retirando do corpo todo o ácido decorrente de uma atividade e de uma alimentação normais.

A DOENÇA ÁCIDA

Com o sistema tampão bicarbonato e os rins sobrecarregados, e a capacidade de eliminar ácido pelos pulmões restringida, essa eliminação passa a ser feita por órgãos que não são seus excretores naturais. É o caso do estômago, que produz ácido clorídrico (HCl) para o processo digestivo – na digestão de proteínas, ele pode secretar grande quantidade desse ácido. Na digestão gástrica, o pH pode chegar a 2, mas logo depois volta ao seu valor normal, entre 4 e 5. Com a sobrecarga ácida nos tecidos promovida por uma alimentação industrializada nociva, o estômago passa a ser usado constantemente para eliminar hidrogênio. É dessa forma que esse órgão passará a ser o "estômago ácido" que produz gastrite e mesmo úlceras.

O indivíduo habituado a uma dieta acidificante e com os tecidos corporais acidificados procura o médico porque tem gastrite. O médico, considerando o caso apenas como de "estômago ácido", prescreve Omeprazol, substância "revolucionária" que bloqueia a eliminação dos íons hidrogênio pelo estômago. A acidez estomacal desaparece, e assim desaparecem também os sintomas da gastrite. Paciente e médico satisfeitos. Mas o que aconteceu com o íon hidrogênio em excesso? Ele foi apenas bloqueado, não eliminado. Não desapareceu em um buraco negro, mas ficou em algum lugar, e esse lugar é o nosso organismo! Na verdade, o medicamento bloqueou o que era uma rota alternativa de eliminação dele. Uma vez retido no corpo, o íon será eliminado pelos já sobrecarregados sistemas tampão bicarbonato, renal e pele. O que o Omeprazol, esse bloqueador da bomba de hidrogênio, estará fazendo é manter a sobrecarga de ácido dentro do organismo, abrindo mão do "órgão excretor" estômago, recrutado no desespero do corpo para eliminar ácido.

Esse é mais um caso em que a prescrição da alimentação baseada em plantas é bem-vinda. Segui-la de maneira regular permite que o paciente reequilibre o pH do corpo, fazendo com que o estômago deixe a função travestida de excretor de ácido e volte a desempenhar o papel para o qual foi destinado: a digestão de proteínas vegetais com um pH ácido transitório e moderado. O mesmo se aplica aos outros órgãos digestivos. Os tecidos da pele, dos intestinos, do fígado, dos pulmões, do cérebro e do coração libertam-se da pesada tarefa de lidar com a sobrecarga ácida imposta pela dieta, e todo o corpo comemora.

Da mesma forma, o fato de os pulmões passarem a exercer a função de órgãos excretores de ácidos dá origem a grande parte das bronquites. Isso ocorre desde a mais tenra infância, quando o balanceado leite materno é substituído por mamadeiras ácidas de laticínios bovinos e açúcar. A sequência de eventos é idêntica à descrita no caso da gastrite. A criança passa a apresentar crises de dispneia (dificuldade de respirar) e tosse, que são diagnosticadas como bronquite. O médico atendente não vê outra opção senão prescrever agentes inalatórios e xaropes, e a medicação evolui rapidamente para corticoides. As associações daqueles sintomas com otites e sinusites determinam a prescrição de antibióticos. É comum encontrar crianças (lembre-se do capítulo 1) que, aos 2 anos, já estão no quinto tratamento consecutivo com antibiótico. Esses abomináveis ciclos de sofrimento podem ser evitados com a adoção de uma dieta baseada em vegetais, com açúcar originado das frutas e carboidratos complexos em estado bruto vegetal, perfeitamente adequável e necessária para uma criança. Os sintomas desaparecem simplesmente com a substituição do açúcar e dos laticínios que constituem o café da manhã por um copo de suco verde ou leite de castanhas com água de coco. Mas toda orientação nutricional do bebê deve ser acompanhada pelo profissional habilitado de saúde.

A maior parte das doenças de pele (eczematosas) e das doenças inflamatórias do intestino ocorre quando esses órgãos também são recrutados na eliminação da acidez excessiva. A consciência – por parte dos profissionais de saúde – de que o ácido intersticial e tecidual é o grande causador da maioria das inflamações e estados alérgicos poderá levar a uma remissão em larga escala desses sintomas como os mais prevalentes nos postos de saúde e prontos-socorros.

A POLUIÇÃO DO AR

A poluição do ar nos centros urbanos e industriais é causada principalmente pela queima de combustíveis fósseis em veículos de transporte, por usinas de geração de termeletricidade e pela indústria. Aqui temos um exemplo evidente de como aquilo que causa prejuízo ao meio externo se reflete em nosso meio interno.

Estamos queimando lenha, petróleo e todos os seus derivados, o que determina uma brutal mudança climática no planeta. O mais triste é que a humanidade poderia estar em franco progresso, fazendo exatamente o contrário. Nós nos tornamos dependentes de um modelo econômico "queimador" de carbono e emissor de CO_2 na atmosfera. O agronegócio faz esse papel, assim como todos os hábitos de vida do cidadão urbano. Sua necessidade de usar veículos particulares, energia elétrica em excesso e produtos animais e industrializados na dieta contribui para o aumento mundial da pegada de carbono.

Uma mudança em nossos hábitos de vida pode reverter a escalada da temperatura no planeta. O relatório-síntese do Painel Intergovernamental de Mudanças Climáticas (IPCC, na sigla em inglês), elaborado em sua última reunião, em 2014, em Copenhague, na Dinamarca, determinou que, no atual ritmo de emissões de carbono, atingiremos o aumento global de temperatura de 2 °C, o que levaria a fenômenos climáticos ainda mais extremos do que os que já vemos hoje. Para que a Terra tenha 66 por cento de chance de evitar cruzar essa fronteira, essas emissões precisam cair 70 por cento até 2050 e chegar a zero em 2100. A 21ª Conferência Planetária do Clima (COP21), que ocorreu em Paris em 2015, conseguiu produzir um documento assinado por representantes de quase todos os países, com o objetivo de atingir o mais precocemente possível as mencionadas metas.

Assim como as florestas, os oceanos são fundamentais para a absorção da emissão de dióxido de carbono, o principal gás responsável pelo efeito estufa – eles absorvem 25 por cento das emissões. Segundo a revista britânica *Nature Climate Change*, o aumento da temperatura das águas acima de 2 °C representará uma mudança nunca ocorrida nos últimos 3 milhões de anos na vida marinha. Esta, além disso, estará mais exposta a riscos, já que os gases do efeito estufa contribuem para a acidificação das águas. Se prosseguirmos no ritmo em que estamos, a acidez dos oceanos aumentará até 150 por cento até o ano 2100, com consequências catastróficas para os recifes de corais e, portanto, com reflexos em toda a vida marinha.

Os gases emitidos em maior quantidade pela atividade humana são: dióxido de carbono (CO_2), monóxido de carbono (CO), hidrocarbonetos (HC), aldeídos (R-CHO), óxidos de nitrogênio (NO_x), óxidos de enxofre (SO_x) e o correspondente material particulado (MP). O CO_2 emitido pelo escapamento de automóveis é o mais lesivo à saúde. O aumento do CO_2 é apontado como o mais agravante fator para o efeito estufa. Já os HC e os NO_x ocasionam a formação do ozônio troposférico, perigoso agente cancerígeno. No Brasil, o desmatamento e as queimadas são os maiores responsáveis pelas emissões de CO_2.

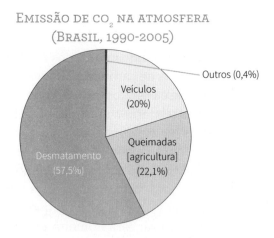

EMISSÃO DE CO_2 NA ATMOSFERA
(BRASIL, 1990-2005)

Entre 1990 e 2005, o desmatamento foi responsável por 57,5 por cento delas, e as queimadas da agricultura, por outros 22,1 por cento. Entre nós, a queima de combustível em veículos é a segunda maior fonte de emissão de CO_2, com cerca de um quinto do total.

Nossas opções alimentares estão diretamente ligadas a essas emissões de CO_2 e às mudanças climáticas no planeta. E um fato interessante é que a alimentação baseada em vegetais não auxilia apenas na alcalinização do corpo, mas na de todo o planeta. Quem come hambúrguer fica com o organismo acidificado e, ao mesmo tempo, se torna cúmplice da destruição de florestas, derrubadas a cada ano para a formação de pasto para o gado, e do aumento do efeito estufa, que é agravado pela eliminação, por esses animais, de grande quantidade de metano na atmosfera.

Sim, a dieta centrada em carne e laticínios aumenta a acidez do corpo e do planeta. Por outro lado, até os resíduos da alimentação baseada em vegetais constituem matéria bruta de carbono, que pode ser depositada em terras agroflorestais e composteiras e retornar ao ambiente como CO_2 retido – na verdade, mais que isso, pode formar complexos bacterianos homeostáticos que produzem terra fresca e viva para os canteiros de produtores familiares orgânicos. Assim, uma nova forma de nutrição contribui também para uma nova forma de organização da ecologia e do clima do planeta, como mostra o quadro a seguir.

UMA NOVA FORMA DE ALIMENTAÇÃO

Efeitos	Alimentação baseada em carne, laticínios, amido e açúcar	Alimentação baseada em vegetais
Corpo	Meio interno ácido	Meio interno neutro
Ecologia	Devastação de biomas	Reflorestamento de biomas
Solo	Perda da fertilidade Agricultura extensiva e uso de pesticidas e fertilizantes	Aumento da fertilidade Agricultura familiar orgânica
Ar e camada de ozônio	Emissão de CO_2	Fixação de CO_2
Resíduos	Tóxicos, acúmulo de lixo industrial e aterros sanitários	Compostagem e fertilização natural
Águas	Desperdício, poluição e acidificação das águas Desertificação	Economia e purificação das águas Retenção da água no solo

TABAGISMO

Um dos componentes do tabaco, a nicotina é a responsável pelo estabelecimento de uma dependência orgânica, o tabagismo. Oito segundos depois de inalada, ela atinge a corrente sanguínea, chega ao cérebro e produz uma sensação desagradável, que, uma vez adquirida a dependência, torna-se prazerosa. A essa falsa sensação de bem-estar associam-se outras, também falsas, porém eficazes, como a redução temporária da ansiedade e o aumento da vigilância e da capacidade de concentração, com diminuição do apetite.

Os efeitos do tabagismo na microcirculação são drásticos. Os componentes químicos da fumaça do cigarro provocam uma mudança na conformação da membrana celular dos glóbulos vermelhos, dificultando a passagem deles dentro dos capilares. Como vimos no capítulo anterior, a dificuldade dos eritrócitos de circular em capilares aumenta a resistência periférica, sendo responsável pelo aumento da pressão arterial.

Estima-se que a fumaça do cigarro contenha aproximadamente 3.500 substâncias químicas, das quais pelo menos 60 são cancerígenas. O fumo é responsável por 90 por cento dos casos de câncer no pulmão, 30 por cento de cânceres de outros tipos, 85 por cento das doenças pulmonares e 50 por cento das doenças cardiovasculares.

Segundo a Organização Mundial da Saúde (OMS), o tabagismo mata anualmente 5,4 milhões de pessoas no mundo. As políticas públicas são consideradas importantes instrumentos para combater essa dependência. No Brasil, a restrição legal começou em 1996, com a lei que proibiu o fumo em ambientes coletivos fechados, privados ou públicos e criou os "fumódromos".

Em 2005, o país ratificou a Convenção-Quadro para o Controle do Tabaco, da Organização das Nações Unidas (ONU). As nações signatárias do documento assumiram o compromisso de implantar medidas para reduzir o consumo de tabaco e a exposição dos não fumantes à fumaça. As leis estaduais promulgadas no Brasil a partir de 2009 são no geral mais restritivas que a federal e eliminaram até os "fumódromos". Leis mais restritivas ainda foram adotadas no final de 2014. A legislação estende-se também à propaganda de cigarros em qualquer ambiente, que é atualmente proibida. Apenas os maços de cigarro podem ser expostos, com a superfície posterior coberta por advertências ao uso dessa substância tóxica.

Como resultado dessas medidas, a exposição à fumaça do cigarro em ambientes públicos diminuiu até 90 por cento. Mesmo que não resulte no abandono da dependência do tabaco, isso faz com que seu consumo seja reduzido, diminuindo também a morbidade e a mortalidade. Além disso, dados do Ministério da Saúde mostram que o número de fumantes caiu cerca de 30 por cento no país nos últimos nove anos. Hoje, 10,8 por cento dos brasileiros são fumantes, contra 15,6 por cento em 2006.

Para quem ainda pensa que a legislação vigente é radical, convém lembrar que, só em 2013, o Ministério da Saúde gastou R$ 1,4 bilhão com internações provocadas por doenças relacionadas ao tabagismo.

O tratamento para dependência do tabaco geralmente é feito com a associação de psicoterapia, terapias de apoio e reposição de nicotina, por meio de adesivos, gomas de mascar ou inaladores. De forma errônea, como discutimos no capítulo 2, remédios antidepressivos também são indicados, para reduzir a ansiedade e proporcionar a sensação de bem-estar.

Nossas observações mostram que a adoção de uma alimentação baseada em plantas e rica em vegetais frescos, na forma de saladas e sucos verdes, e dentro de um ambiente de práticas integrativas, tende a diminuir a ansiedade relacionada à dependência do tabaco. Essa dieta e essas práticas também melhoram as condições de ventilação pulmonar, troca gasosa e circulação sanguínea.

Os radicais livres do oxigênio

Foi na Alemanha, em 1994, ao estudar os efeitos de soluções de conservação no transplante de órgãos, que ouvi pela primeira vez o termo *reflow paradox*, ou "paradoxo da reperfusão". Esse efeito se refere ao retorno da circulação sanguínea a um tecido que estava sob pouca ou nenhuma oxigenação, como ocorre nos enxertos de transplantes, e também em tecidos cardíacos após a introdução de cateteres (*stents*).

Tal fenômeno, curioso, é descrito como um conjunto de lesões que ocorrem nos tecidos imediatamente após o retorno do oxigênio. Por isso é considerado um paradoxo. Como um elemento fundamental à vida celular – o oxigênio – pode ter efeitos devastadores em um tecido que estava estressado exatamente por sua falta?

Durante a hipóxia, ou anóxia, acumulam-se no tecido substâncias que são potenciais radicais de oxigênio. No momento em que a revascularização do transplante se processa, há uma enxurrada do gás, que entra em contato com esses precursores. Nesse confronto bioquímico, formam-se, em unidades infinitesimais de tempo, os radicais livres. As lesões, normalmente contra o endotélio e contra as células, são imediatas.

O que nosso grupo de pesquisa observava e estudava eram lesões graves, que levavam à perda ou à rejeição do enxerto. Testávamos as soluções de conservação fria dos enxertos, cuja função durante o transporte deveria incluir a prevenção da formação de precursores de radicais livres e da oxidação. Nossos experimentos, assim como os de outros colegas – nós trocávamos muita informação entre os grupos –, mostravam que o elemento radical na prevenção dessas lesões seria a presença de antioxidantes. E mais: esses antioxidantes só teriam efeitos protetores se já estivessem dentro da célula. Nossos estudos mostraram que os antioxidantes administrados durante a reperfusão não tinham nenhum efeito. Mas quando os animais os recebiam na dieta, as lesões eram muito menos evidentes.

Isso indica que, para obtermos efeitos antioxidantes, devemos acumular, por meio da alimentação, os elementos valiosos derivados do reino vegetal, os fitoquímicos antioxidantes. Portanto, a alimentação baseada em vegetais (dos quais pelo menos 70 por cento sejam frescos e crus) é a única fonte confiável para manter esses níveis intracelulares de antioxidantes.

O oxigênio é o elemento indispensável à vida. As células o utilizam para a geração de energia. Os radicais livres do oxigênio são subprodutos gerados na queima celular de açúcares, chamada de respiração celular aeróbica, que geram a produção da fundamental molécula de ATP dentro da mitocôndria. Esse processo é realizado pela maioria dos seres vivos, animais e vegetais, e fornece à célula a energia necessária às suas atividades.

Na cadeia respiratória, 98 por cento do O_2 é reduzido a água. O oxigênio molecular (O) é um birradical de dezesseis elétrons que, embora apresente um elétron não emparelhado na última camada de cada átomo, é estável porque esse elétron gravita na mesma direção, impedindo o O de agir como radical livre. Tal condição lhe confere características de potente oxidante, ou seja, de receptor de elétrons de outras moléculas. Porém, a mitocôndria deixa escapar elétrons não pareados, que logo são roubados pelo oxigênio (os 2 por cento restantes dele). Com um elétron a mais, o oxigênio escapa dessa cadeia de reações, sendo agora o radical superóxido (O_2 com um elétron extra). Os radicais livres têm vida média de milésimos de segundo, mas eventualmente podem tornar-se estáveis, produzindo reações biológicas lesivas.

Ao encontrar uma enzima protetora, a superóxido dismutase, que lhe doa um de seus elétrons, o radical livre de oxigênio se transforma na inofensiva água oxigenada. Mas, ainda assim, a água oxigenada (peróxido de hidrogênio) pode "trombar" com um átomo de ferro. Se isso ocorrer, ela ganha mais um elétron, formando o terceiro e mais terrível dos radicais: a hidroxila, que reage instantaneamente com moléculas da célula.

Porém, se o indivíduo estiver plenamente alimentado por alimentos frescos do reino vegetal, outras enzimas (catalase ou peroxidase) e vitaminas (complexos B e C, vitamina E) tornam-se disponíveis. Dessa maneira, todas essas moléculas de peróxido reduzem-se a água, no processo chamado antioxidação.

Além dos subprodutos denominados radicais livres do oxigênio, ocorre também a liberação de radicais livres de *nitrogênio*. Ambos resultam do processo celular de oxidação e redução. Esses radicais apresentam um perfil muito delicado e antagônico. Em altas concentrações, geram estresse oxidativo.

O estresse oxidativo tem o papel mais importante no envelhecimento e na fisiopatologia das doenças crônicas e degenerativas que assolam a humanidade: câncer, artrose, distúrbios autoimunes, enfermidades degenerativas cardiovasculares, neurológicas, oculares, pulmonares e renais, e também distúrbios fetais e da gestação.

As funções normais e os malefícios dos radicais livres

Os radicais livres podem ser úteis na atividade destrutiva da resposta imune. Quando um vírus, bactéria ou alérgeno estão ocupando um território que é nosso, isso gera a sinalização de um alarme químico para as células do sistema imunológico. Os primeiros a chegar ao local são os neutrófilos (glóbulos brancos), que promovem uma completa destruição do invasor, utilizando-se exatamente de radicais livres estocados; em seguida, vêm os macrófagos, que envolvem e picotam o agente estranho com superóxidos. Nessa estratégia evolutiva de defesa, o organismo aprendeu a aproveitar o potencial destrutivo dos radicais livres a seu favor.

Mas, de forma inversa, os radicais livres também podem reagir com o chamado lipídio de baixa densidade (LDL, na sigla em inglês), ou "mau colesterol", que, também por escolhas alimentares inadequadas, pode estar circulando em alta concentração no sangue. Os macrófagos, células imunológicas de limpeza, deslizam pelas paredes dos vasos, tanto os de maior calibre como os capilares ínfimos, e vão incorporando todas essas moléculas de mau colesterol já oxidadas. Contudo, ao serem convocados para recuperar eventuais lesões microscópicas do endotélio na parede dos vasos, algo rotineiro em nosso funcionamento, eles podem se romper, espalhando pela lesão o conteúdo oxidado. Mais macrófagos dirigem-se então para o local, criando aos poucos maiores acúmulos de colesterol. Como vimos no capítulo anterior, quaisquer mudanças na estrutura da parede vascular podem impedir o livre trânsito do sangue. Calculemos as consequências, quando esses acúmulos atingem proporções de depósitos nas artérias menores e arteríolas (aterosclerose).

Também as membranas das nossas células podem ser objeto de ação antioxidativa. Elas são constituídas por lipoproteínas, uma associação de lipídios com aminoácidos que, após sucessivos ataques de radicais livres, se enrijecem. Com isso, a membrana perde sua capacidade "inteligente", fazendo com que a célula deixe de absorver substâncias valiosas para sua função – no caso do açúcar, por exemplo, nem a presença de insulina permite essa absorção. Outra consequência do enrijecimento da membrana é a perda de controle da retirada de substâncias tóxicas da célula.

É esse processo que explica o envelhecimento. Afinal, quanto mais idade uma pessoa tem, mais radicais livres são encontrados em seu organismo. Em casos de hipóxia, a célula também morre. Se a hipóxia for temporária, as organelas celulares continuam trabalhando e depositando seus resíduos no citoplasma. Na volta do oxigênio à célula, os resíduos reagem com ele, formando radicais livres em excesso, que aceleram a morte celular. Cumpre lembrar que a idade e o envelhecimento de uma pessoa é diretamente proporcional à sua capacidade (ou incapacidade) de deter as lesões oxidativas celulares. Dessa forma, um homem de 60 anos pode ter mais saúde que um adulto jovem.

O mal de Alzheimer, responsável por uma degeneração das células do cérebro (neurônios) que leva à demência, pode ser, em grande parte, provocado pela ação dos radicais livres. Foi constatado que nos cérebros afetados por essa doença formam-se placas, porém ninguém sabia explicar como elas causavam a degeneração e a morte dos neurônios. Agora os cientistas descobriram que o principal componente dessas placas – a proteína beta-amiloide – é capaz de se fragmentar espontaneamente.

De forma cautelosa, nosso organismo guarda fragmentos microscópicos do metal ferro em algumas proteínas, que só são liberados em casos especiais, e quando elas se fragmentam. Com a fragmentação das proteínas beta-amiloides, as moléculas de ferro liberadas, ao se encontrarem com água oxigenada, formam radicais livres (hidroxilas). Os radicais assim produzidos pelas placas podem "corroer" (oxidar) os neurônios e matá-los, e esse processo pode se perpetuar.

Esses radicais também são capazes de atacar o material genético humano, modificando os sítios das bases nitrogenadas do DNA, fazendo com que a produção de proteínas seja modificada ou interrompida em certos pontos dos cromossomos. Sem os dados perdidos por esse ataque ao material genético, a célula pode iniciar uma multiplicação sem freios, característica do câncer.

Algumas enzimas que sofrem modificações graças ao ataque dos radicais (ou na produção delas ou nos seus sítios ativos) podem ficar inutilizadas ou atacar substâncias erradas, provocando, entre diversos males, a doença autoimune. Outro distúrbio que pode ser causado por radicais livres é a cegueira. Nesse caso, uma enfermidade chamada degeneração macular afeta a mácula densa, região rica em gorduras poli-insaturadas, que são oxidadas por estes radicais. Assim, perdem-se fotorreceptores e camadas da retina, levando a uma forma de cegueira de foco central que permite apenas a visão periférica.

Os diabéticos mostram elevados níveis de radicais livres, que atuam nas degenerações e dificuldades de microcirculação periférica e oftálmica. Os mesmos radicais livres excedentes deixam esses pacientes suscetíveis a problemas como infarto agudo do miocárdio, acidente vascular cerebral e câncer. A reposição de nutrientes ricos em antioxidantes e pobres em índice glicêmico é um fator-chave na primeira semana de reversão de doenças metabólicas, que compõe o ciclo de três semanas do método dos 21 dias de reversão de condições crônicas. A oferta de sucos verdes e sopas energéticas é capaz de repor em poucos dias carências crônicas de até anos de duração. Mas de nada adianta reverter uma doença crônico-degenerativa em condições ideais de 21 dias e depois retornar a uma alimentação processada e pobre nesses e em outros ingredientes vitais.

Os antioxidantes, assim como as enzimas e os óleos essenciais, devem ter origem na dieta, e somente dessa forma podem apresentar resultados benéficos.

Como se prevenir contra os radicais livres

Para vencer o desafio dos radicais livres, os seres que dependem do oxigênio para viver desenvolveram uma bateria de mecanismos de proteção conhecidos como defesas antioxidantes. Como vimos, o radical superóxido deve encontrar uma enzima para transformá-la em peróxido de hidrogênio. Essa enzima, que forma a água oxigenada, é a superóxido dismutase, proteína formada pelo organismo.

O corpo também produz a catalase e a peroxidase, que transformam o peróxido de hidrogênio em água. Com essas substâncias, seríamos capazes de vencer os radicais livres. Porém, com o aumento da nossa expectativa de vida, o organismo perde a capacidade de defesa, já que, devido a fatores externos que acompanham o progresso humano, a presença e o poder dos radicais livres aumentou de maneira significativa.

Entre esses fatores, podemos citar o tabagismo, a poluição do ar, a água química, remédios que contêm oxidantes, radiações ionizantes e solares, o aumento do consumo de gorduras na alimentação e os alimentos que sofrem choques térmicos em suas preparações (por exemplo, com micro-ondas). Assim, não há organismo que resista aos radicais livres. Mas podemos nos prevenir contra eles. O melhor método de prevenção consiste em uma alimentação rica em antioxidantes. Certos minerais, como o zinco, o cobre e o selênio, agem como antioxidantes, pois saciam a voracidade dos radicais. A vitamina E, lipossolúvel, age diretamente nas membranas das células, inibindo a reação em cadeia da oxidação das gorduras solúveis. O betacaroteno, um precursor da vitamina A, também lipossolúvel, atua como inibidor de alguns tipos de radicais livres. A vitamina C é uma doadora de elétrons para os radicais livres. Dessa forma, uma vez estabilizadas, essas moléculas lesivas deixam de ser um atentado ao organismo.

As três vitaminas (E, C e betacaroteno) devem atuar em conjunto, pois suas atividades se complementam (embora devam ser usadas com cautela, já que alguns estudos mostram que elas aumentam o risco de câncer do pulmão em fumantes). Já os bioflavonoides, como a ginkgobilona e a rutina, são fitoquímicos (substâncias químicas vegetais) que atuam no equilíbrio e no controle de ferro no organismo, impedindo a formação de radicais hidroxilas.

O homem já consegue produzir algumas enzimas importantes contra os radicais livres. Um exemplo é a glutationa, que tem as mesmas propriedades da superóxido dismutase e está sendo testada também no combate à aids. Outro processo que vem sendo estudado para o combate aos radicais livres é a geneterapia. Graças a esse tratamento, seria possível inserir um gene que aumentaria a produção da superóxido dismutase pelo organismo, fazendo com que o número de radicais diminuísse. Mas, conforme a filosofia que desenvolvemos aqui, essa proposta soa como algo paliativo.

O PAPEL DA ALIMENTAÇÃO BASEADA EM VEGETAIS NA REDUÇÃO DA INCIDÊNCIA DO CÂNCER

O câncer tem sido o maior desafio para a medicina acadêmica nos últimos cinquenta anos. Sua incidência vem aumentando, sobretudo nos países emergentes, com industrialização mais recente. Embora nos Estados Unidos suas taxas tendam a diminuir em relação a dez anos atrás, essa doença ainda causa a morte de 1.600 pessoas ao dia, e a cada ano surgem novos 215 mil casos de câncer de próstata. Ao redor do mundo, o câncer está se espalhando e atingindo proporções epidêmicas. Milhares de pacientes, cada vez mais jovens, se submetem a tratamentos de radiação e cirurgias. Pela primeira vez na história da humanidade, uma geração pode ter uma expectativa de vida menor do que a da predecessora.

Uma alimentação completa à base de vegetais pode prevenir, abrandar e, dependendo do tipo de tumor, contribuir para a sua cura. Hoje podem-se encontrar na literatura médica grandes estudos populacionais que relacionam esse tipo de alimentação com a redução da incidência de câncer. Ela tem sido considerada um tratamento associado em diversos centros de câncer ao redor do mundo, e é uma fonte efetiva de fitoquímicos que previnem a recidiva e tumores secundários. A nutrição baseada em vegetais é capaz de reduzir a incidência de todos os tipos de câncer.

A INTEGRAÇÃO DA NUTRIÇÃO BASEADA EM VEGETAIS E OS TRATAMENTOS CONVENCIONAIS

A primeira aplicação de nutrição baseada em vegetais no tratamento do câncer foi conduzida pelo médico alemão naturalizado americano Max Gerson (1881-1959), autor de *A Cancer Therapy: Results of 50 Cases* [Uma terapia para o câncer: resultados em 50 casos, em tradução livre], livro no qual ele descreve detalhes da cura de pacientes com uma dieta de sucos frescos e crus, baseados em vegetais. Embora a Terapia Gerson tenha sido desdenhada por setores acadêmicos como "desprovida de fundamento científico" ou como "potencialmente prejudicial", há evidências de que os adeptos dessas ideias são os mesmos que defendem os tratamentos quimioterápicos convencionais e apoiam grupos de interesse da indústria farmacêutica. A Terapia Gerson vem ganhando seguidores nos ambientes médico e acadêmico ao redor do mundo, e já existem clínicas que a utilizam no México (a original, onde Charlotte Gerson aplica os princípios terapêuticos criados por seu pai), Holanda e Espanha (dr. Wilko van der Vegt). No Japão, os drs. Yoshihiko Hoshino e Takaho Watayo, sobreviventes de câncer graças a essa técnica, conduzem cada um clínicas com suporte acadêmico, assim como diversos grupos de pesquisa independentes vêm acumulando dados científicos que fornecerão as evidências científicas que determinarão a Terapia Gerson como um tratamento efetivo ou suplementar contra o câncer.

A base da medicina moderna é a teoria do germe, proposta pelo cientista francês Louis Pasteur (1822-1895) em meados do século XIX, e todo um modelo farmacológico fundamentado em compostos ativos e receptores. Embora essa abordagem tenha deixado a nutrição funcional em segundo plano, a ciência contemporânea confirma agora que isso não se aplica. O câncer, como doença multifatorial, está trazendo a medicina de volta à hipótese do terreno biológico, formulada inicialmente pelos franceses Claude Bernard (1813-1878), fisiologista, e Antoine Béchamp (1816-1908), químico e biólogo, no mesmo período em que que Pasteur lançou a teoria do germe. Isso significa que, independentemente de o câncer acometer um determinado tecido ou órgão, por exemplo, a glândula tireoide ou os intestinos, existe um padrão subjacente comum no comportamento e na fisiologia da célula cancerosa, não importa qual seja sua manifestação final.

Câncer e diabetes: doenças próximas

A inflamação é o estímulo comum do câncer e do diabetes. A alta concentração de açúcar (mesmo frutose e grãos podem aumentar a glicemia) na dieta está relacionada com uma grande variedade de tumores e um significativo aumento da incidência de cânceres do trato gastrointestinal. Outros cânceres relacionados são os de cólon, pâncreas, próstata e mama. Acionada por hiperglicemia, a insulina atua como pró-inflamatória. O aumento da prostaglandina pg-2, pcr e outras citocinas inflamatórias está diretamente relacionado com o câncer: estudos clínicos sugerem que o aumento desses valores pode ser utilizado como marcador biológico de risco da doença.

Bactérias boas e más

Estudos em metagenômica indicam que as bactérias que vivem nos intestinos, quando agrupadas, contêm 100 vezes mais DNA do que o DNA humano. Esses trilhões de bactérias têm importante papel no funcionamento apropriado do nosso sistema imunológico, influenciando significativamente nossa saúde no que se refere ao câncer.

Embora uma boa colonização dos intestinos por bactérias simbióticas possa nos manter saudáveis, esse órgão também pode abrigar colônias bacterianas e fúngicas nocivas, que fabricam subprodutos de fermentação (toxinas e micotoxinas) – são as toxinas adaptativas ao ambiente ou originadas da nutrição. Nesse sentido, a qualidade dos alimentos que ingerimos mostra ter forte influência sobre o tipo de bactéria que habita nossos intestinos. Nossos hábitos alimentares determinam se teremos bactérias que estimulam a imunidade e produzem enzimas e vitaminas essenciais à nossa fisiologia celular ou bactérias que produzem substâncias carcinogênicas. Essa relação entre a microbiota intestinal, o estilo de vida e a nutrição faz parte dos temas a serem pesquisados pela nova ciência denominada biofarmacologia. Nosso ambiente intestinal é sujeito a mudanças, dependendo da composição entre bactérias benéficas e nocivas. A fisiologia dos intestinos e a do fígado têm relação muito próxima. Todo sangue originário da absorção e da digestão intestinal se dirige ao fígado. Quando nossa microbiota intestinal muda, as toxinas produzidas podem vazar pela barreira intestinal-sanguínea e atingir o fígado, fazendo-o produzir citocinas inflamatórias e comprometer sua função desintoxicante. Quando a capacidade de limpeza do fígado é suplantada, essas substâncias passam a circular em todo o organismo. Uma vez no sangue, e atingindo assim as células do corpo de forma sistêmica, podem representar mudanças nas características biológicas das células e torná-las neoplásicas. Nossos vasos linfáticos têm o papel de drenar substâncias tóxicas e microrganismos de nossos tecidos e interstícios, conduzindo-os para os linfonodos, onde o sistema imunológico pode identificá-los e produzir anticorpos. No entanto, com a atual sobrecarga de açúcar e amido na dieta, modifica-se a microbiologia do plasma e do tecido. Formas inertes convertem-se em fungos e mofo, aumentando a carga micótica e as micotoxinas presentes nos tecidos e no plasma, a maior parte das quais é carcinogênica.

O atual sistema de produção industrial de alimentos é potencialmente carcinogênico ou promotor de câncer. A maior parte da comida consumida pela população de menor nível de renda nos países emergentes recém-industrializados contém alta quantidade de açúcar, farinha, gorduras industrializadas, carne enlatada, laticínios adicionados de gorduras industriais, conservantes químicos e flavorizantes (sabores artificiais), o que aumenta o potencial carcinogênico da dieta. De acordo com a Sociedade Americana de Câncer, de um quarto a um terço dos cânceres que ocorrem nos países desenvolvidos são atribuídos à má nutrição, ao sedentarismo e à obesidade.

A INFLUÊNCIA DA ALIMENTAÇÃO NOS GENES

Segundo a epigenética – um novo campo da ciência que estuda a expressão gênica –, mesmo que um indivíduo herde genes que o exponham a um determinado tipo de câncer, essa predisposição pode ser alterada por meio de uma mudança na dieta. Uma nutrição baseada em vegetais é capaz de remover do DNA as metilações e as acetilações das histonas, suscetíveis de bloquear a expressão das instruções nucleicas e sua leitura pelos ribossomas. Assim, podem-se mitigar as manifestações genéticas responsáveis pelo crescimento tumoral.

Essa dieta nociva, composta de açúcar e amido em excesso, laticínios, produtos derivados de aves, carne embutida suína e carne vermelha, leva a uma maior concentração de ácidos no corpo. A redução do pH, ou acidose tecidual, está relacionada à disfunção da célula e à apoptose (morte celular). Nossas células e, especificamente, nosso DNA funcionam apropriadamente em um pH neutro. Toda a acidez acumulada nos tecidos sobrecarrega os rins, que são forçados a eliminá-la. Quando as funções renal e respiratória não se mostram suficientes para isso, são recrutados outros órgãos, que não são tradicionalmente eliminadores de ácidos. Assim, a pele, os pulmões, os intestinos e o estômago assumem a função de eliminar o próton de hidrogênio excedente. As consequências clínicas são psoríases, asma, colite e gastrite. A sobrecarga ácida também influencia negativamente o fluido nuclear, a função nucleica e o DNA.

A célula neoplásica encontra condições ideais de desenvolvimento em ambiente ácido. Restabelecer as condições de equilíbrio ácido-base tecidual é de fundamental importância na redução do crescimento de células tumorais. Uma alimentação baseada em vegetais, com alta concentração de clorofila, fornece uma grande quantidade de tampões alcalinos, como o magnésio, o átomo central do sangue verde dos vegetais e nossa maior fonte de alcalinidade. Além dos sais de magnésio, os vegetais oferecem uma infinita gama de fitoquímicos alcalinizantes e enzimas. Uma dieta balanceada de vegetais é capaz de oferecer moléculas alcalinas que equilibram o pH com facilidade. Além disso, quando adotamos uma dieta rica em fibras e orgânica, induzimos nossa microbiota a uma mudança para bactérias saudáveis relacionadas aos vegetais e bactérias homeostáticas do solo. O efeito probiótico de uma nutrição baseada em vegetais está bem descrito, assim como sua relação com as bactérias homeostáticas do solo.

O bioquímico americano Colin Campbell demonstra, em seu livro *The China Study* [Pesquisa sobre a China, em tradução livre], como a quantidade de caseína na dieta originada de produtos lácteos pode influenciar o crescimento de tumores em camundongos. A redução dessa proteína levou a uma menor formação de aglomerados de células tumorais induzidas por aflatoxina, uma substância tóxica produzida por alguns tipos de fungos. A reintrodução da caseína induziu o crescimento dos aglomerados e o crescimento tumoral nos mesmos animais, em um período de doze semanas.

Carcinógenos ambientais

Presenciamos hoje taxas inaceitáveis de câncer, que podem ser atribuídas a toxinas e venenos ambientais contidos nos produtos alimentares. O Brasil é o país mais afetado pelo uso intensivo de agrotóxicos em todo o mundo: de 5 a 6 litros de pesticidas por habitante são espalhados pelas nossas plantações. Esses pesticidas se infiltram nas fontes de água e no nosso sistema alimentar, à medida que se acumulam nos laticínios e nas carnes vermelha, de porco ou de frango criados intensivamente, que, por sua vez, quando ingeridos como base da dieta diária, se acumulam no organismo. Esse mecanismo denomina-se "magnificação trófica".

Criados para bloquear rotas metabólicas de insetos ou microrganismos, os pesticidas são persistentes, e seu uso indiscriminado leva ao aumento das taxas de câncer, defeitos fetais e problemas reprodutivos e hormonais. Infelizmente, poucas medidas podem ser tomadas para bani-los, devido à estabilidade das leis que autorizam sua utilização.

O impacto de uma alimentação baseada em vegetais na redução das taxas de câncer de mama e de próstata é evidente quando comparamos populações com diferentes hábitos alimentares ao redor do mundo. Os homens japoneses ingerem uma dieta com baixa quantidade de carne vermelha e laticínios, e, consequentemente, têm baixos índices de câncer de próstata quando comparados aos americanos, que consomem a típica dieta americana, rica em carne vermelha e leite. Já os índices de câncer de mama no Quênia, onde a dieta básica da população é composta de arroz com vegetais e pouca carne, é de apenas 1 para 82 mulheres. Esses estudos populacionais mostram como a escolha da dieta tem um papel crucial na prevalência dessa doença.

A nutrição baseada em plantas atua como probiótico e livra os intestinos de bactérias nocivas, auxilia na manutenção de um pH sanguíneo, intersticial e intracelular neutro e equilibra a glicemia do sangue, influenciando assim a expressão gênica. Essa forma de alimentação pode afetar de modo marcante a nossa saúde.

Mudar os hábitos alimentares é a principal medida de saúde, e começa com a educação. Nossa abordagem biogênica tem os seguintes objetivos: 1) promoção da saúde; 2) prevenção e recuperação de doenças crônicas;

3) agroecologia autêntica e local com utilização de espécies convencionais e não convencionais, com a parceria de pequenos produtores rurais e comunidades; 4) oficinas de cozinha vegetariana saborosa e prática conduzidas por assistentes de saúde integral; e 5) preparo de sucos verdes, refeições quentes, grãos germinados e pães de grãos germinados e laticínios vegetais (leites e queijos).

Nossa meta é que esse modelo possa ser facilmente reproduzido em outras regiões e atinja um grupo cada vez maior de pessoas. Cursos de terapias naturais são parte do processo, com o objetivo de treinar profissionais e assistentes de saúde e oferecer uma completa conexão entre o ambiente e a nossa saúde.

Nutracêuticos
A farmacologia do reino vegetal na prevenção e no tratamento do câncer

Como mostramos até aqui, fica claro que nós mesmos criamos as condições para que nosso corpo desenvolva doenças neoplásicas – câncer e enfermidades crônico-degenerativas. Antes que isso pareça fatalista ou perverso, devemos esclarecer que os países ou regiões do planeta que têm dietas mais naturais, portanto mais alcalinas e com mais antioxidantes em geral, e que consomem menos leite e carne, assim como menos açúcar e pão branco, apresentam taxas mínimas de câncer, enquanto países com dietas processadas e industrializadas, ricas em amido e açúcar, laticínios e carne, apresentam taxas alarmantes e incidência cada vez maior dessa doença.

A natureza se comunica com nosso corpo. Assim como criamos as condições para que o câncer e outras enfermidades crônicas se desenvolvam, se nos voltarmos para a natureza, passando a ter contato diário com substâncias presentes na seiva e nos tecidos vegetais que compõem frutas, hortaliças, folhas, raízes, cogumelos e grãos, estaremos criando as condições necessárias para que o corpo possa reagir.

Por que não podemos transformar nossas refeições em uma deliciosa festa de sabores, já que a maioria desses alimentos vegetais atende a todos os paladares? Nossas oficinas ensinam a aplicar no dia a dia todo o conhecimento apresentado neste livro, na forma de sucos, néctares, sobremesas, pratos quentes, sanduíches, musses, pudins, pães, bolachas, sorvetes e crackers.

Não se trata de uma "dieta para doentes". Ao contrário, propomos uma culinária que proporciona saciedade, rica, saborosa e *gourmet*! Uma nutrição completa para quem está vivo e quer permanecer vivo e saudável.

Relaciono aqui alguns dos alimentos que a Oficina da Semente mais consome, utiliza, divulga e distribui. Estou plenamente convencido de que, no dia em que eles fizerem parte da dieta da nossa população, independentemente do nível de renda, uma notável redução da taxa de utilização de ambulatórios, prontos-socorros e internações ocorrerá, já que eles são capazes de reduzir não só a incidência de câncer como também de diabetes, hipertensão arterial, síndromes degenerativas neurológicas e doenças inflamatórias como um todo.

Cabe a cada um de nós adotar individualmente medidas para que esses ingredientes estejam todos os dias em nossa mesa – no desjejum, nas refeições principais, nas sobremesas, lanches e ceias. Para que eles exerçam seus efeitos, não adianta adotar essa alimentação por algumas semanas. Por isso afirmo que não se trata de uma "dieta". As dietas duram dias, semanas ou meses, ao passo que uma forma de alimentação dura toda uma vida e atende a muitas vidas. Dura gerações e transmite-se de pai para filho.

Nosso trabalho atinge as famílias, naquela herança cultural que lhes é mais preciosa: a culinária. Uma vez adotadas por indivíduos e depois transmitidas a seus parentes e descendentes, essas medidas terão uma influência cultural que se irradiará de forma horizontal, e sem a necessidade de intervenção do Estado ou de qualquer sistema de propaganda ou mídia.

É a saúde que tem o poder de se irradiar espontaneamente. Quando várias pessoas tomarem consciência de cada passo dado na direção de uma nutrição saudável, perceberão a correspondência desses atos na direção de uma água mais limpa, de uma terra mais fértil, de um ar mais fresco e de um planeta mais saudável. Estaremos chegando a um ponto de equilíbrio que denomino "epidemia de saúde".

Muita gente confunde a palavra "epidemia" com doença, já que há centenas de anos ambas são relacionadas. Mas "epidemia", do grego *epi* (amplo) e *demos* (população), significa algo que atinge a população de forma ampla. Por que apenas a doença pode atingir a população de forma ampla? Por que a saúde não pode ser contagiante? Esta é a hipótese que mais nos mobiliza:

"A saúde pode ser epidêmica"

Não existe uma planta "milagrosa" que cure o câncer. Não existe uma erva "curativa" que elimine o diabetes. Não existe o "emplastro Brás Cubas" ou a "maravilha curativa do dr. Fulano" que debele essa ou aquela doença. São esses mitos que se impuseram com o tempo, essa busca frenética e insensata por algum Santo Graal que tudo resolva. A resposta que a ciência mais atual oferece é: não existe!

Por outro lado, não existe quimioterápico, nem radioterapia, nem cirurgia que vença o câncer. Todos sabem disso. Não existe medicamento alopático que cure o diabetes, não há comprimido que reverta a hipertensão, nem cápsula que resolva as artroses e todas as doenças inflamatórias. Todos sabem que 90 por cento dos remédios utilizados hoje em dia servem apenas para amenizar sintomas. O mesmo "mito da planta salvadora" se aplica à alopatia. Existem pessoas que dedicam parte de sua vida ao "comprimido de poderes mágicos". O mais complicado disso tudo é que tais tentativas e buscas apenas adiam o encontro verdadeiro daquele que padece com a sua própria verdade.

Muito me chama a atenção ver anúncios de "filtros de água alcalina" ou de águas "de fonte alcalina" – e seus respectivos *experts* defendendo dados da mesma forma que aqueles que praticam a ciência tradicional: com o viés do reducionismo. Visto dessa forma, o uso de água alcalina acaba por conquistar incautos, que passam o dia todo em suas dietas ácidas e acidificantes e contam com suas doses de "água alcalina" para reverter todos os efeitos nocivos dos alimentos que consomem. Isso é um contrassenso.

A água alcalina de verdade é aquela que mora dentro da maçã, do coco, das frutas cítricas, das hortaliças frescas, dos brotos, das dietas livres de carnes e laticínios. Água ácida é aquela que está no sangue degenerado dentro das carnes, nos leites conservados e pasteurizados e em alimentos preparados em forno de micro-ondas. Pior ainda, alimentos ácidos que nem água têm e se diluem nas águas corporais, acidificando-as: chocolates, doces, bebidas alcoólicas, bolos, bolachas, salgados, frituras, carnes conservadas e embutidas.

A nutrição baseada em plantas deve ser utilizada em qualquer uma destas possibilidades: para dar prazer a quem não tem doença alguma; para prevenir, reverter, curar, sustar e aliviar doenças; para atuar como coadjuvante na cura de doenças; e para conferir alguma qualidade de vida e conforto no caso de doenças sem cura.

Ela não tem contraindicações. Onde quer que seja aplicada, vai beneficiar, gerar conforto e diminuição de sintomas e da necessidade de medicamentos. Nunca deixe de tentar a via nutricional, qualquer que seja a situação, qualquer que seja a doença. A decisão cabe a você. Busque seu médico. Informe-o de que você adotou uma alimentação baseada em vegetais. Se ele se opuser a isso, ofereça-lhe este livro, ou qualquer um dos muitos livros que abordam esse tema à exaustão. Acabou-se o período de escuridão. A ciência está ao nosso lado.

A seguir, apresento uma tabela com alguns dos vegetais mais fabulosos que conhecemos, pratos que podemos preparar no cotidiano e os respectivos nutracêuticos, que através de diversos estudos científicos mostram ação farmacológica direta sobre células *in vitro*, estudos animais *in vivo* e ação em seres humanos.

Se você entendeu os princípios explicados neste livro, adotará a culinária simples, artística e fascinante que apresentamos. Incluirá esses pratos no seu cotidiano, três vezes ou mais por dia, sete dias por semana, trinta dias por mês, 365 dias por ano! Posso lhe assegurar que isso contribuirá para sua saúde, seja qual for o ponto em que você se encontre agora.

Caso sua nutricionista, ou o pediatra do seu filho, ou seu médico desaprove, não desista. Isso não é problema seu, eles é que estão desatualizados. Você é médico ou nutricionista e acredita que poderá ser censurado por seu conselho profissional? Não esmoreça. Transmita suas experiências de reversão de doenças e mudanças radicais de vida de pacientes, famílias e comunidades. Vamos esperar o que há de vir e preparar-nos para seguir em frente.

Fitoterapia nutricional do cotidiano
20 alimentos funcionais para ter todo dia na mesa

Maçã	Suco verde, néctar, fruta pura	Quercitina, resveratrol
Cenoura	Suco verde, néctar, caldeirada	Betacaroteno
Cúrcuma	Caldeirada, sopa energética	Betacaroteno, curcumina
Gengibre	Suco verde, caldeirada (refogado), néctar	Giberilina
Crucíferas (couve-flor, brócolis, repolho, couve)	Caldeirada, sopa energética, marinados, vaporizados	Indol-3-carbinol
Folhas verdes levemente amargas	Suco verde, caldeirada, sopa energética, molhos	Ácido fólico, luteína, zeaxantina

Folhas e temperos não convencionais e selvagens	Suco verde, saladas	Ácido fólico, luteína, zeaxantina
Folhas e sementes germinadas de cânhamo	Suco verde, leite de cânhamo	Canabidiol, óleos essenciais ômega-3 e 6
Sementes germinadas de girassol, alfafa, gergelim e alpiste	Suco verde, saladas, pães	Óleos essenciais ômega-3 e 6, precursores de vitaminas A, D, E e K
Polpa e água de coco	Néctar, suco verde, leite ou puro	Ácidos láurico e caprílico
Alho, cebola e afins	Caldeirada, sopa energética	Alil-sulfídeos
Castanhas	Leite e queijo vegetais, caldeirada, shake, bolacha	Ácido elágico, óleos essenciais ômega-3, 6 e 9
Cogumelos orientais e da floresta (frescos)	Caldeirada, marinada, moqueca	Lentinano
Graviola (folhas e fruto)	Néctar, leite	Xeronina
Frutas vermelhas convencionais e silvestres	Néctar, shake	Ácido elágico, resveratrol
Brotos de alfafa, trevo, brócolis e girassol	Saladas	Óleos essenciais ômega-3 e 6, vitaminas lipossolúveis (A, D, E e K)
Cacau	Chocolate fresco, musse, shake	Flavonoides
Algas	Caldeirada, moqueca, patê	Precursores de vitaminas B12 e D, ácido fólico, componentes iodados
Limão	Néctar, puro, tempero	Ácidos limonênico e cítrico, bicarbonato
Soja orgânica	Temperos (missô, shoyu) de fermentação natural	Lecitina
Grama do trigo	"Shots" do extrato ou em suco verde	Clorofila precursora de vitamina B_{12}, ácido fólico e minerais

É importante olhar esses alimentos (são apenas vinte entre pelo menos 300 mil!) não como remédios ou agentes terapêuticos contra doenças, mas como ingredientes que estimulam qualquer chef de cozinha evoluído a criar uma nova culinária plena de sabores e exotismo.

Nossas receitas vão aguçar seu apetite e despertar sua vontade de repetir. Essa é a nossa intenção: pegar você pelo estômago.

Características da alimentação baseada em vegetais

Aspectos fisiológicos e bioquímicos

Normocalórica	Psicoativa
Hipoglicêmico	Mineralizante e repositora de cálcio
Normoproteica	Reativadora da função do endotélio
Normolipídica	Promotora de neovascularização
Desintoxicante	Nutracêutica (fitoquímicos, fibras vegetais ativas, óleos essenciais, antioxidantes e vitaminas)
Antioxidante	
Alcalinizante	
Anti-inflamatória	Probiótica (organismos homeostáticos do solo)
Redutora da viscosidade do sangue	
Redutora do colesterol	Prebiótica
Anti-hipertensiva	Fitoterápica
Redutora de alergias	Anticâncer
Antidepressiva	Pode ser individualizada (multivariável)

Aspectos estéticos e culinários

Limpa	Permite lanches e *snacks*
Alegre	Panificação livre de glúten
Colorida	Fermentação que produz novos sabores
Biodiversa	Toda a linha de laticínios e sabores lácteos
Saborosa	
Exótica	Pratos proteicos e ricos em gordura quando requisitada
Gourmet	
Criativa	Fácil digestão, absorção e incorporação dos nutrientes
De rápida execução	
Rica em texturas	

Para saber se compreendeu este capítulo

1. Como está o ar que o rodeia? É fresco, equilibrado em umidade e temperatura? É limpo, ou tem fuligem e partículas em suspensão? É inodoro, ou tem um cheiro estranho?
2. Como estão seu paladar e seu olfato? Você consegue perceber nuances que provocam efeitos em seus pensamentos e sentimentos? Ou tudo passou a ter o mesmo gosto e o mesmo cheiro?
3. Você encontra prazer ao inalar a fumaça de um cigarro ou um baseado? Como pode relacionar esse prazer com sentimentos que precisam ser expressados? Como anda sua capacidade de se expressar emocionalmente?
4. Suas vias aéreas estão livres? Sua ventilação é suave como uma pena ou pesada como uma pedra? Você tem espasmos, tosse e chiados? Há catarro preso nos seus sínus e nariz? Você fica gripado com frequência? Suas gripes são passageiras ou demoradas?
5. Você está respirando de forma ritmada e pausada, ou sua respiração se aproxima do padrão ofegante, como a de um cachorro? Ou você ronca como um gato? Nós, seres humanos, respiramos de maneira diferente de todo o reino animal, e, assim, podemos nos conectar com esferas superiores através da respiração.
6. Suas mucosas estão coradas? Como está sua coluna sanguínea? Seus glóbulos vermelhos estão contribuindo para a respiração celular? Você fez algum exame microscópico de sangue no último ano (hemograma completo, microscopia de campo escuro)?
7. Já lhe ocorreu medir o pH da urina e acompanhá-lo durante o dia? E durante a semana ou por alguns meses? Lembre-se de que o pH urinário é uma ferramenta precisa para acompanhar quanto ácido está sendo produzido por suas atividades e sua dieta.
8. Sua dieta ácida tem relação com os fenômenos climáticos do planeta. Para que você possa comer bifes, *nuggets* e lombinho, milhares de animais são sacrificados. Antes disso, para sua produção, vão-se reduzindo as florestas e cerrados, e ampliando-se as plantações de milho e soja que alimentam os animais que você come. Essas plantações não retêm o CO_2 no solo, como fazem as florestas, e aumentam o efeito estufa.

9 Se a temperatura do planeta Terra aumentar 2 °C – o que, se não houver controle, pode ocorrer até no curto prazo (2050) –, isso pode levar a fenômenos climáticos críticos para a humanidade. Uma simples elevação do nível do mar representará o deslocamento de 4 bilhões de pessoas que vivem em regiões costeiras.

10 A água alcalina, por si só, não resolve o problema de acidez dos tecidos e órgãos do seu corpo. É preciso adotar uma dieta equilibrada e rica em sais minerais estabilizantes e alcalinizantes do plasma. Sem a sobrecarga ácida dos alimentos processados – açúcar, amido, laticínios e carnes – a neutralização do plasma e dos tecidos ocorre de forma fisiológica.

11 As gastrites são manifestações gástricas de uma acidez que é sistêmica. Mudanças no padrão dietético para a alimentação baseada em plantas determinam mudanças importantes no pH do estômago, levando ao fim dos sintomas e revertendo sua causa. O uso de antiácidos que bloqueiam a secreção do íon hidrogênio apenas desloca o problema para outros órgãos e tecidos e apresenta sérios efeitos colaterais.

12 Grande parte das manifestações respiratórias e alérgicas é decorrente de acidez em nível brônquico e dérmico. Os pulmões e a pele são atingidos porque são recrutados no esforço sistêmico do corpo para se livrar dos radicais ácidos.

13 O pH ácido é deflagrador de fenômenos no plasma que determinam uma mudança radical no terreno biológico (ver próximo capítulo). A presença decorrente de microrganismos produtores de micotoxinas é de grande importância no surgimento de doenças neoplásicas. Manter nossos tecidos com pH neutro é um grande fator de proteção contra o câncer.

14 Aprenda a preparar pratos saborosos à base de vegetais. Está provado que o ser humano aprecia mais o paladar de um alimento do que a sua qualidade biológica. Use a criatividade e junte a alta qualidade biológica a um sabor delicioso. Ao fazer isso, estará promovendo a maior forma de proteção contra os radicais livres.

Receitas

Que tal agora aprender receitas para o dia a dia, que podem protegê-lo e mitigar os efeitos dos radicais livres? Têm que ser deliciosas, senão não valem a pena!

Salada I

Ingredientes:
- 4 folhas de alface crespa cortadas em quadradinhos
- 1 xícara de espinafre (folhas inteiras)
- 1 xícara de broto de girassol
- ½ xícara de repolho roxo cortado em cubinhos
- ½ xícara de cenoura ralada fino no mandolim
- ½ xícara de tomates-cereja inteiros
- 6 azeitonas pretas picadinhas
- 1 colher (sopa) de sementes de abóbora tostadas
- 2 colheres (sopa) de cebolinha picadinha

Preparo:
Em uma travessa, misture todos os ingredientes.

Armazenamento: 1 dia na geladeira em recipiente de vidro com tampa.

Rendimento: 2-3 porções.

Molho agridoce de damasco

Ingredientes:
- ¼ de xícara de damasco
- 2 colheres (sopa) de mostarda
- 1 colher (chá) de alho ralado
- ¼ de xícara de azeite de oliva
- 2 colheres (sopa) de vinagre de maçã
- 1 colher (chá) de sal do Himalaia

Preparo:
Bata todos os ingredientes no mixer.

Armazenamento: 3-4 dias na geladeira em recipiente de vidro com tampa.

Rendimento: 150 ml.

Salada II

Ingredientes:
- 4 folhas de alface lisa cortadas em cubinhos
- 4 folhas de acelga cortadas em tirinhas
- ½ xícara de broto de feijão
- ½ xícara de pepino japonês com casca cortado em palitinhos
- ½ xícara de nabo cortado fino no mandolim
- ½ xícara de beterraba cortada em espiral
- 2 colheres de gergelim preto tostado
- 2 colheres (sopa) de cebolinha picadinha

Preparo:
Em uma travessa, misture todos os ingredientes.

Armazenamento: 1 dia na geladeira em recipiente de vidro com tampa.

Rendimento: 2-3 porções.

Molho de maçã com gengibre

Ingredientes:
- ¼ de xícara de tâmaras
- 2 colheres (sopa) de maçã ralada sem casca e sem sementes
- 1 colher (chá) de gengibre ralado
- ¼ de xícara de óleo de gergelim extra virgem
- 2 colheres (sopa) de umeboshi picadinha
- 2 colheres (sopa) de molho de soja

Preparo: Bata todos os ingredientes no mixer.

Armazenamento: 3-4 dias na geladeira em recipiente de vidro com tampa.

Rendimento: 150 ml.

Salada III

Ingredientes:
- 1 cenoura média ralada fino
- 2 folhas de acelga picadinhas
- 4 colheres (sopa) de broto de feno grego
- 6 folhas de alface crespa roxa
- 1 tomate médio cortado em rodelas finas
- ½ pepino japonês médio com casca cortado em rodelas finas
- 1 maço de brotos de girassol

Preparo:
Em uma vasilha, misture a cenoura, a acelga e o broto de feno grego. Reserve.
Monte a salada da seguinte forma: na saladeira, arrume as folhas de alface nas bordas, acomode as rodelas de tomate por cima da alface formando um círculo e faça o mesmo com as rodelas de pepino. Abra um espaço no centro da saladeira e adicione a mistura reservada. Decore com os brotos de girassol.

Armazenamento: 1 dia na geladeira em recipiente de vidro com tampa.

Rendimento: 2-3 porções.

Molho de soja com chia

Ingredientes:
- ¼ de xícara de molho de soja
- ½ xícara de água
- 2 colheres (sopa) de azeite de oliva
- suco de ½ limão
- ½ colher (chá) de gengibre ralado fino
- 1 colher (chá) de chia
- 1 colher (chá) de ervas finas

Preparo:
Em uma cumbuca de servir, coloque o molho de soja, a água, o azeite, o suco de limão e o gengibre. Acrescente a chia e mexa bem com uma colher. Deixe o molho em temperatura ambiente ou na geladeira por 1 hora, ou até a chia soltar a mucilagem e encorpar o molho. Polvilhe as ervas finas.

Armazenamento: 3-4 dias na geladeira em recipiente de vidro com tampa.

Rendimento: 150 ml.

Molho de grão-de-bico para salada

Ingredientes:
- ¼ de xícara de pasta de grão-de-bico fermentado
- 4 colheres (sopa) de água
- 2 colheres (sopa) de suco de limão
- 1 colher (chá) de sal marinho
- 1 colher (chá) de manjericão
- ½ colher (chá) de pimenta
- ½ colher (chá) de açafrão
- 1 colher (chá) de alho picadinho
- 1 colher (sopa) de chimichurri

Preparo:
Misture bem todos os ingredientes.

Armazenamento: 3-4 dias na geladeira em recipiente de vidro com tampa.

Rendimento: 150 ml.

Molho de abacate para salada

Ingredientes:
- 1 abacate grande
- ½ colher (chá) de pimenta branca
- ½ colher (chá) de mostarda
- 2 colheres (sopa) de azeite de oliva
- 1 colher (chá) de sal
- 1 colher (chá) de mel

Preparo:
No liquidificador, bata bem todos os ingredientes.

Armazenamento: 1-2 dias na geladeira em recipiente de vidro com tampa.

Rendimento: 200 ml.

Maionese

Ingredientes:
- 1 xícara de tofu
- ½ colher (chá) de sal do Himalaia
- 2 colheres (sopa) de azeite de oliva
- 2 colheres (sopa) de suco de limão

Preparo:
No liquidificador, bata bem todos os ingredientes.

Armazenamento: 1-2 dias na geladeira em recipiente de vidro com tampa.

Rendimento: 200 ml.

Molho de mostarda

Ingredientes:
- ¼ de xícara de castanha de caju
- 2 colheres (sopa) de semente de girassol
- ½ xícara de água
- 2 colheres (sopa) de azeite de oliva
- 1 colher (sopa) de vinagre
- 1 colher (chá) de sal do Himalaia
- 1 colher (sopa) de mostarda em pó
- 1 colher (sopa) de maçã sem casca ralada

Preparo:
No liquidificador, bata bem todos os ingredientes.

Armazenamento: 2-3 dias na geladeira em recipiente de vidro com tampa.

Rendimento: 200 ml.

6

O terreno biológico

Moleque

Tive uma infância encantada no interior do estado do Rio de Janeiro. Embora estudasse na cidade, nos fins de semana levava uma vida exclusivamente rural, no sítio do meu avô. Criávamos um porco, que passava os dias tranquilo em um chiqueiro. Quem cuidava dele durante a semana era um empregado do sítio, seu Constâncio, mas no fim de semana cabia a nós, meninos, levar o balde de lavagem e limpar os excrementos do animal. Nunca me ocorreu que um porco pudesse ter uma dieta ou mesmo uma vida diferente daquela.

Foi batizado de Moleque, e eu me divertia ao observá-lo comer toda aquela comida fermentada, cascas de melancia, sabugo de milho, arroz e feijão e todas as sobras imagináveis. As orelhas balançavam, o rabinho rodava, e ele ficava cada dia mais gordo. Quando eu limpava o estrume no chiqueiro com uma enxada, Moleque mordia sem parar o cabo da ferramenta, fazendo-me rir muito.

Num dia de céu azul de abril, acordei cedo e vi que havia um barril de água no fogo. Havia também, debaixo de um pé de seriguela, uma prancha de madeira grande e, sobre ela, várias facas e tigelas. Como toda criança, eu vivia em um mundo meio próximo do sonho. Mas a realidade estava chegando, e gritava. Os gritos de um porco ao saber da morte iminente são muito parecidos aos de um homem desesperado.

Moleque, já bem grande, era puxado pelas orelhas. Havia uma pequena ponte sobre uma vala, e meu pai me chamou para ajudar. Garoto obediente, mesmo sem concordar, ajudei a empurrar o desesperado Moleque através da ponte. Aquilo me levou para mais perto da cena. Seu traseiro estava cheio de fezes, ele tremia e seus gritos, de tão tristes, ecoam em meus ouvidos até hoje. Meu pai e seu Constâncio gritavam muito, a agitação era enorme. Moleque lutava com todas as forças para sobreviver. Foi aí que o velho empregado, mostrando uma habilidade que eu desconhecia, pegou uma marreta e afundou o crânio do bichinho. O som seco do osso frontal se quebrando também está vivo em minha memória até hoje.

O porco foi jogado no pranchão e voltou a gritar, mas meu pai, com uma faca afiada, atingiu com precisão a artéria, no pescoço, e um jorro impressionante de sangue lavou o chão. "Bacia, bacia!", bradou ele, sendo prontamente atendido por mim, ainda atordoado. Moleque gritava, enquanto seu sangue jorrava ruidosamente na bacia, que ia sendo preenchida em um ritmo declinante, de finalização da vida. Eu observava seus olhos, que perdiam a expressão tantas vezes amiga, tornando-se fixos. O ritmo de gritos e jorros foi diminuindo e cessou. Conheci a morte. Conheci o assassinato. Eles pelaram, carnearam, desossaram e organizaram os pedaços do que fora um ser vivo e senciente. E meu amigo. E eu, de volta ao estado pueril, mas já cúmplice, procurei o coração de Moleque no meio da bacia. Aprendia ciências e queria ver como eram as câmaras cardíacas. O pobre animal, em sua humildade, me mostrou, naquele dia de céu azul de um ido abril, o caminho do que seria minha futura profissão.

Observar a natureza nos permite aperfeiçoar nossos próprios conceitos. Ela é um livro vivo em que as coisas acontecem ininterruptamente. Ao caminhar pelas florestas do sítio Nirvananda, em Ribeirão Grande, deparo com a carcaça de um pequeno animal coberta de fungos e laboriosos insetos. Vejo algumas corujas em uma encosta e pássaros comendo bichinhos no dorso de bois. O boi não espanta a coruja ou outros pássaros porque na natureza existe uma relação clara. Todos esses seres partilham e usufruem dessa interdependência.

A breve observação dessas cenas e a reflexão sobre elas nos levam a examinar a palavra "consciência" – o termo vem do latim "*cum*", partícula intensificadora que dá a ideia de amplidão, e "*scientia*", que é o próprio logos, ou sabedoria universal. Ela significa estar amplamente conectado à sabedoria, ao todo. A medicina define a consciência apenas como um estado de vigília, orientado no tempo e espaço, para diferenciá-lo do estado de alguém que se encontra em coma ou inerte. Mas estar consciente é muito mais que estar acordado ou vivo. É uma atitude mental e espiritual que inclui o entendimento dessa lei única que a tudo e a todos abrange. É preciso entender que a natureza é consciente e exerce essa consciência há bilhões de anos. Sim: já existia uma consciência cósmica antes da formação de nossa galáxia e da consciência terrena em nosso planeta. Uma vez instalada a vida na Terra, surge também uma inteligência complexa e não localizada, bem descrita por Humberto Maturana, no esplêndido texto do livro *A árvore do conhecimento*, ou na teoria dos campos mórficos de Rupert Sheldrake.

Se você leu os capítulos deste livro com atenção e refletiu sobre os ensinamentos de fisiologia neles contidos, aprendeu que há uma "consciência da água", que determina o comportamento desse elemento dentro e fora do nosso corpo, assim como há consciência no ar e na terra. Existe consciência na luz do Sol, na vida e na alegria da natureza. Essas energias são complementares e se superpõem na constituição da saúde do ser humano e do planeta. A integração desses diferentes níveis nos aproxima da consciência de Gaia, ou de uma Mãe Terrena, que é nutridora, cuidadora e amorosa.

Assim, creio que o principal aprendizado a se extrair deste livro é que podemos adquirir a consciência integrativa de todas essas entidades aqui mencionadas. Estar consciente em relação às águas e às terras, ao ar e à luz do Sol, à vida e à alegria ainda presentes no planeta reflete dentro de nós aquilo que nos é externo. Esse estado consciente nos permite alcançar a saúde física e confere o suporte para sustentar uma nova saúde espiritual, que é a consciência das coisas do alto, que ainda são supra-humanas, mas que estão em via de se instalar definitivamente na humanidade.

Quando percebemos os enlaces sutis entre a fisiologia e os sistemas corporais, entendemos nossos órgãos e sistemas como unidades conscientes. O sistema circulatório é consciente, os rins e os intestinos também. É fácil atribuir consciência ao cérebro, que insistimos em classificar como o seu centro. O cérebro pode ser o centro das atividades integradas, como um computador, mas a consciência corporal está em todo o organismo. Precisamos cada vez mais entender dessa luz, desse sopro, dessas águas, dessa terra que existem dentro de nós. Mesmo sem aprofundar todos os detalhes fisiológicos, que dão testemunho dessa imagem e semelhança que nosso corpo guarda com nossa Mãe Terrena. Podemos acessar esses níveis seguindo as práticas singelas que estão no início de cada capítulo.

DOIS NÍVEIS DE CONSCIÊNCIA

Alguns leitores poderão se perguntar por que, neste livro, não investi contra os alimentos de origem animal, como a carne e os laticínios. Os que usam esse tipo de alimento o fazem apenas como uma base nutricional, de calorias ou de proteínas. Ou por uma herança familiar e cultural, como a que levava meu pai e meus avós a matar animais. Ou por indicação médica e nutricional. Portanto, todos os que consomem carne justificam o hábito plenamente. No meu entender, esse assunto tem uma dimensão muito mais ampla. Aquele que aceita se alimentar do produto da exploração animal não pode acompanhar o estado crescente de consciência a que me referi acima.

Os que consomem e os que vivem à custa da compra e da venda desses produtos acabam se tornando coniventes com o desmatamento do Cerrado e da Amazônia brasileiros. São cúmplices do estado de exploração ao qual os animais leiteiros são submetidos: confinação extrema, distanciamento dos filhotes, uso de substâncias químicas para que produzam leite em larga escala. Coniventes com a morte de milhões de animais em abatedouros oficiais ou clandestinos. Coniventes com a poluição das águas, o uso de agrotóxicos e o plantio de organismos transgênicos. E não se sensibilizam ao ver plantações monocultoras em todo o país.

É preciso ampliar a consciência humana. Ultrapassar os limites de consciência das pessoas imediatistas, que visam apenas seu próprio benefício. Que não pensam no que ocorre ao seu redor, nas consequências dos seus hábitos alimentares ou, no caso de empresas, das decisões delas sobre o clima do planeta.

Elas recolhem confortavelmente, da prateleira de um supermercado, e com toda a "segurança alimentar", o produto do sequestro, do cativeiro, da exploração e da morte de animais, que nós, em nossa insana hipocrisia, definimos como "inconscientes", portanto merecedores desse sofrimento.

Se um ser humano escolher sua alimentação com base em uma noção do todo, poderá reduzir drasticamente sua necessidade de ingerir produtos animais. E, se ainda os consumir, será em uma quantidade muito inferior à de hoje. Tudo ocorre em escala gradual e depende da evolução da sua consciência.

Todo trabalho em prol de uma alimentação mais consciente remete à expansão da alma, e isso se dá por meio da persuasão amorosa e tolerante. O processo denominado irradiação e solidariedade é semelhante às cenas que observamos na natureza descritas neste livro. Cada um exerce seu papel, e esse exercício constante se manifesta em um todo solidário, uma consciência que irradia alegria e contagia tudo ao redor.

Podemos nos alimentar sem matar, podemos nos alimentar plenamente criando vida por onde passamos. Podemos comer e amar ao mesmo tempo. Isso é uma forma de consciência, embora signifique não pensar como o grupo de pessoas que "pensam igual".

Por outro lado, vejamos a consciência de alguém que se dedica a mexer com a terra e produz alimentos para si próprio, para um pequeno número de pessoas ou mesmo para um grupo maior. Aquele que se dedica à aventura de cultivar alimentos de forma agroecológica ou agroflorestal perceberá o despertar dessa consciência generosa, do todo. Pois, para ter sucesso nesse tipo de plantio, precisará das informações das bactérias e dos insetos do solo, das hortas ou das florestas, das vespas e abelhas, da Lua, do Sol e das chuvas, das nascentes e de como conservá-las. Ou seja, de tudo que o circunda. Não conheci até hoje um agroecologista ou agroflorestiero, de qualquer origem social ou nível educacional, que não fosse um sábio. O conhecimento, a intuição e a observação da natureza são as ferramentas básicas desse tipo de prática agrícola e evolução espiritual.

O nível de consciência de quem consome esses alimentos e de quem os produz também cria uma forma de cumplicidade – uma consciência integrada e imbuída de generosidade. Normalmente definimos "generoso" alguém que "é de nobre sentimento". Mas a palavra latina *generare* significa "gerar algo". Quem é generoso gera alimentos benéficos, gera ambiente saudável, gera águas limpas, gera ar puro, gera terra fértil, gera a consciência da luz solar, gera todos os fatores de saúde abordados aqui. Gera amor. E o que a Terra e as pessoas mais precisam é de generosidade. Precisamos gerar e regenerar. É necessária uma frente de regeneração do planeta e da humanidade, e esse pode ser considerado o objetivo principal deste livro.

Vamos partir do princípio de que você leu este livro com interesse, um capítulo a cada dia da semana. Então sugiro que largue o que está fazendo, saia desse ambiente fechado e vá se encontrar com a natureza – se quiser, pode ser na companhia de alguém de quem você gosta ou de seu animal de estimação. Caminhe livre por um bosque ou até por uma floresta. Respire profundamente e aproveite o passeio para refletir sobre tudo o que você faz, todas as suas atividades diárias.

Você está em uma profunda comunhão com a sua mãe, a natureza. Entregue-se a esse momento. É hora de estar nos braços dela, sentindo que ela também vive dentro de você. Observe as pedras ao redor e pense nos ossos dentro de seus músculos: mineralizados e fortes, eles refletem as pedras. Se estiver próximo à água do mar, da chuva ou de um riacho, visualize as águas que circulam dentro de seu corpo e como elas se assemelham às águas da Mãe Terra. Repare nos raios de Sol a atravessar as copas das árvores: sua visão e aquilo que seus olhos veem nada mais são do que o reflexo vivo da nossa mãe natureza. Usufrua da sombra de uma árvore e, encostado em seu tronco, respire fundo, prestando atenção em quanto de vida existe ao redor. Concentrado em sua respiração, perceba que o nutriente básico da nossa vida é produzido por essas árvores, que todos compartilhamos e com as quais convivemos, nessa "nave espacial" chamada Terra. Escute os pássaros e perceba como seus ouvidos foram feitos para ouvir também esses sons, e não apenas aqueles que invadem seus sentidos na vida urbana.

Mas pode ser que você trabalhe o dia todo ou tenha um cotidiano cheio de afazeres e que, cansado, embora a vida o chame lá fora, queira apenas repousar em um quarto escuro. Mesmo assim, vale a pena reservar pelo menos um dia da semana para se dedicar a contemplar as obras da natureza.

Se você já vive em uma área rural ou está seguindo as orientações propostas aqui, deixe as obrigações de lado nesse dia especial. É dia de descansar e contemplar as coisas sagradas que nos rodeiam. Dia de preparar um belo almoço, cheio de comidas coloridas e saborosas. Dia de convidar os amigos para um passeio que propicie o contato com a natureza, fazer caminhadas, subir um morro para admirar a paisagem lá de cima. Dia de meditar e se dedicar a atividades agradáveis. Crie um espaço para isso na agenda e verá como os resultados são marcantes. Quem sabe chegará um momento em que todos os seus dias serão assim especiais, e seu trabalho diário, uma forma de estar em sintonia com sua natureza.

A teoria que compartilho a seguir se relaciona com a consciência dos ambientes bacterianos do nosso corpo. Ela se baseia no entendimento de que somos um conglomerado celular e bacteriano. É a partir dessa consciência microbiológica que podemos nortear nossos hábitos alimentares e de vida. Não há necessidade de comprovação científica, pois basta você alterar sua forma principal de aquisição de nutrientes para sentir na prática as mudanças na sua saúde.

A HIPÓTESE DO TERRENO BIOLÓGICO

Em meados de 1850, já existia um ambiente médico e acadêmico bem estruturado em países como a França, a Inglaterra e a Alemanha. O microscópio havia sido inventado duzentos anos antes. Desde seu surgimento e ainda por muito tempo, esse fabuloso equipamento foi utilizado para registrar as surpreendentes e novas imagens do mundo microscópico. Mas no século XIX ele havia se tornado o mais importante método complementar de diagnóstico. Além de se prestar a diagnósticos, a visão dos seres microscópicos gerava muita discussão científica. A questão era saber como agiam as bactérias na produção da doença humana. A medicina vivia uma verdadeira revolução. Teorias e conceitos caíam por terra em sequência.

À medida que surgiam evidências científicas através do uso dos novos equipamentos, e os médicos, seus notáveis intérpretes, brilhavam em debates com seus pares, as práticas da medicina tradicional europeia foram caindo em descrédito. Os tratamentos à base de ervas e outros, que formavam um sistema terapêutico popular complexo e bem-aceito, passaram a ser usados apenas pela parcela mais pobre da população. Cidades como Paris, Berlim e Londres eram os lugares indicados para os doentes que pudessem arcar com os tratamentos mais modernos, que eram caríssimos. As plantas medicinais e várias práticas curativas até então em voga, hoje reconhecidas como parte da medicina integrativa, por não haverem, na época, se associado de forma integrativa, não conseguiam curar os novos casos de doenças, principalmente as infecciosas. As modalidades alopáticas de tratamento estavam querendo se mostrar superiores às abordagens tradicionais. Buscava-se o "remédio" que pudesse curar tudo.

A situação era muito séria. Doenças infectocontagiosas como a peste, a varíola e o tifo haviam dizimado milhões de europeus. A imagem de corpos empilhados e calcinados – com a finalidade de conter as epidemias – ainda habitava o imaginário de todos. Com o crescimento da população dos centros urbanos, o contato e a exposição entre as pessoas aumentavam a cada dia. O risco de uma nova peste pairava no ar. Além disso, colonizadores europeus contraíam as temíveis malária e febre amarela em suas expedições pela África, Ásia e América.

A higiene já era um conceito muito difundido e aplicado nos grandes centros europeus. Já não se jogava lixo na rua, redes de esgoto rudimentares escoavam os excrementos da população para locais distantes, e os alimentos eram levados ao mercado com algum grau de asseio. A água nessas cidades era encanada e dispensava tratamento, tal a pureza de suas fontes. Sabendo-se da gravidade das enfermidades causadas por micróbios, não surpreende que os médicos e cientistas envolvidos com pesquisas, diagnóstico e tratamento de doenças infecciosas gozassem da mais alta reputação na sociedade. As moléstias infectocontagiosas e nutricionais eram a regra, enquanto as crônicas e degenerativas (hipertensão, diabetes, doenças inflamatórias e câncer) tinham uma incidência insignificante.

Claude Bernard e o meio interno

Foi nesse período que surgiu o conceito mais avançado em fisiologia até hoje: a homeostasia. Define-se homeostasia como a capacidade de um ser vivo, seja ele do reino vegetal ou animal, gigantesco ou microscópico, reagir a mudanças do ambiente com respostas em seu meio interno.

Assim, se a temperatura ambiente aumentar, esse organismo será capaz de dissipar o calor e restabelecer a temperatura na qual suas funções metabólicas são estáveis. Se a temperatura ambiente diminuir, ele saberá reter o calor dentro de seu território celular, com os mesmos fins. Se ele receber uma grande quantidade de líquido, saberá acionar mecanismos pelos quais a água possa ser eliminada. Em momentos de privação de líquido, saberá aproveitar o pouco que existe em seu interior, retendo água. Se ficar ácido ou alcalino, tampões entram em ação para reequilibrar o pH neutro que caracteriza a maior parte dos seres vivos.

O responsável por tal descoberta foi Claude Bernard (1813-1878), médico e fisiologista francês que se consagrou com a comprovação dessa teoria. Ele também foi pioneiro da experimentação regrada, hoje usada por qualquer pesquisador moderno, aplicando a metodologia do estudo duplo-cego. Nessa modalidade de pesquisa, nem o observador nem o examinado sabem o que está sendo pesquisado, preservando a completa isenção em relação ao resultado, sendo portanto a forma mais acurada e precisa de se obter uma análise de pesquisa clínica. Mais do que apenas produzir experimentos com resultados, Claude Bernard estabeleceu a homeostasia como lei imutável da fisiologia e da medicina. Por não se restringir apenas ao homem, mostrando-se válido para outros seres vivos e mesmo sistemas biológicos, seu conceito de *milieu intérieur*, ou meio interno, tornou-se uma das mais importantes leis da biologia e da vida. Basta abrir um livro atual de fisiologia médica e logo no primeiro capítulo constará o nome daquele que trouxe credibilidade para esse ramo da medicina. Estudantes de todas as áreas de saúde e biologia passam pelo curso de fisiologia, mas, infelizmente, para muitos deles essa matéria, dada a sua complexidade, é apenas um duro rito de passagem.

A fisiologia tornou-se, de longe, a mais importante disciplina básica do currículo de medicina. Alguns ainda insistem em valorizar a anatomia como de grande utilidade para as cirurgias. Mas hoje a maior parte das cirurgias está sendo substituída por técnicas não invasivas e pela tecnologia de imagem. Quando isso ocorre, é por via laparoscópica ou endoscópica, e mesmo seringas podem fazer o papel de um cirurgião – e isso tem a ver com a ciência da fisiologia e da bioquímica, aplicadas ao campo cirúrgico. Justifica-se a abertura do abdome por bisturis atualmente apenas nas cirurgias de transplante ou trauma e em outras poucas indicações.

A farmacologia utiliza-se de todos os princípios fisiológicos na elaboração de medicamentos e até contribuiu para a evolução desses

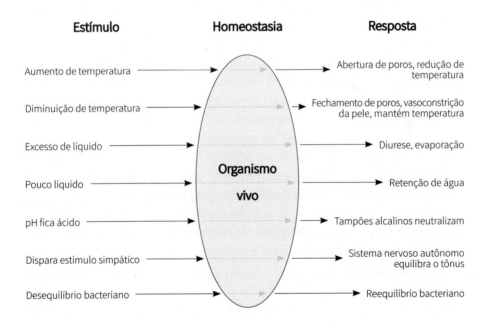

conceitos através da experimentação. Mas já sabemos que mudanças nos hábitos alimentares e de vida podem manter, prevenir e recuperar a saúde pelo restabelecimento da rota fisiológica e metabólica normal, e não pela adulteração dessa rota, que é o que ocorre com a utilização indiscriminada dos agentes químicos farmacêuticos.

Este capítulo é a síntese e a integração dos capítulos anteriores. Veremos como os conceitos de Claude Bernard foram deixados de lado, e como podem ser trazidos de volta para o patrimônio acadêmico e público. Sob muitos aspectos, a medicina de hoje baseia-se num conjunto de crenças obsoleto e incompleto. Essa incompletude tem consequências nas metas de saúde dos países e nos gastos cada vez maiores com as doenças da população.

Antoine Béchamp

Médico, farmacologista, fisiologista e biólogo, o francês Antoine Béchamp (1816-1908) era um especialista no campo da microscopia e da microbiologia. Feitas à mão, suas gravuras do fenômeno conhecido como pleomorfismo – a mudança de forma de seres microbiológicos – apresentam uma técnica tão apurada que poderiam ser classificadas como artísticas.

De fato, no passado os microbiologistas não dispunham de câmeras fotográficas ou de filmagem. Os fenômenos observados só podiam ser desenhados. Béchamp havia sido convidado a estudar o processo de fermentação da uva e investigar por que algumas preparações geravam vinho estragado. Utilizando-se de um tipo de microscopia que precedeu a hoje conhecida microscopia de campo escuro, ele tinha acesso a amostras microscópicas vivas e em atividade. Uma gota de mosto de uva era observada por horas a fio, o que permitia uma visão dinâmica dos fenômenos que ocorriam na dimensão biológica microscópica.

Béchamp percebeu que, na gota fresca de suco de uva, permeando a estrutura fundamental coloidal, plena de microtúbulos e estruturas de celulose, existiam minúsculas formas de vida, menores que uma célula, algo como "mitocôndrias livres". Após a adição de açúcar ao sistema, uma prática que estava se mostrando comum para equilibrar o açúcar de uvas mais ácidas, iniciava-se a "fermentação", e essas minúsculas organelas livres coalesciam, ou seja, suas membranas se fundiam. De diferentes combinações surgiam diferentes formas de vida, como bactérias, fungos e mofo. Em virtude do desequilíbrio determinado pela adição de açúcar, o sistema se acidificava e, portanto, o mosto de uva "desandava". Curiosamente, esses processos são bem descritos na microbiologia atual, apenas como informação curricular, mas não integrados ao sistema biológico humano, e na fisiopatologia de doenças, de maneira estruturada e lógica.

Béchamp descobrira a origem da fermentação, que descreveu como um processo de autodigestão por formas microscópicas de vida. Sendo um gênio em sua área, ele intuiu que os achados no mosto de uva poderiam ocorrer em outros fluidos biológicos como o sangue, já que, de todos os tecidos corporais, ele é o "tecido fluido". As minúsculas estruturas encontradas no suco fresco e saudável foram denominadas "microzimas" e definidas como elementos vivos microscópicos e coloidais capazes de fermentar o açúcar nos sistemas biológicos. São as menores unidades vivas presentes na natureza e existem também em nosso plasma. No sangue, são muito inferiores em tamanho a qualquer outro elemento, menores mesmo que as plaquetas. Atualmente, são denominadas "protitas" em livros de estudo de microscopia de campo escuro. Enquanto um glóbulo vermelho tem em média 8 mícrons de diâmetro, um protita pode ter 0,3 ou mesmo 0,05 mícron de diâmetro, sendo considerada a menor forma de vida organizada do plasma.

Béchamp apresentou esses resultados ao colega Claude Bernard. Sem hesitar, os dois adicionaram açúcar ao meio de observação do sangue humano. Ao observar a fermentação ocorrer também dentro do sangue, Claude Bernard exultou e, junto com Béchamp, completou e definiu a hipótese do terreno biológico, unindo os conhecimentos já obtidos sobre homeostasia de temperatura, pressão hidrostática e pH aos novos achados microbiológicos. Ambos perceberam muito cedo que a manutenção de um terreno biológico saudável é a chave para a saúde. Se for alterado por mudanças de pH (acidez), o que acontece após a adição de açúcar, o organismo se torna ácido, o processo natural de fermentação se acelera e ocorre uma evolução mórbida desses microrganismos. Eles coagulam e se multiplicam pleomorficamente em microrganismos que conhecemos, mas como de origem externa: bactérias, fermentos, fungos e mofo.

Ao se desenvolverem, as formas mórbidas pleomórficas das microzimas se alimentam das substâncias nutritivas presentes em nosso corpo e produzem toxinas denominadas micotoxinas (do latim "*mycos*-", fungos). Esse processo tóxico resulta em doença degenerativa, pois grande parte das micotoxinas é agressiva ao nosso meio interno. O conceito de Bernard mostrava-se coerente com o de Béchamp, e os fatos biológicos que envolviam a homeostasia, como hidratação, temperatura e pH, se estendiam perfeitamente para o terreno microbiológico.

O que é mais discrepante ainda do padrão atual da prática médica é o fato de que nosso sangue, considerado normalmente como território estéril, pode abrigar várias formas de vida microbiológica. Elas constituem uma "microbiota sanguínea" que, embora muito escassa, é tão importante quanto a microbiota intestinal, já abordada no início deste livro. Mas essa importância só se revela quando de fato ocorre a pleomorfização dentro do plasma, estimulada pelo consumo das grandes quantidades de açúcar, laticínios, carne e amidos que caracterizam as dietas contemporâneas. Os achados se antecipam às discussões. O sangue de uma pessoa doente é pleno de alterações reológicas visíveis através da microscopia de campo escuro, que coexistem com os elementos do plasma (glóbulos vermelhos, brancos, plaquetas), mas sem determinar sepse, ou infecção generalizada.

A produção constante, subclínica, de micotoxinas atua do mesmo modo que a microbiota intestinal, mas em diferentes setores e tecidos do nosso organismo, de forma sistêmica, causando desde distúrbios que afetam o sistema imunológico até alterações no DNA e câncer. Essas informações não são passadas aos nossos estudantes de medicina e de nutrição. Da mesma forma, no Brasil a microscopia de campo escuro, técnica cientificamente avançada que permite a visualização dessas estruturas no plasma, não é incluída na faculdade e, consequentemente, na prática médica, embora seja utilizada na Alemanha, na Áustria, na Suíça, nos Estados Unidos, no México, no Japão e no Canadá.

No entanto, a rejeição a essas evidências científicas está com os dias contados. Em um estudo de 2013, pesquisadores japoneses, usando técnicas de microscopia eletrônica associadas à análise do genoma do plasma humano, testemunharam a presença de material genético estranho ao humano e a remontagem desse material formando outros seres microscópicos. Cento e sessenta anos depois, o pleomorfismo é comprovado pela ciência avançada. Em breve teremos um exame que analisará a metagenômica do plasma e identificará todos os seres microscópicos existentes no sangue das pessoas, através da análise do DNA. Esse exame, aliado à microscopia de campo escuro, possibilitará um método diagnóstico preciso e efetivo.

A REJEIÇÃO À HIPÓTESE DO TERRENO BIOLÓGICO

Voltemos à França do século XIX e à formulação da hipótese do terreno biológico feita por Antoine Béchamp e Claude Bernard. Na mesma época, outro pesquisador francês também estudava com afinco o fenômeno da fermentação. Ele via os mesmos fenômenos pelo microscópio, mas explicava de maneira diferente o que estava observando. Ele não gostava de Béchamp e antipatizava com Claude Bernard. Esse cientista de personalidade forte chamava-se Louis Pasteur.

As ilustrações incríveis e as explanações científicas muito bem fundamentadas de Béchamp sobre o pleomorfismo deixavam Pasteur enfurecido. Em várias ocasiões os dois pesquisadores se enfrentaram com agressões verbais e ofensas, e o conflito entre ambos era notório na comunidade científica da época. Ao contrário de Béchamp, Pasteur considerava o germe um habitante do mundo externo, atribuindo-lhe o poder de invadir o corpo humano e causar doenças. Ele não aceitava o fato de que o corpo humano pudesse conter formas microscópicas, o que sabemos ser hoje a realidade. Somos compostos por um bioma de 100 trilhões de células humanas e 1 quatrilhão (dez vezes mais) de bactérias simbiontes.

As conclusões de Pasteur levavam a uma visão completamente oposta à de Béchamp e Bernard no tocante à atuação médica frente às doenças infectocontagiosas. A visão de Pasteur pregava a limpeza total dos alimentos e do ambiente, mesmo que para isso fosse preciso utilizar substâncias tóxicas. Ao estabelecer o germe como causador da doença humana, selava-se o que é hoje o objetivo da indústria farmacêutica: desenvolver medicamentos específicos que ataquem os germes quando de sua entrada no organismo. O arsenal terapêutico alopático da época, composto por mercúrio, antimônio, arsênico e enxofre, às vezes administrados por via intravenosa, hoje reconhecidamente venenosos, ganhou uma enorme avenida para se desenvolver.

A associação com uma incipiente indústria farmacêutica levou Pasteur a receber prêmios e homenagens. Seu centro de pesquisas em Paris ganhou notoriedade e passou a influenciar a medicina em todo o mundo. A pasteurização tornou-se prática fundamental na alimentação e na vida humana em geral. As vacinações sucederam-se em massa. Osvaldo Cruz foi discípulo de Pasteur e trouxe todos estes princípios ao Brasil.

Enquanto isso, Antoine Béchamp amargava sua derrota. Seu centro de pesquisas perdeu recursos e caiu no ostracismo. O cientista passou o resto da vida desconsolado e esquecido, pois seu opositor o vencera não apenas nas tribunas científicas, mas encontrara o apoio da indústria e do restante do mundo acadêmico. E o entendimento médico sobre a origem da doença microbiológica prossegue assim, "pasteurizado", até hoje.

O embate entre as duas teorias não cessaria, no entanto. Um novo confronto ocorreu no início do século XX, agora entre dois notórios médicos infectologistas alemães: Robert Koch (1843-1910) e Rudolf Virchow (1821-1902). A questão em debate era a tuberculose; a mesma discussão ressurgiu, já que não havia tratamento eficaz contra o bacilo causador da doença. Os tuberculosos curavam-se com uma dieta melhor, ar mais puro e vida afastada da cidade, nos denominados sanatórios, comprovando a hipótese do terreno biológico, defendida por Virchow. Mas, dezenas de anos depois, após a descoberta de antibióticos específicos, caiu em desuso o tratamento focado na melhora das condições ambientais. O remédio eficiente "contra o bacilo de Koch" venceu mais uma vez a cura homeostática de Virchow, e hoje a doença é tratada exclusivamente com medicamentos domiciliares.

Em 1907, o microbiologista russo Ilya Metchnikov (1845-1916) descreveu a vida de moradores de idade avançada do Cáucaso, na Rússia, que tinham uma nutrição equilibrada e usavam alimentos fermentados, no livro *The Prolongation of Life* [O prolongamento da vida, em tradução livre], que lhe rendeu o prêmio Nobel de Fisiologia e Medicina de 1908. Lançava assim o conceito da probiótica, dessa vez aceito na comunidade acadêmica. Mas a seguir vieram as duas grandes guerras. Com economia de guerra e soldados em trincheiras, o "terreno biológico" não vale nada. É preciso "agredir" o germe dos ferimentos por balas e estilhaços com substâncias que o neutralizem para garantir a sobrevida de soldados mutilados e seu rápido retorno ao *front*. Surgiram os antibióticos, e mais uma vez a teoria do germe triunfou – de mãos dadas com a cultura da violência e da guerra.

Hoje nosso planeta está mergulhado em epidemias de diabetes, hipertensão, obesidade, doenças neurológicas degenerativas, depressão e câncer. Os antibióticos perdem seus efeitos diante de bactérias superpoderosas. Novos vírus surgem, deixando toda a população em estado de alerta e mesmo em pânico. Os sistemas de saúde estão sobrecarregados e longe de atender à demanda de crianças, jovens, adultos e idosos doentes. Não há número suficiente de médicos para atender a tanta gente.

Será que a esquecida hipótese do terreno biológico pode ter uma chance de provar sua validade, após 160 anos de exílio filosófico? Não para substituir a teoria do germe e determinar sua extinção, mas para, da mesma forma com que se constitui, contribuir de maneira simbiótica e colaborativa, como fazem as coisas da natureza? A tabela a seguir mostra as características das duas teorias, para que possamos compará-las e refletir sobre elas. Há uma grande gama de ações que podem ser tomadas se o Ministério da Saúde aceitar a hipótese do terreno biológico, e quase todas estão ligadas à qualidade dos alimentos, do ar e da água e a hábitos de vida saudáveis.

Portanto, a partir deste momento, passo a denominar a teoria do terreno biológico como "hipótese do terreno biológico" e desafio a comunidade científica a participar de uma frente na qual possamos, munidos de ferramentas científicas modernas e dentro da prática da medicina integrativa, comprovar a hipótese e torná-la de fato uma teoria consistente e útil na prática.

Diferenças entre a teoria do germe e a hipótese do terreno biológico

Germe	Terreno biológico
Os tecidos e fluidos humanos são estéreis por natureza. O germe vem do ambiente externo.	Os tecidos e fluidos humanos são compostos por microbiotas específicas e formas biológicas inativas.
Os alimentos não guardam relação direta com as doenças.	A dieta contendo açúcar, amido e alimentos processados é deflagradora das alterações microscópicas dos germes.
Os germes patogênicos devem ser tratados com medicamentos específicos, antibióticos alopáticos, mesmo que de forma crônica.	Os germes patogênicos podem ser evitados, e, no caso de sua existência crônica, eliminados pela adoção de uma alimentação vegana saudável e probiótica, e fitoantibióticos.
Visualização de germes por mostras fixas, coradas, através da microscopia de campo claro.	Visualização de germes e formas no plasma vivo e fenômenos reológicos dinâmicos, através da microscopia de campo escuro.
Não compreende as doenças como resultantes do desequilíbrio homeostático.	Compreende as doenças como resultantes do desequilíbrio homeostático.
Não relaciona o germe com as doenças crônicas e degenerativas (diabetes, obesidade, hipertensão, câncer, depressão, artroses e outras).	A infecção crônica por fungos e bactérias e posterior geração de toxinas é a base da doença crônica e degenerativa.
Visão reducionista da origem e da condução do processo de doença.	Visão holística da origem e da condução do processo de doença.
Parceria com a indústria farmacêutica.	Parceria com a agricultura orgânica.

Para aprofundar ainda mais nossa reflexão, lembremos alguns fatos. Pesquisadores da história da medicina atestam a veracidade do material científico coligido por Antoine Béchamp. Por outro lado, foram encontradas fraudes e resultados falsos nos escritos de Pasteur. Portanto, é necessária uma discussão que fortaleça e dê os devidos créditos aos eminentes colegas que dedicaram a vida ao engrandecimento da medicina e não foram reconhecidos.

Após a derrota científica do parceiro, Claude Bernard convenientemente retirou de seus estudos sobre o meio interno as observações relativas às respostas homeostáticas do ambiente microbiológico, que casavam perfeitamente com os achados de Béchamp. Hoje a medicina reconhece que nosso organismo reage homeostaticamente a variações de conteúdo hídrico, temperatura, pressão, pH, osmolaridade, salinidade, estresse e todo tipo de influência, mesmo as antigravitacionais. Mas o ambiente microbiano, com toda a sua influência no "meio interno", como sabemos hoje, foi excluído da teoria da homeostasia. Vivemos um hiato científico que traz um grande prejuízo para a assistência médica à população.

Os mesmos achados de pesquisa histórica dão testemunho de que Pasteur, já moribundo, confidenciou aos seus assistentes: "O germe não é nada, o terreno biológico é tudo". Isso indica que ele tinha a mesma compreensão de Béchamp sobre o tema, mas moldou sua decisão por uma ciência aliada a interesses econômicos e políticos.

Günther Enderlein

Na Alemanha, outro grande pesquisador deixou sua contribuição para a hipótese do terreno biológico. Ao longo de sessenta anos de observação do sangue humano, Günther Enderlein (1872-1968) confirmou que a célula não é a menor unidade de vida do organismo e que dentro do nosso corpo existem unidades de vida ainda mais minúsculas. Em vez de chamá-las de microzimas, como fizera Antoine Béchamp, Enderlein as denominou "protitas". Porém, talvez o mais importante de tudo tenha sido a confirmação da teoria do pleomorfismo de Béchamp, que afirma que essas minúsculas organelas plasmáticas (protitas) mudam de forma de acordo com as condições do sangue em geral.

No Canadá, o biólogo francês Gaston Naessens (n. 1924) também detectou essas estruturas, que chamou de "somátides", e uma ex-aluna de

Enderlein, a médica alemã Maria Blecker, deu prosseguimento a seus estudos. Na Alemanha, existem diversos cursos de microscopia voltada ao terreno biológico, com base na hematologia. A microscopia de campo escuro é praticada por médicos e por profissionais formados na área de saúde.

A intenção de Günther Enderlein era desenvolver um método prático pelo qual o câncer pudesse ser precocemente diagnosticado. Ele formulou a hipótese de que formas biológicas anômalas surgiam no plasma antes do aparecimento do tumor, e que a partir delas seria possível fazer uma profilaxia dessa e de outras doenças crônicas e degenerativas. Foi o que obteve, com grande sucesso. Seus relatos e imagens gravadas originalmente em filme super-8 estão arquivados e disponíveis para estudo no Instituto Enderlein, na Alemanha. Enderlein descreveu centenas de fenômenos envolvendo a biologia de fungos e bactérias dentro do plasma humano. Na Suíça, o pesquisador Bruno Haefeli reproduz os mesmos resultados.

MICROSCOPIA DE CAMPO ESCURO

O médico que quiser se dedicar a esse campo deve antes revisar toda a hematologia básica, já disponível e desenvolvida pela medicina convencional. Com seu conhecimento expandido pelas teorias até aqui descritas, não fica difícil imaginar que nosso plasma possa também dispor de uma microbiota em equilíbrio. A microscopia de campo escuro é uma técnica científica bem definida. Apenas deve-se padronizar a maneira como ela está sendo utilizada e ensinada. Uma vez adquiridos os conhecimentos necessários, os médicos envolvidos com a técnica devem solicitar ao Conselho Federal de Medicina o estabelecimento da padronização deste método complementar de diagnóstico no Brasil.

Mas, qualquer que seja o método complementar de diagnóstico, não devemos dar a ele o caráter de diagnóstico final. Nada supera o contato pessoal, a colheita da história clínica e dos hábitos de vida, o exame físico e o acompanhamento do paciente. A medicina atual recorre a tantos métodos complementares de diagnóstico que termina por afastar o médico do seu verdadeiro papel de investigador do ser humano e de sua doença. É comum ele abrir os exames e observar os resultados para prescrever uma terapia, mesmo sem colher uma história clínica completa ou examinar apropriadamente o paciente.

Nós nos permitimos ter seres simbiontes vivendo em nossos fluidos e tecidos pela simples razão de que nosso corpo apresenta excelentes condições para a vida. Temos temperatura e pH estáveis, nutrientes, água e espaços livres. A pele, o intestino, o sistema urinário e as cavidades auditiva, oral e genitopubiana abrigam formas fúngicas, bacterianas e virais que, em conjunto, atuam em prol da homeostasia e da boa saúde do hospedeiro.

No entanto, como nossa dieta cotidiana contém grande quantidade de açúcar (doces e refrigerantes) e amido (pães e bolachas), permitimos que esses microrganismos e até mesmo as formas simbiontes teciduais plasmáticas iniciem o processo de fermentação. Ao fermentar, eles se tornam patogênicos, ou seja, começam a atuar no "desmanche" do organismo maior. Como o pH baixou e a oxigenação tecidual e a hidratação se reduziram, a mensagem biológica para essas formas fúngicas, bacterianas e virais é: "O organismo hospedeiro está morrendo". Assim, inicia-se o processo de degeneração natural.

Esse é o modo como a natureza trabalha. Em uma floresta, galhos e folhas caídos no chão são degradados por bactérias e fungos, cogumelos surgem de troncos mortos em estado de apodrecimento. A matéria morta é transformada em outra forma de matéria e energia disponíveis para o surgimento de outras formas de vida.

Se olharmos por esse aspecto, não há nada de errado no que está acontecendo com a saúde da maioria das pessoas. Estamos nos degenerando como civilização, fermentando com a ingestão de alimentos processados, sendo reciclados por uma infinidade de seres microscópicos que nós mesmos convocamos com essa finalidade. O ciclo prossegue até nossa morte. Ao morrer e retornar à terra, damos origem a outras formas de vida, e o ciclo se completa.

Mas, como seres vivos que somos, temos o instinto de lutar pela sobrevivência. A vida quer continuar, e nós também, como indivíduos e como parte do coletivo. Aqui está, portanto, uma sugestão ao ambiente médico e acadêmico: vamos incluir a hipótese do terreno biológico no currículo de graduação, treinar médicos nesse campo. Por que não incentivar as pessoas a adotar uma alimentação mais saudável e natural, que é a base para a saúde individual e coletiva, evitando assim o gasto de milhões com remédios e tratamentos obsoletos e, desse modo, permitindo que o sistema de saúde se desafogue? Por que não iniciar uma revolução nos costumes culinários e interromper a idiossincrasia cultural do padrão estimulado pela indústria, que aprisiona a vida e a saúde da maioria de nós?

Se for utilizada dessa forma – como substituta da relação entre médico e paciente –, a microscopia de campo escuro também produzirá resultados falseados, que por sua vez conduzirão a um tratamento incorreto da doença. Sendo um método complementar de diagnóstico, deve ser vista como tal. Práticas impróprias por parte de alguns profissionais que não têm o treinamento médico adequado para usá-la trazem desconfiança injustificada.

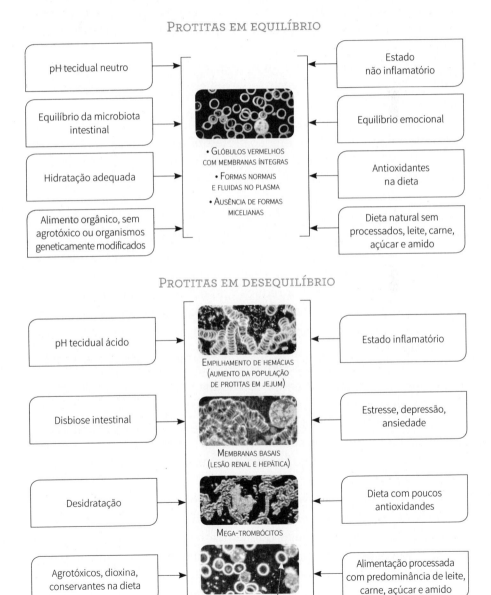

Micose do plasma

Conforme descrito anteriormente, os fungos são seres cuja função é reciclar a matéria morta – na terminologia biológica, denominam-se saprófitas. São chamados também de endossimbiontes (seres simbióticos que vivem dentro de nós). Muitos desses saprófitas vivem em nosso organismo, mas, em vez de atuarem no desenvolvimento de doenças, compõem uma microbiota residente que, em equilíbrio com outros seres semelhantes, nos imuniza e nos protege de agentes patogênicos. Eles atuam como parte do nosso sistema imunológico, auxiliando na eliminação e na degradação de formas invasoras, sejam elas vírus, bactérias ou outros fungos (ver capítulo 1).

A chave para a manutenção de um meio interno saudável, no qual os endossimbiontes tenham função protetora, e não agressora, é o pH do sangue e dos tecidos. Nosso pH é estável devido à presença de inúmeros sistemas "tampões" que atuam em sinergia, como vimos no capítulo anterior. Basta uma pequena variação no pH dos tecidos ou mesmo um aumento de consumo do bicarbonato do plasma pela acidez para que a característica pacífica e cooperativa dos endossimbiontes se transforme e eles se multipliquem e passem a agir como degradadores do sistema.

Devemos considerar todos os fatores existentes na vida contemporânea que contribuem para a redução do pH do plasma. Um deles é o consumo excessivo de açúcar, que, embora doce ao paladar, torna-se ácido no sangue. Consideram-se como açúcar todos os tipos de biscoitos, pães e salgados.

O estresse também é acidificante. Quando experimentamos estímulos adversos, o cérebro emite comandos para a secreção de catecolaminas (adrenalina); se o estresse se torna crônico, ocorre a secreção excessiva de cortisol pelas glândulas adrenais. Todos esses estímulos redundam na produção de ácidos orgânicos por diversos meios, sendo o mais comum o ácido láctico. É o que podemos chamar de pensamentos e emoções ácidos.

Alimentos processados, agrotóxicos e conservantes são igualmente acidificantes, pois suas estruturas moleculares levam o corpo a uma espécie de estresse metabólico, que, somado ao esforço do fígado e dos rins na eliminação de tantos xenobióticos (substâncias estranhas ao nosso metabolismo), termina por sobrecarregar todo o sistema. Além disso, os fatores inflamatórios que resultam de uma alimentação processada levam ao aumento da viscosidade do sangue, com a decorrente dificuldade de passar pelos capilares, o que contribui para a redução da oxigenação e para a acidose tecidual (ver capítulos 4 e 5).

A redução das excursões respiratórias (ventilação pulmonar) pela rotina ofegante, pela própria sensação de respirar ar poluído (como defesa, respiramos mais superficialmente), aumenta a quantidade de CO_2 no plasma, na forma de ácido carbônico. Outros fatores acidificantes são a redução da atividade física e a vida sedentária, que levam à redução da perfusão dos tecidos e à baixa oxigenação.

Uma vez que o pH do plasma esteja favorável ao pleomorfismo, ou seja, inclinado à acidez, ocorre a fermentação e o "brotamento" de formas mais complexas de fungos. É como se essas estruturas inativas de repente se "lembrassem" de suas funções saprófitas (degeneradoras) e, mudando de forma, começassem imediatamente a exercê-las. O plasma, o tecido intersticial e as células do corpo passam a ser parasitados por fungos de diversos tipos, dos quais os mais frequentes são os mixomicetos, os hifomicetos e os fungos do gênero *Aspergillus*. Eles formam micelas iniciais pouco densas, mas facilmente detectáveis pelos microscópios de campo escuro.

Com o passar do tempo, novas formas de desenvolvimento ciclogenético se desenham, tais como a esporoangiose, a micelemia e a hematomicose. Modernos microscópios alemães da geração CH-6030 Ebikon permitem a detecção de micose dentro do núcleo dos leucócitos, ou glóbulos brancos.

Essa técnica, denominada na Alemanha "Eri-Método", é útil na decisão terapêutica ambulatorial e pode ser executada por qualquer médico ou clínica. Ela não exclui nenhum dos métodos tradicionais de diagnóstico clínico-hematológico, mas possibilita sua complementação e confirmação diagnóstica. Sua principal vantagem é a antecipação: o médico pode ter uma noção do desenvolvimento dessas condições antes que elas se agravem, indicando ao paciente, a partir disso, uma ampla mudança de hábitos de vida que lhe permita se livrar dos indesejáveis oportunistas microscópicos.

Disseminação da micose

O sangue é o tecido fluido que leva oxigênio, nutrientes e informações vitais a todas as células do corpo. Se ele estiver parasitado por endossimbiontes, esses microrganismos, agora patogênicos, produzirão excrementos – as micotoxinas –, que serão distribuídos a cada célula através da microcirculação. Esse processo é o principal responsável pela escalada de doenças crônicas e degenerativas em nossa sociedade.

Ao recebermos um paciente com alguma queixa pulmonar como bronquite alérgica, tosse crônica, asma, sinusite ou rinite, podemos deixar um pouco de lado o território pulmonar e perguntar a ele sobre seus hábitos alimentares e sobre o consumo não controlado de açúcar, laticínios, amidos e derivados. Quase todas as alergias são causadas por fungos. Quando o indivíduo tem contato com um alérgeno, seja ele inalado ou ingerido, este encontra o potencial alergênico interno amplificado pela presença de fungos oportunistas: *Cladosporium herbarum, Alternaria tenuis, Aspergillus fumigatus* e os do gênero *Rhizopus*. A reação alérgica, facilmente detectada pela microscopia de campo escuro, provoca aumento dos eosinófilos (reação detectada também no tradicional hemograma completo), empilhamento de glóbulos vermelhos e grande aumento do número de protitas (aspecto de "flocos de neve").

As queixas gastrintestinais em geral também estão relacionadas ao impacto da micose sanguínea no sistema imunológico. O tubo digestivo, além de ser repleto de microrganismos, abriga nossa maior massa de tecido imunológico e recebe o impacto agressivo das formas micóticas intestinais, mudando sua reatividade aos estímulos ambientais e microbiológicos originados do intestino. Surgem daí as doenças inflamatórias intestinais, hoje responsáveis, de longe, pelas queixas mais comuns em ambulatórios de clínica médica e gastrenterologia. A síndrome do cólon irritável é a manifestação clínica mais frequente em ambulatórios dos Estados Unidos, e provavelmente tem a mesma prevalência no Brasil.

Nos casos de doenças gastrintestinais, a microscopia de campo escuro mostra a presença de trombócitos gigantes, de simplastos (nomenclatura específica) e de cristais plasmáticos, que, filtrados pelos rins, levam à formação de cálculos. Cabe lembrar aqui que gastrites, esofagites e demais manifestações inflamatórias do tubo digestivo desaparecem rapidamente com um regime semanal biogênico à base de suco verde.

Cefaleia, enxaqueca, ansiedade, síndrome do pânico e depressão têm como pano de fundo, além dos assuntos mencionados no capítulo 2, a micotoxicidade intestinal e sanguínea difusa. O tecido nervoso é particularmente sensível às toxinas em geral, mas fica protegido dessas agressões por uma estrutura denominada barreira hematoencefálica. A eficácia dessa barreira, porém, depende do bom funcionamento do fígado. E este pode ser o órgão mais afetado pela ocupação não amigável de nossos corpos por fungos e microrganismos oportunistas.

A MICOTOXINA ÁLCOOL

A maior parte dos fungos é capaz de produzir álcool. Essa micotoxina é o mais popular e conhecido de todos os excrementos fúngicos. É também o excremento fúngico mais popular e recreativo. O álcool do vinho é o excremento do fungo que fermenta a uva. O da cerveja é o excremento do fungo que fermenta a cevada. O da vodca é o excremento do fungo que fermenta a batata. O da cachaça é o excremento do fungo que fermenta a cana-de-açúcar. O do saquê é o excremento do fungo que fermenta o arroz. A humanidade aprendeu a fermentar substâncias vegetais com o fim de obter uma potente micotoxina recreacional, o álcool, cujos efeitos são, a médio e longo prazo, incapacitantes.

O álcool é um excelente removedor de substâncias que sujam vidros e superfícies em geral. Dentro do nosso corpo, ele promove uma verdadeira "limpeza nociva" das células, levando consigo enzimas e coenzimas, vitaminas intracelulares, fitoquímicos e material energético. O responsável pelo conhecido efeito de "ressaca". Também elimina elementos protetores da fisiologia celular, é o maior estimulador de mutações do DNA, portanto, do câncer. No *ranking* dos fatores que causam câncer, o álcool fica em primeiro lugar.

Mas, ao ler este texto, o leitor que no momento padece de câncer pode se perguntar: "Como isso é possível, se nunca pus um gole de álcool na boca?" A resposta é que somos capazes de produzir álcool através de fungos parasitas e residentes no nosso corpo. Para tanto, basta a ingestão da matéria-prima ideal para a fermentação: açúcar e amidos. Ou seja, aquela sensação de "embriaguez" que se segue à ingestão de um mil-folhas ou um brigadeiro no *shopping* é embriaguez mesmo. O açúcar entra no sangue e imediatamente torna-se álcool e outros subprodutos, graças à ação dos laboriosos consortes microscópicos.

Não causa espanto que atualmente a maior parte das pessoas, inclusive na adolescência, apresente esteatose hepática, ou seja, a deposição de gordura no fígado, condição antes restrita a consumidores frequentes de álcool. Essa gordura se acumula no fígado devido à dieta fermentativa e à produção de álcool no interior do organismo. É o vício em açúcar – e não necessariamente em álcool – que está determinando tantas alterações hepáticas em pacientes assintomáticos.

A esteatose hepática é uma apresentação clínica comum da fermentação alcoólica por fungos internos. Mas vale lembrar que o álcool, principalmente em reação celular no nosso meio interno, pode se transformar em aldeídos ácidos. Os aldeídos ácidos atacam ainda mais ativamente o fígado, obrigando as células desse órgão a produzir uma lipoproteína bastante conhecida: o LDL, ou "mau colesterol", que aumenta o risco de problemas cardiovasculares e de infarto agudo do miocárdio. Assim, o consumo desenfreado de sacarose e carboidratos simples vem tornando essas doenças cada vez mais comuns.

O diabetes melito é uma doença do endotélio. O endotélio é um tecido onipresente no corpo, que reveste o interior dos vasos sanguíneos, os capilares, os vasos linfáticos, os grandes vasos, as artérias e a bomba cardíaca, e cujas características variam de acordo com o local onde se encontra. Ele é o mais doente dos órgãos do diabético.

O endotélio sofre diretamente a ação de elementos micotóxicos, expondo o diabético ao risco de desenvolver doenças secundárias – a retinopatia, a nefropatia, a neuropatia periférica, a impotência, as complicações cardiovasculares, as escaras e as úlceras nas pernas são resultado direto da ação das micotoxinas sobre a parede interna dos vasos. Com uma taxa de glicose constantemente alta, o diabético cultiva um sem-fim de microrganismos patogênicos em seus tecidos. Não é de surpreender que a doença tenha um espectro tão amplo de manifestações secundárias.

Como o diabetes resulta na potencialização dos efeitos dos excrementos originados dos fungos, quem sofre dessa doença pode se beneficiar imediatamente da adoção de uma alimentação vegana saudável, rica em vegetais frescos e carboidratos complexos, que não geram alimento adicional para esses microrganismos. Mas cabe lembrar que o diabético apresenta modificações da expressão genética e epigenética. Portanto, para que os benefícios se manifestem, é necessário o "choque epigenético" que acontece a partir de algumas terapias mais impactantes, como a ingestão de bebidas vegetais frescas e hipocalóricas por uma semana ou mais.

Outra micotoxina bastante conhecida e frequente na coluna sanguínea da nossa população é o chamado ácido oxálico. Erroneamente atribuído aos inocentes tomate e espinafre, o ácido oxálico tem sua presença, saudável e inofensiva, detectada em diversos vegetais. Na natureza, e nas concentrações que ela oferece, ele só pode nos fazer bem. Por exemplo, ao reagir com as pectinas – como é o caso da maçã, nos sucos verdes –, forma complexos que agem como laxativos suaves.

Mas o que acontece se tivermos uma fábrica fúngica de oxalatos dentro do corpo? A trivial combinação de café com leite e pão com manteiga e salgadinhos, dieta tóxica e micotóxica do dia a dia, é uma potencial produtora de fungos e seus excrementos oxálicos. Basta medir a presença de cristais de oxalato na urina para constatar que estamos diante de uma paciente que é uma fonte de cálculos renais de todos os tipos e qualidades.

O cálculo renal é formado a partir do acúmulo de proteínas e minerais, mas conta com a importante participação do oxalato e do cálcio para sua solidificação. Ou seja, ele é uma amálgama, e, da mesma forma que o cimento, precisa de elementos para se formar. Os minerais e as proteínas estão presentes mesmo na urina normal. Basta saber se teremos os elementos formadores ou inibidores.

A atual visão da medicina sobre o cálculo renal busca fatores que nunca estão relacionados com a dieta. Até a via genética é investigada. No entanto, a via do oxalato e, mais ainda, a formação de oxalato devido à dieta com açúcar e à consequente micose interna são desconsideradas, pois nem são entendidas pela atual prática médica.

É preciso lembrar que muitas informações que os estudantes recebem nos nossos cursos de medicina são incompletas ou estão desatualizadas. O que produz oxalato dentro do corpo é a grande quantidade de fungos que alimentamos com nossa irracional dieta açucarada. Basta migrar para a alimentação baseada em vegetais – que nada tem de radical, é apenas racional – para os fungos desaparecerem, assim como seus excrementos formadores de cálculos.

Outra toxina muito conhecida é a ureia, ou sua variante, o ácido úrico. A bactéria *Helicobacter pylori* se notabilizou na ciência médica por sobreviver nas inclementes condições de acidez gástrica, em um pH às vezes inferior a 2. Isso se deve à capacidade desse microrganismo de sintetizar ureia, que cria uma "nuvem de proteção" ao redor dele, impedindo que seja dissolvido pelo ácido clorídrico do estômago. Esse é apenas um exemplo para lembrar que os fungos e outras bactérias endossimbiontes também são capazes de sintetizar ureia e ácido úrico, por razões biológicas distintas. Ou seja, a mesma dieta fermentativa para os fungos mencionados anteriormente pode – por via fúngica – determinar a presença bioquímica desses metabólitos urêmicos no plasma.

Com o resultado do exame laboratorial em mãos, que mostra que a dosagem de ureia no sangue está aumentada, a primeira pergunta que o médico faz é: "Está comendo muitos frutos do mar ou carnes?" O que não é de todo despropositado, pois aprendemos que esses derivados nitrogenados vêm da ingestão de proteínas animais. O paciente tem queixas de artrose, artrite ou da temível e punitiva gota. Ou de lombalgias, bursites, claudicação, dores articulares de todo tipo e sem uma razão que as explique. Muitas vezes o médico também diz: "É genético". Mas, como foi dito na introdução deste livro, o que é hereditário é o hábito do paciente de roer bolachas, doces ou qualquer outro tipo de guloseima que sua mãe lhe oferecia na infância. Basta suspender a dieta açucarada e as dores articulares se desvanecem como num passe de mágica. Como esse fato ainda não é ensinado nas faculdades de medicina, prossegue-se com a prescrição de corticoides, diclofenaco, aspirina, ibuprofeno e paracetamol. Pior para o paciente, melhor para a indústria de medicamentos anti-inflamatórios, uma das mais lucrativas do mundo.

Ou seja, precisamos interromper esse ciclo de doenças inflamatórias. Somado ao que foi dito no capítulo 3, temos em mãos um organograma através do qual podemos eliminar o uso de todo tipo de anti-inflamatório e sacudir o corpo alegremente no bloco dos alforriados da doença reumática. A imagem de um microcristal de ácido úrico é por demais impressionante e explica quase tudo o que sentimos: ele se parece com um caco de vidro com mícrons de diâmetro, cheio de lancetas e navalhas. Imagine esses cacos de vidro dentro de nossas cavidades e articulações. Inflama e dói muito.

A lista de excrementos tóxicos desses microrganismos em nosso corpo é extensa. No tratado de medicina *Fungalbionics: the Fungal/Mycotoxin Etiology of Human Disease*, publicado na Alemanha em 1994, são relacionadas pelo menos quatrocentas micotoxinas, com a descrição de seus efeitos diretos sobre os órgãos e tecidos humanos. São milhares de referências que mostram que o tema está longe de ser uma novidade científica. Curiosamente, esse tratado não é encontrado nas prateleiras das bibliotecas das nossas faculdades de medicina, e nenhum professor fala dele.

A grande novidade, no caso, seria trazer esses conhecimentos estruturados cientificamente para a prática médica. Precisamos lembrar ainda que todas essas micotoxinas, como os ácidos láctico, oxálico e úrico, são também acidificantes do meio. A manutenção das espécies fúngicas em nosso meio interno piora a situação de acidez que levou ao seu surgimento. Assim, o ciclo se retroalimenta e se perpetua. É necessário que aqueles que tenham acesso a esses conhecimentos tomem a corajosa decisão de vencer esses habilidosos parasitas. A chamada *comfort food* – esse é o nome chique que se dá para a fissura por doces, bolos e bolachas – tem que ser riscada do mapa. É um caso de tolerância zero, pois uma tolerância apenas moderada pode agravar ainda mais a doença já em curso.

Uma decisão corajosa

A decisão de nos libertarmos dos hábitos açucarados e açucaradores significa abrir mão das guloseimas de festas de aniversário – consideradas em geral as piores ocasiões de exposição a alimentos letais –, da comida de restaurante, dos salgadinhos de lojas de "inconveniência", dos biscoitos e *croissants* de *coffee breaks* em reuniões profissionais, repletos de tudo aquilo que mais queremos evitar. Ou seja, trata-se de uma decisão corajosa e abrangente, que inclui mudanças culturais e gastronômicas.

Quando tomamos tal decisão, acordamos orgulhosos dessa escolha – e famintos por um pedaço de pão. Então respiramos fundo, tomamos coragem e seguimos em frente, bebendo aquele copo de 250 mililitros de suco verde repleto de vegetais frescos. Ao final do primeiro dia, percebemos que demos um enorme passo adiante.

Quando optamos por eliminar o açúcar da alimentação, entram em ação as "máfias" bacterianas e fúngicas. Como esses parasitas percebem que nossa intenção é para eles uma sentença de morte, eles se organizam em "cartéis" que ameaçam e intimidam a ordem corporal, por meio de dor de cabeça e mal-estar. E começamos o segundo dia da nova dieta pensando: "Ah, mas um pãozinho não seria nada de mais..."

É a parte bacteriana que habita nosso corpo, composta por quatrilhões de microrganismos residentes e hospedeiros, além dos tais insurgentes instalados, que solicita açúcar de forma quase coercitiva. É preciso resistir. É hora de desalojá-los. Em seu lugar virão novos parceiros microscópicos que atuarão para redesenhar nosso sistema biológico e livrá-lo de todo mal.

Graças à grande produtividade, nossa equipe de pesquisa cirúrgica na Alemanha obteve destaque mundial nesse campo. Participávamos de encontros exclusivos com a presença de nomes que até então eu só conhecia de editoriais de revistas científicas, de artigos de revisão ou por terem ganhado o prêmio Nobel. O fato que relato a seguir, frequente nesses congressos, não chamava minha atenção na época, pois foi algo que só se tornou claro para mim uns dez anos depois, quando eu já engatinhava na nova ciência da vida e dos alimentos.

Era comum ver especialistas de renome apresentarem dados como: "Vejam esta nova modalidade de anticorpos monoclonais, que se ligam à molécula de adesão na parede leucocitária e impedem que os leucócitos promovam adesão permanente à parede do endotélio". Ou: "Nesta imagem obtida em um microscópio intravital, após a injeção de rodamina, podemos ver que os leucócitos apresentam ainda o rolamento sobre o endotélio, mas não aderem, tal a especificidade do anticorpo monoclonal". Ou ainda: "Assim, teremos em breve uma medicação que impedirá as manifestações mais agudas do infarto agudo do miocárdio".

Na hora do intervalo, ofereciam um *coffee break* que incluía biscoitos recheados e amanteigados, chocolates, cafezinho, geleias e salgadinhos com diversos tipos de presunto e queijo – todos eles *poderosos estimuladores da adesão leucocitária à parede do endotélio*. O que mostrava, e ainda mostra, a enorme disparidade entre o discurso científico – alinhado com os interesses da indústria farmacêutica – e a realidade da aplicação prática de uma nova pirâmide nutricional.

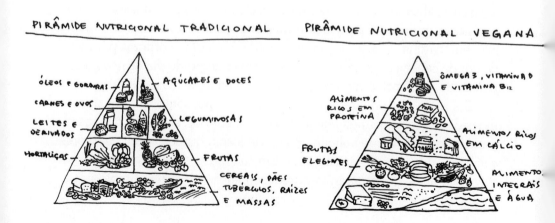

Quero aqui ressaltar um dos axiomas deste livro: não existe alopatia nem tampouco acupuntura, terapia aiurvédica, homeopatia, placas de frequência quântica ou plantas medicinais que consigam eliminar fungos, microrganismos e suas micotoxinas do sistema. Mesmo que o fizessem, o efeito duraria o tempo em que estivessem atuando. O melhor medicamento, a melhor cirurgia que se conhece, é a alimentação saudável baseada em plantas. Se você não se dispuser a sair de sua zona de conforto e não mudar sua dieta, nada acontecerá. Se, no entanto, optar por essa mudança, verá as doenças e seus sintomas se transformarem em saúde e, aí, sim, todas as terapias resultarem em melhoras.

Dito de outra forma, somente a alimentação correta é capaz de mudar aquilo que está ocorrendo há décadas no seu plasma. Práticas integrativas, como as mencionadas acima, podem ser usadas para ajudá-lo a sair da crise de abstinência de açúcar e amido que terá de enfrentar.

É óbvio que, ao adotar uma dieta sem açúcar, você não precisa se comportar como se fosse membro de uma seita – por exemplo, cometendo a indelicadeza de recusar o bolo de fubá que é especialidade da sua avó. É possível, sim, em certas ocasiões, aceitar um pedaço de bolo, como uma concessão cultural. Se quem preparou a receita o incentivar a repetir, você pode dizer que está "fazendo regime". Ou que sua glicose está alta e o médico lhe pediu que reduzisse o consumo de doces. Essa última desculpa, aliás, também cai bem em outras ocasiões, como ao pedir um suco de frutas em uma lanchonete. Mesmo que você diga que não é preciso adoçar, ainda assim corre o risco de receber um suco melado, porque os funcionários têm o costume de jogar, sem perceber, uma caneca de açúcar branco nos sucos que preparam. Já se você disser: "Por favor, não ponha açúcar no meu suco, porque tenho glicose alta e posso passar mal!", é mais provável que se lembrem e não despejem a tal caneca. As pessoas respeitam mais a doença que a saúde.

Você e seu corpo é que aprenderão a lidar com os açúcares e amidos que o rodeiam. Seu corpo é que perceberá o movimento dos fungos através dele, suas erupções e acnes, seus catarros e fungações, suas comichões e feridas que se abrem após uma ingestão inadvertida de uma quantidade imprópria de açúcar naquela festa junina ou na quermesse da igreja (outras ocasiões de grande exposição a alimentos letais). São manifestações que quase todo mundo conhece – o pé de atleta, a micose de unha, as tinhas na superfície e debaixo da pele, a candidíase vaginal –, desencadeadas por fungos que estão esporulados por toda parte, até no couro cabeludo.

Quando essas manifestações ocorrem, significa que seu corpo como um todo – o trato respiratório, os intestinos delgado e grosso, o sistema urinário, as cavidades, as amígdalas (tonsilas) e o plasma – está tomado pelas formas micelianas (denominação específica) dos indesejáveis invasores. Indesejáveis porque você não os deseja. Mas com o tempo você perceberá que, após a ingestão de amido ou açúcar, essas manifestações são o resultado de sua própria atitude de insistir em comer quantidades irracionais de açúcar. Ou seja, você não deseja ter micoses, mas elas ocorrem exatamente porque você deseja comer doces e pães. Somos seres curiosos, não?

Então observe-se, reduza e reduza mais ainda sua necessidade desses excedentes nutricionais. Tire o açúcar da dieta e perceba a beleza do novo mundo que se abre à sua frente. Ao ter uma recaída e comer doces, repare como seu corpo fermenta e como aparecem as manifestações respiratórias, digestivas, cutâneas e mucosas dos fungos. Da mesma forma que os cogumelos da floresta, eles estavam apenas aguardando as condições ideais de pH, umidade e temperatura para brotar. Aí estão seus cogumelos, brotando entre os dedos do pé, na pele ao redor do corpo, ou esvaindo-se em corrimentos esbranquiçados pela vagina. A coceira e a inflamação vão irritá-lo, mas dessa vez você saberá quem é o grande responsável por tudo isso.

No início do século XX, os americanos consumiam em média 1 quilo de açúcar *per capita* por ano. Um século depois, esse consumo pode chegar a 77 quilos *per capita* por ano. Não há dúvida de que o mesmo padrão se aplica aos brasileiros.

É com bom humor que devemos procurar sair dessas ciladas. Afinal, o vício em açúcar e amido é como a dependência de uma droga, mas, diferentemente dela, que vem pelas mãos do traficante, o consumo de açúcar é incentivado pela mamãe e pela vovó, dentro de casa, e com muito afeto.

Além de o vício em açúcar e amido ter um aspecto fisiológico – ou seja, é uma dependência física e metabólica –, esses excedentes nutricionais causam dependência mental e emocional. Você deve ter muito carinho e muita paciência consigo mesmo e se perdoar.

Günther Enderlein estava certo

O eminente pesquisador alemão, ainda hoje no ostracismo devido ao atual estado de segregação da hipótese do terreno biológico, queria desenvolver uma técnica pela qual o câncer pudesse ser reconhecido precocemente, antes de se tornar um tumor em algum ponto do corpo. Enderlein acreditava que se poderiam detectar sinais no sangue, e foi justamente pela microscopia de campo escuro que ele identificou todos os estágios fúngicos que precedem a manifestação futura dessa doença.

De fato, algumas das micotoxinas mais comuns, como a aflatoxina, a patulina e a ocratoxina, produzidas pelos gêneros de fungos *Aspergillus* e *Penicillium*, são cancerígenas diretas e atuam alterando as sequências de DNA e modificando a expressão celular mitogênica. As conclusões laboratoriais e clínicas dessa ação são incontestáveis. Tais fungos estão relacionados a câncer de fígado, de próstata e de mama.

Assim, a principal chave para a prevenção e mesmo para a remissão de tumores já ativos e suas metástases é a busca por uma dieta nutritiva, com proteínas e gorduras de fácil metabolização e inclusão celular e sem açúcares ou amidos processados. Estamos falando aqui da alimentação vegana saudável, baseada em vegetais orgânicos e frescos. Estamos falando de nutrir a célula sadia, e não a célula cancerosa.

A Terapia Gerson, já mencionada no capítulo 5, preconiza a radicalização da alimentação baseada em vegetais, resumindo-a a sucos de folhas e algumas raízes como a cenoura, além de lavagens intestinais com café. É uma terapia eliminadora de fungos. Seja qual for a forma de tratamento do câncer, não se deve privar os pacientes de explicações, nem criar falsas expectativas de cura, nem afastá-los de seus médicos de origem, mesmo que estes discordem do que você faz e você discorde do que eles pensam. O tratamento deve ser seguido, se assim for o desejo dos pacientes, e com a concordância de seus médicos. No meu entender, a alimentação saudável é fundamental para a boa resposta do paciente ao câncer.

Se você é o médico ou nutricionista, deve ter em mente que é preciso encontrar uma dieta nutritiva, que ofereça ao paciente todos os micronutrientes, vitaminas, lipídios essenciais e proteínas de que ele precisa, mas que de maneira alguma permita o crescimento de formas fúngicas. Talvez ainda não se conheça essa dieta perfeita, mas a alimentação baseada em vegetais integrais e orgânicos é o que pode estar mais perto dela.

A hipótese do terreno biológico passou a ser adotada por grandes centros de medicina americanos, como as faculdades de medicina de Harvard, Yale e Michigan. Não esperamos que o terreno biológico venha a substituir a teoria do germe, mas que pelo menos as faculdades de medicina do Brasil e de outros países aceitem essa abordagem científica e plausível. Se as duas teorias puderem conviver, o que é plenamente possível, poderemos orientar e ensinar muitos novos médicos, que saberão direcionar cada vez mais suas ações em prol da saúde do indivíduo, da família e da comunidade.

Se Oswaldo Cruz, discípulo de Pasteur, vivesse hoje, iria perceber, com a ampla visão que sempre teve, que a grande doença infectocontagiosa do século XXI é fúngica e bacteriana, decorrente da alimentação processada. A grande epidemia é de diabetes, hipertensão, obesidade, depressão e todas as doenças degenerativas, que estão associadas a esses hábitos alimentares e aos microrganismos decorrentes deles. Estaríamos trabalhando juntos.

Ao entender essa teoria, percebi que a origem dos alimentos e suas características biológicas são fundamentais quando pensamos em estabelecer uma saúde pública constante. É esse o tema do nosso próximo e último capítulo, "A saúde da terra e a saúde do homem".

Para saber se compreendeu este capítulo

1 Já lhe ocorreu que seu corpo é feito à imagem e semelhança do corpo planetário? Que seu sangue reflete as águas, sua respiração, o ar, seus ossos, a dureza das pedras e seus órgãos dos sentidos, as texturas, odores, sabores e cores da nossa mãe natureza?

2 É possível dedicar um dia da semana à observação e ao contato direto com a natureza. Pode ser em uma praia, um bosque ou mesmo uma praça da sua comunidade. Se não houver natureza perto de você, plante-a e perceba o enorme efeito disso sobre seu corpo e sua mente.

3 Alimentar-se de animais e obter leite deles é a pior atitude que podemos ter para com nossa saúde pessoal e para a saúde do planeta. Esse comportamento primitivo contribui para a devastação da bacia Amazônica, dos cerrados, do solo e das águas, assim como fomenta a catástrofe ambiental climática que nos ronda. Modifique seus hábitos visando ingerir cada vez menos carne e leite, até chegar a uma dieta que não contenha esses tipos de alimento. Você pode desenvolver-se, ser forte e feliz sem a ingestão de frutos do sofrimento animal.

4 A medicina, assim como o direito penal, a arquitetura, a engenharia, a economia e qualquer outra área do conhecimento, é mantida tal como é por paradigmas ou códigos de leis adotados por um consenso padronizado. Esses paradigmas se baseiam em teorias científicas que foram comprovadas em determinada época e com uma base específica de observação. Uma mudança de percepção do mesmo fato pode permitir que um paradigma seja superado ou mesmo complementado por essa nova visão, que pode apresentar resultados convincentes, se colocada em prática.

5 A hipótese do terreno biológico é estruturalmente homeostática, portanto, respeita as leis da vida e dá sentido ao fato hoje observado de sermos compostos por uma quantidade inimaginável de seres microscópicos, sejam eles bacterianos, fúngicos ou virais. Isso põe por terra a visão original da teoria do germe, segundo a qual somos seres estéreis ocasionalmente invadidos por germes, em nossos tecidos e plasma.

6. A microscopia de campo escuro é um método complementar de diagnóstico que permite a visualização de formas biológicas e elementos figurados do plasma, e como tal deve ser interpretada. Assim como a bioquímica do sangue, o hemograma ou exames de imagem, esse método complementar de diagnóstico deve ser confrontado com a história e a observação clínica do paciente, para que seus resultados possam levar a medidas terapêuticas eficientes.

7. De maneira semelhante à de outros métodos diagnósticos, a microscopia de campo escuro pode acompanhar o tratamento de condições crônicas pela alimentação baseada em vegetais, fornecendo indicações para dietas específicas mais ou menos glicêmicas.

8. O maior fator de disrupção do terreno biológico, seja do solo, seja do plasma vegetal ou animal, é a redução do pH tecidual, ou acidificação, induzida na espécie humana principalmente por amidos (pães e farináceos), açúcares (refinados ou naturais), laticínios animais e carnes. A simples retirada desses alimentos da dieta e sua substituição por fontes naturais de carboidratos complexos pode reequilibrar o terreno biológico e fazer cessar uma série de sinais e sintomas de doenças crônicas.

9. A criação de um meio interno ácido dá o sinal para que as formas inativas endossimbiontes (protitas) se coadunem e coalesçam, formando novos agrupamentos de membranas e material genético. A simples fermentação ocorre aumentando a população de componentes da microbiota, seja ela intestinal, de cavidades corporais, seja do plasma.

10. Os endossimbiontes mais críticos para o corpo humano são os fungos, que produzem micotoxinas capazes de gerar doenças tipicamente crônico-degenerativas como artroses, cálculos renais e de vesícula, esteatose hepática, gastrenterites, diabetes, problemas cardiovasculares e câncer.

11. A alimentação baseada em vegetais, especificamente a de baixo índice glicêmico, tem a capacidade de interromper o ciclo de doença crônica alimentada por fungos e suas micotoxinas. É a base comum para a formulação de dietas que venham a controlar o diabetes e o câncer. Em nossa forma de trabalho, as opções por essa modalidade de tratamento não excluem as abordagens nutricionais tradicionais, mas devem ser balanceadas e discutidas de forma multidisciplinar.

12 A hipótese do terreno biológico é, conforme enunciado, uma hipótese. Para que seja levada em conta, na forma de assistência médica de caráter público, fazem-se necessários protocolos nos quais predominem: 1) a educação em saúde e fisiologia; 2) aulas de culinária baseada em vegetais; 3) agroecologia; e 4) uma assistência médica e nutricional orientada teoricamente dentro desses princípios. Os estudos científicos devem ser realizados conforme os padrões da Associação Brasileira de Normas Técnicas (ABNT), e seus resultados, apresentados e discutidos em simpósios e congressos clínicos, docentes e assistenciais primários.

13 Não é necessário ser cientista ou médico para adotar por conta própria uma alimentação baseada em vegetais. Trata-se de uma dieta simples, que utiliza frutos da mãe natureza, a serem consumidos todos os dias. A primeira medida consiste em eliminar o açúcar, os amidos e as gorduras hidrogenadas, e, a seguir, o consumo de laticínios e carnes. Um nutricionista pode e deve ser consultado para conferir maior segurança à migração para esse padrão alimentar.

14 A opção por uma alimentação baseada em vegetais o torna parceiro dos produtores orgânicos e da pequena agricultura familiar de sua região.

RECEITAS

Bom, foi uma quantidade grande de informações. A seguir, uma série de receitas de sopas pouco calóricas, mas que vão permitir que você durma de "barriga forrada" depois de comê-las. E ainda vão contribuir para que você mantenha seu terreno biológico íntegro.

Atenção: a fórmula geral das sopas é combinar uma hortaliça de "volume" com outra planta de característica "adstringente" (que impressiona as mucosas). Assim, terá um volume que limpa o intestino por dentro, e outro que estimula o peristaltismo. Resultado: você acorda e vai direto para o banheiro!

Volume	Adstringente
Abóbora	Alho-poró
Abobrinha	Alho
Berinjela	Gengibre
Ervilha	Cebola
Lentilha	Raiz-forte
Inhame	Mostarda
Tomate	Pimenta
Cenoura	Cebolinha

Pode ser amornada: crua, biogênica.
Pode ser aquecida: bioditiva.
Pode ser fervida: bioestática.

Sopa de abóbora com lentilha germinada

Ingredientes:
- 1 colher (sopa) de alho-poró
- 1 colher (sopa) de gengibre ralado sem casca
- 2 colheres (sopa) de azeite
- 1 xícara de lentilha germinada sem casca
- 2 xícaras de abóbora (deixe imersa 5 minutos em 4 xícaras de água quente)

1 colher (sopa) de folhas de manjericão
2 colheres (sopa) de molho de soja
1 colher (sopa) de salsinha picadinha
1 colher (sopa) de flor de ume (opcional)

Preparo:
Em uma panela de pedra, barro ou metal espesso, amorne o alho-poró e o gengibre no azeite. Adicione a lentilha e deixe amornar até que o sabor amargo diminua. Reserve.
No liquidificador, bata a abóbora com a água quente (o suficiente para formar um creme), a lentilha germinada, o manjericão e o molho de soja. Para finalizar, adicione a salsinha e as flores de ume picadinhas.
Dica: A quantidade de água para dar a cremosidade vai depender do tipo de abóbora utilizada; a cabotiã precisa de menos água, já o tipo moranga, de mais.

Armazenamento: 1 dia na geladeira em refratário de vidro com tampa.

Rendimento: 4 porções.

Sopa de inhame

Ingredientes:
5 xícaras de água
5 xícaras de inhame cortado em cubinhos
2 colheres (sopa) de cebola picadinha
2 colheres (sopa) de gengibre ralado grosso
2 colheres de alho-poró
2 colheres (sopa) de azeite
2 colheres (sopa) de missô
¼ de colher (chá) de pimenta-de-caiena
½ colher (chá) de páprica picante
1 xícara de folhas de agrião (sem talo)

Preparo:
Ferva a água e acrescente o inhame, deixando cozinhar por 3 minutos. Deixe esfriar e, quando ficar morna, bata a água com o inhame no liquidificador até formar um creme. Reserve.
Em uma panela de pedra, barro ou ferro, amorne a cebola, o gengibre e o alho-poró no azeite e, em seguida, adicione o missô misturando bem. Acrescente a pimenta, a páprica e o creme de inhame e mexa bem. Adicione o agrião à sopa quente, misture levemente, coloque a tampa e deixe por alguns minutos até o agrião murchar.

Armazenamento: 1 dia na geladeira em refratário de vidro com tampa.

Rendimento: 4-5 porções.

Sopa cremosa de cenoura

Ingredientes:
- 3 xícaras de cenoura sem casca em rodelas
- 4 xícaras de água quente
- 1 xícara de castanha de caju
- 1 colher (sopa) de gengibre
- 1 colher (chá) de cúrcuma fresca
- 1 colher (chá) de curry
- 2 colheres (sopa) de alho-poró
- 4 colheres (sopa) de azeite de oliva extra-virgem
- 2 colheres (sopa) de missô
- 1 colher (sopa) de sal
- 4 colheres (sopa) de molho de soja
- 1 colher (sopa) de flor de ume picadinha
- ¼ de colher (chá) de pimenta calabresa
- 2 colheres (sopa) de salsinha picadinha

Preparo:
Bata no liquidificador a cenoura, a água quente, a castanha de caju, o gengibre, a cúrcuma e o curry até virar um creme. Reserve.
Em uma panela de pedra, barro ou ferro, amorne o alho-poró no azeite e adicione o missô misturando bem.

Acrescente o creme de cenoura, o sal, o molho de soja, a flor de ume picadinha, a pimenta e mexa até a mistura ficar homogênea. Para finalizar, salpique salsinha e misture levemente.

Armazenamento: 1-2 dias na geladeira em refratário de vidro com tampa.

Rendimento: 4-5 porções.

Sopa de ervilha

Ingredientes:
   3 xícaras de ervilhas germinadas sem casca
   1 colher (sopa) de alho ralado
   2 colheres (sopa) de cebola picadinha
   2 colheres (sopa) de azeite de oliva extra-virgem
   2 xícaras de água quente
   2 colheres (sopa) de missô
   1 xícara de cenoura descascada
   ½ colher (chá) de louro em pó
   ¼ de colher (chá) de pimenta calabresa
   1 colher (sopa) de flor de ume picadinha
   1 gota de óleo de bétula
   2 colheres (sopa) de salsa picadinha

Preparo:
Em uma panela de pedra, barro ou metal espesso, amorne a ervilha com o alho, a cebola e o azeite até perder o amargo. Adicione a água com missô, o louro, a cenoura, a pimenta, a flor de ume, o óleo de bétula e mexa bem. Salpique salsinha e misture levemente.

Armazenamento: 1-2 dias na geladeira em refratário de vidro com tampa.

Rendimento: 4-5 porções.

Missoshiro

Ingredientes:
- 1 xícara de cebolinha cortada fininho
- 2 colheres (sopa) de azeite de oliva
- ¾ de xícara de missô
- 1,5 litro de água quente (quase fervendo)
- ¼ de xícara de molho de soja
- ½ xícara de pimentão vermelho cortado em cubinhos pequenos
- ½ colher (sopa) de pimenta dedo-de-moça bem picadinha
- 1 xícara de cenoura cortada em rodelas finas
- 2 xícaras de brócolis bem picadinhos sem o talo
- ½ xícara de tofu picado em cubos

Preparo:
Em uma panela de pedra, barro ou ferro, amorne a cebolinha no azeite. Adicione o missô e acrescente a água quente, a uma temperatura que ao toque da mão não queime. Junte o molho de soja, o pimentão, a pimenta, a cenoura e os brócolis. Tampe e deixe marinar por 10 a 15 minutos. Acrescente os cubinhos de tofu. Sirva quente.

Armazenamento: Consuma no mesmo dia.

Rendimento: 5 porções.

7
Terra

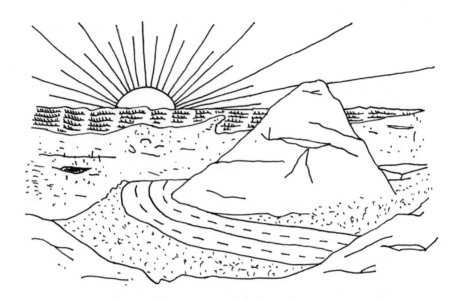

O médico e o verdureiro – uma crônica

De uns tempos para cá, venho me dedicando a entregar verduras em domicílio – verduras da horta do sítio Nirvana para pessoas que fazem parte de uma rede de amigos e novos amigos. Ao fazê-lo, visito um desejo oculto de viver uma identidade secreta. Uma roupa velha, um boné e criou-se o personagem. A hora de acordar é 4 da manhã. Abasteço o fusquinha de quarenta sacas de verduras colhidas pelo seu Geraldo, com quem trabalho em parceria no sítio. Em alguns minutos o carro está abarrotado de sacolas (cabe muita coisa num Fusca!).

Sento ao volante, olhando o céu. É um momento especial, de oração, junto ao silêncio, às estrelas e à lua. Percebo a fragrância da salsa e do manjericão como uma comunicação das plantas comigo. As verduras, como crianças, soltam seus brinquedinhos: joaninhas, pequenas aranhas e formigas, que costumam passear pelo interior do carro. Certa vez, uma dessas aranhas ficou morando no carro, e, como tinha hábitos noturnos, descia pendurada no retrovisor. Um dia a capturei e a devolvi à horta. E assim, com o carro repleto de amigos verdes, roupa velha e boné, me atiro pelo asfalto, com uma longa lista de endereços. Após vencer a Grota Funda, ligo o rádio, e a música se faz presente na composição do cenário.

Talvez sejam as próprias hortaliças, talvez o brilho da lua, talvez o nascer do sol, que salta para dentro da retina durante o trajeto das entregas. Algo diferente, que eu nunca havia vivenciado, foi me contagiando e me motivando a continuar esse trabalho. Ajudado pela imensa capacidade humana de criar personagens (ou seria adaptabilidade?), desenvolvi o gestual e a forma de expressão típicos do entregador de verduras.

As semanas foram se sucedendo, tornaram-se meses, e agora já completo um ano e meio de entregas. O ato de entregar, de servir, de distribuir é uma vivência preciosa. Nesse novo universo, no qual desenvolvi meu personagem "entregador", convivo com porteiros, lixeiros, seguranças e todos aqueles que trabalham ao nascer do dia. Nessa nova linha de relacionamento, aprendo e reaprendo a me comunicar. Às vezes acontece de um porteiro que não me conhece não permitir minha entrada. Nesse momento, a experiência é ainda mais contundente, quando o entregador deve esperar por uma autorização, ou mesmo resignar-se a não fazer a entrega.

Alguns amigos me perguntam por que me dedico às entregas, em vez de arrumar alguém para fazê-las por mim. E eu pergunto de volta: por que delegar a alguém essa tarefa? Tenho muitos motivos para não abrir mão dela. Nesse trabalho, acontece também de eu ser muito bem recebido, com bate-papos no portão ou na cozinha de meus clientes. Vejo-me então como a pequena aranha, tecendo teias de fios invisíveis, em que as verduras são na verdade apenas um pretexto.

Nessa experiência, conheço minha semelhança com os outros – meus clientes, os porteiros, entregadores, verdureiros, lavradores, motoristas (entregadores de gente), garis, pescadores, pedreiros. Percebo-me parte desse todo, cumprindo o meu papel. É uma chance inestimável de conhecer um pouco mais a força da humildade.

Minha agrofloresta

Muitos anos se passaram desde essa pequena e inesquecível aventura, essa vivência sentimental e poética, porém dotada de uma força impulsora que se reflete em mim até os dias de hoje. Passei por um ritual de despedida e desapego do sítio da minha infância, na zona rural do Rio de Janeiro, e parti para a caminhada paulista: Campos do Jordão, Osasco, Porangaba, até finalmente encontrar meu primeiro ninho. As cidades de Capão Bonito e Ribeirão Grande são hoje a base da primeira loja e do primeiro ambulatório do Modelo Biogênico, uma forma de praticar medicina que será descrita no anexo.

Essa região é um planalto, de cuja borda oriental começa uma cascata de centenas de serras e encostas encimadas por florestas e perfuradas por um infindável sistema de cavernas, em direção ao oceano Atlântico. Um éden subtropical de altitude, que registra temperaturas médias de 19 °C durante o ano. Estamos em média 900 metros acima do nível do mar, o que cria um microclima privilegiado e uma fauna de aves tão fascinante que atrai observadores de pássaros do mundo todo. O Parque Estadual Intervales tem como base uma antiga fazenda onde se praticava a extração de palmito, até essa atividade se tornar proibida. Apenas na região da fazenda existem 64 cavernas, sob a exuberante Mata Atlântica. As serras descem em direção ao mar, passando por antigos sítios arqueológicos indígenas e quilombolas, até locais históricos de ocupação de nosso país pelos portugueses: Itanhaém, Cananeia e São Vicente.

Desde o litoral de Santos até próximo a Curitiba, no Paraná, essa região, que tem o tamanho aproximado da Bélgica, forma uma unidade biológica de Mata Atlântica, a maior do país, que resistiu ao desmatamento de 95 por cento da área terrestre do estado de São Paulo. Nela habitam onças, capivaras, antas, pacas, jaguatiricas, veados, sucuris, toda espécie de anfíbios e peixes de água doce, salgada, manguezais e lagoas, além de insetos e uma infinita população alada.

Foi no Parque Intervales, inicialmente, e depois no Hotel Paraíso, na mesma região, que desenvolvemos mais de vinte edições do curso Bases Fisiológicas da Terapêutica Natural. Com o esforço de todos estes anos de trabalho e muita sorte, foi possível comprar uma área de 60 hectares contendo florestas com nascentes de água e também áreas degradadas, desmatadas e acidificadas, cobertas de capim braquiária, eucaliptos residuais e uma típica vegetação de floresta decidual. A braquiária é considerada um inimigo pela agricultura convencional, pois suas raízes se embrenham na terra, tornando quase impossível sua eliminação.

Essa área de indiscutível beleza, com pedras e riachos sinuosos, foi batizada de Nirvananda, em homenagem ao sítio de minha infância, o Nirvana. Mas será um local eternizado, pois seu destino é tornar-se uma instituição de ensino em nível de pós-graduação, cujas disciplinas abrangerão áreas de conhecimento distintas, desde a agroecologia e formas de agricultura ecológica e agrofloresta a técnicas de culinária, com um restaurante experimental *gourmet*, e finalmente a prática de assistência médica ambulatorial em meio à natureza predominante, com métodos de diagnóstico avançados.

De posse desse pequeno pedaço do planeta Terra, parti para conhecer o trabalho agroflorestal desenvolvido na região. Minha visita ao grupo Cooperafloresta, em Barra do Turvo, na mesma área geográfica descrita anteriormente, mas uns 300 metros acima do nível do mar, portanto mais baixa e quente, foi impactante. Com o Pedro, vi as primeiras manobras de facão e enleiramento, típicas dessa prática agrícola. Bananeiras e jaqueiras eram repicadas para formar uma massa de carbono que retornava ao solo. Estava convencido de que esse seria meu destino: plantar e replantar florestas para o bem da natureza e do homem.

Não demorou para que eu viesse a conhecer o grande personagem da agrofloresta, o suíço-brasileiro Ernst Götsch. Fiz um de seus extenuantes cursos de agrofloresta em cinco dias, nos quais a atividade florestal é onipresente, e a atividade física, de plantio e poda, é a regra e serve como aviso: "Sedentários não cabem aqui". Quis ainda o destino que eu pudesse acompanhá-lo durante alguns dias por nossa região, definida por ele como "floresta de neblina". Mas nosso microclima é indefinível. Tê-lo como visitante e, principalmente, como consultor agroflorestal do sítio Nirvananda é uma honra. Conhecido em todos os cantos do mundo, o franzino "agricultor", como ele mesmo se define, caminhou comigo por todas as paisagens do sítio, as desoladas e as florestais, passando-me informações que, se para ele eram triviais, para mim são um tesouro, lavrado em anotações em um caderno de capa dura que será nossa referência pelos próximos anos.

A HISTÓRIA DAS PLANTAS

Em algum ponto da evolução do planeta, estruturas organizadas, utilizando-se de água, energia solar e gases permeados nos oceanos, formaram estruturas micelianas que foram se pleomorfizando e desenvolvendo a base da vida, que é o fitoplâncton. Na Austrália, foram encontrados micróbios fossilizados de 3,4 bilhões de anos, sendo esse o mais antigo registro de vida na Terra.

A superfície seca do planeta era desértica e inabitável, com eventos climáticos de características impensáveis hoje. Furacões que se deslocavam a milhares de quilômetros por hora, maremotos, terremotos, glaciações, eras de temperaturas elevadíssimas intercaladas por glaciações e chuvas torrenciais com duração de milhões de anos nos deixavam, em aspecto "telescópico", muito próximos em aparência a nossos vizinhos de sistema solar, os planetas Vênus, Marte, Júpiter ou Saturno. Mas, mesmo bilhões de anos atrás, já éramos diferentes, e com uma inevitável "tendência" à vida.

As plantas, esses seres prodigiosos, dotados de inigualável inteligência biológica adaptativa, resiliência e habilidades sensoriais, puderam, com profunda delicadeza e atitude pacífica, enfrentar e domar eventos climáticos e geográficos tão radicais, mudando por completo a atmosfera do planeta Terra.

Após milhões de anos de vida exclusivamente aquática, elas se permitiram nascer e crescer na terra, desde simples musgos até chegar a formar florestas. Esses musgos aderiram a rochas há 470 milhões de anos, em um período denominado Ordoviciano, e, com a energia do Sol, passaram a reter partículas dos minerais cálcio, magnésio e fósforo. Então, nesse longo processo de milhões de anos, as plantas terrestres surgiram e evoluíram biologicamente, mudando a face do planeta e preparando-o para receber a vida animal.

Durante eras e através da fotossíntese, transformaram a atmosfera, repleta de dióxido de carbono e gases tóxicos, com seus galhos, folhas e restos utilizando e fixando o carbono no solo. Reduziram a temperatura do planeta em 5 °C, amainaram as violentas manifestações climáticas e alteraram características geográficas, redistribuindo as águas. Pode parecer pouco mudar 5 °C em milhões de anos, mas imaginemos o que significa a complexidade disso quando se trata de um planeta inteiro. O homem, porém, com suas intervenções no meio ambiente, corre o risco de fazer a temperatura do planeta subir 2 °C em menos de 100 anos, o que significaria o fim das formas de vida nas quais ele próprio está inserido. Os vegetais, como podemos concluir, permaneceriam, pois seriam capazes de se adaptar, como o fizeram em outros cataclismos.

O constante empilhamento de matéria pelos intermináveis ciclos de vida que se sucederam formou o sedimento, a base de toda a vida terrestre, e reordenou a vida microbiológica terrestre, alinhando-a com suas projeções, as raízes e os rizomas. Os biomas de todo o planeta são definidos pelas plantas que os compõem e pelo microbioma impregnado na terra.

Essa vida silenciosa e oculta das raízes – em que os fungos formam uma rede sofisticada de comunicações, e as bactérias, tais como nos intestinos animais, representam um mundo que gera hormônios e neurotransmissores – faz da terra a representação máxima da fertilidade e da regeneração.

Mas, muito mais do que isso, as plantas alimentaram os insetos, os peixes, anfíbios e répteis, até chegar aos mamíferos e primatas de grande porte, dos quais fazemos parte. Além disso, criaram paisagens que acalentam a alma, flores que nos sensibilizam e acalmam e alcaloides que curam e trazem a expansão da consciência do homem através de sua história, tirando-o do primitivismo e da precariedade e levando-o ao entendimento das forças que regem o mundo imaterial.

Assim como nosso Pai que está no céu, nossa Mãe que está na terra já nos amava, muito antes de nascermos como humanidade.

Fim da história

Em um curto espaço de tempo, mais precisamente nos últimos 100 anos – o que são "cem anos" comparados a 470 milhões? –, o homem vem invertendo essa relação, soltando grandes cargas de ácido carbônico e mudando a temperatura e o pH da atmosfera e dos oceanos. Destruindo o equilíbrio dos biomas e das florestas, e assim das condições climáticas que um dia existiram, em nome de sua ganância de extrativismo parasitário e do hábito de comer açúcar, grãos farináceos ("comida de insetos") e carne. Aprendemos a destruir florestas e, para sobrevivermos como humanidade, precisamos aprender a plantar florestas.

> O homem passou a comer comida de insetos (grãos, cereais e seus derivados farináceos). Planta enormes monoculturas de comida de insetos, e então os insetos vêm comer o que é deles. A seguir criam-se e aplicam-se inseticidas químicos, que nos causam doenças, e desenham-se os grãos transgênicos – para combater os insetos, que apenas vêm comer o que, evolutivamente, é deles. Devemos começar a comer comida de primatas de grande porte, que é o que somos: as raízes, as folhas, as flores, as castanhas, os palmitos e os frutos das agroflorestas, orgânicos por natureza.

TERRA SADIA E SAÚDE DO HOMEM:
A BASE BACTERIANA DA ALIMENTAÇÃO HUMANA

A terra é a base da alimentação e da saúde humanas. A diversidade microbiana do ecossistema-solo é maior que a de qualquer outro ecossistema no planeta. Se quisermos redesenhar a vida humana na Terra, o assunto é primordial. Devemos individualmente, como seres conscientes que somos, reaprender a lidar com a terra e restabelecer uma relação harmoniosa com aqueles que trabalham no campo.

Somos apenas comensais transitórios nesse sistema, e o que obtemos na relação entre homem e terra é o resultado de bilhões de intrincadas reações bioquímicas e relações simbióticas entre as bactérias do solo e as raízes das plantas. Nosso sucesso no plantio depende de respeitar essas interações, que remontam aos primórdios da vida no planeta. E, quando deixarmos esse invólucro transitório, teremos que deixar também, como expressão de gratidão, um solo ainda mais fértil e regenerado, coberto de frutos e de árvores, para nossos filhos e netos, que serão também herdeiros de nossos ensinamentos sagrados.

Só haverá paz entre os homens quando a Terra for um jardim de humanidade.
Contemplação da Paz com a Humanidade, Essênios, 3000 a.C.

O Modelo Biogênico

A estratégia em saúde denominada Modelo Biogênico reconhece a natureza como provedora original e autêntica de alimento humano, plena de informação vibratória (elétrons e fótons) e vida (nutracêuticos e probióticos). As bases fundiárias, comerciais e sociais desse programa estimulam a produção local que mantenha uma distância ideal de 30 e máxima de 100 quilômetros entre produtor e consumidor. A forma de escoamento e comercialização respeita as características de seus frutos, criando economias locais que seguem o padrão da pequena propriedade rural, apoiando a saúde do trabalhador rural e de sua família, assim como a saúde dos produtos da terra. Objetiva a criação de uma cultura de vida que ofereça às famílias de produtores uma alternativa ao modelo de escassez devastador, concentrador e químico dos agrotóxicos, fertilizantes e do agronegócio. Reconhece a terra como provedor original do alimento, descartando formas pseudofuturistas supostamente produtivas, fora dos ambientes solar, hídrico e biológico que caracterizam a natureza, como a hidroponia. O produto da terra, local e autêntico, contribui para a saúde de famílias de qualquer nível de renda. Paralelamente, o Programa da Saúde da Terra cria capacitações e habilidades novas: fornece instruções em técnicas permaculturais, agroflorestais e de agricultura biodinâmica a famílias de pequenos produtores rurais; interage com secretarias de Meio Ambiente e de Saúde e planos de saúde e integra-se a programas de nosso grupo, que preconiza oficinas culinárias, conforme as que foram realizadas em Capão Bonito e Osasco. Esses programas, em ambiente urbano, criam a demanda por alimentos vibratórios e vivos, fechando o circuito.

Técnicas agrícolas inteligentes utilizam-se de insetos alados, cavadores ou rastejantes para combater as pragas, como a lagarta do cartucho do milho. O desenvolvimento dessa técnica pode tornar o milho transgênico inaplicável. Uma nova agricultura biológica e agroflorestal, familiar ou mecanizada, está pronta para ser instalada.

A terra, assim como a água, deve ser considerada um elemento vivo, contrariando as orientações errôneas do ensino fundamental desatualizado ou propositalmente distorcido, que impõe que ambas sejam denominadas partes do "reino mineral". A terra contém, além de água, minerais e elementos da atmosfera gasosa, protagonistas que caracterizam a vida em todo o seu potencial: os organismos vivos subterrâneos, uma complexa microbiota e uma biologia molecular completa. A terra dá origem a plantas, flores, frutos, raízes e sementes alimentares, cujas características biológicas serão a síntese entre os fatores nutricionais do solo e a energia vibratória solar.

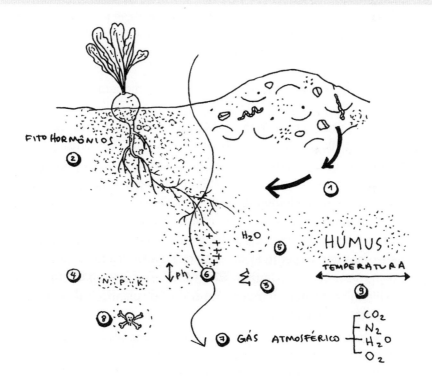

Fisiologia do húmus

A fisiologia do solo, quando analisada pelo aspecto do húmus, em muito se assemelha à fisiologia humana. Os mecanismos homeostáticos, coloidoplasmáticos, microbiológicos e imunitários do húmus são equivalentes aos de sistemas vegetais e mesmo animais, como demonstrado a seguir:

1. o processo que transforma matéria orgânica em húmus alimenta a população microbiana, de insetos (ácaros) e de vermiculares (minhocas) do solo, contribuindo para que ele mantenha níveis altos e saudáveis de vida homeostática;
2. o húmus, acumulado em cachos, em simbiose com as raízes das plantas, desempenha um papel de controle hormonal da fisiologia vegetal;
3. o húmus é uma substância coloidal que aumenta a capacidade do solo de trocar cátions, justificando a sua habilidade de armazenar nutrientes;
4. o húmus retém nutrientes essenciais e que se tornam acessíveis às plantas, atuando assim na prevenção da lixiviação do solo pela ação das chuvas ou da irrigação;
5. o húmus se compõe de 80 a 90 por cento de água estruturada, equivalente à água do plasma ou da célula humana, e tem papel-chave na manutenção hídrica do solo em períodos do dia ou sazonais de rarefação de água;
6. graças à sua estrutura bioquímica, o húmus modera ou tampona as condições de excesso ácido ou alcalino do solo;
7. durante o processo de humificação, os micróbios homeostáticos secretam mucilagens que contribuem para a típica aparência granulosa do húmus. Essa característica granulosa (não compacta) mantém a aeração do solo, que assim retém carbono, oxigênio, hidrogênio, nitrogênio e oligoelementos do ar atmosférico;
8. assim como retém nutrientes, o húmus, através da quelação, liga metais pesados e venenos agrícolas a moléculas orgânicas complexas nele presentes, impedindo sua entrada no ecossistema vegetal;
9. graças à cor escura, o húmus pode captar e armazenar energia solar, auxiliando a manter a temperatura da área de plantio, principalmente nos períodos mais frios do ano.

As técnicas mecânicas e bélicas de manuseio do solo plantável usadas pelo agronegócio, onipresentes no currículo das faculdades de agronomia e pecuária do nosso país, contribuem para um modelo agrícola que destrói por completo o microbioma do húmus, além de desarticular sua característica coloidal, capaz de reter água em períodos de estio. A demanda por água na agricultura hoje já é insustentável, e esse modelo desidratante de solos demanda quantidades injustificáveis de água para uso agrícola (80 por cento do consumo geral do país), levando à escassez dos recursos hídricos. Quando essa água de irrigação retorna ao solo ou ao leito dos rios, leva consigo quantidades injustificáveis de componentes químicos, que contaminam o ambiente como um todo, a cadeia vegetal aquática e terrestre, o microbioma, insetos e finalmente os animais superiores, dentre os quais se inclui a espécie humana.

A ruptura dos ciclos naturais, responsáveis pela produção dos nutrientes homeostáticos do solo, causa uma demanda por enormes quantidades de fertilizantes químicos. O desequilíbrio microbiológico e homeostático justifica o restante da catástrofe ambiental que representa esse modelo, com suas sementes transgênicas e venenos agrícolas. Em todo o planeta, o solo ocupado pela agricultura está se tornando um aglomerado químico artificial que só pode dar origem a alimentos sem valor biológico.

As doenças decorrentes de contaminação por venenos agrícolas de ação direta e pelos utilizados em plantas geneticamente modificadas nas plantações, seja de pequenos, seja de grandes produtores, estão amplamente documentadas por vasta literatura médica, mas as informações a respeito delas continuam longe do alcance da opinião pública e da academia médica, por pressão dos *lobbies* das corporações que as disseminam no planeta. Por outro lado, técnicas de cultivo favoráveis à saúde e à natureza já existem, mas não estão disponíveis para a grande maioria dos pequenos agricultores. Embora não haja justificativa para o uso de qualquer tipo de veneno na agricultura familiar, as empresas multinacionais que lucram com o modelo de agronegócio, infiltradas nas esferas do poder público, já desenham uma forma alternativa de capilarizar a distribuição de seus produtos químicos e transgênicos entre os pequenos produtores rurais.

Convenção de Estocolmo

Criada em 2001, a Convenção de Estocolmo sobre Poluentes Orgânicos Persistentes (POPS) proibiu a produção e o uso de vários compostos químicos. Inicialmente, foram condenados doze compostos, que passaram a ser chamados de "dúzia suja". O inseticida DDT foi tirado da lista, por causa de interesses ligados a seu uso no combate ao mosquito transmissor da malária. Os onze compostos são: aldrina, clorano, mirex, dieldrina, dioxinas, furanos, PCBS (bifenilas policloradas), endrina, heptacloro, HCB (hexaclorobenzeno) e toxafeno. Eles causam câncer e má-formação em seres humanos e animais. O acordo entrou em vigor em junho de 2004, na capital da Suécia. A convenção reúne atualmente 170 participantes, entre países e territórios.

Venenos agrícolas: não há razão para usá-los

Segundo a filosofia das empresas fabricantes de venenos agrícolas e do agronegócio, o produtor deve obter o máximo de produção e de produtividade com a menor perda possível. Daí a intensa utilização de fertilizantes e de agrotóxicos, com a finalidade de evitar pragas. Por exemplo, nas plantações de mamão, são aplicados fungicidas para que não apareçam os pontos escuros típicos do fruto. A ditadura dos comerciantes é tão forte que eles chegam a desprezar todo um lote caso o aspecto das frutas não satisfaça a suas exigências. Assim, os produtores veem-se obrigados a usar os antifúngicos. E o Brasil pode ocupar o terceiro lugar na produção de mamão no mundo.

Já os herbicidas são aplicados para evitar que outros tipos de vegetais nasçam no meio da plantação. A lógica é a do maior lucro possível. O Roundup, da Monsanto, que contém o ingrediente ativo glifosato, destinado à aplicação com os grãos transgênicos, é usado por qualquer agricultor que não esteja disposto a se curvar sobre o arado ou a enxada. Chamado popularmente de "mata-mato", seu uso disseminou-se pelo país, mantendo os cantos e oleiras das hortas com tons de palha, lixiviados, com apenas uma aplicação. O glifosato tem amplo poder de penetração na terra, podendo permanecer ativo por até quatro anos. Em laboratório, pode determinar erros de transdução do DNA e, consequentemente, células neoplásicas (câncer) em curto prazo e em doses menores que as utilizadas no campo.

Em 2008, o Ministério do Trabalho registrou mais de 5 mil casos de intoxicação por agrotóxicos em trabalhadores agrícolas. Por se tratar de um problema de saúde pública, a Agência Nacional de Vigilância Sanitária (Anvisa) pleiteia o poder de reavaliar, avaliar e liberar a utilização desses produtos, já tendo proibido vários deles, em verdadeiras batalhas contra o *lobby* das indústrias do agronegócio. Muitos, porém, já de longa data proibidos no exterior, ainda são usados no Brasil.

Riscos à saúde causados pelos agrotóxicos

Agudos (atingem a população rural)
Em minha prática médica, presenciei a internação de muitos pacientes de origem rural e empregados de fazendas com equimoses (manchas roxas) por todo o corpo, insuficiência hepática grave (falta de

produção de proteínas do sangue) e cirrose hepática, com ascite (água na barriga) evoluindo invariavelmente para o óbito. Causou-me indignação ver pessoas sadias morrerem devido ao uso desses produtos, por ordem de seus patrões e sem a devida proteção.

Milhares de agricultores, mesmo de pequena produção, vêm adoecendo e sendo hospitalizados no Brasil, mas esses casos são atribuídos a doenças paralelas ou subnotificados. O problema se estende aos familiares e a todos os que convivem com os venenos agrícolas. Na verdade, a contaminação aguda do trabalhador rural brasileiro ainda está fora do controle do Ministério da Saúde. Mesmo a incidência crescente de câncer, diabetes, depressão e distúrbios psiquiátricos está relacionada a essa situação.

Os seguintes sintomas de intoxicação aguda podem ser percebidos: irritações e ulcerações da pele, dos olhos, da mucosa da árvore respiratória e do tubo digestivo, alterações do fígado e dos rins, sintomas respiratórios, cardiovasculares e neurológicos, coma e óbito em período curto (hepatite fulminante).

Crônicos

Os sintomas de intoxicação crônica atingem toda a população consumidora, o que inclui nossas famílias, a merenda escolar e a alimentação do trabalhador. A rede de distribuição de alimentos em feiras e supermercados está preocupada antes de mais nada com os lucros. Segundo relato de produtores rurais que depois aderiram à agricultura orgânica, eles próprios, no momento do encaixotamento e embarque, aplicavam fungicidas em batatas cujo processo de plantio e crescimento havia sido objeto de uso intensivo de veneno.

Não é preciso entender de absorção, níveis séricos ou dose letal para perceber que se trata de uma situação de alta exposição a agentes químicos tóxicos, com resultados já aparentes, mas ainda imprevisíveis, dado que a aplicação de venenos agrícolas no Brasil ainda está em crescimento.

Somos detentores do triste recorde de maiores consumidores de venenos agrícolas do mundo, tendo despejado no solo, apenas em 2009, 173 mil toneladas de diferentes produtos (no Brasil, 130 empresas fabricam agrotóxicos, das quais 6 dominam 68 por cento do mercado). O contrabando de venenos proibidos por lei, o uso e os depósitos clandestinos e a aplicação sem receituário de agrônomo são a regra. A fiscalização rural tem um alcance desprezível e, ainda que fosse ampliada, não poderia controlar o que acontece no campo, dada nossa enorme extensão territorial. Estamos vivendo uma situação de "não segurança alimentar". Uma roleta-russa em nosso cotidiano.

A maior parte dos dados a respeito dos riscos que os agrotóxicos causam à saúde foi obtida quando da visita ao Brasil do cientista Michael Jensen, da Food and Drug Administration (FDA), órgão do governo americano que controla a qualidade dos alimentos e dos medicamentos. A palestra foi apresentada no auditório do Conselho Regional de Medicina de São Paulo, contando com a presença de representantes da Anvisa e da organização não governamental Instituto Brasileiro de Defesa do Consumidor (Idec). Estavam à mesa os presidentes das sociedades paulistas de Neurologia, Endocrinologia e Oncologia. Como se vê, as autoridades médicas e de segurança alimentar do país já têm uma clara noção do perigo, mas nenhuma providência é tomada. Novamente, a força dos *lobbies* explica a omissão.

Os sintomas mais comuns da intoxicação crônica são: náuseas e vômitos, esplenomegalia (aumento do baço), rinite, faringite, bronquite, conjuntivite, dor de cabeça, irritação crônica, agitação, insônia, alteração do comportamento social, depressão, desorientação, perda de memória e da capacidade de aprendizado, distúrbios do funcionamento de glândulas endócrinas (tireoide, paratireoide, hipófise, pâncreas, ovários, testículos), perda da libido, distúrbios do ciclo sexual, alterações de constituição, número e qualidade dos espermatozoides, abortos, más-formações fetais, anomalias cromossômicas e câncer (relação direta com linfomas e leucemias).

Ameaça crescente

Em 2009, a Polícia Federal realizou, em parceria com a Anvisa, uma série de ações de fiscalização nas principais fábricas de agrotóxicos do Brasil. As ações descobriram irregularidades nos produtos comercializados pelas seis empresas fiscalizadas: Syngenta, Bayer, Basf, Milenia, Nufarm e Iharabras – algumas das quais, juntas, controlam mais da metade do mercado mundial de defensivos agrícolas. Verificou-se que elas vendiam produtos com fórmulas adulteradas, data de validade vencida, problemas de qualidade e acima do limite de toxicidade indicado na embalagem.

A Syngenta, por exemplo, foi flagrada comercializando a ci-hexatina. Usada nas culturas cítricas, essa substância teve a venda proibida no Brasil em 2009, depois que se descobriu que ela pode causar problemas na formação de fetos. Ainda assim, na ocasião foi aberta uma exceção para os agricultores do estado de São Paulo, que tiveram permissão de utilizá-la até 2011.

A relação da indústria de agrotóxicos com a política no Brasil teve seu início durante a ditadura militar (1964-1985), quando esses núcleos econômicos se infiltraram no poder e nele fincaram profundas raízes, levando o setor de agronegócio a se fortalecer, situação que se mantém até hoje. A bancada ruralista que ocupa o Congresso Nacional também exerce influência nos ministérios e em diversos cargos executivos do segundo e do terceiro escalão, estratégicos na agricultura brasileira. Os produtos químicos e a biotecnologia larvicida geram lucros fabulosos, a despeito do adoecimento da população.

A Anvisa e o Idec passaram a enfrentar esses grupos econômicos, mas encontram enormes obstáculos para veicular suas mensagens. Em 2010, foi publicado um importante artigo – "Brasil: um país envenenado" – no jornal *Le Monde Diplomatique*, assinado por Agenor Álvares, então diretor da Anvisa, e pelo pesquisador Eduardo Garcia Garcia. O artigo denuncia o uso indiscriminado de agrotóxicos em nosso país (5,2 litros *per capita* por ano).

A bancada ruralista no Congresso reagiu e pediu a cabeça do diretor. O documentário *O veneno está na mesa* (2011), de Silvio Tendler, mostra um discurso de uma brasileira que afirma que "os pobres devem comer com agrotóxicos, sim", e que "precisaríamos de três Brasis para alimentar a população brasileira com orgânicos".

Tal postura mostra ao mesmo tempo despreparo técnico e hipocrisia. Qualquer observação de exemplos bem-sucedidos de agroecologia, agroflorestas ou agricultura biodinâmica nos leva exatamente à conclusão contrária. O Brasil poderia, sim, produzir alimentos orgânicos para sua população – e para o resto do planeta.

É importante que nós, como consumidores diretos dessas substâncias, tomemos posição para banir sua presença em nossos alimentos. Já que não há um controle da sua utilização no Brasil, elas podem ser aplicadas de forma aleatória, empírica ou mesmo criminosa por agricultores e atravessadores de tais produtos. É fato que agrotóxicos já proibidos no Brasil continuam sendo usados, configurando um mercado negro muito semelhante ao mercado de drogas ou de armas.

Vale lembrar que vários agrotóxicos liberados pela Agência Nacional de Vigilância Sanitária são utilizados em doses muito acima do recomendado – situação detectada por ações de fiscalização da Polícia Federal, em intervenções do Idec junto à Anvisa e em reportagens da grande mídia sobre o tema. Muito curiosa foi uma reportagem sobre produtos agrícolas vendidos como alimentos orgânicos, quando na verdade são altamente contaminados por agrotóxicos. No caso, o crime é praticado pelos vendedores, que enganam o consumidor, ou mesmo por produtores rurais, que de forma também criminosa vendem o produto como se fosse orgânico. Os critérios de rastreabilidade já adotados no Brasil são muito sofisticados e tenderão a reduzir esse risco.

Existe também um perigo potencial de transferência horizontal. Ou seja, certas substâncias presentes em produtos transgênicos são marcadores de resistência a antibióticos. Elas podem causar doenças infecciosas incuráveis por criar bactérias resistentes e mesmo favorecer a criação de novos vírus e bactérias, que determinam mutações celulares e promovem o aparecimento do câncer.

Outro fato a ser levado em conta é que grande parte dos defensivos agrícolas é neurotóxica, isto é, tem afinidade com o sistema nervoso do inseto. Como o tubo neural de insetos, répteis, pássaros, pequenos mamíferos e do homem é formado da mesma matéria neurológica, uma substância química que seja tóxica para um elemento vivo da cadeia biológica afetará todos os outros componentes, mesmo aqueles que estiverem a mais de mil quilômetros de distância.

Muita gente pode pensar que, ao não ingerir verduras e hortaliças, estaria evitando esses problemas. Mas trata-se de uma avaliação errônea. No atual modelo de agronegócio, o cultivo do trigo, da soja e de todos os grãos também envolve grande quantidade de defensivos agrícolas. Assim, o pão, as massas, a pizza e demais alimentos feitos com esses grãos trarão consigo altos níveis de toxicidade. O mesmo se aplica aos produtos de origem animal, que, além de concentrar agrotóxicos (presentes na carne e no leite), ainda recebem antibióticos e hormônios.

A Anvisa tem atuado de forma bastante ativa na retirada de substâncias causadoras de morbidade e mortalidade no Brasil, como mostra a tabela a seguir. Esses agrotóxicos já foram denunciados, e diversas pesquisas publicadas na agência recomendam seu banimento. Enquanto eles se encontram em fase final de reavaliação, devemos procurar evitar as frutas e os alimentos que são mais pulverizados com tais venenos.

Agrotóxico	Culturas	Efeitos na saúde
Fosmete	Laranja, maçã, pêssego	Neurotoxicidade, intoxicação aguda
Triclofórmio	Laranja, banana, arroz, alface, feijão, tomate, milho	Neoplasias, hipoplasia cerebelar, anormalidade fetal, aborto, infertilidade
Carbofurano	Banana, amendoim, arroz, feijão, milho, batata, café, cenoura, repolho, tomate	Puberdade precoce, infertilidade, aborto
Parationa metílica	Cebola, alho, arroz, batata, feijão, milho, trigo	Neoplasias, neurotoxicidade, puberdade precoce, disruptor endócrino, infertilidade, aborto
Abamectina	Maçã, cítricos, mamão, manga, melancia, melão, morango, pera, pêssego, uva, café, batata, pepino, pimentão, tomate	Má-formação fetal, aborto, infertilidade, intoxicação aguda
Ci-hexatina	Maçã, cítricos, morango, pêssego, café, berinjela	Neoplasias, má-formação fetal (hidrocefalia)
Acefato	Brócolis, couve-flor, repolho, couve	Neoplasias, neurotoxicidade, intoxicação aguda
Glifosato	Soja e trigo transgênicos, uso geral rural e urbano (não seletivo, mata tudo)	Neoplasias, disruptor endócrino
Tiram	Amendoim, arroz, aveia, cevada, ervilha, feijão, milho, trigo	Neurotoxicidade, intoxicação aguda

Agronegócio

O termo agronegócio não se refere apenas à agricultura e à pecuária. Ele abrange o conjunto de atividades ligadas à produção agropecuária, o que inclui os fornecedores de tecnologia, equipamentos, defensores agrícolas e serviços para a zona rural, a industrialização e a comercialização dos produtos. Ou seja, toda a cadeia produtiva vinculada à agropecuária. Embora faça parte do setor primário da economia, produzindo quase que exclusivamente matéria-prima extraída da natureza, o agronegócio é responsável por 23,4 por cento do Produto

Interno Bruto (PIB) do Brasil. Contribui de forma definitiva para a balança comercial, com 42 por cento das exportações do país, segundo dados de 2010.

Estamos falando de influentes comerciantes e proprietários de terras, com poder de barganha nos níveis parlamentares municipal, estadual e federal. Mas, infelizmente, tratando-se de uma situação estratégica para a economia do país, os fins justificam os meios, e a saúde do brasileiro fica em segundo plano.

Organismos geneticamente modificados

Em um sentido amplo, a biotecnologia surgiu quando o homem aprendeu a cruzar diferentes variedades de plantas em busca de maior produtividade ou qualidade na lavoura. Mas atualmente o termo biotecnologia refere-se fundamentalmente à manipulação do material genético de um organismo pela engenharia genética.

A engenharia genética avançou a partir da década de 1970, com o desenvolvimento de técnicas e métodos de recombinação do DNA. Em 1973, os bioquímicos americanos Stanley Cohen e Herbert Boyer conseguiram o primeiro grande feito nessa área, inserindo um DNA modificado na bactéria *Escherichia coli*, que depois, ao se reproduzir, passou para as gerações posteriores o DNA inserido. A técnica permitiu a criação de bactérias que sintetizam substâncias úteis à medicina, como a insulina humana e o hormônio do crescimento.

A engenharia genética está também na base do desenvolvimento da terapia genética, que busca curar doenças por meio da manipulação dos genes humanos. Tem como alvo principal a cura de enfermidades hereditárias, causadas por defeitos genéticos. Na agricultura, a biotecnologia foi usada a princípio para melhorar alguma característica do vegetal, como sabor, nível de açúcar ou aparência, o que de início poderia ser considerado inócuo para o consumidor.

Mas, a partir do momento em que a manipulação dos genes se voltou para a criação de híbridos de plantas e bactérias, para aumentar-lhes a resistência a pragas ou insetos, um novo e imprevisível risco biológico surgiu. Os alimentos transgênicos são hoje a maior ameaça biológica à humanidade. Estamos todos dentro de um megaexperimento, no qual somos meras cobaias. Nós e nossos filhos e descendentes, nossas sementes originais e plantas e todo o ecossistema do planeta.

Com uma representação comercial ainda mais incisiva na bancada ruralista do Congresso e no Poder Legislativo do país, os adeptos do agronegócio vêm conseguindo a aprovação de vários produtos transgênicos. A soja, o milho e o algodão foram aprovados sem ressalvas. Diversos outros produtos, como o arroz, a beterraba e a berinjela, estão em vias de aprovação.

Os transgênicos já ocupam 67 por cento da área plantada do Brasil, com culturas de soja, milho e algodão. A área plantada é de 25,4 milhões de hectares, fazendo do Brasil o segundo maior plantador de transgênicos do mundo, atrás do "líder", os Estados Unidos (66,8 milhões de hectares plantados), e à frente da Argentina (22 milhões), da Índia e do Canadá. Estes dois últimos têm menos da metade da área plantada no Brasil e na Argentina, devido à resposta aos órgãos ambientais internacionais. A área agrícola plantada de transgênicos no Brasil é maior que a do estado de Santa Catarina, o que significa um aumento de 19 por cento em relação a 2009.

> Os agroecologistas, camponeses e agricultores familiares são, na minha opinião, os maiores protetores do planeta. É hora de os movimentos ecológicos perceberem que os verdadeiros ambientalistas são os agricultores, que realmente reconstroem o solo, que fazem o cultivo de maneira que os besouros não sejam mortos e, assim, protegem as fontes naturais de água.
>
> E o movimento pela saúde tem de perceber que os agricultores são os médicos, que plantar comida saudável é a melhor contribuição que podemos dar ao mundo. No momento em que fazemos essas conexões, existe uma nova vida, porque a vida cresce por meio de inter-relações.

As sementes brasileiras, utilizadas há séculos pela agricultura e há milhares de anos pelos indígenas, estão desaparecendo. As sementes transgênicas tendem a "infectar" plantações nativas, interferindo imediatamente, e de forma irreversível, na composição do DNA nativo. Mais ainda, as corporações que as produzem têm como objetivo comprar todas as empresas de sementes do planeta e patenteá-las, passando a deter estrategicamente a posse da vida e dos alimentos.

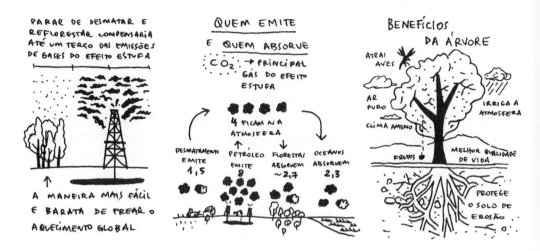

Em síntese, a transgenia aplicada à agricultura confere à planta modificada a capacidade de comportar-se como um agrotóxico. O DNA do *Bacillus thuringiensis* (Bt), uma bactéria do solo, é inserido em um grão como a soja ou o milho. Isso faz com que o grão produza a toxina que mata a lagarta. Se uma lagarta da soja ou do milho se alimentar de soja transgênica, receberá em seu intestino a toxina do Bt e morrerá.

Dessa maneira, um ser do reino vegetal produz a toxina que era específica do *Bacillus thuringiensis*. A planta torna-se, inteira, um agrotóxico. E isso seria justificado, pois, em teoria, estaríamos prontos a obter colheitas com menos aplicação de agrotóxicos. Uma ideia cientificamente plausível, mas que se provou não ser sustentável. O uso mundial de grãos transgênicos, agora em declínio no Canadá e na Índia, mostra que o consumo de agrotóxicos em plantações de transgênicos na verdade não diminuiu, mas subiu, após a adoção dessas plantas quimerizadas.

O uso do herbicida glifosato já era considerado acessório ao plantio de soja transgênica. O Roundup Ready, o glifosato fabricado pela Monsanto, é vendido como parte do pacote transgênico. Seu consumo aumentou, assim como aumentou também o consumo de agrotóxicos inseticidas, pois espécies mutantes de lagartas resistem aos efeitos da transgenia. É o caso da lagarta *Helicoverpa armigera*, que colocou o Brasil em estado de emergência. A fêmea pode depositar 1.500 ovos em seu ciclo de vida e migrar por uma distância de até mil quilômetros. Ataca até 180 espécies diferentes, podendo abrigar-se também em plantas selvagens. Plantações de soja, tomate, milho e algodão, todas elas de grande interesse para o agronegócio, vêm sendo atacadas.

> A natureza é mais inteligente que os cientistas.

Com poucas e raras exceções, o ponto central da atividade de biotecnologia agrícola é o aumento das vendas de produtos químicos e de biotecnologia a fazendeiros cada dia mais dependentes deles. Só nos Estados Unidos, a ampla adoção das colheitas Roundup Ready combinada com o surgimento de espécies de lagartas resistentes ao glifosato (o princípio ativo do Roundup) determinou um aumento de quinze vezes do uso de glifosato entre os grandes produtores, entre 1994 e 2005.

No âmbito da medicina, os grãos transgênicos já fazem os primeiros estragos. Isso porque a aprovação prévia de tais produtos pelos governos americano e brasileiro não respeita o princípio da prevenção. Esta preconiza que produtos, principalmente biológicos, passem por um período de cinco a dez anos de testes em fazendas experimentais, em regime de quarentena, até que se constate que podem ser utilizados com segurança.

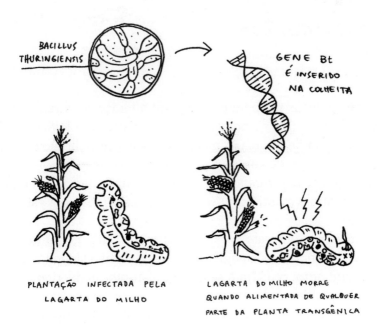

Os transgênicos conseguiram a dispensa desse princípio e tornaram-se a maior fonte de lucro do agronegócio nos Estados Unidos e no Brasil. Curiosamente, são crescentes as taxas de alergias, doenças autoimunes e inflamações nesses países. Quem se interessou pelos temas abordados nos capítulos anteriores deste livro sabe do potencial perigo dessas manifestações-base. As toxinas produzidas pelo Bt pertencem ao grupo "Cry". Esse grupo de proteínas determina diversos tipos de alergenicidade, transmissíveis àquele que se alimenta do grão, mesmo distante milhares de quilômetros da fazenda onde foi produzido. Tais proteínas apresentam-se em subprodutos dos grãos, como leite de soja, proteínas texturizadas e rações animais.

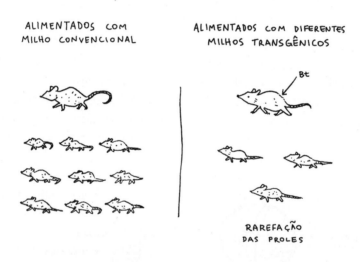

Os transgênicos também determinam alterações na reprodução e na fertilidade de animais laboratoriais, como parte dos efeitos inesperados. Um relatório de um experimento liderado por Velirimov em 2008 mostra que o grupo de camundongos alimentados com dois tipos de milho transgênico teve rarefação e mesmo extinção de proles, enquanto os grupos-controle mantiveram suas proles inalteradas, em estudos de longo prazo.

Finalmente, o glifosato mostra-se ativo no surgimento de células cancerosas, aumentando a incidência de linfoma não Hodgkin e de leucemia do tipo *hairy cell*. Trata-se de um disruptor endócrino capaz de causar alteração de células placentárias JEG3 dentro do prazo de 18 horas e em quantidades inferiores às usadas com fins agrícolas.

Lamentavelmente, a maior parte dos médicos brasileiros desconhece esses fatos. Vemos apenas o crescimento na incidência de doenças crônicas e nada podemos fazer para detê-las. Se houvesse uma complementação dos estudos médicos, provavelmente já teríamos uma coordenação nacional de médicos contra os transgênicos e os agrotóxicos e a favor vida.

AGRICULTURA E CÂNCER

Se analisarmos o que acontece nos Estados Unidos e projetarmos tal cenário para o Brasil e outros países em desenvolvimento, não teremos um bom quadro. Há atualmente 80 mil substâncias químicas no mercado americano às quais o cidadão comum é exposto de forma ambiental ou mesmo direta, dependendo de sua área de atuação. As exposições ambientais relacionadas ao risco de câncer ocorrem em ambientes industriais, ocupacionais e na agricultura. Categorias especiais incluem os profissionais de saúde e os militares, expostos devido ao estilo de vida e mesmo a fontes naturais.

Em abril de 2010, foi publicado o relatório final do *Reducing Environmental Cancer Risk*, liderado por Suzanne H. Reuben, realizado entre 2008 e 2009, que ouviu 45 especialistas da área acadêmica, da indústria, do setor ambientalista e de grupos ligados ao câncer para avaliar o estado da política, da pesquisa e de programas sobre o câncer provocado por fatores ambientais.

Os resultados são potencialmente preocupantes. O atual *modus operandi* da pesquisa americana sobre segurança quanto ao uso de substâncias químicas em geral é o mesmo que o adotado pela indústria farmacêutica. Testa-se o elemento químico em roedores de pequeno porte, procurando encontrar a dose letal da substância. Considera-se dose letal aquela "capaz de matar uma dada porcentagem de indivíduos de uma população em teste", ou seja, um experimento no qual morrem muitos animais e após o qual se escolhe a quantidade de uma determinada droga que pode ser utilizada na lavoura, na indústria ou durante a exposição diária pessoal e no ambiente.

O que esses estudos não levam em conta é exatamente o maior risco de exposição à química no ambiente: o efeito diário da exposição, o efeito cumulativo, as interações ambientais e as potenciais combinações de efeitos de substâncias carcinogênicas conhecidas.

Para tanto, mesmo a medicina deveria ter uma especialidade que se denominasse "oncologia ambiental".

Ou seja, os experimentos em animais – uma aberração ainda considerada útil em nossos dias –, se tivessem justificativa, deveriam contemplar os fatores de convivência com determinada droga, a longo prazo e por um período que abrangesse gerações. Tais experimentos, denominados "precaucionários", poderiam, sim, ser conduzidos, como parte da rotina de aprovação de qualquer substância química ou fonte de radiação. E por que não o são?

A falta de um órgão governamental com função reguladora que atenda a esse objetivo ou de uma cadeira universitária que abrace essa causa ilustra o papel exercido pelo *lobby* das corporações das indústrias química agrícola, alimentar e farmacêutica. Elas de fato não querem avaliar os efeitos a longo prazo da exposição constante a uma substância química em baixas doses.

Na ânsia de aprovar uma substância para uso e dar início à sua produção industrial e comercialização, essas empresas agem como se a população em geral fosse cobaia de um grande laboratório. A longo prazo, elas acabarão sabendo qual é a incidência de câncer, de mutações, de doenças autoimunes e de supostas interações causadas pela substância. Somente a partir desse ponto "reagirão". Até lá, muitos já terão morrido, mas, graças à venda em larga escala, os acionistas, a milhares de quilômetros de distância e bem seguros, já terão recuperado seus investimentos.

Observemos que, no Brasil, essa abordagem também é adotada na agricultura, tanto para a liberação de agrotóxicos como de sementes transgênicas. O mesmo protocolo é seguido para a aprovação de quaisquer substâncias químicas para uso nas indústrias alimentícias e de medicamentos. E, aqui, quem ganha são os grupos econômicos, os políticos e grande parte do meio acadêmico, em muitos casos estruturado sobre esse sistema.

A fosfoetanolamina, substância de origem endógena e de ocorrência natural (como um neurotransmissor ou hormônio), tem se mostrado uma potente ferramenta para o controle do câncer. Foi desenhada e testada na fase inicial por um brasileiro, em ambiente acadêmico brasileiro. Curiosamente, todos os órgãos reguladores "rugiram" contra o competente protocolo, gerando polêmica nacional e internacional. Para esse – e especificamente esse – composto, deverão adotar as chamadas medidas "precaucionárias". Afinal, a indústria farmacêutica não tem nenhuma pressa em ver substâncias de origem natural ou endógena sendo produzidas e comercializadas por laboratórios independentes e de um Estado soberano.

No caso das corporações, os estudos que atestam a segurança dos produtos são apresentados pelas próprias empresas proponentes. Assim, por exemplo, a Monsanto apresenta estudos da Monsanto, a Bayer apresenta estudos da Bayer ou de instituições que foram bancadas por elas. E como no Brasil os órgãos reguladores – Anvisa, Ministério da Agricultura e Ministério do Meio Ambiente, para os agrotóxicos; e Comissão Técnica Nacional de Biossegurança (CTNBio), para os transgênicos – não podem comprovar, cientificamente, a existência concreta de danos, o produto caminha naturalmente para a autorização.

Plantio agroecológico e agroflorestal

As formas ecológicas de agricultura são inteligentes. Respeitam a estrutura do húmus e do reino vegetal, trabalhando em conjunto com eles. Respeitam a microbiologia, a distribuição sazonal das águas, a fixação do carbono no solo, a compostagem vegetal orgânica e o controle do pH e de nutrientes através do método natural.

Ou seja, prescindem de substâncias químicas, seja para nutrição vegetal, seja para uso herbicida, inseticida ou fungicida. Não abrem mão do uso de sementes nativas e intocadas pela mão do homem, dispensando as sementes e mudas transgênicas, que deveríamos considerar uma aberração.

Uma nova agricultura, altamente produtiva, ecológica e sem substâncias químicas, está a caminho e é a base de uma nova saúde, tanto daqueles que produzem os alimentos como daqueles que os ingerem. Saúde dos pássaros, dos insetos, dos roedores e de outros seres que, nessa nova forma de viver e plantar, se autoequilibram de forma semelhante à da natureza, com pouca intervenção do homem.

É a criatividade e a inteligência do homem voltadas de fato para o bem. A sintropia e a simbiose, levadas às suas últimas consequências. Seguindo o princípio milenar chinês que afirma que uma imagem vale mais do que mil palavras, sintetizo na figura a seguir um resumo de minhas andanças por esse fascinante novo mundo agrícola e o comparo ao obsoleto, poluente, excludente, mecanizado, desidratante, antiecológico, ultrapassado e pouco eficiente modelo do agronegócio.

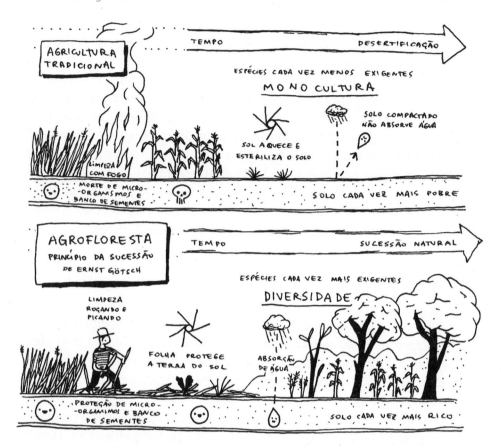

Uma agrofloresta não é um sistema caótico e improvisado. Pelo contrário, é uma forma sofisticada e inteligente de produção agrícola que, se bem conduzida, permite abrir mão de nutrientes sintéticos/químicos, agrotóxicos ou sementes geneticamente modificadas. É capaz de reter CO_2 e água no solo, através de fotossíntese, e regular a temperatura da microrregião onde é praticada.

A figura representa bem o atual estado da arte em agrofloresta. Uma plantação é dividida em "canteiros agroflorestais" ou "leiras" e "entrelinhas" ou "capineiras". Nos canteiros, são plantadas as espécies, que variam desde hortaliças folhosas, tomate, berinjela e brócolis até frutíferas, café e eucaliptos. Praticamente todo o reino vegetal que consideramos alimento cabe nos canteiros agrícolas agroflorestais. Basta que se conheça bem o clima, o solo e sua microbiota, bem como as características agrárias, para que se tenha uma agrofloresta do "cerrado", da "caatinga", da "Mata Atlântica", da "praia" ou da "Amazônia".

As capineiras ou entrelinhas são o "NPK" desta nova prática agrícola. Sua biomassa é enleirada, possibilitando todo um processo bacteriano que permite o aumento de fixação de carbono e a redução do pH (alcalinização) do solo do canteiro agroflorestal, respondendo assim pela saúde e pelo viço das plantas ali produzidas, dispensando adubos químicos ou inseticidas e agrotóxicos.

O capim tropical, considerado em nossa agricultura uma praga ou uma espécie vegetal de segunda categoria, ascende para uma categoria nobre, pois será o responsável pela alta taxa fotossintética e crescimento rápido, oferecendo adubo verde para o plantio agroflorestal três a cinco vezes por ano. Estamos falando de adubação maior.

Características biológicas das plantas – novos achados

São seres capazes de uma inteligência sofisticada, não localizada, mas integrada – tal qual a inteligência de insetos, como formigas ou enxames de abelhas.

Sua mobilidade tem um tempo diferente daquele do reino animal. Embora sésseis (presas ao solo) como indivíduos, as plantas, como reino, "caminham" pela paisagem e ao redor de todo o planeta, de modo contundente e constante.

Comparadas com os animais, são seus antípodas: apresentam uma parte "inteligente" dirigida para baixo, nas raízes, no interior do solo, enquanto a parte sexual se volta para cima, junto aos galhos, folhas, flores e frutos.

Têm capacidade de sentir o ambiente, mas não através de órgãos dos sentidos como as espécies animais. Existem entre quinze e vinte sentidos descritos nas plantas. Além da visão de luz (comprimentos de onda e sombras), audição de sons, tato, olfato e paladar, elas contam com a percepção de movimento de água dentro de canos, sensações químicas e biológicas, sensibilidade à mastigação por lagartas, à alcalinidade e à acidez, à umidade, à temperatura. Também são sensíveis à microbiologia, a toxinas, à sinalização química de plantas vizinhas, ao nitrogênio, ao fósforo e ao sal, além de terem noção de volume e compartimento.

Apesar de não disporem de sistema nervoso e nervos, as plantas produzem neurotransmissores cuja função é transmitir estímulos.

Seus sentidos, quando ativados, determinam respostas biológicas compatíveis com os estímulos e capazes de orientar seu próprio desenvolvimento, com estímulo para as raízes, para as folhas, para os lados ou para cima. As plantas sabem quem são suas plantas vizinhas e quais são as suas intenções.

Também produzem substâncias alcaloides de efeito psicoativo, embora não destinadas ao homem, que tanto se aproveita disso. Elas o fazem para "dar um agito" em vespas e abelhas, como se elas estivessem em um "barzinho", e assim turbinar sua polinização. É o caso da papoula, da coca e do cânhamo.

Todas essas características, quando analisadas em conjunto, dão às plantas uma logística que lhes permite estabelecer, como reino, uma estratégia de sobrevivência e fartura, mesmo sob condições extremas.

Outra descoberta "comportamental" relacionada às plantas dá sustentação a todo tipo de cultivo agroflorestal: as redes vegetais subterrâneas. Essas redes, compostas por fungos que vivem em simbiose com raízes, permite trocar desde informações até "bens de consumo". Através dela, correm avisos biológicos que denunciam uma ameaça que ocorre em outro lado da floresta (corte, fogo, insetos alados) e também a troca de nutrientes, para que uma árvore matriz dê sustento aos seus "filhos" que brotam ao redor.

Em conjunto, essa rede de comunicações acaba por prover saúde geral melhor para árvores e plantas, mais fotossíntese total e maior resiliência na presença de perturbações ambientais.

Luz na alimentação

A irradiação da luz do Sol, sendo o principal meio de crescimento e desenvolvimento das plantas, introduz fótons no sistema solo-planta, o que permite a acumulação deste na forma de enzimas, proteínas, fitoquímicos, alcaloides e complexos vitamínicos ricos em minerais essenciais.

Luz e saúde são inseparáveis. A tendência do homem contemporâneo de se afastar da natureza e de suas fontes naturais de luz, com o uso de iluminação artificial fluorescente, óculos escuros e protetores solares, hábitos sedentários, consumo de alimentos processados de origem animal ou vegetal e excesso de alimentação cozida, leva a população a um estado de má iluminação, semelhante à má nutrição. A má iluminação nos priva de uma gama de nutrientes vitais e estímulos rítmicos essenciais ao ciclo fisiológico da vida humana.

O metabolismo celular pode ser comparado a uma bateria. O polo positivo dessa bateria é representado, em nossa biologia, pelo oxigênio. O polo negativo é suprido pela energia fotovoltaica coletada do sol por alimentos vegetais frescos e crus. Essa alimentação, rica em elétrons, despeja sua energia elétrica no sistema citocromo-oxidase, que atua como uma "esteira bioquímica" descendente que transforma a energia elétrica em ATP, a molécula básica de energia celular de todos os sistemas biológicos. Dentro da célula, o ATP libera a energia como combustível para todos os processos que ocorrem em nível molecular em nosso organismo. Os elétrons são acumulados pelo sistema citocromo-oxidase pelo oxigênio posicionado no polo positivo da "esteira" da bateria intracelular. Quanto mais oxigênio, maior a "pressão" de retirada de elétrons.

Exercícios respiratórios, alimentos ricos em oxigênio e vida em ambiente oxigenado aumentam os níveis intracelulares de oxigênio. A vida e a saúde da célula, e portanto do ser humano, dependem do sistema citocromo-oxidase, que, por sua vez, depende da energia de elétrons para sua função normal. Nós recebemos elétrons da dieta através de alimentos de origem vegetal – frutas, verduras, castanhas, sementes germinadas e brotos – e de formas diretas de absorção. Ao processar e refinar os alimentos de origem vegetal, destruímos a estrutura de ressonância harmônica básica capaz de fornecer energia de elétrons.

Microbiota intestinal

As bactérias têm propriedades nutricionais próprias, crescem e proliferam no intestino e, ao finalizar seu ciclo, servem de alimento, que talvez se mostre importante na estratégia da vida. Além disso, elas produzem vitaminas e enzimas necessárias aos processos intracelulares, podendo, portanto, ser designadas como essenciais, já que o organismo é incapaz de produzi-las. A microbiota intestinal também é responsável pelo desenvolvimento imunológico. Experimentos revelaram que, na ausência de bactérias, os animais pesquisados não desenvolveram um sistema imunológico, tornando-se imunodeficientes.

Basta ter bom senso para compreender que uma terra sadia é capaz de prover bactérias sadias, que, por sua vez, em simbiose com o intestino humano, criam uma base para a saúde individual, comunitária e planetária. Uma terra saudável, sem transgenia, fertilizantes artificiais e agrotóxicos, permanentemente hidratada através de métodos naturais de cultivo e plena de microrganismos homeostáticos do solo, é a pedra fundamental para um novo modelo de saúde.

Benefícios da ingestão diária de suco verde orgânico

1. Oferta de água estruturada, viva, refrescante e plena de agentes biológicos.
2. Regeneração da microbiota (flora) intestinal pela oferta diária de bactérias vivas, presentes na intimidade dos tecidos dos vegetais utilizados (preferencialmente orgânicos a princípio, obrigatoriamente orgânicos a seguir).
3. Reestruturação do potencial antioxidante (no reino mineral, oxidação = ferrugem), do plasma (sangue) e intracelular (tecidos). A presença do antioxidante resulta na inativação dos radicais livres de oxigênio, que determinam a degeneração e o envelhecimento celular.
4. Estímulo à atividade enzimática do tubo digestivo (vísceras ocas), do plasma (sangue) e intracelular (tecidos). No intestino, ocorre aumento da área de absorção alimentar e melhor digestão dos alimentos. No plasma, aceleram-se reações bioquímicas que favorecem todo o funcionamento do corpo, desde a respiração até a imunidade. No interior da célula, as enzimas

têm papel crucial, da organização respiratória celular (sistema citocromo-oxidase) às correções do DNA (genética).
5. Oferta de óleos essenciais e redução da atividade das prostaglandinas (mensageiras) inflamatórias.
6. Redução do crescimento de microrganismos (fungos, bactérias e vírus). Diversos fitoquímicos – os componentes químicos das plantas – presentes no suco têm efeitos *in vivo* (estudos em animais) e *in vitro* (estudos em meio de cultura) sobre colônias desses seres microscópicos.
7. Homeostasia (equilíbrio) do compartimento hidromineral (parte do terreno biológico), com predomínio alcalino sobre o ácido. Vale lembrar que o padrão alimentar contemporâneo conduz a um pH corporal mais ácido.
8. Equilíbrio eletrostático (forças de repulsão e atração) de glóbulos vermelhos, com redução da viscosidade sanguínea.
9. Prevenção primária (surgimento) e secundária (recidiva) do câncer.
10. Terapia de suporte do câncer instalado, que atua na inibição de crescimento e no suporte aos efeitos colaterais da quimioterapia. Ocorre através da oferta de fitoquímicos das frutas, sementes e hortaliças que compõem o suco. Alguns exemplos são o ácido fólico e a clorofila, presentes em todas as verduras, que inibem o crescimento tumoral *in vivo* (estudos em animais), *in vitro* (estudos em meio de cultura) e em estudos populacionais.

Brasil: destino orgânico

Não há como refrear os interesses bilionários de corporações cujos tentáculos envolvem parte do planeta e, principalmente, contam com agentes de *lobbies* infiltrados em todos os níveis de representação governamental nos países maiores e mais ricos do mundo. Faz parte da pauta dessas empresas financiar, sem recibo e a fundo perdido, campanhas eleitorais presidenciais e de cargos políticos importantes. Pode-se dizer sem pestanejar que, independentemente dos resultados das eleições, elas terão representantes em cargos-chave do governo. No caso específico da agricultura, essa busca desenfreada pelo lucro cria exércitos de excluídos, despojados das terras e de enormes desertos verdes, que em nada contribuem para acabar com a fome do mundo.

Cabe a nós, consumidores, oferecer apoio incondicional aos produtores orgânicos e aos produtores familiares interessados em adotar a transição para a cultura orgânica. O mercado de soja convencional está aumentando, e a soja convencional já é mais valorizada que a transgênica, graças à reação do mercado europeu e de países de outros continentes, onde a opinião pública tem levado o consumo de produtos contendo transgênicos a diminuir ou mesmo desaparecer. O que isso nos diz é que, mesmo no que concerne ao macromercado, uma mudança já está acontecendo. Se adotarmos a postura de consumir cada vez mais alimentos orgânicos e rejeitar os que contêm agrotóxicos – ou sejam transgênicos –, estaremos automaticamente dando apoio aos produtores orgânicos.

A cada família que decide optar pelo consumo orgânico surgem novos canteiros nos cinturões degradados das grandes cidades. Assim, torna-se possível combater de forma pacífica a monocultura, o uso extensivo e a degradação do solo nativo brasileiro, bem como a marginalização do pequeno produtor e o desequilíbrio ecológico e climático. Tal escolha permite ainda fazer frente ao perverso modelo atual de alimentos altamente processados, voltados sobretudo à classe menos favorecida, que leva ao adoecimento a maioria dos cidadãos que não dispõem de recursos, estimulando gastos com medicamentos pela população e pelo governo e levando ao colapso os sistemas de atendimento públicos e privados.

Organizar uma estrutura de produção e distribuição de alimentos sem produtos químicos e venenos – abastecidos com o máximo de energia elétrica, fitoquímicos, nutracêuticos – e originada de uma relação entre solo e planta saudável é a estratégia mais sustentável de manutenção da saúde da população. Essa retomada do modelo tradicional de agricultura pode ser levada a cabo a partir de uma reorganização da pequena propriedade rural e das estratégias de distribuição de alimentos. Transferir essas informações da terra para o homem é tarefa de um grupo criativo e independente da atual forma de administração, que pense na medicina como parte de uma saúde global – do planeta e da humanidade.

Começando pelos pequenos produtores

Sugestões de estratégias a serem adotadas:

1. Criação de um modelo integrado de microeconomia, baseado numa relação "ganha/ganha", no qual as famílias educadas pelos agentes de saúde criem a "pressão negativa" (demanda) para a produção de

orgânicos, que serão vendidos pelos próprios agricultores, apenas com a intermediação dos agentes de saúde.
2. Criação de culturas locais voltadas para consumidores locais, valorizando produtos da região e introduzindo espécies adaptáveis ao novo padrão de dieta.
3. Grãos nativos introduzidos na macrorregião (num raio de 250 quilômetros) e cultivados com técnicas biodinâmicas.
4. Eliminação ou redução radical do tempo de silagem.
5. Projeto paralelo de turismo ecológico, em que os consumidores possam visitar os sítios dos produtores e, assim, desempenhar um papel cooperativo, adquirindo sementes e conhecimentos novos.
6. Práticas agrícolas que permitam alta produtividade em pequenas propriedades, tornando-as lucrativas e interessadas em atender ao mercado formado por seus clientes.
7. Preparo do solo com microrganismos efetivos e matéria orgânica derivada de lixo vegetal, que pode ser coletado paralelamente à entrega de hortaliças.
8. Treinamento e especialização de pequenos produtores como produtores de húmus, de sementes e de mudas para o abastecimento da microrregião, no papel estratégico de "distribuidores de produção por demanda".
9. Descanso de canteiros e propriedades, durante os quais o agricultor desenvolve outras atividades com o grupo.
10. Criação e demarcação de áreas livres de organismos geneticamente modificados e agrotóxicos.
11. Estímulo à produção agroflorestal nativa e orgânica; produtividade aliada ao reflorestamento de micro e macrorregiões.

Lixo

Com o crescimento da população, a urbanização e o aumento do consumo, a quantidade dos resíduos sólidos e líquidos configura-se como um dos mais graves problemas ambientais e sociais em todo o mundo, já que o acúmulo de lixo provoca a poluição e a contaminação do solo e da água, a liberação de gases do efeito estufa e a proliferação de insetos transmissores de doenças.

No Brasil, são produzidos cerca de 240 mil toneladas de lixo por dia. De acordo com a Pesquisa Nacional de Saneamento Básico 2008 do Instituto Brasileiro de Geografia e Estatística (IBGE), apenas 22,7 por cento do lixo do país vai para aterros sanitários – o restante tem destinação ambientalmente inadequada: 22,5 por cento para aterros controlados (nos quais recebe camadas de terra para evitar insetos e odores) e 50,8 por cento para lixões a céu aberto. Segundo a Pesquisa Nacional por Amostra de Domicílios (Pnad) 2009, o serviço de coleta do lixo municipal cresceu de 87,9 por cento para 88,6 por cento das residências brasileiras de 2008 para 2009.

DESTINAÇÃO FINAL DO LIXO NO BRASIL (1989-2008)
EM % POR DESTINO

	1989	2008
Lixão a céu aberto	88,2	50,8
Aterro controlado	9,6	22,5
Aterro sanitário	1,1	27,7

Doenças como diarreia, amebíase e parasitoses estão associadas no Brasil a lixo sem tratamento. O descarte de resíduos no meio ambiente, por sua vez, também provoca enchentes, por obstruir os cursos de água. Em todo o planeta, mais de 3,5 milhões de toneladas de resíduos são produzidos a cada 24 horas. São 40 toneladas por segundo, representando um aumento de dez vezes em relação ao século passado, valor que será duplicado em 2025. Se nada for feito e se mantivermos o mesmo padrão de descarte, poderemos atingir 11 milhões de toneladas diárias em 2100, o que é absolutamente insustentável.

Um estudo publicado na revista *Nature*, em 2013, mostra que a África subsaariana está respondendo pela maior parte do crescimento do lixo. Com o aumento de renda dessas populações e o consequente aumento de consumo sem consciência ambiental, o denominado "pico de lixo" em breve será atingido. No pior cenário, o estudo projeta um futuro em que o mundo estará nitidamente dividido entre regiões de extrema pobreza, riqueza moderada e subsistência, com países onde nenhum progresso terá ocorrido para a redução do desperdício e do controle da poluição e de problemas ambientais correlatos. Nessa projeção, o planeta estará produzindo 12 milhões de toneladas de resíduos por dia.

Contudo, se mudarmos por completo nossos hábitos, poderemos reverter esse número para 8,4 milhões de toneladas por dia em 2075. Nesse cenário mais otimista, a população humana terá se estabilizado em 7 bilhões de pessoas, das quais 90 por cento estarão vivendo em cidades. Mas isso só poderá ocorrer se forem adotadas políticas para a redução das desigualdades sociais, tanto em cada país como em escala mundial. "Com as pessoas mais educadas e ambientalmente conscientes, teremos menores níveis de pobreza nos países em desenvolvimento em todos os tempos", diz o artigo.

Ainda segundo o mesmo estudo, muito pode ser feito localmente para reduzir o desperdício. São Francisco, na Califórnia, tem a meta ambiciosa de reaproveitar tudo o que for reciclável no lixo até 2020. Atualmente, mais de 55 por cento dos seus resíduos já são reciclados ou reutilizados. A cidade japonesa de Kawasaki, por sua vez, tem melhorado seus processos industriais para evitar a geração de 565 mil toneladas de resíduos potencialmente perigosos. Para isso, estimula a troca e a reutilização de materiais entre empresas de aço, cimento, química e papel.

As soluções postas em prática até hoje são os aterros sanitários, que recebem tratamento do solo para impedir ou minimizar a contaminação da água pelo chorume, e os incineradores públicos, que atuam principalmente na gestão dos resíduos ambulatoriais e hospitalares. Mas somente a reciclagem dos materiais não orgânicos pode ajudar a evitar o agravamento do problema do lixo.

O atual modelo comercial e alimentar gera material não reciclável, que produz uma montanha de lixo *per capita* anual. Todo esse lixo inexistiria se adotássemos um tipo de mercado que privilegiasse alimentos *in natura*, comprados em feiras ou recebidos em domicílio em embalagens retornáveis. Em uma família que adote uma alimentação inteligente e saudável, cascas de frutas, sobras de verduras e resíduos orgânicos de alta qualidade biológica podem ser compostados e retornar ao sistema, agregando valor de fertilidade à terra.

O resultado da atividade humana deveria ser mais fertilidade da terra e mais terra para nossos descendentes. O lixo deveria ser uma solução, e não o problema que é. Ele apenas mostra a pobreza de valores que representa o atual paradigma que envolve a produção e a comercialização de alimentos. Atuamos como parasitas do planeta, e até pelos dejetos esses parasitas são nocivos.

Segundo a Organização das Nações Unidas para a Alimentação e a Agricultura (FAO), a agroecologia permitirá o desenvolvimento sustentável da atividade agrícola, o progresso em direção a sistemas alimentares inclusivos e eficientes e a promoção do círculo virtuoso que envolve produção de alimentos energéticos, população saudável e proteção dos recursos naturais. Escolher a agroecologia significa também escolher um novo paradigma social no campo, auxiliando a inclusão fundiária e social e erradicando a fome na América Latina, na África e no Caribe.

A história que abre este livro, "Sobre consertar bicicletas", remete também à nossa postura no nível ambiental: delegar a responsabilidade para os outros. Na variante agora descrita, banimos nosso lixo para lugares ermos, distantes de nós – os lixões, onde seres humanos que vivem abaixo da linha da pobreza obtêm seu sustento separando papelão, latinhas, vidro, garrafas PET e outras sobras desse mundo que jogamos fora. Não assumimos nenhuma responsabilidade pelos nossos dejetos, bastando-nos apenas jogá-los no lixo ou dar a descarga.

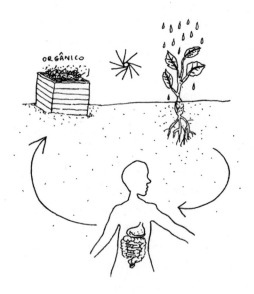

Em uma nova etapa da nossa sociedade, teremos um *continuum* bacteriano e microbiológico. Nosso lixo e matéria fecal não estarão separados da fertilização do solo. Nossa agricultura não será mais química.

As plantas obterão saúde a partir das mesmas variáveis fisiológicas narradas aqui neste livro, a água disponível no solo, a microbiota efetiva e ativa, com consequências hormonais e sinalizadores celulares, luz solar utilizada em seu aproveitamento máximo e retenção de CO_2 da atmosfera. Tudo isso resultará em alimentos mais energéticos e nutritivos.

O alimento fecha o ciclo do sustento humano, a partir de formas microbiológicas denominadas "organismos homeostáticos do solo", que são na verdade "organismos homeostáticos intestinais".

Assim fechamos esse ciclo e este livro, com a mensagem de que toda complexidade, toda forma complexa, acaba por evoluir para a simplicidade. Dessa maneira, se adotarmos um estilo de vida mais simples, em tudo contribuímos para a ecologia, para a natureza e para a nossa saúde.

Para saber se compreendeu este capítulo

1. Pratique a desobediência econômica. Esta forma de desobediência, completamente legal, é tão ou mais eficiente que a civil e muito mais fácil, porque depende apenas de você. Não aceite as propagandas enganosas propaladas todos os dias pelos canais de mídia, estimulando o consumo. A força do marketing é tão poderosa que pode transformar populações inteiras em seres teleguiados para consumir isto ou aquilo. Como na indústria do cigarro, utilizam-se de artigos científicos falseados para "criar a dúvida". São táticas das mais variadas. No caso da indústria do tabaco, houve reação do Estado, mas não existem quaisquer medidas tomadas em relação aos venenos agrícolas, transgênicos, drogas lícitas, álcool, açúcar, carnes processadas, laticínios com aditivos para conservação e alimentos com gorduras hidrogenadas. São grandes *lobbies* que controlam essas propagandas e pagam os parlamentares que mantêm a defesa desses grupos de interesse no Congresso.
2. Não há "dúvidas": alimentos com agrotóxicos não são seguros ou favoráveis ao meio ambiente. Alimentos transgênicos não são seguros ou favoráveis ao meio ambiente. Somente a agricultura ecológica, em suas diferentes formas, é capaz de prover alimentos saudáveis e em sintonia com a natureza, em todos os seus princípios. Como disse o então diretor do Inca Luis Fernando Bouzas, em 2016, agrotóxicos são os químicos mais relacionados com o aumento da incidência de câncer. Ele foi exonerado semanas depois dessa afirmação, sem aviso prévio.
3. Alimentos processados ou com aditivos, açucarados, cheios de conservantes ou gorduras hidrogenadas deveriam ser proibidos, mas não o são por motivos semelhantes aos expostos acima. Defenda-se com seu poder de escolha. Não compre. Nos Estados Unidos (que criaram as gorduras hidrogenadas), foi proibida sua fabricação. No Brasil, provavelmente perdurará por décadas. Use o seguinte raciocínio: se puder descascar, compre; se vier embalado, não compre. Seja cliente das feiras locais, orgânicas (ideal) ou não (já é um bom começo).

4. Procure sempre a via natural, qualquer que seja sua doença. Dê um período para seu corpo reagir, com a participação de seu médico. A maior parte das doenças cede com medidas alimentares, medicina integrativa e hábitos de vida simples, utilizando-se dos processos e organogramas aqui mencionados. Na pior das hipóteses, obterá um maior bem-estar a despeito da doença ou reduzirá a necessidade de medicamentos, por dose e por variedade.
5. Adote um produtor rural, uma cooperativa ou organização que estejam envolvidos com produção agrícola orgânica. Infelizmente, em nosso sistema, cada vez menos estímulo virá do Estado, e essa camada da população vem sofrendo décadas de esquecimento. Procure saber como vivem, apoie a educação dos seus filhos e a saúde e o saneamento básico dessas famílias. Chegue ao pequeno agricultor antes das corporações. Leia o Modelo Biogênico com atenção e procure praticá-lo em seu município. Gere prosperidade e reduza a precariedade.
6. Saia dos grandes centros urbanos. Não há mais vida em equilíbrio nesses centros. Não há mais água satisfatória para o consumo, o ar está poluído, as árvores que não foram arrancadas o serão em breve, os extremos climáticos estão provocando enchentes ou secas. O nível de violência não tem data para ceder, já que a desigualdade social planetária tende a se perpetuar. As cidades são o cenário onde a tristeza coletiva e a violência se manifestam.
7. Mude-se para o interior. Cidades pequenas não são mais "provincianas" e estão ávidas pela sua inteligência e cultura. Vá e leve novos hábitos, faça parte de um mutirão em que mais e mais pessoas possam ser tocadas por uma consciência de mais igualdade, harmonia e saúde. Cidades do interior são hoje excelentes lugares para viver, trabalhar, desenvolver empresas (rurais ou não) e expandir sua consciência. Mude-se para o seu interior.
8. Seja autossuficiente alimentar. Sua dieta pode ser vegana e você pode produzi-la em áreas surpreendentemente pequenas. Essa descoberta pode mudar uma vida ou muitas vidas. Ao tocar uma pequena propriedade ou fazendinha que produz alimentos veganos ou vegetarianos, perceberá que é você o fabricante de dinheiro e saúde. Conheça essa nova forma de prosperidade. Abandone as condições de trabalho quase escravo, as más condições de habitação e o transporte coletivo desumano que a sociedade contemporânea oferece.

9. Conserte sua própria bicicleta. Se entendeu o objetivo deste livro, compreenda essa metáfora. A bicicleta é seu corpo. E seu corpo é sua maior propriedade e herança. Através da manutenção de sua saúde por tempo mais longo, muitos objetivos hoje inalcançáveis podem se tornar viáveis. Esqueça a precariedade e a miséria proposta pelo Estado com aposentadorias inaceitáveis. Viva mais e com mais saúde. Lute por seus direitos, sim, mas não aguarde um valor justo, pois o sistema, como estruturado atualmente, não se interessa por isso.

10. Deixe de lado os amigos virtuais e procure os amigos que estão ao seu redor. Faça grupos novos, faça mais conexões, integre-se com pessoas que você não acharia possível, por pertencer a outro ambiente e classe social. Há muito mais empatia disponível do que possamos imaginar. Mesmo se não deixar a cidade, procure ter uma vida mais humanizada dentro dela. Plante uma árvore, lute por parques urbanos e hortas coletivas.

11. Deixe de ser um produtor de lixo. São nossas escolhas que definem se iremos despejar toneladas de material tóxico ou produzir abundante composto orgânico, que irá gerar mais terra, fertilidade e regeneração da nossa casa comum.

12. Torne-se um participante ativo na cura e na transformação da humanidade e do planeta. Torne-se um ativista e não um resmungador conformado diante dos fatos. Você é a transformação em movimento. A força motora que muda o mundo.

13. Aprenda a andar em florestas, compre ou cuide de uma área florestal e pratique a agrofloresta. Em vez de ter ou proteger animais domésticos apenas, descubra a alegria que é ser responsável por centenas de animais silvestres e árvores frondosas amigas, que o saudarão diariamente a partir do bioma que o cativou.

14. Seja feliz, como eu sou, em contato pleno com nossa mãe terrena e em paz com a mente, o corpo e a família humana. Se houver interesse, caminharemos cada vez mais na direção do templo interno, guardado a sete chaves no interior de nossas células, com o poder de nos deslocar a outras dimensões, na direção do Um. Somos uma só humanidade, a caminho desse encontro. Não julguemos, apenas nos comportemos como um grupo de iguais que somos. E que possamos nos unir, reduzindo os atritos e as polaridades. E que a Paz esteja com todos e com o todo.

Receitas

Leite da Terra I

Ingredientes:
- 4 maçãs Fuji médias
- 1 pepino
- 5 folhas médias de couve
- 3 folhas de acelga
- 5 folhas de alface
- 5 folhas de chicória
- 3 raminhos de hortelã
- 2 folhas de azedinha ou suco de ½ limão pequeno
- 1 colher (sopa) de painço germinado
- 2 colheres de girassol germinado
- 1 cenoura média

Preparo:
Lave em água corrente todos os ingredientes.
Corte a maçã em quatro e retire as sementes, mas conserve a casca.
Corte cada pedaço da maçã ao meio novamente.
Corte o pepino com a casca em pedaços médios.
Rasgue ou corte com tesoura as folhas em partes menores retirando os talos mais duros. Em uma vasilha, coloque as folhas mais duras e fibrosas por baixo e as mais moles por cima para serem colocadas no liquidificador primeiro.
Coloque o pepino e a maçã no liquidificador. A quantidade destes ingredientes não deve ultrapassar metade do liquidificador. Ligue o aparelho na velocidade mínima e, com o auxílio de um biossocador, faça movimentos bruscos para baixo, para facilitar o contato dos ingredientes com a hélice do liquidificador. Triture bem os ingredientes até o aparelho girar sem a sua ajuda. Introduza aos poucos as folhas mais macias e, por último, as mais duras. Toda vez que colocar cada porção de folhas, auxilie o giro da hélice com o biossocador fazendo movimentos circulares no mesmo sentido do giro. Aumente a velocidade à medida que o aparelho tiver dificuldade em triturar. Bata até formar uma papa mole.

Adicione as sementes germinadas e a cenoura picada com o liquidificador ligado na velocidade máxima. Auxilie a trituração com o biossocador. Coe em um coador de voal.

Armazenamento: Consuma imediatamente.

Rendimento: 750 ml.

Leite da Terra II

Ingredientes:
  4 maçãs Fuji médias
  1 pepino
  5 folhas médias de couve
  3 folhas de acelga
  8 folhas de alface
  1 xícara de folhas de espinafre
  3 raminhos de manjericão
  2 folhas de azedinha ou suco de ½ limão pequeno
  2 colheres de girassol germinado
  2 colheres (sopa) de castanha-do-pará hidratada
  1 beterraba média

Preparo:
Lave em água corrente todos os ingredientes.
Corte a maçã em quatro e retire as sementes, mas conserve a casca. Corte cada pedaço da maçã ao meio novamente.
Corte o pepino com a casca em pedaços médios.
Rasgue ou corte com tesoura as folhas em partes menores retirando os talos mais duros. Em uma vasilha, coloque as folhas mais duras e fibrosas por baixo e as mais moles por cima para serem colocadas no liquidificador primeiro.
Coloque o pepino e a maçã no liquidificador. A quantidade destes ingredientes não deve ultrapassar metade do liquidificador. Ligue o aparelho na velocidade mínima e, com o auxílio de um biossocador, faça movimentos bruscos para baixo, para facilitar o contato dos ingredientes com a hélice do liquidificador. Triture bem os ingredientes até o aparelho girar sem a sua ajuda. Introduza aos poucos as folhas mais

macias e, por último, as mais duras. Toda vez que colocar cada porção de folhas, auxilie o giro da hélice com o biossocador fazendo movimentos circulares no mesmo sentido do giro. Aumente a velocidade à medida que o aparelho tiver dificuldade em triturar. Bata até formar uma papa mole.

Adicione as sementes germinadas e a beterraba picada com o liquidificador ligado na velocidade máxima. Auxilie a trituração com o biossocador. Coe em um coador de voal.

Armazenamento: Consuma imediatamente.

Rendimento: 750 ml

Leite da Terra III

Ingredientes:
- 4 maçãs Fuji médias
- 1 pepino
- 1 xícara de água de coco
- 5 folhas médias de couve
- 3 folhas de alface
- 8 folhas de acelga
- 3 folhas de capim-cidreira ou erva-doce
- 2 colheres de alpiste germinado
- 1 colher (sopa) de linhaça hidratada
- 1 xícara de broto de girassol
- ½ xícara de grama do trigo
- ½ xícara de abóbora cortada em cubos

Preparo:
Lave em água corrente todos os ingredientes.
Corte a maçã em quatro e retire as sementes, mas conserve a casca. Corte cada pedaço da maçã ao meio novamente.
Corte o pepino com a casca em pedaços médios.
Rasgue ou corte com tesoura as folhas em partes menores, retirando os talos mais duros. Em uma vasilha, coloque as folhas mais duras e fibrosas por baixo e as mais moles por cima para serem colocadas no liquidificador primeiro.

Coloque o pepino, a maçã e a água de coco no liquidificador. A quantidade destes ingredientes não deve ultrapassar metade do liquidificador. Ligue o aparelho na velocidade mínima e, com o auxílio de um biossocador, faça movimentos bruscos para baixo, para facilitar o contato dos ingredientes com a hélice do liquidificador. Triture bem os ingredientes até o aparelho girar sem a sua ajuda. Introduza aos poucos as folhas mais macias e, por último, as mais duras. Toda vez que colocar cada porção de folhas, auxilie o giro da hélice com o biossocador fazendo movimentos circulares no mesmo sentido do giro. Aumente a velocidade à medida que o aparelho tiver dificuldade em triturar. Bata até formar uma papa mole.

Adicione as sementes germinadas e a abóbora picada com o liquidificador ligado na velocidade máxima. Auxilie a trituração com o biossocador. Coe em um coador de voal.

Armazenamento: Consuma imediatamente.

Rendimento: 750 ml.

Leite da Terra de Pancs

Ingredientes:
- 2 maçãs Fuji médias
- 1 chuchu grande
- 200 ml de caldo de cana
- 8 folhas de chuchu
- 8 folhas de abóbora
- 8 folhas de batata-doce
- 8 folhas de amora
- 1 folha de dente-de-leão ou serralha
- 4 folhas de alfavaca
- ½ xícara de grama do trigo
- 2 colheres de alpiste germinado
- ½ xícara de broto de girassol
- 1 colher (sopa) de linhaça hidratada

Preparo
Lave em água corrente todos os ingredientes.
Corte a maçã em quatro e retire as sementes, mas conserve a casca.
Corte cada pedaço da maçã ao meio novamente.
Corte o chuchu com a casca em pedaços médios.
Rasgue ou corte com tesoura as folhas em partes menores retirando os talos mais duros. Em uma vasilha, coloque as folhas mais duras e fibrosas por baixo e as mais moles por cima para serem colocadas no liquidificador primeiro.
Coloque a maçã, o chuchu e o caldo de cana no liquidificador. A quantidade desses ingredientes não deve ultrapassar metade do aparelho. Ligue o liquidificador na velocidade mínima e, com o auxílio de um biossocador, faça movimentos bruscos para baixo, para facilitar o contato dos ingredientes com a hélice do aparelho. Triture bem os ingredientes até o liquidificador girar sem a sua ajuda. Introduza aos poucos as folhas mais macias e, por último, as mais duras. Toda vez que colocar cada porção de folhas, auxilie o giro da hélice com o biossocador fazendo movimentos circulares no mesmo sentido do giro. Aumente a velocidade à medida que o aparelho tiver dificuldade em triturar. Bata até formar uma papa mole.
Adicione as sementes germinadas e a linhaça com o liquidificador ligado na velocidade máxima. Auxilie a trituração com o biossocador.
Coe em um coador de voal.

Armazenamento: Consuma imediatamente.

Rendimento: 750 ml.

Canapé de acelga com guacamole

Ingredientes:
Queijo de amêndoas com tomate
    1 xícara de ricota de amêndoas
    1 xícara de tomate em cubinhos
    1 colher (sopa) de alho ralado
    2 colheres (sopa) de manjericão

Barquinhos de acelga
    4 folhas de acelga
Guacamole
    Ricota
    ½ abacate maduro cortado em cubinhos
    ½ colher (chá) de pimenta-do-reino
    2 colheres (sopa) de molho de soja
    2 colheres (sopa) de azeite de oliva
    1 colher (chá) de sal do Himalaia
    2 colheres (sopa) de gergelim amornado
    1 colher (sopa) de cebolinha picadinha
    1 colher (sopa) de alho-poró picadinho

Preparo:
Em uma tigela, misture a ricota de amêndoas com o tomate, o alho e o manjericão. Reserve.
Corte a parte mais dura da acelga em formato de pétalas. Reserve.
Em uma vasilha, acrescente todos os ingredientes do guacamole e misture bem.

Montagem: Em cada pétala de acelga, coloque um pouco de guacamole e por cima a ricota de amêndoas temperada.

Armazenamento: 1 dia na geladeira em refratário com tampa.

Rendimento: 5-6 porções.

Canapé de nori com pesto de girassol e manga

Ingredientes:
Pesto de girassol
    1½ xícara de girassol hidratado
    1 tâmara hidratada
    ½ colher (chá) de pimenta rosa
    ½ colher (chá) de alecrim
    1 colher (chá) de sal do Himalaia
    2 colheres (sopa) de azeite de oliva

½ xícara de água
1 colher (sopa) de suco de limão
Quadradinhos de nori
2 folhas de alga nori cortadas em quadradinhos (utilize uma tesoura)
Decoração
¼ de xícara de manga Palmer em cubinhos pequenos
1 colher (sopa) de pimenta dedo-de-moça picadinha

Preparo:
No liquidificador (com a ajuda de biossocador) ou mixer, bata todos os ingredientes do pesto de girassol até formar uma pasta cremosa. Coloque em uma vasilha e adicione o girassol tostado mexendo bem. Reserve.

Montagem: Em uma chapa de pedra, disponha todos os quadradinhos de alga nori. Com um saco de confeitar ou uma colher, coloque um pouco do pesto por cima de cada quadradinho. Decore com cubinhos de manga e pimenta dedo-de-moça. Na hora de servir, amorne em chapa de pedra ou desidratador até ficar crocante.

Armazenamento: Consuma no mesmo dia.

Rendimento: 16 canapés.

Canapés de abobrinha e pesto de castanha de caju

Ingredientes:
Pesto de castanha de caju
1½ xícara de castanha de caju hidratada
2 colheres (sopa) de missô
1 dente de alho
2 colheres (sopa) de salsa
1½ colher (chá) de sal do Himalaia
2 colheres (sopa) de azeite de oliva
½ xícara de água
2 colheres (sopa) de suco de limão

Canapés
>1 abobrinha grande cortada em rodelas (na espessura que permita pegar com as mãos)
>2 tomates em rodelas finas
>azeitonas, orégano e folhas de manjericão para decorar

Preparo:
No liquidificador (com a ajuda de um biossocador) ou mixer, bata todos os ingredientes do pesto de castanha de caju até formar uma pasta cremosa. Reserve.

Montagem: Em cada rodela de abobrinha, coloque na sequência uma rodela de tomate, uma colher de sobremesa de pesto de castanha de caju e uma azeitona. Polvilhe orégano e coloque uma folha de manjericão.

Armazenamento: Consuma no dia.

Rendimento: 16 canapés.

Canapés de berinjela com pesto de girassol

Ingredientes:
>1 berinjela média cortada em rodelas finas
>2 tomates cortados em rodelas finas
>1 xícara de pesto de girassol (ver receita na pág. 450)
>1 pimenta dedo-de-moça picadinha
>½ xícara de damasco picadinho
>orégano a gosto

Preparo:
Em uma chapa de pedra, monte os canapés: uma rodela de berinjela, por cima uma rodela de tomate, com um saco de confeiteiro adicione um pouco do pesto de girassol e decore com um pedacinho de pimenta e um de damasco. Polvilhe orégano.

Armazenamento: Consuma no dia.

Rendimento: 40 canapés.

Barquinhos de tomate com pesto de nozes e manjericão

Ingredientes:
    4 tomates cortados em quatro e sem o miolo
Pesto de nozes
    1 xícara de nozes hidratadas e processadas fino
    ½ xícara de folhas de manjericão frescas picadinhas
    2 colheres de salsa picadinha
    1 colher (sopa) de cebolinha picadinha
    1 colher (chá) de suco de limão
    1 colher (chá) de sal do Himalaia

Preparo:
Misture bem todos os ingredientes do pesto de nozes.
Recheie com o pesto de nozes cada parte do tomate. Aqueça na chapa de pedra e sirva a seguir.

Armazenamento: Consuma no dia.

Rendimento: 16 porções.

Bibliografia

CAPÍTULO 1 – VIDA

1) Albert MJ, Mathan VI, Baker SJ. Vitamin B12 synthesis by human small intestinal bacteria. *Nature*. 1980;283(5749):781-2.
2) Arnold LC, Dehzad N, Reuter S, Martin H, Becher B, Taube C, Müller A. Helicobacter pylori infection prevents allergic asthma in mouse models through the induction of regulatory T cells. *J Clin Invest*. 2011;121(8):3088-93.
3) Austin M, Mellow M, Tiemey WM. Fecal microbiota transplantation in the treatment of clostridium difficile infections. *Am J Med*. 2014;127(6):479-83.
4) Axe J. *Eat dirt: why leaky gut may be the root cause of your health problems and 5 surprising steps to cure it*. Nova York: HarperCollins Publishers; 2016.
5) Bermudez-Brito M, Plaza-Díaz J, Muñoz-Quezada S, Gómez-Llorente C, Gil A. Probiotic mechanisms of action. *Ann Nutr Metab*. 2012;61(12):160-74.
6) Boltin D, Niv Y. Ghrelin, Helicobacter pylori and body mass: is there an association? *Isr Med Assoc J*. 2012;14(2):130-2.
7) Câmera Record. Entrevista Dr. Alberto Gonzalez [Vídeo]. 14 out 2008. [acesso em 10 jan 2017] [7'51"]. Disponível em: https://www.youtube.com/watch?v=fMDEBMgv2Ys.
8) Cao SX1, Dhahbi JM, Mote PL, Spindler SR. Genomic profiling of short- and long-term caloric restriction effects in the liver of aging mice. *Proc Natl Acad Sci USA*. 2001;98(19):10630-5.
9) Chan Y, Blaser MJ. Inverse associations of Helicobacter pylori with asthma and allergy. *Arch Intern Med*. 2007;167(8):821-7.

10) Chevalier G, Sinatra ST, Oschman JL, Sokal K, Sokal P. Earthing: health implications of reconnecting the human body to the Earth's surface electrons. *J Environ Public Health*. 2012;2012:291541. doi: 10.1155/2012/291541. Epub 2012.

11) Dulal S, Keku TO. Gut microbiome and colorectal adenomas. *Cancer J*. 2014;20(3):225-31.

12) Fedoroff N. How jumping genes were discovered. *Nat Struct Biol*. 2001;8(4)300-1.

13) Fraga MF, Ballestar E, Paz MF, Ropero S, Setien F, Ballestar ML, et al. Epigenetic differences arise during the lifetime of monozygotic twins. *Proc Natl Acad Sci USA*. 2005;102(30):10604-9.

14) Globo Repórter. Entevista com Dr. Alberto Gonzalez [Vídeo]. 26 fev 2012. [acesso em 10 jan 2017] [16'14"]. Disponível em: https://www.youtube.com/watch?v=vPlwlQI22MI.

15) Goswami A. *Criatividade para o século 21: uma visão quântica para a expansão do potencial criativo*. São Paulo: Aleph; 2015.

16) Grethlein SJ. Mucosa-Associated Lymphoid Tissue. Medscape [periódicos na internet]. 2014 Dec [acesso em 10 jan 2017]. Disponível em: http://emedicinemedscapecom/article/207891-overview#a3 (2016)

17) Hattori M, Taylor TD. The human intestinal microbiome: a new frontier of human biology. *DNA Res*. 2009;16(1):1-12.

18) Hong HA, Huang JM, Khaneja R, Hiep LV, Urdaci MC, Cutting SM. The safety of Bacillus subtilis and Bacillus indicus as food probiotics. *J App Microbiol*. 2008;105(2):510-20.

19) Hume D. *Béchamp or Pasteur: a lost chapter in the history of biology*. Whitefish: Kessinger Publishing; 2010.

20) Hung MN, Xia Z, Hu NT, Lee BH. Molecular and biochemical analysis of two beta-galactosidases from Bifidobacterium infantis HL96. *Appl Environ Microbiol*. 2001;67(9):4256-63.

21) Kassam, Z Lee CH, Yuan Y, Hunt RH. Fecal microbiota transplantation for Clostridium difficile infection: systematic review and meta-analysis. *Am J Gastroenterol*. 2013;108(4):500-8.

22) Landers, TF Cohen B, Wittum TE, Larson EL. A review of antibiotic use in food animals: perspective, policy, and potential. *Public Health Rep*. 2012;127(1):4-22.

23) Levy S, Sutton G, Ng PC, Feuk L, Halpern AL, Walenz BP, et al. The diploid genome sequence of an individual human. *PLoS Biol*. 2007;5(10):e254.

24) Lovelock J. *Gaia: cura para um planeta doente*. São Paulo: Cultrix; 2014.
25) Marteau P. Probiotics, prebiotics and synbiotics: ecological treatment for inflammatory bowel disease? *Gut*. 2006;55:1692-3.
26) Maturana H, Varela FJ. *A árvore do conhecimento: as bases biológicas do conhecimento humano*. São Paulo: Palas Athena; 2010.
27) Mazmanian SK, Round JL, Kasper DL. A microbial symbiosis factor prevents intestinal inflammatory disease. *Nature*. 2008;453:620-5.
28) Meaney MJ, Szyf M. Environmental programming of stress responses through DNA methylation: life at the interface of a dynamic environment and a fixed genome. *Dialogues Clin Neurosci*. 2005;7(2):103-23.
29) Metchnikoff II. *The prolongation of life: optimistic studies*. Nova York: Springer Pub Co; 2004.
30) Nwokolo CU, Freshwater DA, O'Hare P, Randeva HS. Plasma ghrelin following cure of Helicobacter pylori. *Gut*. 2003;52(5):637-40.
31) Ober C, Sinatra ST, Zucker M. *Earthing: the most important health discovery ever?* Laguna Beach: Basic Health Publications; 2010.
32) Portal Brasil [homepage na internet]. Fiocruz pesquisa aumento de cesarianas no Brasil [acesso em 10 jan 2017]. Disponível em: http://www.brasil.gov.br/saude/2012/02/fiocruz-pesquisa-aumento-de-cesarianas-no-brasil.
33) Rajan MM, Yang X, Collart F, Yip VL, Withers SG, Varrot A, et al. Novel catalytic mechanism of glycoside hydrolysis based on the structure of an NAD+/Mn2+ -dependent phospho-alpha-glucosidase from Bacillus subtilis. *Structure*. 2004;12:1619-29.
34) Roblin X, Neut C, Darfeuille-Michaud A, Colombel JF. Local appendiceal dysbiosis: the missing link between the appendix and ulcerative colitis? *Gut*. 2012;61(4):635-6.
35) Rosenfeld CS. Microbiome disturbances and autism spectrum disorders. *Drug Metab Dispos*. 2015;43(10):1557-71.
36) Round JL, Mazmanian SK. The gut microbiota shapes intestinal immune responses during health and disease. *Nat Rev Immunol*. 2009;9(5):313-323.
37) Ruebush M. *Why dirt is good: 5 ways to make germs your friends*. Wokingham: Kaplan; 2009.
38) Sekirov I, Russell SL, Antunes LC, Finlay BB. Gut microbiota in health and disease. *Physiol Rev*. 2010;90(3):859-904.

39) Seneff S, Samsel A. Glyphosate's suppression of cytochrome P450 enzymes and amino acid biosynthesis by the gut microbiome: pathways to modern diseases. *Entropy*. 2013;15(4):1416-63.
40) Sheldrake R. *Uma nova ciência da vida: a hipótese da causação formativa e os problemas não resolvidos da biologia*. São Paulo: Cultrix; 2014.
41) Strauss C.-L. *Saudades do Brasil*. São Paulo: Companhia das Letras; 1994.
42) The Human Microbiome Project Consortium. A framework for human microbiome research. *Nature*. 2012;486:215-21.
43) Tumbaugh PJ, Hamady M, Yatsunenko T, Cantarel BL, Duncan A, Ley RE. A core gut microbiome in obese and lean twins. *Nature*. 2009;457(7228):480-4.
44) Tyakht AV, Kostryukova ES, Popenko AS, Belenikin MS, Pavlenko AV, Larin AK, et al. Human gut microbiota community structures in urban and rural populations in Russia. *Nat Commun*. 2013;4:2469.
45) Waterland RA, Jirtle RL. Transposable elements: targets for early nutritional effects on epigenetic gene regulation. *Mol Cell Biol*. 2003;23(15):5293-300.
46) Watson JD, Crick FH. Molecular structure of nucleic acids: a structure for deoxyribose nucleic acid. *Nature*. 1953;171(4356):737-8.

Capítulo 2 – Alegria

1) Alderete M, Gutkowski P. La salud no se negocia. La sociedad civil frente a las estrategias de la industria tabacalera en América Latina. Casos de estudio 2014. Ciudad Autónoma de Buenos Aires: Fundación Interamericana del Corazón Argentina, 2014.
2) Angell M. A epidemia de doença mental. Revista *Piauí*. 2012;59:1-14.
3) American Psychiatric Association. *Diagnostic and statistical manual of mental disorders*. 5. ed. Porto Alegre: Artmed; 2013.
4) Baving L, Olbrich H. Alcoholism and depression. *Eur Addict Res*. 1996;2(1):29-35.
5) Beck F, Eccles JC. Quantum aspects of brain activity and the role of consciousness. *Proc Natl Acad Sci USA*. 1992;89(23):11357-61.
6) Bignardi F, Oliveira MCG, Silveira KF, Barroco MFC, Ferraz D, Amorim MVMF, et al. Meditação: uma importante ferramenta promotora de saúde e sustentabilidade. Cetrans. 2012[acesso em 10 jan 2017]. Disponível em: http://cetrans.com.br/textos/artigos/meditacao-hgsm-fernando-bignardi.pdf.

7) Blum K, Payne JE. *Alcohol and the addictive brain: new hope for alcoholics from biogenetic research.* Nova York: Free Press; 1991.
8) Bourguignon E. *Religion, altered states of consciousness and social change.* Ohio: University Press; 1973.
9) Branson R. War on drugs a trillion dollar failure. CNN [periódicos na internet]. 2012 Dec [acesso em 10 jan 2017]. Disponível em: http://editioncnncom/2012/12/06/opinion/branson-end-war-on-drugs/.
10) Brasil Presidência da República Secretaria Nacional de Políticas sobre Drogas. *I levantamento nacional sobre o uso de álcool, tabaco e outras drogas entre universitários das 27 capitais brasileiras.* Brasília: Senad; 2010.
11) Cajal SR. *Histologie du système nerveux de l'homme & des vertébrés.* Paris: Maloigne; 1909.
12) Campanha AM. Utilização de psicofármacos pela população geral residente na região metropolitana de São Paulo. Tese [Doutorado em Psiquiatria] - Faculdade de Medicina da USP; 2015.
13) Carlat D. *Unhinged: the trouble with psychiatry - A doctor's revelations about a profession in crisis.* Nova York: Free Press; 2010.
14) Dethlefsen T, Dahlke R. *A doença como caminho: uma visão nova da cura como ponto de mutação em que um mal se deixa transformar em bem.* São Paulo: Cultrix; 1996.
15) Dufty W. *Sugar Blues: o gosto amargo do açúcar.* São Paulo: Ground; 2009.
16) Earleywine M. *Understanding marijuana: a new look at the scientific evidence.* Nova York: Oxford University Press; 2002.
17) Escola Nacional de Saúde Pública Sergio Arouca [homepage na internet]. Vendas de ansiolíticos registram aumento no Brasil. Fev. 2011. [acesso em 10 jan 2017]. Disponível em: http://www6.ensp.fiocruz.br/visa/?q=node/4426.
18) Gerken B. *Momente wahren Lebens – Geschichten um den heilenden Abstand zum Ich oder: aus einem Leben zwischen den Welten.* Stoughton: Books on Demand; 2008.
19) Goodwin DW, Schulsinger F, Hermansen L, Guze SB, Winokur G. Alcohol problems in adoptees raised apart from alcoholic biological parents. *Arch Gen Psychiatry.* 1973;28(2):238-43.
20) Goodwin DW, Schulsinger F, Knop J, Mednick S, Guze SB. Alcoholism and depression in adopted-out daughters of alcoholics. *Arch Gen Psychiatry.* 1977;34(7):751-5.

21) Goodwin DW, Schulsinger F, Moller N, Hermansen L, Winokur G, Guze SB. Drinking problems in adopted and nonadopted sons of alcoholics. *Arch Gen Psychiatry*. 1974;31(2):164-9.
22) Huxley A. *Admirável mundo novo*. 22 ed. São Paulo: Biblioteca Azul; 2014.
23) Instituto Brasileiro de Geografia e Estatística. Pesquisa nacional de saúde do escolar 2009 [acesso em 10 jan 2017]. Disponível em: http://wwwibgegovbr/home/estatistica/populacao/pense/defaulttab_zipshtm.
24) Kirsch I. *The emperor's new drugs: exploding the antidepressant myth*. Nova York: Basic Books; 2009.
25) Kirsch I. Antidepressants and the placebo effect. *Z Psychol*. 2014;222(3):128-34.
26) Lapa N. No Brasil, estupra-se mais do que se mata. *Carta Capital* [periódicos na internet]. Nov. 2013 [acesso em 10 jan 2017]. Disponível em: http://wwwcartacapitalcombr/blogs/feminismo-pra-que/no-brasil-estupra-se-mais-do-que-se-mata-3751html.
27) Lent R. *Cem bilhões de neurônios: conceitos fundamentais de neurociência*. São Paulo: Atheneu; 2010.
28) Li N, Lee B, Liu RJ, Banasr M, Dwyer JM, Iwata M, et al. mTOR-dependent synapse formation underlies the rapid antidepressant effects of NMDA antagonists. *Science*. 2010;329(5994):959-64.
29) Mabit J. Articulación de las medicinas tradicionales y occidentales: el reto de la coherencia. In: Conferencia para el Seminario-Taller regional sobre políticas y experiencias en salud e interculturalidade. jun 2004; Quito, Peru [acesso em 10 jan 2017]. Disponível em: http://www.takiwasi.com/docs/arti_esp/articulacion_medicinas.pdf.
30) Matuoka I. Rivotril, a droga da paz química. *Carta Capital* [periódicos na internet]. Nov. 2015 [acesso em 10 jan 2017]. Disponível em: http://www.cartacapital.com.br/saude/rivotril-a-droga-da-paz-quimica-3659.html.
31) Natur Tage Forum Fulda. [acesso em 16 jan 2017]. Disponível em: http://rohvolutionch/2009/06/naturtageforum-2009/(2009)
32) Organização das Nações Unidas para a Educação, a Ciência e a Cultura (UNESCO Office in Brasília) [homepage na internet]. Mapa da Violência faz balanço de mortes por armas de fogo no Brasil, de 1980 a 2012 [acesso em 10 jan 2017]. Disponível em: http://www.unesco.org/new/pt/brasilia/about-this-office/single-view/news/map_of_violence_examines_deaths_by_firearms_in_brazil_from_1/.

33) Osório FL, Sanches RF, Macedo LR, Santos RG, Maia-de-Oliveira JP, Wichert-Ana L, et al. Antidepressant effects of a single dose of ayahuasca in patients with recurrent depression: a preliminary report. *Rev Bras Psiquiatr*. 2015;37(1):13-20.
34) Portal Brasil [homepage na internet]. Ministério da Saúde Brasil reduz em 5,7% o número de mortes no trânsito [acesso em 10 jan 2017]. Disponível em: http://wwwbrasilgovbr/saude/2015/11/brasil-reduz-em-5-7-numero-de-mortes-no-transito.
35) Self Nutrition Data - Know What You Eat. [acesso em: 17 jan 2016]. Disponível em: http://nutritiondata.self.com/.
36) Smith K. Mental health: a world of depression. *Nature*. 2014;515(7526):181.
37) *Um estranho no ninho* [filme]. Direção: Milos Forman. Estados Unidos: United Artists; 1975.
38) Vendrame A. When evidence is not enough: a case study on alcohol marketing legislation in Brazil. *Addiction*. 2017;112 Suppl 1:81-85.
39) Viana M, Teixeira MG, Beraldi F, Bassani Ide S, Andrade LH. São Paulo megacity mental health survey - a population-based epidemiological study of psychiatric morbidity in the São Paulo metropolitan area: aims, design and field implementation. *Rev Bras Psiquiatr*. 2009;31(4):375-86.
40) Whitaker R. *Anatomy of an epidemic: magic bullets, psychiatric drugs and the astonishing rise of mental illness in America*. Nova York: Broadway Books; 2010.
41) World Drug Report [homepage na internet]. New psychoactive substances (NPS) [acesso em 10 jan 2017]. Disponível em: http://wwwunodcorg/wdr2013/en/npshtml.
42) World Health Organization [homepage na internet]. Management of substance abuse: cocaine [acesso em 10 jan 2017]. Disponível em: http://wwwwhoint/substance_abuse/facts/cocaine/en/.

Capítulo 3 – Luz do Sol

1) Berson DM. Strange vision: ganglion cells as circadian photoreceptors. *Trends Neurosci*. 2003;26(6):314-20.
2) Birge R. Protein-based three-dimensional memories and associative processors. *American Physical Society*. 2008;abstract #Y7002.
3) Cajal SR. *Histologie du système nerveux de l'homme & des vertébrés*. Paris: Maloigne; 1909.

4) Capra F. *O ponto de mutação*. São Paulo: Cultrix; 1982.
5) Dacey DM, Liao HW, Peterson BB, Robinson FR, Smith VC, Pokorny J, et al. Melanopsin-expressing ganglion cells in primate retina signal colour and irradiance and project to the LGN. *Nature*. 2005;433(7027):749-54.
6) *Descartes* [filme]. Direção: Roberto Rossellini. Itália/França: Luce/Orizzonte 2000; 1974.
7) Durr HP, Popp FA, Schommers W, editores. *What is life?: scientific approaches and philosophical*. Singapura: World Scientific; 2002.
8) Ecker JL, Dumitrescu ON, Wong KY, Alam NM, Chen SK, LeGates T, et al. Melanopsin-expressing retinal ganglion-cell photoreceptors: cellular diversity and role in pattern vision. *Neuron*. 2010;67(1):49-60.
9) Environmental Working Group (EWG) [homepage na internet]. The problem with vitamin A [acesso em 10 jan 2017]. Disponível em: http://wwwewgorg/sunscreen/report/the-problem-with-vitamin-a/.
10) Environmental Working Group (EWG) [homepage na internet]. The trouble with oxybenzone and other sunscreen chemicals [acesso em 10 jan 2017]. Disponível em: http://wwwewgorg/sunscreen/report/the-trouble-with-sunscreen-chemicals/.
11) Goodman AL, Castle S. *Rethink food: 100 + doctors can't be wrong*. Houston: Two Skirts Production; 2014.
12) Guyton AC, Hall JE. *Tratado de fisiologia médica*. Rio de Janeiro: Elsevier; 2011.
13) James MJ, Gibson RA, Cleland LG. Dietary polyunsaturated fatty acids and inflammatory mediator production. *Am J Clin Nutr*. 2000;71(1Suppl):343S-8S.
14) Kime ZR. Sunlight. [S.l.]: World Health Pubns; 1980.
15) Kobayashi K, Okabe H, Kawano S, Hidaka Y, Hara K. Biophoton emission induced by heat shock. *PLoS One*. 2014;9(8): e105700.
16) Koeppen BM, Stanton BA. *Berne & Levy fisiologia*. 6 ed. Rio de Janeiro: Elsevier; 2006.
17) Liberman J. *Light: medicine of the future*. Ottawa: Bear & Co; 1990.
18) Marques OAV, Martins M, Sazima I. A jararaca da Ilha da Queimada Grande. *Ciência Hoje*. 2002;31(186):56-9.
19) Martinek K, Berezin IV. Artificial light-sensitive enzymatic systems as chemical amplifiers of weak light signals. *Photochem Photobiol*. 1979;29(3):637-49.

20) Morgan SJ. *Pineal gland: activate and decalcify your pineal gland - improve creativity and imagination, unlock greater awareness, and connect to your higher self.* Nova York: Morgan & Morgan Publishing Co.; 2015.
21) Muñoz A, Costa M. Nutritionally mediated oxidative stress and inflammation. *Oxid Med Cell Longev.* 2013;2013:610950. doi: 10.1155/2013/610950.
22) National Toxicoligy Program. Photocarcinogenesis study of retinoic acid and retinyl palmitate [CAS Nos. 302-79-4 (All-trans-retinoic acid) and 79-81-2 (All-trans-retinyl palmitate)] in SKH-1 mice (Simulated Solar Light and Topical Application Study). *Nati Toxicol Program Tech Rep Ser.* 2012;(568):1-352.
23) Nichol L, editor. *The essencial David Bohm.* Nova York: Routledge; 2002.
24) Popp FA. Properties of biophotons and their theoretical implications. *Indian J Exp Biol.* 2003;41(5):391-402.
25) Shinya H. *The enzyme factor.* São Francisco: Council Oak Books; 2007.
26) Silva FR. Impactos ambientais associados à logística reversa de lâmpadas fluorescentes. *InterfacEHS Rev Saúde, Meio Amb e Sust.* 2013;8(1):42-69.
27) Sperelakis N. *Essentials of physiology.* Boston: Little Brown & Co; 1996.
28) Sutliffe JT. Inflammation: outting out the internal fire. In: Goodman AL, Castle S. *Rethink food: 100 + doctors can't be wrong.* Houston: Two Skirts Production; 2014. p. 79-81.
29) Szent-Gyorgyi A. *Introduction to a submolecular biology.* Nova York: Elsevier; 2016.
30) Von Peczely I. Entdeckungen auf dem Gebiete der Natur- und der Heilkunde Die chronischen Krankheiten 1 Heft: Anleitung zum Studium der Diagnose aus den Augen. *Allgemeine homöopathische Zeitung;* Budapeste. 1880;120-1.

Capítulo 4 - Água de beber

1) Abrelpe. Panorama dos resíduos sólidos no Brasil. São Paulo: Abrelpe; 2015 [acesso em 10 jan 2017]. Disponível em: http://www.abrelpe.org.br/Panorama/panorama2015.pdf.
2) BRASIL - Ministério das Cidades (SNIS). Diagnóstico dos serviços de água e esgotos - 2013. Brasília: SNSA/MCIDADES, 2014. [acesso em 17 jan 2017]. Disponível em: http://engineering.columbia.edu/files/engineering/design-water-resource07.pdf.

3) Colborn T, Dumanoski D, Myers JP. *O futuro roubado*. Porto Alegre: L&PM; 2002.
4) Corti R, Flammer AJ, Hollenberg NK, Lüscher TF. Cocoa and cardiovascular health. *Circulation*. 2009;119(10):1433-41.
5) Cousens G. *Conscious eating*. Berkeley: North Atlantic Books; 2000.
6) Currie J, Zivin JG, Meckel K, Neidell M, Schlenker W. Something in the water: contaminated drinking water and infant. *Can J Econ*. 2013;46(3):791-810.
7) Feihl F, Liaudet L, Levy BI, Waeber B. Hypertension and microvascular remodelling. *Cardiovasc Res*. 2008;78(2):274-85.
8) Feihl F, Liaudet L, Waeber B, Levy BI. Hypertension: a disease of the microcirculation? *Hypertension*. 2006;48(6):1012-7.
9) Feihl F, Liaudet L, Waeber B. The macrocirculation and microcirculation of hypertension. *Curr Hypertens Rep*. 2009;11(3):182-9.
10) Frampton MW, Stewart JC, Oberdörster G, Morrow PE, Chalupa D, Pietropaoli AP, et al. Inhalation of ultrafine particles alters blood leukocyte expression of adhesion molecules in humans. *Environ Health Perspect*. 2006;114(1):51-8.
11) LaTham A. Sunfired [homepage na internet]. Sunfired foods are a fine array of astounding edible arts which make you look and feel supremely radiant and magnificently healthy! [acesso em 10 jan 2017]. Disponível em: https://www.sunfired.com/.
12) Lehr HA, Kress E, Menger MD, Friedl HP, Hübner C, Arfors KE, Messmer K. Cigarette smoke elicits leukocyte adhesion to endothelium in hamsters: Inhibition by CuZn-SOD. *Free Rad Biol Med*. 1993;14(6):573-81.
13) Marengo JA. *Mudanças climáticas e eventos extremos no Brasil*. Rio de Janeiro: Fundação Brasileira para o Desenvolvimento Sustentável; 2009.
14) Moreira JC, Peres F, Simões AC, Pignati WA, Dores EC, Vieira SN, et al. Contaminação de águas superficiais e de chuva por agrotóxicos em uma região do estado do Mato Grosso. *Ciência e Saúde Coletiva*. 2012;17(6):1557-68.
15) NASA [homepage na internet]. NASA Confirms Evidence That Liquid Water Flows on Today's Mars. Sep 28, 2015 [acesso em 10 jan 2017]. Disponível em: http://www.nasa.gov/press-release/nasa-confirms-evidence-that-liquid-water-flows-on-today-s-mars.
16) NASA [homepage na internet]. NASA's Hubble Spots Possible Water Plumes Erupting on Jupiter's Moon Europa. Sep 26, 2016 [acesso em

10 jan 2017]. Disponível em: http://www.nasa.gov/press-release/nasa-s-hubble-spots-possible-water-plumes-erupting-on-jupiters-moon-europa.
17) New Jersey Department of Environmental Protection [homepage na internet]. A North Jersey homeowner's guide to radioactivity in drinking water: uranium. Apr 2004 [acesso em 10 jan 2017]. Disponível em: http://www.state.nj.us/dep/rpp/rms/agreedown/urwater.pdf.
18) Orsi C. Água de 20 capitais tem 'contaminantes emergentes'. *Jornal da Unicamp* [periódicos na internet]. 2013 [acesso 10 jan 2017];576. Disponível em: http://www.unicamp.br/unicamp/ju/576/agua-de-20-capitais-tem-contaminantes-emergentes.
19) Pries AR, Secomb TW. Resistance to blood flow in vivo: from poiseuille to the 'in vivo viscosity law'. *Biorheology*. 1997;34(Issues 4-5):369-73.
20) *Progress on drinking water and sanitation*. Nova York: Unicef /Geneva: World Health Organization; 2012 [acesso em 10 jan 2017]. Disponível em: https://www.unicef.org/media/files/JMPreport2012.pdf.
21) Sperelakis N. *Essentials of physiology*. Boston: Little Brown & Co; 1996.
22) Strujiker Boudier HA, Cohuet GM, Baumann M, Safar ME. The heart, macrocirculation and microcirculation in hypertension: a unifying hypothesis. *J Hypertens Suppl*. 2003;21(3):S19-23.
23) Walbert A. Agricultura é quem mais gasta água no Brasil e no mundo. *Empresa Brasil de Comunicação* [periódicos na internet]. mar 2013 [acesso em 10 jan 2017]. Disponível em: http://www.ebc.com.br/noticias/internacional/2013/03/agricultura-e-quem-mais-gasta-agua-no-brasil-e-no-mundo.
24) Watts N, Adger WN, Agnolucci P, Blackstock J, Byass P, Cai W, et al. Health and climate change: policy responses to protect public health. *Lancet*. 2015;386(10006):1861-914.
25) Wikipédia [homepagre na internet]. Acidente radiológico de Goiânia [acesso em 10 jan 2017]. Disponível em: https://ptwikipediaorg/wiki/Acidente_radiol%C3%B3gico_de_Goi%C3%A2nia.

Capítulo 5 – Ar, oxigênio e respiração

1) American Cancer Society. Cancer Facts & Figures 2016. [acesso em 30 jan 2017]. Disponível em: http://www.cancer.org/
2) American Lung Association [homepage na internet]. What's in a cigarette? [acesso 10 jan 2017]. Disponível em: http://www.lung.org/stop-smoking/smoking-facts/whats-in-a-cigarette.html.

3) Birt DF, Phillips GJ. Diet, genes and microbes: complexities of colon cancer prevention. *Toxicol Pathol.* 2014;42(1):182-8.
4) Blecker, M. *Blood examination in darkfield according to Professor Dr. Günter Enderlein.* Hoya: Semmelweis-Verlag; 1993.
5) Campbell TC, Campbell II TM. *The China study.* Dallas: Ben Bella Books; 2004.
6) Cancian N. Lei antifumo vale agora para todo o país; entenda o que muda. *Folha de S. Paulo.* 3 dez 2014. Cotidiano.
7) Choi SW, Claycombe KJ, Martinez JA, Friso S, Schalinske KL. Nutritional epigenomics: a portal to disease prevention. *Adv Nutr.* 2013;4(5):530-2.
8) Chong ES. A potential role of probiotics in colorectal cancer prevention: review of possible mechanisms of action. *World J Microbiol Biotechnol.* 2014;30(2):351-74.
9) Costantini A. *Etioloty and prevention of prostate cancer.* Freiberg: Johann Friedrich Oberlin Verlag; 1994. (The fungalbionic book).
10) Cousens G. *Conscious eating.* Berkeley: North Atlantic Books; 2000.
11) Cousens G. *Rainbow green live-food cuisine.* Berkeley: North Atlantic Books; 2003.
12) Cousens G. *There is a cure for diabetes, revised edition: The 21-days + holistic recovery program.* Berkeley: North Atlantic Books; 2013.
13) Crovetto M, Uauy R. [Recommendations for cancer prevention of World Center Research Fund (WCRF): situational analysis for Chile. *Rev Med Chil.* 2013;141(5):626-36.
14) Dahlke R. *Peace Food: Wie der Verzicht auf Fleisch und Milch Körper und Seele Heilt.* Munique: Gräfe und Unzer Verlag; 2011.
15) *Dying to have known* (documentary film). Direção: Steve Kroschel. Haines: Kroschel Films; 2006.
16) Edwards SL. Pathophysiology of acid base balance: the theory practice relationship. *Intensive Crit Care Nurs.* 2008;24(1):28-38.
17) Ferreira JD, Couto AC, Pombo-de-Oliveira MS, Koifman S; Brazilian Collaborative Study Group of Infant Acute Leukemia. In utero pesticide exposure and leukemia in Brazilian children < 2 years of age. *Environ Health Perspect.* 2013;121(2):269-75.
18) Garcia EG, Bussacos MA, Fisher FM. [Harmonization and toxicological classification of pesticides in 1992 in Brazil and the need to foresee the impacts from the forthcoming introduction of GHS]. *Cien Saude Colet.* 2008;13 Suppl 2:2279-87.

19) Gerson M. *A cancer therapy: results of fifty cases*. San Diego: Gerson Institute; 1958.
20) Gittelman AL. *Beyond probiotics: the revolutionary discovery of a missing link in our immune system*. Connecticut: Keats Publishing; 1998.
21) Gonzalez AP, Beermann MA. Da terra ao homem: as bases agrárias do modelo biogênico em saúde. In: Liimaa W, organizador. *Pontos de mutação na saúde*. São Paulo: Aleph; 2014.
22) Gonzalez AP, Beermann MA, Olivatti FN. Modelo de saúde estruturado na natureza: bases docentes e assistenciais. In: Liimaa W, organizador. *Pontos de mutação na saúde*. vol 2. Jaboatão dos Guararapes: Salto Quântico; 2011.
23) Gonzalez AP, Post S, Palma P, Rentsch M, Menger MD. Effects of warm Carolina rinse on microvascular reperfusion injury in rat liver transplantation. *Transpl Int.* 1994;7 Suppl 1:S155-8.
24) Gonzalez AP, Sepulveda S, Massberg S, Baumeister R, Menger MD. In vivo fluorescence microscopy for the assessment of microvascular reperfusion injury in small bowel transplants in rats. *Transplantation.* 1994;58(4):403-8.
25) Hildenbrand GL, Hildenbrand LC, Bradford K, Cavin SW. Five-year survival rates of melanoma patients treated by diet therapy after the manner of Gerson: a retrospective review. *Altern Ther Health Med.* 1995;1(4):29-37.
26) Holzapfel WH, Schillinger U. Introduction to pre- and probiotics. *Food Res Intern.* 2002;35(2-3):109-16.
27) Houssay BA. *Fisiologia humana*. 7 ed. Porto Alegre: ArtMed; 2004.
28) Instituto Nacional de Pesquisas Espaciais [homepage na internet]. PRODES estima 7989 km^2 de desmatamento por corte raso na Amazônia em 2016. nov 2016 [acesso em 10 jan 2017]. Disponível: http://www.inpe.br/noticias/noticiaphp?Cod_Noticia=4344.
29) Intergovernmental Panel on Climate Change. *Climate change 2014: mitigation of climate change. Contribution of Working Group III to the Fifth Assessment Report of the Intergovermmental Panel on Climate Change*. Nova York: Cambridge University Press; 2014.
30) Jansen Robinson DP, Stolzenberg-Solomon RZ, Bamlet WR, de Andrade M, Oberg AL, et al. Fruit and vegetable consumption is inversely associated with having pancreatic cancer. *Cancer Causes Control.* 2011;22(12):1613-25.

31) Johnson C, Warmoes MO, Shen X, Locasale JW. Epigenetics and Cancer Metabolism. *Cancer Lett*. 2015;356(2 Pt A):309-14.
32) Johnson DA, Oldfield EC 4th. Reported side effects and complications of long-term proton pump inhibitor use: dissecting the evidence. *Clin Gastroenterol Hepatol*. 2013;11(5):458-64.
33) Jörgensen HH. Säure-Basen-Haushalt- Ein Praxisnahes Messverfahren zur Bestimmung der Pufferkapazitaet. *Erfahrungsheilkunde*. 1985;5:372-7.
34) Jumpertz R1, Le DS, Turnbaugh PJ, Trinidad C, Bogardus C, Gordon JI, Krakoff J. Energy-balance studies reveal associations between gut microbes, caloric load and nutrient absorption in humans. *Am J Clin Nutr*. 2011;94(1):58-65.
35) Machlin LJ, Bendich A. Free radical tissue damage: protective role of antioxidant nutrients. *FASEB J*. 1987;1(6):441-5.
36) Mahowald MA, Rey FE, Seedorf H, Turnbaugh PJ, Fulton RS, Wollam A, et al. Characterizing a model human gut microbiota composed of members of its two dominant bacterial phyla. *Proc Natl Acad Sci USA*. 2009;106(14):5859-64.
37) Manchester KL. Louis Pasteur, fermentation, and a rival. *S Afr J Sci*. 2007;103(9-10):377-80.
38) Mazmanian SK, Round JL, Kasper DL. A microbial symbiosis factor prevents intestinal inflammatory disease. *Nature*. 2008;453(7195):620-5.
39) Menger MD, Pelikan S, Steiner D, Messmer K. Microvascular ischemia-reperfusion injury in striated muscle: significance of "reflow paradox". *Am J Physiol*. 1992;263(6 Pt 2):H1901-6.
40) Nações Unidas. Adoção do Acordo Paris [internet]. dez 2015 [acesso em 10 jan 2017]. Disponível em: https://nacoesunidasorg/wp-content/uploads/2016/04/Acordo-de-Parispdf.
41) Remer T. Influence of nutrition on acid-base balance-metabolic aspects. *Eur J Nutr*. 2001;40(5):214-20.
42) Säure-Basen-Ratgeber [homepage na internet]. Sinn und Unsinn von Urintests [acesso em 10 jan 2017]. Disponível em: http://www.saeure-basen-ratgeber.de/diagnose-behandlung/sinn-und-unsinn-von-urintests/.
43) Schleussner CF, Rogelj J, Schaeffer M, Lissner T, Licker R, Fischer EM, et al. Science and policy characteristics of the Paris Agreement temperature goal. *Nat Clim Chan*. 2016;6:827-35.

44) Schwabe RF, Jobin C. The microbiome and cancer. *Nat Rev Cancer.* 2013;13(11):800-12.
45) Siegel R, Naishadham D, Jernal A. Cancer statistics, 2013. *Cancer J Clin.* 2013;63(1):11-30.
46) Silverthorn DU. *Fisiologia humana: uma abordagem integrada.* 5 ed. Barueri: Manole; 2010.
47) Slater TF. Free radical mechanisms in tissue injury. In: *Cell function and disease.* Nova York: Springer; 1988. p. 209-18.
48) Smith MI, Yatsunenko T, Manary MJ, Trehan I, Mkakosya R, Cheng J, et al. Gut microbiomes of Malawian twin pairs discordant for kwashiorkor. *Science.* 2013;339(6119):548-54.
49) Ruel G, Shi Z, Zhen S, Zuo H, Kröger E, Sirois C, Lévesque JF, Taylor AW. Association between nutrition and the evolution of multimorbidity: the importance of fruits and vegetables and whole grain products. *Clin Nutr.* 2014;33(3):513-20.
50) Supic G, Jagodic M, Magic Z. Epigenetics: a new link between nutrition and cancer. *Nutr Cancer.* 2013;65(6):781-92.
51) Suzuki R, Iwasaki M, Hara A, Inoue M, Sasazuki S, Sawada N, et al. Fruit and vegetable intake and breast cancer risk defined by estrogen and progesterone receptor status: the Japan Public Health Center-based Prospective Study. *Cancer Causes Control.* 2013;24(12):2117-28.
52) Thongprakaisang S, Thiantanawat A, Rangkadilok N, Suriyo T, Satayavivad J. Glyphosate induces human breast cancer cells growth via estrogen receptors. *Food Chem Toxicol.* 2013;59:129-36.
53) Tollefsbol TO. Dietary epigenetics in cancer and aging. *Cancer Treat Res.* 2014;159:10.1007/978-3-642-38007-5_15.
54) Trutschnigg B, Kilgour RD, Morais JA, Lucar E, Hornby L, Molla H, Vigano A. Metabolic, nutritional and inflammatory characteristics in elderly women with advanced cancer. *J Geriatr Oncol.* 2013;4(2):183-9.
55) Turner ND, Ritchie LE, Bresalier RS, Chapkin RS. The microbiome and colorectal neoplasia: environmental modifiers of dysbiosis. *Curr Gastroenterol Rep.* 2013;15(9):346.
56) Vormann J. *Säure-Basen Balance.* Munique: Gräfe und Unzer Verlag; 2008.
57) World Health Organization [homepage na internet]. Tobacco. Jun 2016 [acesso em 10 jan 2017. Disponível em: http://www.who.int/mediacentre/factsheets/fs339/en/

Capítulo 6 – O terreno biológico

1) Béchamp A. Sur la fermentation alcoolique. *Compt Rend.* 1864;58:601-5.
2) Béchamp A. Du rôle de la craie dans les fermentations butyrique et lactique, et des organismes actuellement vivants qu'elle contient. *Compt Rend.* 1866;63:451-5.
3) Béchamp A. Lettre adressée à M. le Président, au sujet de la communication faite par M. Pasteur le 29 avril dernier. *Compt Rend.* 1867;64:1042-3.
4) Béchamp A. *Les Microzymas: L'hétérogénie, l'histogénie, la physiologie et la pathologie.* Paris: Librairie J.-B. Baillière; 1883.
5) Béchamp A. *Louis Pasteur: ses plagiats chimicophysiologiques et medicaux.* Paris: Chez l'auteur; 1903.
6) Béchamp A. *The blood and its third element.* [S. l.]: Review Press; 2002.
7) Béchamp A, Estor A. De l'origine et du développement des bactéries. *Compt Rend.* 1868;66:859-63.
8) Bernard C. *Lectures on the phenomena of life common to animals and plants.* Springfield: Charles C Thomas Publ; 1974.
9) Bernard C. *Experimental medicine.* Piscataway: Transaction Publishers; 1999.
10) Blaser M. *Missing microbes: how the overuse of antibiotics is fueling our modern plagues.* Nova York: Henry Holt and Co; 2014.
11) Blecker M. *Blood examination in darkfield according to Professor Dr. Günter Enderlein.* Hoya: Semmelweis-Verlag; 1993.
12) Collen A. *10% humano.* Rio de Janeiro: Sextante; 2016.
13) Costantini A. *Etioloty and prevention of prostate cancer.* Freiberg: Johann Friedrich Oberlin Verlag; 1994. (The fungalbionic book).
14) Cousens G. *Rainbow green live-food cuisine.* Berkeley: North Atlantic Books; 2003.
15) Hesse Z. *Therapiehandbuch – Dunkelfeld-Blutdiagnostik.* Datteln: MediNostik-Verlag; 2012.
16) Hume D. *Béchamp or Pasteur: a lost chapter in the history of biology.* Whitefish: Kessinger Publishing; 2010.
17) Jerome T. *Claude Bernard, father of experimental medicine.* Nova York: Dial Press; 1968.
18) Kellman R. *The microbiome diet.* Boston: Da Capo Lifelong Books; 2015.
19) Manchester KL. Louis Pasteur, fermentation and a rival. *S Afr J Sci.* 2007;103(9-10):377-80.

20) Maturana H, Varela FJ. *A árvore do conhecimento*. São Paulo: Palas Athena; 2010.
21) Metchnikoff II. *The prolongation of life: optimistic studies*. Nova York: Springer Pub Co; 2004.
22) Murphy G, Blake A. *Invincible microbe: tubercullosis and the never-ending search for a cure*. Boston: HMH Books for Young Readers; 2015.
23) Pasteur L. Mémoire sur la fermentation alcoolique. *Compt Rend*. 1857;45:1032-6.
24) Schwerdtle C, Arnoul F. *Einführung in die Dunkelfelddiagnostik Die Untersuchung des Nativblutes nach Prof Dr Günther Enderlein*. Hoya: Semmelweis Institut; 1993.
25) Sheldrake R. *Morphic resonance: the nature of formative causation*. Rochester: Inner Traditions Bear Co; 2009.
26) Trebing WP. *Good bye germ theory: ending a century of medical fraud*. Atlanta: ExLibris; 2004.
27) Verissimo E. *O tempo e o vento*. São Paulo: Companhia das Letras; 2013.
28) Weigel G. *Dunkelfeld Vital-Blut Untersuchung*. Hoya: Semmelweis Institut; 2016.

Capítulo 7 – Terra

1) Agenda Gotsch. Life in synthropy [Vídeo]. 2 dez 2015. [acesso em 10 jan 2017] [15'28"]. Disponível em: https://www.youtube.com/watch?v=gSPNRu4ZPvE.
2) Alisson E. São Paulo company named among the most innovative worldwide. *FAPESP* [periódicos na internet]. Mar 2012 [acesso em 10 jan 2017]. Disponível em: http://agenciafapespbr/en/15328.
3) Ben-Arye E, Goldin E, Wengrower D, Stamper A, Kohn R, Berry E. Wheat grass juice in the treatment of active distal ulcerative colitis: a randomized double-blind placebo-controlled trial. *Scand J Gastroenterol*. 2002;37(4):444-9.
4) Benbrook C. Genetically engineered crops and pesticide use in the United States: the first nine years. *Bio Tech Info Net*. 2004;7:1-54.
5) *Blue gold: world water wars* [DVD]. Diretor: Sam Bozzo. EUA: Purple Turtle Films; 2008.
6) Bull D, Hathaway D. *Pragas e venenos: agrotóxicos no Brasil e no Terceiro Mundo*. Petrópolis: Vozes; 1986.
7) Caccia Bava S. Alimentos contaminados. *Le Monde Diplomatique Brasil* [periódicos na internet]. abr 2010 [acesso em 10 jan 2017];3(33). Disponível em: http://diplomatique.org.br/edicao-33/.

8) Caesar-Tonthat TC. Soil binding properties of mucilage produced by a basidiomycete fungus in a model system. *Mycological Research.* 2002;106(8):930-7.
9) Cohen SN, Chang AC, Boyer HW, Helling RB. Construction of biologically functional bacterial plasmids in vitro. *Proc Natl Acad Sci USA.* 1973;70(11):3240-4.
10) Corrêa Neto NE, Messerschmidt NM, Steenbock W, Monnerat PF. Agroflorestando o mundo de facão a trator: gerando praxis agroflorestal em rede. Barra do Turvo: Associação dos Agricultores Agroflorestais de Barra do Turvo e Adrianópolis; 2016 [acesso em 10 jan 2017]. Disponível em: https://issuu.com/andriemarchese/docs/agroflorestando_o_mundo_de_fac__o_a.
11) Cousens G. *Conscious eating.* Berkeley: North Atlantic Books; 2000.
12) Elo S, Maunuksela L, Salkinoja-Salonen M, Smolander A, Haahtela K. Humus bacteria of Norway spruce stands: plant growth promoting properties and birch, red fescue and alder colonizing capacity. *FEMS Microbiol Ecol.* 2000;31(2):143-52.
13) Fornari E. *Novo manual de agricultura alternativa.* Piraquara: Sol Nascente; 1989.
14) Freese W, Shubert D. Safety testing and regulation of genetically enginereed foods. *Biotechnol Genet Eng Rev.* 2004;21:299-324.
15) Garcia-Garcia E. Agrotóxicos: o Brasil envenenado. *Le Monde Diplomatique Brasil* [periódicos na internet]. abr 2010 [acesso em 10 jan 2017];3(33). Disponível em: http://diplomatique.org.br/edicao-33/.
16) Gonzalez AP, Beermann MA. Da terra ao homem: as bases agrárias do modelo biogênico em saúde. In: Liimaa W, organizador. *Pontos de mutação na saúde.* São Paulo: Aleph; 2014.
17) Gonzalez AP, Beermann MA, Olivatti FN. Modelo de saúde estruturado na natureza: bases docentes e assistenciais. In: Liimaa W, organizador. *Pontos de mutação na saúde.* vol 2. Jaboatão dos Guararapes: Salto Quântico; 2011.
18) Guillette EA, Meza MM, Aquilar MG, Soto AD, Garcia IE. An anthropological approach to the evaluation of preschool children exposed to pesticides in Mexico. *Environ Health Perspect.* 1998;106(6):347-53.
19) Hansen M. Allergy Risks from Genetically Engineered Foods. *Organic Consumers Association,* 2005. [acesso em 30 jan 2017]. Disponível em: http://www.organicconsumers.org/

20) Heiney A. Nasa [homepage na internet] Farming for the future. Aug 2004 [acesso em 10 jan 2017]. Disponível em: https://www.nasa.gov/missions/science/biofarming.html.
21) Holzapfel WH, Schillinger U. Introduction to pre- and probiotics. *Food Res Intern*. 2002;35(2-3):109-16.
22) Instituto Brasileiro de Defesa do Consumidor [homepage na internet]. Mesa-redonda debate resíduos de agrotóxicos em alimentos. Abr 2010 [acesso em 10 jan 2017]. Disponível em: http://wwwidecorgbr/em-acao/em-foco/mesa-redonda-debate-residuos-de-agrotoxicos-em-alimentos.
23) Kikuchi R. Deacidification effect of the litter layer on forest soil during snowmelt runoff: laboratory experiment and its basic formularization for simulation modeling. *Chemosphere*. 2004;54:1163-9.
24) Lehmann J, Kern DC, Glaser B, Woods WI, editores. *Amazonian dark earths: origin, properties, management*. Nova York: Springer; 2004.
25) Mazmanian SK, Round JL, Kasper DL. A microbial symbiosis factor prevents intestinal inflammatory disease. *Nature*. 2008;453(7195):620-5.
26) Me, myself, us. *The Economist* [periódicos na internet]. Aug 2012 [acesso em 10 jan 2017]. Disponível em: http://www.economist.com/node/21560523.
27) Notícias Agricolas [homepage na internet]. Produtores de Mato Grosso apostam na soja convencional para aumentar renda. Mar 2013 [acesso em: 10 jan 2017]. Disponível em: http://wwwnoticiasagricolascombr/noticias/soja/119161.
28) *O veneno está na mesa* [filme documentário]. Direção: Silvio Tendler. Rio de Janeiro: Caliban Filmes; 2011.
29) Olness A, Archer D. Effect of organic carbon on available water in soil. *Soil Science*. 2005;170:90-101.
30) Padalia S, Drabu S, Raheja I, Gupta A, Dhamija M. Multitude potencial of wheatgrass juice (Green Blood): an overview. *Chron Young Sci* 2010;1(2):23-8.
31) Palma D. Agrotóxicos em leite humano de mães residentes em Lucas do Rio Verde – MT. Cuiabá. Dissertação [Mestrado em Saúde Coletiva] – Instituto de Saúde Coletiva da UFMT; 2011.
32) Pinheiro S, Youssef N, Luz D. *A agricultura ecológica e a máfia dos agrotóxicos no Brasil*. Poá: Fundação Juquira Candirú; 1993.
33) Pollan M. A planta inteligente: cientistas debatem um novo modo de entender a flora. Revista *Piauí* [periódicos na internet] 2014 [acesso em 10 jan 2017]. Disponível em: http://piaui.folha.uol.com.br/materia/a-planta-inteligente/

34) Popp FA. *Biologie des Lichts*. Berlim-Hamburgo: Verlag Paul Parey; 1984.
35) Popp FA. Biophotons and their regulatory role in cells. *Frontier Perspectives*. 1998;7:13-22.
36) Primavesi AM. *Manejo ecológico do solo*. São Paulo: Nobel; 1980.
37) Robin MM. *The world according to Monsanto: pollution, corruption, and the control of our food supply*. Nova York: The New Press; 2012.
38) Rogers P. Comprehensive water resources management: a concept paper. *Policy Research Working Paper*. 1992;879:1-23.
39) Smith JM. *Roleta genética: riscos documentados dos alimentos transgênicos sobre a saúde*. São Paulo: João de Barro; 2009.
40) Steenbock W, Costa e Silva L, Silva RO, Rodrigues AS, Perez-Cassarino J, Fonini R, organizadores. *Agrofloresta, ecologia e sociedade*. Curitiba: Kairós; 2013.
41) Szalay A. Cation exchange properties of humic acids and their importance in the geochemical enrichment of UO2++ and other cations. *Geoch Cosmoch Acta*. 1964;28(10):1605-14.
42) The Center for Media and Democracy [homepage na internet]. Genetically modified organisms [acesso em 10 jan 2017]. Disponível em: http://wwwsourcewatchorg/indexphp/Genetically_Modified_Organisms.
43) Vázquez-Padrón RI, Moreno-Fierros L, Neri-Bazán L, de la Riva GA, López-Revilla R. Intragastric and intraperitoneal administration of Cry1Ac protoxin from Bacillus thuringiensis induces systemic and mucosal antibody responses in mice. *Life Sci*. 1999;64(21):1897-912.
44) Velirimov A, Binter C. Biological effects of transgenic maize NK603xMON810 fed in long term reproduction studies in mice. *Forschungsberichte der Sektion IV Band* 3/2008.
45) Vreeken-Buijs MJ, Hassink J, Brussaard L. Relationships of soil microarthropod biomass with organic matter and pore size distribution in soils under different land use. *Soil Biology and Biochemistry*. 1998;30:97-106.
46) Wikipédia [homepage na internet]. Convenção de Estocolmo sobre poluentes orgânicos persistentes [acesso em 10 jan 2017]. Disponível em: https://pt.wikipedia.org/wiki/Conven%C3%A7%C3%A3o_de_Estocolmo.

Anexo I – Modelo Biogênico

1) Agência Nacional de Vigilância Sanitária (Anvisa). *Guia de bolso do consumidor saudável*. Brasília: Anvisa; 2003.
2) Andlauer W, Fürst P. Nutraceuticals: a piece of history, present status and outlook. *Food Res Intern*. 2002;35:171-6.
3) Belisle F, Blundell JE, Dye L, Fantino M, Fern E, Fletcher RJ, et. al. Functional food science and behaviour and physiological functions. *Br J Nutr*. 1998;80 Suppl. 1:S173-93.
4) Ministério da Saúde. *Política nacional de alimentação e nutrição*. Brasília: Ministério da Saúde; 2006.
5) Brasil. Lei nº 8.080, de 19 de setembro de 1990. Dispõe sobre as condições para a promoção, proteção e recuperação da saúde, a organização e o funcionamento dos serviços correspondentes e dá outras providências. Diário Oficial da União 20 set 1990; Seção 1:18055.
6) Wikipédia [homepage na internet]. Programa de Saúde da Família [acesso em 10 jan 2017]. Disponível em: pt.wikipedia.org/wiki/Programa_Saúde_da_Família.
7) Brasil. Decreto nº 7.272 de 25 de agosto de 2010. Regulamenta a Lei no 11.346, de 15 de setembro de 2006, que cria o Sistema Nacional de Segurança Alimentar e Nutricional – SISAN – com vistas a assegurar o direito humano à alimentação adequada, institui a Política Nacional de Segurança Alimentar e Nutricional – PNSAN –, estabelece os parâmetros para a elaboração do Plano Nacional de Segurança Alimentar e Nutricional, e dá outras providências. Diário Oficial da União 26 ago 2010; Seção 1:6.
8) Cousens G. *Conscious eating*. Berkeley: North Atlantic Books; 2000.
9) Cousens G. *Rainbow green live-food cuisine*. Berkeley: North Atlantic Books; 2003.
10) Cousens G. *There is a cure for diabetes: the tree of life 21-days + program*. Berkeley: North Atlantic Books; 2008.
11) Defelice SL.The nutraceutical initiative: a recommendation for U.S. economic and regulatory reforms. *Genet Engin News*. 1992;22:13-15.
12) *Comitee on Medical Aspects of Food and Nutrition Policy*. Washington, D.C.: Department of Health; 1982.
13) Farfan JA. Funcionais mais disponíveis à população. In: Anais do 13. Encontro Nacional de Analistas de Alimentos: Novas tecnologias em alimentos, impactos e riscos à saúde; 2002; MR12.

14) Garcia AL, Koebnick C, Dagnelie PC, Strassner C, Elmadfa I, Katz N, et al. Long-term strict raw food diet is associated with favourable plasma beta-carotene and low plasma lycopene concentrations in Germans. *Br J Nutr*. 2008;99(6):1293-300.
15) Gittelman AL. *Beyond probiotics: the revolutionary discovery of a missing link in our immune system*. Nova York: McGraw-Hill; 1998.
16) Jubb D. *Jubbs cell rejuvenation: colloidal biology: a symbiosis*. Berkeley: North Atlantic Books; 2006.
17) Levine SA, Kidd PM. Antioxidant adaptation: a unified disease theory. *J Orthom Psych*. 1985;14(1):19-38.
18) Mathan A, Baker SJ. Vitamin B12: synthesis by human intestinal bacteria. *Nature*. 1980;80:781-2.
19) Orr DW. *Ecological literacy: education and the transition to a post modern world*. Albany: Suny Press; 1992.
20) Orr DW. *Earth in mind: on education, environment, and the human prospect*. Washington D.C.: Island Press; 2004.
21) Poppendieck J. *Free for all: fixing school food in America*. Oakland: University of California Press; 2010.
22) Salminen CL. Functional food science and gastrointestinal physiology and function. *British J Nutr*. 1998;80(Suppl. 1):S147-71.
23) Saris EC. Functional food science and substrate metabolism. *British J Nutr*. 1998;80(Suppl. 1):S47-75.
24) Shane H. *Organic farming, food quality and human health: a review of the evidence*. Bristol: Soil Association; 2001.
25) Simões CCS. *Estimativas da mortalidade infantil por microrregiões e municípios*. Brasília: Ministério da Saúde/ Secretaria Executiva/ Secretaria de Políticas de Saúde; 1999.
26) Smith AG, Williams DR. *Ecological education in action: on weaving education, culture, and the environment*. Albany: Suny Press; 1999.
27) Torquato MT, Montenegro Júnior RM, Viana LA, de Souza RA, Lanna CM, Lucas JC, et al. Prevalence of diabetes mellitus and impaired glucose tolerance in the urban population aged 30-69 years in Ribeirão Preto (São Paulo). *São Paulo Med J*. 2003;121(6):224-30.
28) World Health Organization [homepage na internet]. Diabetes [acesso em 10 jan 2017]. Disponível em: www.who.int/diabetes/en/.
29) XVII Congresso Brasileiro de Diabetes da Sociedade Brasileira de Diabetes; 2009 nov 18-21; Fortaleza, CE.
30) Zajic L. *Raw food diet study: an investigation of over 500 people who have eaten a raw food diet for over 2 years*. Fairfield: The Yowa Source; 2006.

Anexo I
Modelo Biogênico

Pés no chão e mãos à obra

Eu ainda era menino quando, como parte do currículo do colégio, tive que ler o maravilhoso clássico *Memórias póstumas de Brás Cubas*, de Machado de Assis. Obviamente, ainda não tinha a capacidade de compreender as ironias e as sutis conotações que o maravilhoso escritor carioca era capaz de trazer ao leitor. Porém, ficaram em minha memória a busca incessante desse personagem por um emplasto que a tudo curaria e o seu ideal burguês de "vencer na vida" através do subsequente sucesso empresarial: o "emplasto Brás Cubas". Na verdade, o suposto emplasto foi seu último projeto, que, como todos os outros, não teve sucesso. Ironicamente, a conclusão do plano foi impedida pela morte do protagonista, que contraiu pneumonia ao sair de casa para patentear seu milagroso invento.

Na verdade, Machado mexe com uma ferida de todos nós. O ideal heroico (e egoico) de curar todas as doenças atinge nos países católicos uma conotação divina. Nosso mestre Jesus era, Ele próprio, um curador. Assim, o ato de conseguir a "vacina", o "remédio" ou o "emplasto" que cure todos os males é, na verdade, um sonho compartilhado por milhares de pessoas. E isso inclui médicos e cientistas. Ganhar um prêmio Nobel é uma conquista não apenas de um cientista, mas de uma sociedade avançada e organizada.

É algo trazido também por Cervantes, no clássico da língua espanhola *Dom Quixote*. A história do cavaleiro medieval ibérico, seu cavalo esquálido e seu assistente gordinho que ao final de todas as desventuras leva a um nada absoluto, é o arquétipo insone de todo empreendedor. E na área da saúde, muitos sonhos se desvaneceram após vidas de dedicação.

Mas, afinal, essa é a natureza humana, e o sonho é o combustível de todo pesquisador. De alguma forma esse sonho também me perseguiu: encontrar uma solução para curar as doenças de fato. Esse foi o ideal que me levou a estudar medicina, embora confesse que tinha grande tendência para seguir agronomia. E eis que na vida adulta percebo que o tal "emplasto Brás Cubas" não existiu e nunca existirá. Não é o suco verde, a terapia X ou a maravilha curativa de dr. Fulano que irá curar a doença do homem.

Na verdade, a abordagem é bem mais ampla. Mas como poderemos protocolar um método que possa atender pelo menos à grande maioria das pessoas que hoje estão sendo afetadas pelos mais diversos tipos de doenças degenerativas, neurológicas, cardiovasculares, celulares, autoimunes, inflamatórias, endócrinas?

Depois de todas as argumentações contidas nos capítulos anteriores, sinto-me apto a transmitir aos leitores o que considero um modelo inovador em saúde. Tal modelo não é fácil de implementar, porque suas bases não são necessariamente técnicas ou médicas, mas muito mais humanísticas e culturais, além do fato de que caminha na contramão do *modus operandi* da medicina, da nutrição e da agricultura.

O Modelo Biogênico nada mais é que um sistema de ideias e de pessoas que, concatenadas, alteram a cultura culinária e agrícola de determinada região. É um método. Se fosse um experimento científico, estaria descrito na seção "Materiais e métodos", e não na dos "Resultados". Uma vez aplicado em diferentes lugares e municípios, ele passará a apresentar resultados que serão detectáveis nas áreas de agronomia, biologia, microbiologia, nutrição, economia, medicina, ciências políticas e sociais.

Esse modelo não se apresenta necessariamente como uma completa resolução da questão da saúde em termos amplos, mas como uma ferramenta que, se aplicada da forma aqui apresentada, poderá vir a produzir resultados bastante expressivos na resolução dos maiores problemas de saúde do Brasil e mesmo de outros países.

Mas, para isso, é necessário colocar os pés no chão, aquecer o coração e atirar-se na estrada.

Crise

O Tribunal de Contas da União divulgou resultados estarrecedores após uma inspeção no sistema público de saúde brasileiro. Foram constatados: insuficiência de leitos, superlotação, carência de profissionais de saúde, desigualdade na distribuição de médicos, falta de medicamentos e insumos hospitalares, equipamentos antiquados ou inexistentes, instalações inadequadas e falta de recursos tecnológicos.

Em julho de 2013, as muitas manifestações de rua que aconteceram no Brasil reivindicaram dos governos federal e estaduais e dos políticos em geral posições mais claras sobre dezenas de temas. Entre elas, destacou-se uma faixa que trazia a "necessidade de mais hospitais". Mas querer mais hospitais é o mesmo que querer mais asfalto e viadutos para uma quantidade cada vez maior de carros e engarrafamentos. É preciso repensar nosso modelo de desenvolvimento, nosso modelo econômico agrícola e nutricional, criador de exclusões e de doença.

Alguns números dão uma ideia da situação, segundo pesquisa de 2015 do Ministério da Saúde e do IBGE: 71 por cento dos brasileiros procuram o Sistema Único de Saúde (SUS) quando necessitam de atendimento em saúde; 55 por cento não vão ao dentista pelo menos uma vez ao ano; 28 por cento não têm plano de saúde ou odontológico; 41 por cento acima dos 60 anos perderam todos os dentes. Além disso, os medicamentos de distribuição gratuita estão começando a rarear. Em alguns casos, até dois terços dos proventos de um trabalhador podem ser gastos com remédios.

O Modelo Biogênico não se posiciona, em termos políticos, naquilo que podemos classificar como "esquerda" ou "direita". Como cidadãos, precisamos, no âmbito pessoal e no coletivo, ter coragem para mudar as estruturas acadêmicas dominantes e o modelo político e econômico de desenvolvimento dos municípios brasileiros. Nessa tomada de posição, aceitamos que o principal ator da mudança é o indivíduo e suas opções.

O que vamos abordar aqui nos leva a uma direção inequívoca de "menos hospitais" e até "menos médicos". Para que não tenhamos que nos submeter à situação emergencial de contratar médicos de outros países. Para que possamos recolocar os médicos brasileiros em seus devidos e honrados lugares – fazendo diagnósticos e prescrevendo tratamentos ou fazendo intervenções na recuperação da saúde de centenas de milhares de pessoas ao dia, o que já é uma tarefa árdua e muito nobre.

Assim, quando o Modelo Biogênico propõe a ideia de menos médicos, isso quer dizer menos médicos prescrevendo (a granel) substâncias químicas (a granel) para pacientes (a granel). Na verdade, nenhum de nós se formou para exercer essa atividade técnica monótona e estafante, mas, na falta de outro profissional, somos nós mesmos que passamos o dia inteiro prescrevendo alopatia – que, sabemos, não vai resolver nada no caso de doenças crônicas e degenerativas. Atuamos como técnicos, guiados por uma cartilha que, se seguida à risca, nos protege profissionalmente. Nunca encontraremos problemas ou dificuldades na profissão. Mesmo que, em muitos casos, a alopatia prescrita possa mais prejudicar do que melhorar a vida do paciente.

O modelo que mais se aproxima do Modelo Biogênico é o Programa de Saúde da Família (PSF), água da qual eu próprio bebi e que justifico plenamente. Passei alguns anos trabalhando dentro da metodologia do PSF e procurei introduzir na minha prática médica alguns dos métodos que menciono a seguir, mas encontrei vários obstáculos que não valem a pena mencionar aqui ou mesmo enfrentar. O PSF é um sistema, e como tal tem seus méritos e sua eficiência.

Por isso, nossa equipe optou por desenvolver um modelo paralelo, que envolve a sociedade como um todo, é autossustentável e contribui definitivamente com a redução do número de pacientes desnecessários. Considero desnecessários aqueles pacientes que nunca precisariam procurar serviços de saúde ou remédios alopáticos, pois se recuperariam plenamente apenas com o apoio logístico de alimentos saudáveis, metodologia central do Modelo Biogênico.

Convido o leitor a ler o texto a seguir com o coração aberto, pois cada detalhe mencionado vem imerso na intenção grata do amor. O resultado é uma proposta horizontal, que atinge todos os níveis de renda, selecionando seus participantes apenas pela consciência e adesão.

A FILOSOFIA DO MODELO BIOGÊNICO

A palavra "biogênico" vem do grego *bios* (vida) e *génesis* (criação, origem). Assim, o Modelo Biogênico busca inserir na sociedade contemporânea os elementos vitais – a vida – que faltam a ela, de forma a melhorar seu suprimento e seu aproveitamento de enzimas, vitaminas, precursores de neurotransmissores, exposição ao sol, atividade física, ar puro e boa respiração, água pura e boa hidratação, e contato com a natureza.

Na verdade, um modelo como esse nunca teria se tornado necessário caso a sociedade não tivesse se afastado tanto das suas fontes originais, não apenas no que se refere à alimentação, mas em todos os hábitos de vida.

Não se trata de um modelo que deva ser conduzido exclusivamente por médicos. Embora os profissionais de saúde tenham nele grande destaque por sua função educativa, assistencial e terapêutica, são os assistentes de saúde integral que exercem papel de protagonismo. De igual importância nessa abordagem são os produtores rurais e urbanos, e, logicamente, o grupo administrador.

Esse sistema se utiliza de elementos disponíveis na realidade que vivemos – comércio, bens de consumo, empresas, clientes. Mas trabalha dentro da lógica da teia da vida, na qual os assistentes de saúde e os protagonistas rurais e urbanos estão em contato direto com os receptores dessa prática, expressando a mensagem do movimento em todas as suas ações e valendo-se de grande capilaridade. O profissional de saúde graduado, seja ele nutricionista, fisioterapeuta, dentista ou médico, ocupa um lugar central nessa teia. Então, em cada unidade de atendimento, precisamos de apenas um profissional de capacitação terciária para um grande número de profissionais técnicos que trabalham em conjunto. Já quanto às práticas de troca financeira, o modelo se caracteriza por vínculos trabalhistas escassos, e a maior parte dos relacionamentos é formada por microempresários individuais, que trabalham em parceria multilateral com os outros protagonistas.

A dimensão de tais parcerias também assume forma biológica, na qual o ator "pequeno", de nível técnico, representado por um grande número de integrantes, não é considerado secundário em relação ao ator "grande", com formação universitária, representado por um grupo menor de indivíduos. O modelo respeita uma hierarquia de valores e de capacitações dentro de cada categoria, assim como estimula a produtividade em termos qualitativos e quantitativos de cada um dos seus membros. Assim, um pequeno com grande produtividade arrecada tanto quanto um grande. Em compensação, o grande dedica menos tempo às atividades do coletivo, podendo assumir outros níveis de trabalho dentro da rede. O fundamental é a possibilidade de se manterem relações saudáveis entre todos os integrantes da rede e todos os que dela se beneficiam.

Esse modelo, que pode ser entendido como de capitalismo inclusivo, segue as orientações do economista indiano C. K. Prahalad (1941-2010), descritas em seu livro *A riqueza na base da pirâmide: como erradicar a pobreza com o lucro*. Doutor em administração por Harvard e professor titular de um programa de MBA na Universidade de Michigan, nos Estados Unidos, Prahalad desenvolveu farto material teórico, tendo aplicado suas ideias com sucesso em cinquenta países. Voz única e rara na economia capitalista, ele propunha a redução de desigualdade social e o investimento nas camadas mais pobres da população, mas, curiosamente, com a intenção de lucro.

Esse tipo de prática não exclui a circulação do dinheiro, mas trata-o de forma que todos os envolvidos ganhem. Ganham aqueles que recebem um serviço ao qual nunca tiveram acesso por meio de instituições governamentais (higiene, saúde, móveis e eletrodomésticos e construção, por exemplo). Ganham também todos aqueles que prestam serviço seguindo as regras do comércio justo. A administração da rede também trabalha com o objetivo de lucro – mas não um lucro desmedido, como ocorre no capitalismo convencional, cujas regras levam a uma grande concentração de renda e fazem com que o pagamento por um bem ou serviço seja muito superior ao custo de sua produção, haja vista a presença de um grande número de atravessadores do sistema.

O Modelo Biogênico não se regozija com o precário alheio ou com o lucro excessivo individual, mas se alegra com o lucro moderado e eficiente de todos os seus atores, que possa constantemente ser rediscutido e redistribuído, sobretudo na melhora das condições rurais e urbanas e mesmo de outros aspectos do sistema. É uma forma de organização biológica complexa, que requer um diálogo amplo e frutífero entre todos os setores envolvidos. Além disso, conta com ferramentas tecnológicas modernas, como a informatização, para seu pleno funcionamento e controle, permitindo a transparência, a eficiência da circulação de produtos e a prosperidade do fluxo financeiro.

Outra característica do Modelo Biogênico é não se identificar com qualquer tipo de prática paternalista, considerando-a criadora de uma dependência que impede o livre fluir da consciência na obtenção de produtos ou mesmo em sua utilização.

Os indivíduos e famílias envolvidos nesse modelo devem compreender que os pagamentos que fazem pelos alimentos recebidos semanalmente serão direcionados aos agentes de saúde integral e sobretudo aos agricultores, que produzem em maior escala os alimentos que são a fonte de saúde para todos os que fazem parte do sistema.

Venho divulgando a base teórica do Modelo Biogênico há alguns anos, na forma de artigos apresentados em congressos e em publicações médicas da área de saúde pública. Mas somente agora, em 2017, será iniciada a implantação prática desse paradigma de saúde integral, nos municípios de Ribeirão Grande, Guapiara, Capão Bonito e Itapeva, todos eles vizinhos, no interior do estado de São Paulo.

Uma vez implantado e mostrando-se eficiente em suas metas, o modelo poderá se propagar para outras cidades próximas. Está nos nossos planos instruir, com formação teórica e prática, outros grupos interessados, de ecovilas a empresas, de municípios a países inteiros.

Modelo de saúde estruturado na natureza: bases docentes e assistenciais

A Lei nº 11.346, de 2006, criou o Sistema Nacional de Segurança Alimentar e Nutricional (Sisan), com vistas a assegurar o direito humano à alimentação adequada, instituiu a Política Nacional de Segurança Alimentar e Nutricional (PNSAN) e estabeleceu os parâmetros para a elaboração do Plano Nacional de Segurança Alimentar e Nutricional.

Entre as muitas providências estabelecidas por essa lei, destacam-se as seguintes:

1 fortalecimento das ações de alimentação e nutrição em todos os níveis da atenção à saúde, de modo articulado às demais ações de segurança alimentar e nutricional;
2 promoção do acesso universal à água de qualidade e em quantidade suficiente, com prioridade para as famílias em situação de insegurança hídrica e para a produção de alimentos da agricultura familiar, da pesca e da aquicultura; e
3 promoção de sistemas sustentáveis de base agroecológica, de produção e distribuição de alimentos que respeitem a biodiversidade e fortaleçam a agricultura familiar, os povos indígenas e as comunidades tradicionais

e que assegurem o consumo e o acesso à alimentação adequada e saudável, respeitada a diversidade da cultura alimentar nacional.

Seguindo a recomendação da OMS de atualizar periodicamente as orientações sobre alimentação adequada e saudável, o Ministério da Saúde lançou em 2014 uma nova edição do *Guia alimentar para a população brasileira*. Segundo a publicação, "a alimentação adequada e saudável é um direito humano básico que envolve a garantia ao acesso permanente e regular, de forma socialmente justa, a uma prática alimentar adequada aos aspectos biológicos e sociais do indivíduo e que deve estar em acordo com as necessidades alimentares especiais; ser referenciada pela cultura alimentar e pelas dimensões de gênero, raça e etnia; acessível do ponto de vista físico e financeiro; harmônica em quantidade e qualidade, atendendo aos princípios da variedade, equilíbrio, moderação e prazer; e baseada em práticas produtivas adequadas e sustentáveis".

O guia informa ainda que "a diretriz de promoção da alimentação adequada e saudável compreende um conjunto de estratégias que objetivam proporcionar aos indivíduos e coletividades a realização de práticas alimentares apropriadas. Essa diretriz também é uma prioridade na Política Nacional de Promoção da Saúde, e, como tal, deve ser implementada pelos gestores e profissionais do Sistema Único de Saúde em parceria com atores de outros setores, privilegiando a participação popular".

Desnutrição e doenças crônicas

O binômio desnutrição/infecção, que afeta principalmente as crianças pobres nas regiões de atraso econômico e social, vem sendo objeto de estudos que sugerem que o Brasil vem conseguindo avanços importantes na redução de seus níveis, apesar das desigualdades regionais que ainda persistem quanto a esses indicadores.

Inexiste, no entanto, em um segundo grupo populacional, uma divisão clara entre as medidas institucionais específicas de nutrição e de intervenções convencionais de saúde, devido a uma deficiência de estudos que caracterizem os desvios alimentares e nutricionais, e o desenho de condutas que previnam a instalação e a evolução de enfermidades características desse grupo, como sobrepeso e obesidade, diabetes, doenças cardiovasculares e algumas afecções neoplásicas, que costumam se manifestar em adultos e pessoas de idade mais avançada, embora se reconheça que muitos desses problemas já afetam a infância.

Segundo informou a Sociedade Brasileira de Diabetes (SBD), em congresso realizado em 2009, os casos dessa doença têm aumentado nas últimas décadas em proporções epidêmicas. No Brasil, o último Censo Nacional de Diabetes, realizado em 1988, indicava uma prevalência média de 7,6 por cento na população urbana entre 30 e 69 anos, e 7,8 por cento nessa mesma faixa etária com tolerância diminuída à glicose. Já um estudo regional realizado em Ribeirão Preto e publicado em 2003 estimava que o número de brasileiros com a enfermidade era de 10.294.200. Hoje, não há estatísticas reais sobre o diabetes entre nós. Mas, segundo a OMS, o número de mortes por diabetes tende a duplicar até 2030, quando somente no Brasil terão sido gastos 50 bilhões de reais com controle, tratamento primário, tratamento de complicações, invalidez permanente e óbitos de pacientes diabéticos em idade economicamente ativa. Mais de 80 por cento das mortes por diabetes ocorrem em países de pequeno e médio desenvolvimento.

A Federação Internacional de Diabetes (IDF) calcula que há no mundo aproximadamente 285 milhões de diabéticos, o que representa quase 7 por cento da população do planeta. A estimativa é que esse número aumente para 438 milhões de pessoas em 2030. A cada ano, mais 7 milhões de pessoas desenvolvem a doença. Estudos populacionais realizados pela FDA demonstraram evidente correlação entre o consumo de proteínas animais e gorduras saturadas (carnes e laticínios) e alimentos refinados (farináceos cozidos ou fritos) e doenças degenerativas de incidência mais dramática, como o câncer, a hipertensão arterial e o diabetes, responsáveis, juntos, pela morte de 1 milhão de pessoas anualmente, só nos Estados Unidos.

No Brasil, figuram entre as prioridades do Ministério da Saúde a atualização da cartografia dos problemas alimentares e nutricionais do país, a análise dos fatores de risco das endemias nutricionais de importância epidemiológica e a formulação de proposição, avaliação e validação de modelos de intervenção, considerando os aspectos referentes à eficácia, à efetividade e à relação custo-benefício. O maior obstáculo sempre é representado pelo orçamento restrito na área da saúde.

Desenvolvimento e capacitação de recursos humanos

A Lei nº 8.080, de 1990, determinou a criação de comissões permanentes de integração entre os serviços de saúde e as instituições de ensino profissional e superior, com a finalidade de desenvolver a capacitação de pessoal técnico e de nível superior em novas estratégias de saúde.

No que se refere ao Modelo Biogênico, especificamente, a capacitação buscará preparar pessoas para realizar atividades que incluem: esquemas de divulgação e minipalestras focalizadas; eleição de beneficiários e seu acompanhamento na unidade do Modelo Biogênico; estabelecimento de oficinas culinárias com aplicação de conhecimentos teóricos simples; fidelização dos indivíduos à prática do Modelo Biogênico; entendimento dos fluxos de valores e de energia; entrega de cestas semanais; comunicação da adesão de novos indivíduos ao modelo, com o respectivo aumento de demanda agrícola; e identificação de casos que requeiram condições alimentares e nutricionais especiais e atendimento médico mais efetivo.

Ressalta-se, ainda, a importância do estabelecimento de linhas de pesquisa em alimentos funcionais sobre a saúde humana e também sobre a saúde da terra e a qualidade do alimento, devido à grande ênfase que o tema vem recebendo em vários níveis do conhecimento científico e médico.

ALIMENTOS FUNCIONAIS

São definidos como funcionais os alimentos que, além do seu valor nutritivo intrínseco, têm um impacto positivo na saúde do indivíduo, tanto no plano físico quanto no mental. O Modelo Biogênico irá explorar alimentos *in natura* ou desidratados – ou seja, não processados em forma de cápsulas, tabletes ou extratos congelados – derivados de ingredientes de ocorrência natural, que serão indicados para consumo como parte da dieta diária.

O objetivo é oferecer a um grupo populacional alimentos de alta qualidade biológica e frescor, capazes de interferir na epigenética quando consumidos diariamente, regulando processos vitais específicos, como a reversão do diabetes e de doenças cardiovasculares; a prevenção e o auxílio na remissão do câncer; a eliminação do excesso de medicação; a redução da pressão arterial e dos níveis de colesterol; a perda ou a manutenção do peso; a manutenção da força e da saúde dos ossos; a eliminação das artroses; o rejuvenescimento da pele; a eliminação do refluxo esofágico e de problemas gastrintestinais; a redução da progressão da degeneração cerebral e a recuperação do estado de energia.

Artigos recentes de publicações especializadas em nutrição comprovam, de forma categórica, os efeitos na saúde humana da probiótica, da prebiótica e da simbiótica, dos fitoquímicos antioxidantes, dos lipídios estruturados e dos ácidos graxos poli-insaturados, dos peptídeos bioativos, das fibras da dieta, dos elementos minerais e dos oligoelementos.

O presente estado de conhecimento sobre alimentos funcionais representa, sem dúvida, um grande desafio para nutricionistas e médicos. A autoridade médica pública já considera a prevenção e o tratamento com fitonutrientes um poderoso instrumento na manutenção da saúde e na ação contra doenças crônicas e agudas determinadas por alimentos. Eles são determinantes de saúde excelente, longevidade e qualidade de vida. É importante salientar que a prática com alimentos funcionais deve ser patrimônio da população, em todos os níveis de renda, e não de empresas do ramo alimentício, ávidas por um novo filão de lucros.

ALFABETIZAÇÃO ECOLÓGICA E PRÁTICA DO PROJETO ECOLÓGICO

A ecologia – palavra que tem origem no grego *oikos*, que significa "casa", e *logos*, que significa "estudo" ou "reflexão" – é o estudo das interações dos seres vivos entre si e com o meio ambiente. É, por extensão, o estudo da casa, ou, de forma mais genérica, do lugar onde se vive.

Podemos considerar o corpo a casa de cada ser humano, como uma extensão do meio ambiente externo. As ciências da saúde e as ciências sociais vêm aprofundando estudos sobre as mais diversas situações provenientes da interação do homem com seu ambiente biopsicossocial. São as características dessas interações que determinam para o homem e a sociedade um estado de saúde ou de desequilíbrio.

Recomendações sobre alimentação devem levar em conta o impacto causado pelas formas de produção e distribuição dos alimentos. Dependendo de suas características, o sistema de produção e distribuição dos alimentos pode promover justiça social e proteger o ambiente ou, ao contrário, gerar desigualdades sociais e ameaças aos recursos naturais e à biodiversidade.

Os aspectos que definem o impacto social do sistema alimentar incluem: o tamanho e o uso das propriedades rurais que produzem os alimentos; a autonomia dos agricultores na escolha de sementes, fertilizantes e formas de controle de pragas e doenças; as condições de trabalho e a exposição a riscos ocupacionais; o papel e o número de intermediários entre agricultores e consumidores; a capilaridade do sistema de comercialização; a geração de oportunidades de trabalho e renda ao longo da cadeia alimentar; e a partilha justa do lucro gerado pelo sistema entre capital e trabalho.

Em relação ao impacto ambiental de diferentes formas de produção e distribuição dos alimentos, há que se considerar aspectos como as técnicas empregadas para a conservação do solo; o uso de fertilizantes orgânicos; o plantio de sementes convencionais; o controle biológico ou químico de pragas e doenças; a criação com métodos humanos de animais e insetos; a rejeição ao uso de antibióticos, pesticidas, fungicidas ou herbicidas em área livre de transgênicos; a produção e o tratamento de dejetos e resíduos; a conservação de florestas e da biodiversidade; o grau e a natureza do processamento dos alimentos; a redução da distância entre produtores e consumidores; os meios de transporte; e a água e a energia consumidas ao longo de toda a cadeia alimentar.

Recentemente, na maior parte do mundo, as formas de produzir e distribuir alimentos vêm se modificando de forma desfavorável para a distribuição social das riquezas e para a autonomia dos agricultores, a geração de oportunidades de trabalho e renda, a proteção dos recursos naturais e da biodiversidade e a produção de alimentos seguros e saudáveis. Estão perdendo força sistemas alimentares centrados na agricultura familiar, em técnicas tradicionais e eficazes de cultivo e manejo do solo, no uso intensivo de mão de obra, no cultivo consorciado de vários alimentos combinados ou não à criação de animais, no processamento mínimo dos alimentos realizado pelos próprios agricultores ou por indústrias locais e em uma rede de distribuição de grande capilaridade integrada por mercados, feiras e pequenos comerciantes.

Em seu lugar, surgem sistemas alimentares que operam baseados em monoculturas que fornecem matérias-primas para a produção de alimentos ultraprocessados ou para rações usadas na criação intensiva de animais da indústria do leite ou de carne. Esses sistemas dependem de grandes extensões de terra, do uso intensivo de mecanização, do alto consumo de água e de combustíveis, do emprego de fertilizantes químicos, sementes transgênicas, agrotóxicos e antibióticos, e, ainda, do transporte por longas distâncias. Completam esses sistemas alimentares grandes redes de distribuição com forte poder de negociação de preços no que se refere a fornecedores e a consumidores finais.

A inserção, na cultura alimentar, de práticas que procuram compreender e se alinhar com os parâmetros de uma ecologia do ambiente corporal e físico/externo/geográfico pode vir a ser determinante na promoção da saúde dos indivíduos e seus grupos familiares. É o que acontece com a adoção da alimentação baseada em plantas ou de alimentos funcionais, que orienta o indivíduo para uma reflexão crítica sobre seus hábitos alimentares, estimulando novas formas de preparo, sem contudo se chocar com eles. Ela sintetiza e disponibiliza, de forma didática e simples, o conhecimento sobre a relação existente entre saúde, nutrição e meio ambiente.

Nesse caso, a comunidade é ensinada a usar os alimentos funcionais através de técnicas simples de preparo, que permitem uma utilização inovadora dos ingredientes. Isso proporciona maior economia e aproveitamento energético dos alimentos, dos recursos naturais e também do próprio corpo, promovendo um "meio ambiente corporal" saudável (ou terreno biológico). A compreensão do terreno biológico saudável por meio da inserção de alimentos vegetais vivos na dieta e as técnicas de cultivo da horta orgânica e do jardim de brotos e sementes são a base da sustentabilidade dessa prática.

Marco zero: Ribeirão Grande/ Capão Bonito/Guapiara

Características gerais

As atividades de implantação prática do Modelo Biogênico serão desenvolvidas pela equipe da Oficina da Semente nesses municípios – uma área de planalto ondulado, que faz o preâmbulo para a descida, sem autoestradas, de extensa Mata Atlântica de altitude, na direção do mar, no litoral sul do estado de São Paulo. A região localiza-se a 24°00'21" de latitude *Sul* e a 48°20'58" de longitude *Oeste*, a uma altitude de 705 a 1.090 metros. A soma da população dos três municípios é de 71.000 habitantes. Capão Bonito é predominantemente urbana (80 por cento), enquanto nas outras duas cidades predomina a moradia em área rural (54 a 60 por cento). A densidade demográfica média da região é de 25 habitantes por quilômetro quadrado, a taxa de mortalidade infantil até 1 ano de idade é de 28 para cada mil nascimentos, a expectativa de vida é de 65 anos, com taxa de fecundidade de 2,73 filhos por mulher, e a taxa de alfabetização é de 88,4 por cento. A economia é voltada para a produção agrícola diversificada e a pecuária, indústrias madeireira, de celulose e papel e de cimento, e a mineração de granito, cuja variedade mais conhecida é o granito rosa Capão

Bonito. Esses municípios apresentam uma grande quantidade de pequenas propriedades e produtores familiares, assim como uma grande oferta de água pluvial e fluvial. O *Índice de Desenvolvimento Humano Municipal* (*IDHM*) atual é de 0,716, sendo o IDHM de renda 0,644, o IDHM de longevidade 0,673 e o IDHM de educação 0,83.

Objetivo geral

Executar as diretrizes governamentais quanto à assistência à população e à capacitação de pessoal da saúde, através de oficinas de perfil urbano e rural, usando práticas culinárias e agrícolas de alta funcionalidade e resolubilidade, como ponte cultural entre o meio ambiente, o indivíduo, sua cultura e a família.

Metodologia

Trata-se de uma pesquisa-ação que já conta com sete anos de aplicação. Pelo fato de sua fórmula de trabalho ter caráter inédito, não dispõe de referências, além da original de Foerster, aplicada na cibernética de segunda ordem: incluir a experiência direta no processo de construção, quebrando as regras tradicionais da pesquisa.

Do ponto de vista prático, extraíram-se dessa experiência pontos fundamentais para o desenvolvimento do programa. A metodologia e a discussão obtidas resultam das atuações do Programa de Saúde da Família de Campos do Jordão (2007-2009), da Secretaria de Meio Ambiente de Osasco (2009-2012) e da Secretaria de Saúde de Capão Bonito (2012-atual), todos no estado de São Paulo.

Curso assistencial – oficinas

As oficinas foram planejadas e aperfeiçoadas com o intuito de ensinar à população assistida os métodos inovadores da culinária baseada em plantas, como desidratação, prensagem, coagem e fermentação, entre outros. Incluem também experiências e trocas com agricultores orgânicos, em feiras ou na própria área de plantio.

Cada aula prática é precedida de uma aula teórica, planejada para que informações científicas de ponta sejam entendidas por pessoas de qualquer nível social e/ou educacional. Nessas aulas alegres e objetivas, com duração de duas horas e meia, são transmitidos os conceitos que serão aplicados na aula prática correspondente. Há uma resposta sempre positiva da população assistida, que se vê motivada a frequentar as outras oficinas.

Assistentes de saúde integral

Esses colaboradores, aos quais basta um nível de educação de segundo grau, são treinados nos conhecimentos básicos teóricos e práticos que transmitirão nas oficinas. Atuando como "enzimas" do Modelo Biogênico, trabalham também na fidelização e na perpetuação da demanda das famílias e indivíduos que passaram a perceber melhoras na saúde após palestras dadas por eles ou por outros profissionais de saúde que integram o projeto. Cabe-lhes manter os ganhos clínicos adquiridos nas primeiras etapas de trabalho, não apenas pelos alimentos, mas pela adoção de todas as práticas do modelo, que é focado na prática da medicina integrativa. Também gerarão novas instruções, envolvendo plantas medicinais, chás, cosméticos e novos ingredientes da rede.

Os assistentes recebem ainda uma orientação ética fundamental. Como seus honorários dependerão da quantidade de cestas vendidas semanal e mensalmente, eles serão estimulados a trabalhar pelo prazer de levar saúde às pessoas, e não apenas pelo dinheiro que isso gera. Caso um paciente/cliente se mostre indeciso quanto à continuidade do processo, encontrará no assistente de saúde integral um incentivador, capaz de insistir, com moderação, para que não abandone os hábitos saudáveis recém-adquiridos. Mas, como já mencionamos, este o fará por idealismo e não apenas para manter seus lucros.

Em vez de "funcionários", no sentido tradicional do termo, os agentes da saúde integral serão beneficiados pelas de compras por preço de atacado, compartilhando os lucros gerados pelo varejo, cuja administração ficará a cargo de uma gestão unificada, informatizada e transparente. Outra característica do modelo é que esses colaboradores terão mobilidade própria, podendo chegar a desenvolver novas células, à medida que aumentem sua capacitação e se sintam habilitados para tanto. A Oficina da Semente se encarregará de manter os princípios fundamentais dessa prática que leva saúde à terra, à humanidade e ao planeta.

Módulo I
DESGRUDANDO-SE DO AÇÚCAR
Aula teórica: a dieta centrada no açúcar e todos os seus malefícios; doces saudáveis (frutas) e doces nocivos, que contêm açúcar e gorduras hidrogenadas em sua composição.

Aula prática culinária: preparo de doces, pudins e musses com frutas vivas locais.

PÃO DOS ESSÊNIOS
Aula teórica: efeitos nocivos da dieta centrada em pão e amido; efeitos na viscosidade sanguínea; atividade teatral para exposição de detalhes da microcirculação: tomates tornam-se glóbulos vermelhos, e as fileiras de alunos tornam-se capilares.

Aula prática culinária: germinação do trigo e preparo solar do pão essênio salgado e doce e da pizza, para substituir os pães feitos com amido, fermento e agentes químicos.

LEITE DA TERRA
Aula teórica: cuidados com a terra, plantio biodinâmico e como organizar a maneira de viver sobre uma nova base fundiária e econômica.

Aula prática culinária: visita a horta ou feira orgânica; aproveitamento de todos os recursos do canteiro orgânico, usando espécies não convencionais e de custo zero (Plantas Alimentares Não Convencionais, Panc); preparo e degustação do leite da terra.

CALDEIRADA DE FRUTOS DO MATO
Aula teórica: valor nutricional dos produtos de horticultura e dos cereais e leguminosas como pratos de reforço; o papel positivo do feijão com arroz.

Aula prática culinária: tempero e prensagem; cozimentos químico, osmótico e mecânico; pratos amornados da culinária brasileira, adaptados para versões saudáveis, sem radicalismos e com muita tolerância; a técnica dos seis temperos: salgado, doce, amargo, azedo, picante e oleoso; preparo de caldeirada de frutos do mato e macarrão de abobrinha.

ALMOÇO DE FAMÍLIA

Aula teórica: alimentos que devemos procurar e que devemos evitar; o consumo de produtos animais e a maneira mais racional de fazê-lo, ou como abster-se de laticínios, carnes vermelhas ou embutidas.

Aula prática culinária: almoço com todas as turmas do mês (módulo I); cada participante traz de casa seus ingredientes e prepara uma receita de culinária vegana saudável; mesa coletiva com dezenas de pratos na qual se comemora a conclusão do curso "em família".

Módulo II

LEITE VEGETAL

Aula teórica: cadeias produtivas de leite bovino e outros leites; aplicação de hormônios, infecções recorrentes e antibióticos, presença de células somáticas (pus) e dejetos hormonais biológicos; a falsa redenção da pasteurização; implicações na saúde de uma dieta centrada no leite; comparação entre o leite animal e o leite de castanhas; pecuária orgânica.

Aula prática culinária: preparo do leite de castanhas; discussão sobre a relação custo-benefício desse leite.

CARNE VEGETAL

Aula teórica: a proteína vegetal viva; o poder nutricional de sementes germinadas, óleos extravirgens, castanhas e abacate; malefícios da dieta centrada na carne; ética animal e devastação dos recursos naturais.

Aula prática culinária: preparo culinário de carne vegetal à base de castanhas, cogumelos e sementes germinadas; preparo de abacate com os seis temperos; espetinhos.

BROTOS E GERMINAÇÃO

Aula teórica: propriedades nutracêuticas e terapêuticas dos brotos e das sementes germinadas.

Aula prática culinária: preparação de brotos, com ampla variedade de espécies, mostarda, trevo, broto de feijão, girassol e trigo; apresentação das propriedades da grama do trigo e incentivo ao seu consumo diário.

FERMENTAÇÃO

Aula teórica: ampliação do poder nutricional e vitamínico de hortaliças, laticínios e frutas; kefir de frutas e laticínios; probiótica.

Aula prática culinária: coalhada fresca ou seca de castanhas e amendoim; fermentação por bactérias residentes (rejuvelac, chucrute e mosto de uva).

FESTA EM FAMÍLIA

Aula teórica: prevenção e terapêutica do diabetes *mellitus* tipos I e II com a alimentação funcional viva; gorduras hidrogenadas, doces industrializados e falência da membrana celular e da produção de insulina.

Aula prática culinária: encontro de todas as turmas (módulos I e II) próximo a datas festivas do calendário; cada participante traz de casa seus ingredientes e prepara receitas de festa da culinária viva; mesa coletiva com dezenas de pratos na qual se celebra a festa da época ou aniversário.

CAPACITAÇÃO DE PESSOAL TÉCNICO E DOCENTE

Para divulgar o Modelo Biogênico entre a comunidade médica e de nível acadêmico em saúde, desenvolvemos os cursos Bases Fisiológicas da Terapêutica Natural e Alimentação Viva (Bases 1) e Bases Conscientes da Terapêutica Natural e Higiene (Bases 2). Cada curso tem sete aulas teórico-práticas, com carga horária total de setenta horas, nas quais abordamos temas médico-científicos que dão embasamento a todo o trabalho, desde a aula de culinária mais simples até a prática no consultório médico e nutricional. Eles oferecem suporte para que médicos e profissionais de saúde possam compreender, absorver e aplicar os conhecimentos da alimentação vegana saudável em seus pacientes e na população em geral.

CURSO DE CAPACITAÇÃO DE PESSOAL DOCENTE
BASES FISIOLÓGICAS DA TERAPÊUTICA NATURAL E DA ALIMENTAÇÃO VIVA

- Bloco 1 – Biogenia. Princípios de probiótica, nutracêutica e sinergismo. Ecologia intestinal. Enzimas. Modelo fisiológico de câncer. Preparo de alimentos funcionais e pigmentos na proteção contra o câncer e na desintoxicação da radioterapia e da quimioterapia.
- Bloco 2 – Alegria e conquista da felicidade. Abuso de drogas lícitas e ilícitas. O modelo álcool. Depressão e precursores da neurotransmissão. Modelo fisiológico de elevação do bem-estar mental.

Preparo de alimentos funcionais de ação neuropsiquiátrica e temperos psicoativos.

Bloco 3 – Luz do Sol. O método de exposição solar como nutriente e como energia na preparação de alimentos. A importância da via ocular. Proteínas, gorduras e óleos essenciais. Modelo fisiológico de inflamação. Alimentos funcionais estabilizadores da reação inflamatória. Cardápio solar.

Bloco 4 – Água e compartimentos hídricos do corpo. Princípios de microcirculação. Água estruturada. Limpeza e purificação com água. Modelo fisiológico de redução da pressão arterial, do colesterol e da glicemia. Alimentos funcionais mineralizantes e equilibradores da glicose sanguínea.

Bloco 5 – Ar e respiração. Relação do homem com a atmosfera. Equilíbrio ácido-básico. Alcalinização do sangue. Fatores promotores de oxidação. Modelo fisiológico de redução de níveis ácidos dos sistemas epiteliais. Alimentos funcionais protetores dos epitélios respiratório e gastrintestinal.

Bloco 6 – Natureza e ecologia. Princípios de biogenia, vegetarianismo científico e a hipótese do terreno biológico. Modelo fisiológico da degeneração celular. Exposição e preparo de alimentos funcionais.

Bloco 7 – Terra sadia e saúde do homem. Alimentos autênticos e cultivo ecológico. Alfabetização ecológica e prática do projeto ecológico. Modelo fisiológico de elevação da imunidade. Visita a horta orgânica. Preparo de alimentos funcionais para a elevação da imunidade.

Metodologias específicas

Primeira etapa

1) Preparação das equipes de assistentes de saúde integral para o entendimento científico dos princípios fisiológicos envolvidos na culinária de alimentos funcionais. Serão ministrados os cursos assistenciais.

2) Preparação docente das equipes de profissionais de saúde em princípios da medicina integrativa e alimentação baseada em plantas – curso Bases Fisiológicas de Terapêutica Natural.

Segunda etapa

1) Aspectos socioculturais – Início das atividades dos assistentes de saúde integral e análise do grupo atingido.
   1.1) Preenchimento de questionários e protocolos para determinar variáveis qualitativas e quantitativas.
   1.2) Determinação de um critério para que os indivíduos possam ser encaminhados e inseridos no consumo de cestas.
   1.3) Análise dos progressos (ou regressões) ocorridos durante as assinaturas das cestas.
2) Aspectos avaliativos – Avaliação da aplicabilidade e resolubilidade da culinária de alimentos funcionais, enquanto proposta de cuidado básico complementar da saúde do indivíduo, em uma população de baixa/média renda.
   2.1) Feiras e atividades culturais com degustação, com o objetivo de aproximar a população de uma alimentação saudável.
   2.2) Campanhas de divulgação da nova proposta alimentar através de palestras.
   2.3) Mobilização da mídia municipal e estadual – nesse ponto, devem-se valorizar as rádios e emissoras de TV locais e municipais que estejam dispostas a colaborar com esse programa.
   2.4) Levantamento de estatísticas e divulgação da proposta em congressos.
3) Aspectos educativos
   3.1) Desenvolvimento de atividades de educação popular em saúde junto à comunidade estudada, envolvendo práticas alimentares e culinárias relacionadas à promoção da saúde e à prevenção de doenças.
   3.2) Formação, supervisão e capacitação de nossos assistentes de saúde integral, no sentido de gerar novos conhecimentos e técnicas que proporcionem a melhora da qualidade e a resolubilidade de cuidados básicos de saúde.
   3.3) Idem – profissionais de saúde.
4) Aspectos clínicos – Identificação das principais queixas e sintomas relatados pelo grupo selecionado, em nível ambulatorial.
   4.1) Grupos preliminares
      a) *Constipação crônica* – Dependendo do grupo estudado, pode afetar 20 por cento da população. Tem relação direta com maus hábitos de vida e de alimentação. Em idosos, predomina a constipação induzida por uso crônico de laxativos,

suplementos minerais ou vitamínicos e medicamentos anti-inflamatórios e antidepressivos. Identificação de casos e divulgação dos benefícios da alimentação preconizada.
b) *Sobrepeso e obesidade* – Por estarem ambos associados a distúrbios metabólicos e estruturais múltiplos, os estudos relativos a eles englobarão outras entidades nosológicas, tais como dislipidemias.
c) *Diabetes e hipertensão* (leve e moderada) – A alimentação funcional vegana e saudável tem efeitos significativos nas taxas de glicemia e pode reduzir a necessidade de medicamentos e até reverter as manifestações clínicas dessas doenças em suas fases leve a moderada.

Os pacientes selecionados, com seu consentimento, serão estudados em relação a três fatores: intensidade e frequência de sintomas; dados antropométricos e parâmetros mensuráveis; e parâmetros laboratoriais bioquímicos e microbiológicos, através de escalas padronizadas e utilizadas de acordo com a literatura.

Serão preenchidos questionários e protocolos para determinar variáveis qualitativas e quantitativas e para que o hábito alimentar do paciente possa ser avaliado, provavelmente com base na porcentagem de alimentos funcionais que fazem parte da dieta semanal/mensal.

4.2) Análise dos progressos (ou regressões) ocorridos durante o estudo e publicação dos resultados após estatística.

5) Aspectos laboratoriais e bioquímicos – Realização de experimentos laboratoriais que possibilitem a observação de diferenças e semelhanças entre alimentos orgânicos e inorgânicos, crus e cozidos; identificação e análise de possíveis alterações na bioquímica clínica decorrentes da alimentação funcional (sangue, fezes e urina).

PRÁTICA DA NUTRIÇÃO BASEADA EM VEGETAIS

1) Cardápio variado, multicolorido e saboroso, que inclua conceitos de probiótica, alimentos vivos e superalimentos.
2) Respeito à sazonalidade, com suas variações climáticas e demandas específicas.
3) Predomínio de cereais e leguminosas orgânicos, cultivados dentro de um perímetro não maior que 70 quilômetros.
4) Hortaliças orgânicas produzidas no perímetro urbano, cultivadas dentro de um perímetro não maior que 70 quilômetros.

5) Apresentação de Panc (Plantas Alimentares Não Convencionais) como propostas de alimentação funcional de alta qualidade, grande oferta e baixo custo.
6) Desenvolvimento e capacitação constante de recursos humanos capazes de promover saúde através da culinária, na forma de assistentes de saúde integral e outras atividades profissionais correlatas.

Prática do projeto ecológico

1) Treinamento nos aspectos básicos de alfabetização ecológica e prática do projeto ecológico da população de pequenos e médios produtores rurais.
2) Desenvolvimento de canteiros agroflorestais, horta municipal e feira orgânica/ecológica.
3) Produção de sementes germinadas e brotos de cultivo doméstico.
4) Preparação do leite da terra com raízes, verduras e folhas selvagens comestíveis identificadas no ambiente.
5) Cultivo ecológico de hortaliças, viveiro de árvores frutíferas e plantas medicinais.
6) Preparação da compostagem de restos alimentares vegetais.
7) Estímulo ao autocuidado e aos cuidados com o meio ambiente.
8) Escoamento da produção da horta para particulares pagantes (autossustentabilidade), merenda escolar, restaurante popular e oficina de alimentos funcionais.
9) Envolvimento de comunidades carentes na produção de hortaliças e alimentos.
10) Envolvimento de pequenos e grandes produtores rurais no resgate de frutas, especiarias e castanhas da região, através de técnicas modernas de plantio ecológico (permacultura e agrofloresta).
11) Desenvolvimento e capacitação constante de recursos humanos capazes de promover saúde através da agricultura orgânica, na forma de agentes de saúde da terra.

Resultados esperados, relevância e futuras aplicações práticas

Os resultados obtidos com a demonstração preliminar da viabilidade e resolubilidade da alfabetização ecológica e da alimentação funcional e da sua preconização enquanto cuidado básico complementar para a saúde da família servirão de base para novos estudos, que poderão aprofundar e ampliar o escopo da pesquisa, incluindo a nutrição, a nutracêutica, a economia familiar, a agricultura biodinâmica e outros aspectos relevantes do tema.

Resultados preliminares

A alimentação funcional enquanto prática de revitalização e saúde, com estímulo a mudanças de hábitos de vida, ao autocuidado e à atenção ao meio ambiente, já promoveu a reversão de doenças como hipertensão arterial, diabetes, depressão, artrose, obesidade e praticamente todos os distúrbios digestivos (casos dispersos em todo o território nacional).

Recursos humanos e material necessário

Às prefeituras dos municípios envolvidos serão solicitados recursos materiais ocasionais, como transporte de indivíduos que possam receber gratuitamente instruções no centro de saúde integral. Serão treinados os recursos humanos disponíveis dentro das comunidades dos municípios envolvidos.

O trabalho voluntário é bem-vindo, pois permite maior propagação do método de saúde. Os voluntários assinarão contratos para exercer essa atividade e participarão do projeto de maneira regular, nas oficinas, nos seminários de tese e clubes de revista e nas demais atividades a serem determinadas.

Discussão

Fatores desfavoráveis

1) A população em geral está acostumada a um padrão alimentar dentro do trinômio farináceos/açúcares/gorduras industrializadas.
2) Existe um padrão cultural regional que favorece uma dieta hipercalórica e hiperproteica, principalmente nos meses mais frios.

3) O sistema de distribuição de alimentos industrializados (*junk food*) é de grande eficiência, atingindo toda a periferia das cidades e mesmo as regiões rurais, competindo em oferta e preço com quaisquer alimentos locais ou naturais.
4) Essa oferta de alimentos baratos e desprovidos de valor nutricional é prática e vista como um conforto pelo consumidor, o que favorece sua fidelização à indústria de alimentos processados.
5) As feiras locais oferecem produtos de cultivo familiar pulverizados com algum tipo de pesticida ou herbicida. Não há receituário de agrônomo, controle ou fiscalização rural nesse nível.
6) Esses mesmos agricultores/feirantes adotam uma postura firmemente resistente à adoção de técnicas agrícolas menos agressivas ao ambiente ou à saúde, alegando ter que garantir o sustento da família. Segundo a mentalidade em vigor, o plantio sem agrotóxicos estará invariavelmente condenado ao fracasso.
7) Ao serem indagados sobre o uso de agrotóxicos, eles afirmam que "quase não aplicam nada", conferindo a quem consome seus produtos uma falsa sensação de segurança alimentar.

CONTRAPARTIDA

1) Iniciativas anteriores de produção orgânica bem-sucedidas, mas interrompidas por falta de continuidade do processo consumo/distribuição.
2) Atividade do projeto federal de compra da colheita do pequeno produtor para fins de abastecimento da merenda escolar e de órgãos públicos.
3) Extensa área para novas iniciativas de cultivo.
4) Microclima favorável à fruticultura e à agricultura em geral.

CONSIDERAÇÕES FINAIS

Os resultados estatísticos relativos a melhoras da saúde dos grupos atendidos são ainda pouco substanciais, pelo início precoce do programa Oficina da Semente. Mas existem estudos abrangentes sobre a influência da nutrição baseada em vegetais sobre a saúde humana: a) resultados clínicos em controle do peso, redução de inflamação e regulação da pressão arterial e parâmetros cardiovasculares; b) controle e erradicação do diabetes; c) substituição da microbiota intestinal por bactérias originadas do solo (organismos homeostáticos do solo, probióticos); d) aumento da atividade enzimática plasmática e enzimática; e) oferta de óleos essenciais e redução dos níveis inflamatórios de PCR ultrassensível; f) restauração do potencial antioxidante intracelular e plasmático (ORAC); g) equilíbrio da reologia sanguínea; h) homeostase de hidrogênio – pH intracelular/intersticial/plasmático, equilíbrio ácido-básico; i) absorção de vitaminas, minerais e enzimas; j) efeitos dos fitonutrientes sobre a polaridade de membrana das hemácias, com redução do empilhamento de hemácias e viscosidade do sangue; k) presença de caroteno no plasma e potencial terapêutico da dieta hipocalórica.

Esses parâmetros têm em comum fatos biológicos que atuam de forma sistêmica. A nutrição baseada em vegetais vem ganhando adeptos no mundo e no Brasil e conquistando crescente legitimação na sociedade. Faz-se necessária uma demonstração científica tanto da viabilidade quanto dos benefícios dessa forma de alimentação, enquanto proposta de cuidado básico para a saúde da família e da população.

O desafio está em influenciar os padrões de ingestão de alimentos nocivos adquiridos em décadas. Parece fácil entender que o alimento afeta a saúde e que o apetite precisa ser controlado. Mas a criação de valores idiossincráticos sobre o que é saudável ou não (e com o apoio da mídia) ainda é o grande obstáculo a ser superado.

A culinária é peça-chave inteligente na alfabetização em saúde humana e ambiental. Trata-se aqui de uma mudança cultural, portanto incluem-se nela áreas de conhecimento de ciências humanas, como a antropologia, a pedagogia, a filosofia e a sociologia.

A prática de métodos de cozinhar aproxima o profissional de saúde da população. Assuntos pertinentes à saúde humana são abordados em meio a ingredientes naturais e equipamentos simples, e os resultados obtidos são refeições coletivas, compartilhadas em mesas comuns aos participantes. Nesse ambiente, e através de visualizações e metáforas simples, conceitos importantes da ciência médica podem ser transmitidos de forma direta e simples à população, que se torna consciente da necessidade de mudança dos hábitos alimentares.

O Modelo Biogênico se presta à prática da interdisciplinaridade, no diálogo entre a educação e a saúde. E mais: permite o livre trânsito entre as disciplinas de fisiologia, bioquímica, genética, microbiologia, práticas corpo e mente e medicinas tradicionais, transcendendo a agricultura e a nutrição e criando um universo próprio.

É com base nesse universo de informações, capazes de permitir a escalada do grupo humano para condições melhores de vida, que formataremos um currículo acadêmico que possa cumprir com o nível de pós-graduação na área da saúde.

Com a implantação do Modelo Biogênico aqui descrita, inaugura-se uma estratégia inédita, criando-se, pela primeira vez em nível municipal, a demanda por produtos da agricultura orgânica e saudável acoplada a uma cozinha onde se ensinam métodos de culinária funcional. Estão em desenvolvimento etapas para o início de uma feira orgânica e entrega de cestas e produtos em domicílio.

O objetivo é que o produtor venda seus produtos para o consumidor com o mínimo de atravessadores, permitindo o escalonamento de preços e cestas de produtos orgânicos para diferentes níveis de renda. Aos consumidores de renda inferior serão oferecidos produtos de agricultura orgânica de baixo custo, como folhas de abóbora, de milho e ervas do campo, todas frescas e utilizáveis no preparo do leite da terra. Com isso, democratiza-se o acesso ao produto orgânico e ao alimento funcional, criando-se diversas oportunidades de aumento da produção e de geração de lucro no cinturão agroecológico dos municípios de Ribeirão Grande, Guapiara e Capão Bonito.

Equipe de Saúde da Família	Equipe de Saúde da Terra (agricultura orgânica)
Enfermeiro Médico Técnicos e auxiliares de enfermagem (ou parceria com o PSF) Assistentes de saúde integral	Agrônomo especialista em agroecologia Técnico agrícola Líder de equipe agrícola Agentes ecológicos de saúde rural

Em uma segunda etapa, foi proposto também o desenvolvimento do Programa de Saúde da Terra, no qual agrônomos, técnicos agrícolas e "agentes ecológicos de saúde da terra" visitem, orientem, fiscalizem e controlem a produção agrícola orgânica (Tabela 1), em parceria com a Vigilância Sanitária e a Saúde Ambiental municipais. O objetivo são colheitas que abasteçam o mercado interno (prefeitura e moradores) e externo (cidades vizinhas) dos municípios envolvidos. O sítio Nirvananda, já plantado com o modelo agroflorestal, servirá de escola e laboratório rural.

A princípio, a meta é produzir itens primários, mas em uma segunda fase pretende-se desenvolver produtos de processamento por métodos naturais (desidratação, moagem de grãos, fibras e utensílios).

Nesse modelo, a cozinha representa um aspecto fundamental na alfabetização ecológica, pois nela ocorre o aprendizado das técnicas culinárias de vanguarda, ao mesmo tempo que torna imprescindíveis os elementos nutritivos de origem orgânica. Prevê-se o crescimento de famílias convertidas em relação aos hábitos alimentares, alavancando em igual progressão o surgimento de novos canteiros disponíveis no perímetro agroecológico.

As diretrizes governamentais passam a ser praticadas na íntegra, tanto na assistência à população brasileira, ameaçada por índices epidêmicos de doenças degenerativas, quanto na capacitação de pessoal. Incluem-se aqui profissionais de saúde e técnicos em assistência de saúde integral e em agricultura orgânica, que auxiliam na progressão das técnicas para o saneamento do solo agrícola e na fixação na terra de famílias de pequenos produtores, evitando o êxodo rural contemporâneo, determinado atualmente pelo modelo do agronegócio.

Trata-se de um modelo de baixo custo, pois utiliza a estrutura já existente em centros, parques e postos de saúde dos municípios. O maior valor circulante é o da informação – informação verbal, transmitida pelos educadores e agentes de saúde; e não verbal, trazida pelo contato com a natureza e pela ingestão de sucos, leites e alimentos de todos os sabores. Torna-se um programa autossustentável e de grande reprodutibilidade. Os autores estão padronizando as aulas docentes e assistenciais, com a finalidade de criar cartilhas com as quais se pretende capacitar e treinar equipes de outros municípios.

Agradecimentos à Prefeitura de Capão Bonito, nas pessoas do prefeito Julio Fernando, do vice-prefeito Marco Citadini e do secretário de Saúde, dr. Fabrício Olivati.

Anexo II

Atividades presenciais

Neste anexo, relacionei alguns cursos oferecidos pela Oficina da Semente que podem ajudar todos que desejem pôr em prática o que foi apresentado no livro. A vivência prática, na cozinha e na natureza, ajuda a entender como é possível levar uma vida em equilíbrio consigo mesmo e com o meio ambiente.

Curso Bases Fisiológicas (Bases I)

Neste curso, são ensinadas as principais técnicas de culinária viva e como adquirir equilíbrio de sabor, consistência e outros truques culinários que fazem toda a diferença no sucesso das receitas e em sua inclusão no cotidiano.

O curso aborda e aprofunda os conceitos e fatos científicos apresentados no livro, como prebiótica e probiótica, nutracêutica, fisiologia celular, hormônios, neurotransmissores, microcirculação e hipótese do terreno biológico, permitindo que o aluno tenha uma visão ampla dos processos que estão por trás dos principais problemas de saúde da atualidade.

As diversas vivências na natureza, praticadas em grupo, somadas à alimentação orgânica servida durante o curso proporcionam um contato profundo com todos os temas abordados, dentro do conceito das bases biológicas da medicina integrativa.

Curso Bases Conscientes (Bases II)

Neste curso, os temas são no âmbito mental, emocional e evolutivo. São apresentadas aulas sobre epigenética, semana de sucos vivos, práticas de ayurveda de limpeza e desintoxicação, individualização da dieta, bases fisiológicas do jejum e alimento vivo.

Estimulamos o contato constante com um ambiente 100 por cento natural e com alimentos orgânicos, enquanto realizamos vivências dos sete níveis da paz, do amor criativo, das fogueiras terapêuticas e da árvore da vida, práticas ancestrais que se encaixam dentro do conceito das práticas corpo-mente da medicina integrativa. Sessões de alongamento com MPB, meditação e contemplação também fazem parte da rotina do curso.

A alimentação orgânica e fresca e a descarga hepática, associadas com outras terapias oferecidas durante o curso, possibilitam ampla recuperação nos âmbitos físico, mental e emocional.

Minicurso de Alimentação Baseada em Plantas

O curso compõe-se dos seguintes módulos:

Oficinas de Alimentação Viva (6h)
Ensina as principais técnicas utilizadas no preparo de alimentos vivos, a transformar os ingredientes naturais em receitas saudáveis e saborosas através de truques culinários simples.

Receitas
Módulo I: leite da terra (suco verde), caldeirada de frutos do mato (cozimento mecânico), pão essênio (germinação) e doces vivos (desidratação). Módulo II: queijo e patês, leite de castanhas, carne vegetal, pratos festivos. Carga horária: 11h cada módulo.

Palestra (total de 5h)
Fornecer informações sobre saúde em geral que, se aplicadas no cotidiano, ajudam no tratamento de doenças e na manutenção da saúde.

Exames

História clínica nutricional, exame físico, solicitação e análise de exames complementares segundo a rotina normal. O entrevistado é orientado quanto ao seu quadro clínico e é estimulado a participar das oficinas culinárias.

Treinamento de equipes de saúde

Este treinamento, voltado ao atendimento de equipes de saúde de outros municípios, é conduzido na região de Capão Bonito e Ribeirão Grande (SP), no ambulatório de práticas integrativas "Casa Santa / Oficina da Semente".

As equipes de saúde recebem hospedagem e alimentação, passando por treinamento específico para médicos, enfermagem, nutrição e assistentes de saúde integral (culinária e procedimentos básicos em alimentação baseada em plantas).

Treinamento em Agricultura Sintrópica e Agroecologia em forma de retiro ou voluntariado

É realizado no Sítio Agroflorestal Nirvananda, em parceria com o Hotel Paraíso e o Parque Estadual Intervales, em Ribeirão Grande.

Atividades na web

Website com palestras, comentários e *hang outs* com os autores, nutricionista e promotores de saúde
  Website com receitas culinárias novas na forma de vídeos
  Website com cursos online (gratuitos e pagos)

Contatos

Oficina da Semente / Modelo Biogênico
contato.oficinadasemente@gmail.com
www.doutoralberto.com.br
www.oficinadasemente.net

Idealizadores

Dr. Alberto Peribanez Gonzalez
Médico especializado em cirurgia geral pela Universidade de Brasília e doutor em medicina pela Ludwig-Maximilian Universitat/ Munique, Alemanha. Autor do livro *Lugar de médico é na cozinha*, mais de 100.000 exemplares vendidos, e colaborador em diversos livros. Coordenador Nacional do "Modelo Biogênico" e da "Oficina da Semente". Atuou nos Programas de Saúde da Família de Campos do Jordão, Osasco e Capão Bonito (2008-2014). Docente auxiliar no Curso de Pós-Graduação em Bases da Medicina Integrativa do Instituto de Ensino e Pesquisa Albert Einstein/SP

Maya Arruda Beermann
Técnica em nutrição pelo Senac, chef de culinária saudável especializada em alimentação baseada em plantas. Foi responsável pela merenda escolar da Prefeitura de Campos do Jordão (2001-2009), pelo "Programa de Alimentação Viva" junto às prefeituras de Osasco (2009) e Capão Bonito (2011). Docente e coordenadora pedagógica da Oficina da Semente.

Acesse o QR Code
para conhecer outros
livros do autor.

Compartilhe a sua opinião
sobre este livro usando a hashtag
#CirurgiaVerde
nas nossas redes sociais:

/EditoraAlaude

/AlaudeEditora